「上杉绘梨衣」

我们都是小怪兽，有一天会被正义的奥特曼杀死。

「夏弥」

龙和人一样，最开始只是降临在这个世界的孩子。

「楚子航」

如果你还有命能拼，就别等到后悔了再拼。

Written by 江南

Illustrated by 纹银

「诺诺」

每个人都会有强撑着坚持下去的理由，很多时候那种理由被称作命运，其实说到底是你自己不愿放手。

「路明非」

我是个偶尔会发疯的人啊！

「路鸣泽」

我重临世界之日，诸逆臣皆当死去！

「芬格尔」
你是我的兄弟，我也没用又憋屈，我也没钱又虚荣，你经历过的我都经历过……败狗和败狗，怎么能不走同样的路？

「恺撒」
世界上不该有任何牢笼能困住一个真正的男人，只有一样例外，那就是你喜欢的姑娘。

「昂热」

那男人心里藏着煤矿，怒火被点燃就再不熄灭，直到烧死敌人，或者烧死自己。

「零」

那种要向全世界呼救的人，恰恰就是全世界没有任何人会去救的人。

知音动漫图书 · 新阅坊　《漫客小说绘》书系

龙族IV 江 南 ✪ 著
奥丁之渊
DRAGON RAJA

By Jiang Nan . 2015

Conceived，Created and Designed by Zhiyin Comic

你打开前方那扇门的时候，身后的退路就会消失，自始至终，你都只有一条路走。

When you open the door in front of you，you lose the way at your back.From beginning to the end，you have only one way to go.

知音动漫图书·新阅坊荣誉出品

《漫客小说绘》书系

他们咆哮，他们厮杀，

这是王与王的战争，

唯有死亡可以终止！

江南

IV

龙族IV 奥丁之渊
DRAGON RAJA

DRAGON RAJA

奥丁之渊

楔 子

| 通往世界尽头的航路 |

A Sea Way to the End of the World

在他的心底深处，他一直痛恨自己没有胆量跟父亲一起死在那个雨夜里。

那样的死亡很好，一点都不孤独。

北纬72°，格陵兰海。

漆黑的夜幕下，赤红色的大船冲开了碎冰，后面留下20米宽的蓝黑色水道。

这里已经是北极圈内了，时值严冬，浮冰遍布整个海面，也只有这种怪兽级破冰船才敢在这个时候继续向着北极点突进。

YAMAL号，世界上最大的破冰船，隶属于俄罗斯，两台重水式核反应炉给它提供了几乎无尽的动力，坚厚的装甲舰艏能够轻易地撞碎6米级别的冰山。全世界的破冰船中，除了少数不能公开身份的军用怪物，就只有YAMAL号曾经航行到北极点。

"Hello，Hello，这里是YAMAL号，我们正航行在北纬72°线上，请问附近有亲爱的小伙伴能够聊聊天吗？我期待你是个欢乐的美国人，别是个只会讲冷笑话的英国佬！"驾驶舱里，中年的俄罗斯籍船长就瓶喝着伏特加酒，冲无线电系统嚷嚷，像是晚间广播节目的主持人。

无线电保持着绝对的静默，甚至连杂音都极少。

这也是理所当然的事，冬季航行在北极圈里的船只寥寥无几，彼此间距都在上千公里，而最先进的长波无线电也就能呼叫几百公里。

非常寂寞，总跑这样航线的船员，稍不留心就会患上抑郁症，而船上治这病最好的药就是酒。船长无聊时就会打开无线电碰碰运气，要是碰巧能够呼叫到其他极地船舶，管他美国佬还是英国佬，都会蛮开心地聊上一会儿。

"唉！今晚找不到可以聊天的人啦！"船长叹了口气，"那我去赌场试试手气，大副先生，这艘船就暂时交给你啦！"

他跌跌撞撞地往外走去。

船上的赌场金碧辉煌，阵阵暖风中裹着威士忌、手卷雪茄和高级香水的浓郁气息，高挑的白俄罗斯女孩穿短裙露大腿，充当发牌员，世界各地的美食都能在这艘船上品尝到，甚至北京烤鸭。

巨额财富生生地在这片生命的绝地制造出一个小拉斯维加斯来。

YAMAL号建造于原苏联时代，最初是计划用作科考船的，但苏联解体后，进军北极的战略目标被暂缓了，巨额修建的船总不能闲着，就投入民用，改造成豪华赌船，终年在北冰洋上巡航。北冰洋是公海，公海是不禁赌的，顺便还能欣赏极地风光，所以即便船票价值不菲，这趟"圣诞之旅"的船票也是销售一空。

这艘船上下共有 11 层，其中六层都改造成豪华船舱，此刻这些船舱里满满当当地住着 1200 名游客，外加差不多 1000 人的船员和服务人员，可以说是一座浮在北冰洋上的小型城市。

"女士们先生们，现在请从左侧的舷窗往外看去，你们会看到一座高度超过 25 米的中型冰山，"导航员的声音回响在大厅里，"那座冰山是一块巨型冰原的遗体，32 年前它从北极冰盖上脱落，始终在附近海域漂浮着，船员们都亲昵地把它叫作'玛丽女孩'。经过 32 年的融化，我们的玛丽女孩越变越小了，今年可能是她最后一次陪伴我们的冰海之旅。再见，玛丽女孩，我们会想念你的。"

墙壁一般的冰崖贴着船身滑过，呈现出一种美得炫目的幽蓝色，白色的水鸟们站在"玛丽女孩"的顶部，呆呆地看着这艘红色的庞然大物从身边驶过，就此远隔天涯。

没有几个游客真的去看"玛丽女孩"最后一面，性感的白俄罗斯女郎、火热的赌局和醇酒把他们的目光牢牢地吸在了赌桌上。

船长踱步到舷窗边，向外眺望，幽幽地吐出一口烟。

"像是送别旧朋友？"身边响起一个年轻的声音，声音里有着冰山般的质感。

船长扭过头去，打量那个不知何时出现的年轻人，他身穿一身黑色西装，一头黑发，身上好像只有黑白两色。年轻人手提一个考究的皮箱，肩上挂着长形袋子，看相貌他应该是个中国人，可口音却是标准的美式英语。

"可不是么？总在这么寂寞的海域航行，我们给每座标志性的冰山都起了个女孩的名字。在我们心里，玛丽就像个白色女孩，永远在这片海域等着我们，我们看到她，不用看经纬仪也知道自己航行在哪个海域。"船长感喟地说，"怎么称呼您？"

"我姓楚，楚子航。"

"有什么我能为您效劳的么，楚先生？"

"我想见见船长。"

"那您可算找对人了！"船长正了正自己的船长帽，"在下萨沙·雷巴尔科，正是这艘 YAMAL 号的船长，随时准备着为您服务！"

"不，我要见的不是你，我要见的是真正的船长。"

船长愣住了，瞳孔里跳闪过一缕锐光，但转瞬即逝。

"一艘船上怎么会有两位船长呢？"他耸耸肩，"只有我身体不适不能履行船长职责的时候，才会由大副接替我。可您也看到了，我壮实得像头牛！"

"你的真名并不是萨沙·雷巴尔科，而是亚历山大·雷巴尔科。你曾是俄罗斯联

邦安全局阿尔法特种部队的少校，2001年退役后受雇于那位真正的船长，你的驾船技术其实非常糟糕，但你精通射击、徒手格斗，能熟练使用几乎所有军事装备。你曾经结过一次婚，现在离异，父母住在圣彼得堡，有个16岁的妹妹……"楚子航轻描淡写地说着。

可船长神色骤变。他下意识地膝盖微弯身体前倾，手缩进袖子里——这是试图抓住藏在里面的匕首。亚历山大·雷巴尔科少校，他当年穿着阿尔法部队的作战服时，袖子里随时都藏着一柄匕首。

但他摸了个空，他有十几年没在袖子里塞匕首了，也十几年没用过亚历山大这个名字了。

为了跟过去断绝关系，他可是煞费苦心。先是换了住址换了电话，跟所有老朋友都不再联系，然后雇黑客侵入阿尔法部队的服务器，删除了自己的档案，还做了微小的面部整形……从此阿尔法精英亚历山大·雷巴尔科少校就像从来没有存在于这个世界上，取而代之的是资深船长萨沙·雷巴尔科。

如今那些被他亲手掩埋的过去都在年轻人寒冷而平淡的讲述中被还原了，好像对方是他的背后灵，亲眼看过了他所有的人生。

"任何人，只要他在这个世界上存在过，总会留下无数的印记，不是能轻易修改的。"楚子航最后说，"卡塞尔学院只要对谁有兴趣，总能把他查明白的。"

周围川流不息的人就像流水，萨沙和楚子航对峙，就像流水中的两块礁石。

长久的沉默之后，萨沙绷紧如弓的身体慢慢地放松了，他再度审视楚子航："卡塞尔学院？"

他们当然不会真在大庭广众之下动武，那种进攻姿态只是萨沙的应激反应。

楚子航翻开自己的西装领口，给萨沙看那枚别在领口内侧的银色盾徽，盾徽上是一株枝叶繁茂的巨树，一半极其繁茂，一半彻底枯萎。

"没听说过，也没见过你们的徽记。"萨沙摇摇头。

"我想船长也许会认识这个徽记，我是说真正的船长。"

"你想怎么样？"

"就想见见船长。我知道这条船上有个隐秘的规矩，赌客中赌得最大的人有资格上去见船长。"楚子航掂了掂手中的皮箱，"我来之前，学院准备好了资金。"

萨沙瞥了一眼那只坚固的皮箱，箱子倒是没错，豪赌客都喜欢拎这样的皮箱，装满了能装200万美元现钞。200万美元不能算很多，有些赌客有手下人帮忙拎钱箱，带着十几个钱箱出出入入，不过只是跟船长见个面的话，200万也凑合了。

"好吧，"萨沙耸了耸肩，"带你去见船长没问题，但我先得祝你好运。"

"祝我好运？"

"船长并不太喜欢见外人，他如果见到了外人而又不喜欢那家伙的话，是会把他洗脑的。洗脑那种事，你知道的，洗不好就会显得有点傻。"萨沙说，"我可不想你那么倒霉。"

萨沙键入密码，写着"通往轮机舱，非特许者禁止入内"的门开了。

谁也不会想到这扇粗糙沉重的铁门后竟然是一架精美绝伦的电梯，白色大理石覆盖了地面和四壁，格纹拼花中点缀着祖母绿宝石，辉煌的水晶吊灯悬挂在电梯中央，照亮了墙上那幅雷诺阿的真迹。

外面的赌场大厅不可谓不豪华，可任何东西都怕对比，跟这架电梯比起来，金碧辉煌的大厅就像个大杂院儿。

电梯缓缓地上升，停下的时候已经抵达了顶层，第11层。

YAMAL 号一共有11层船舱，其中五层在甲板以下，六层在甲板以上，越往上的舱位卖得越贵，但顶层的舱位是不出售的，游轮公司对此的解释是那一层里装满了通信设备。随着电梯门打开，首先冲入视野的是各种各样的色彩，地面是酒红色的大理石，墙壁上贴的不是壁纸而是孔雀尾羽，斑斓的绿色透着一股迷幻气息，吊灯所用的人造水晶中掺入了金粉，把灯光的色调调得接近于阳光，两侧墙壁上挂的画从伦勃朗到提香到鲁本斯到梵高，一连串光耀画坛的名字。

真懂绘画的人到这里，会惊讶地发现那些都是真迹，假如是资深的艺术品交易商来到这里，会更加惊讶，因为其中好几幅画根据记载早已不存在于这个世界上了。

只有那些女孩能和这些名画争辉，清一色的白俄罗斯少女，玳瑁色的眼睛，淡金色的长发在头顶梳成高高的马尾辫，红色超短裙，裙边镶着毛茸茸的白边，过膝的白色高跟皮靴。

楚子航和萨沙走出电梯的那一刻，女孩们同声欢呼，"Merry Christmas！"其中最漂亮的那两个迎了上来，一左一右地挽住楚子航的胳膊，顺手把他肩上的长形布袋拿走了。拿到长形袋子的女孩对萨沙使了个眼色，从袋子的重量和手感可以确定里面是武器，当然不能有人带着武器去见船长。

楚子航没有反抗，只是有些出神，他才意识到今天是12月24号，今夜就是平安夜。游客们是特为来北极圈过圣诞节而搭乘 YAMAL 号的，传说圣诞老人就住在北极。

只有他例外。他来这里是要完成一个任务，所以他没有圣诞节的概念。对他来说，这一天跟任何一天没有区别。

正前方的蓝色雕花大门已经敞开，白色和海蓝色相间的优雅小厅里摆着一张宽大的赌桌，旁边书架上堆满了赌具。而这个赌局的主人，那位身穿白色船长服的老人正

坐在赌桌后面，佝偻着背。

门在楚子航的身后关闭，女孩们和萨沙都没有跟进来，小厅里就只有楚子航和老船长，他们隔着一张赌桌对视。

楚子航审视这位神秘的老船长，他瘦得都快没有人形了，因为脊椎过于弯曲，几乎是趴在了赌桌上，全身皮肤松弛，眼皮耷拉下来几乎要把整个眼睛盖住，可那道细细的眼缝里透出的眼神还是灵动的。他死死地盯着楚子航看，像是饿极了的人见到了鲜美肥腻的西班牙火腿，又像是老色鬼看到了漂亮姑娘。

"你们果真是存在的！你们果真是存在的！"他忽然尖叫起来。

楚子航摘下那枚"半朽世界树"的盾徽放在了赌桌上："看来我猜对了，你是知道我们的。"

"卡塞尔学院，执行部，对么？你是从卡塞尔学院执行部来的！"老船长伸出瘦骨嶙峋的手，似乎是想试试楚子航的手感，那双鸟爪般扭曲的手上戴着三枚贵重的宝石戒指，分明是猫眼、黄钻和一颗名贵的鸽血红宝石。

"是的，执行部临时专员，楚子航。"楚子航在赌桌前坐下，"如果我们的情报没错的话，你的真名是文森特·冯·路德维希，德裔阿根廷人。虽然你的名字从未在福布斯富豪榜上出现，但你实际上是阿根廷最富的几个人之一。没有人知道你是从哪里赚来的钱，你的财富就像基督山伯爵的财富那样。本世纪初，是你向俄罗斯当局租用了 YAMAL 号，从此你一直都生活在这艘船的 11 层，除了少数赌客，没有人见过你。你才是这艘船真正的船长。"

"不愧是卡塞尔学院，完全正确！"老船长文森特咧嘴笑着，像只牙齿快要掉光的老猴子，"我也听过你们很多的事，我知道你是卡塞尔学院新一代混血种中最强的三个半人之一！你是'永燃的瞳术师'楚子航！"

"永燃的瞳术师？"楚子航倒是有些诧异，他还是第一次知道自己有这样的诨号。

"对！就是你！我知道只要你摘下隐形眼镜，你的黄金瞳是永不熄灭的！你和'跛扈的贵公子'恺撒、'炎之龙斩者'芬格尔齐名！还有一个'神眷之樱花'路明非，虽然有些差距，但也是你们中的佼佼者！"文森特大声说着，自我感觉对卡塞尔学院了如指掌。

有那么几秒钟，楚子航觉得自己的大脑处在当机的状态，有种自己的故事被某同人本作家写成小说印成本子卖得满世界都是的感觉。不过很快他就回到了对外物基本不关心的固有状态，别人的世界观扭曲跟他一点关系都没有，就让这个老疯子觉得卡塞尔学院是个充斥着"永燃的瞳术师""跛扈的贵公子""炎之龙斩者"和"神眷之樱花"的地方好了，反正它确实也是神经病的乐园。

"你是怎么知道我们的？"楚子航问。

文森特高深莫测地摇头："你来这里是赌钱还是问问题？"

楚子航点了点头："我知道你这里的规矩，那让我们从赌博开始好了。"他把带来的皮箱放在了赌桌上。

"哎呀呀！这个钱箱可是很不小啊！"文森特怪笑着，"能装200万美元吧？卡塞尔学院真像传说的那样是世界上最有钱的学院啊！不过我这张赌桌呢，下注的下限可是10万美元，你的200万美元可玩不了多久哦。"

但楚子航从皮箱里拿出来的并不是钞票，而是厚厚的一叠纸。

他把那些纸整理了一遍，每十张一叠，一共十叠沿着赌桌的边缘摆开："学院给我准备的不是现金，是银行本票，每张100万美元，一共100张，1亿美元。这些本票可以在苏黎世的德尔塔银行直接兑换现金。"

"100万一局么？"文森特的脸色微微有些变。

"不，十张一局。"楚子航淡淡地说。

"1000万一局？"文森特的脸异常地红润起来，不知道是兴奋还是愤怒，"卡塞尔学院对自己的财力那么有信心？"

"不，不是学院的意思，是我想赌得快点。学院的意思是每局100万美元，所以才按照100万一局开的本票，还提醒我要小心使用。"

"哈哈哈哈！你想赌得快点？想不到'永燃的瞳术师'是这么有赌性的人！有意思！太有意思了！"文森特咳嗽着大笑。

"也不是，如果快点结束的话，我今晚还能按时睡觉。"楚子航把第一个1000万向前推出。

位于六层的赌场大厅里，舒缓的背景音乐、筹码撞击的声音、调酒师摇晃冰块的声音、高跟鞋敲打地面的声音响成一片，今晚的好时光刚刚开始……

忽然间，所有赌桌上都亮起了红灯，这意味着所有赌桌都被暂时地封了起来。作为豪华赌场的标准配置，每张赌桌背后都有一块巨大的液晶显示屏，上面是这张赌桌上一直以来的胜负，而现在所有屏幕上显示的都是同一个画面，那是一场21点的赌局，旁边标注着此时此刻双方所下的赌注，"$10,000,000"，1000万美元。

大厅中一片死寂，连呼吸声都听不到。在那个数零都要数半天的大数面前，所有人都懵了。

除了少数老赌客，就只有侍者才明白正在发生的事，有人端着托盘的手哆嗦起来，托盘里的水晶器皿相互碰撞，叮当作响。

"天呐！一拖一百！有人带着一百张赌桌一起玩！"一个老赌客惊呼出声，然后大厅里像是炸了锅似的。

懂的人开始侃侃而谈，不懂的人则想方设法地挤到那几个懂行的人身边去听，听懂的人惊呼之后再给那些还没搞清楚状况的人讲解，这个传奇般的赌局像瘟疫般在人群中蔓延开来。

在拉斯维加斯、澳门、蒙特卡罗，都曾发生过类似的事，但即使在那些超级赌城，这也是要上报纸头条的大新闻，很难相信这种大事件会在区区一艘赌船上发生。

即使在那些赌博合法化的国家里，每张赌桌上的金额也都是有限的，超过即为非法。但总有某些神秘的阿拉伯富商之类的人，只有赌到上千万美元的巨额才觉得刺激，为了应付这类客人，赌场就发明了"拖"多少桌的方法来绕开法律对于金额上限的规定。他们把整间赌场封起来，把赌资分散到每张赌桌上去计算，这样从每张赌桌的输赢来看，并未超过上限，但如果"拖"了一百桌的话，总数其实是乘以 100。

此时此刻，那个神秘的赌客相当于占据了 YAMAL 号上的所有赌桌，在跟庄家对赌，或者说，那个人在跟这艘船对赌！

·所有人都面红耳热心跳加速，大家围在最大的几块屏幕前，心惊胆战地旁观着那场不知发生在哪里的血战。赌局的画面是模拟出来的，他们看不到对赌双方的脸，只能知道胜负。赌局还是无声的，几千万美元从庄家流向玩家，再从玩家流向庄家，就只是发牌、补牌、亮牌这几下子而已，有种虚拟游戏般的感觉。

茫茫的北冰洋上，万籁俱寂，灯火通明的船无声地驶过，仿佛空中楼阁，偶尔爆发出尖叫和欢呼，惊动了在浮冰上小睡的北极熊，巨大的白鲸也浮出水面，向着漆黑的夜空喷出暗蓝色的水雾。

双方各有输赢，赌注交替上升，最后滚到了一个令人匪夷所思的数字，1 亿 6 千万美元！

如果庄家输了，连这艘 YAMAL 号都得归玩家所有；如果玩家输了，他可能得考虑跳海了。

根据屏幕上的显示，局面对玩家不利，庄家的明牌是一张 A 而玩家的明牌是一张很尴尬的 3，玩家的胜率只有庄家的一半都不到。

游客们自己就是玩家，当然是略偏心于玩家的，每个人都为玩家心惊胆战，少数胆小的女游客蜷缩在男伴的怀里，微微地颤抖，真不敢想象那个亲手攥着牌的玩家该是何等心情。

可 11 层的那间小厅里，主宾双方都很平静，楚子航坐在桌子的一边，另一边是娇俏的白俄罗斯女孩们围绕着文森特，帮他捶背抚胸，十几双修长的手在这个朽木般的老人身上游移。她们偶尔也瞥楚子航一眼，樱色的红唇上点缀着闪亮的薄片，玳瑁色眼睛如群星闪烁。发牌员是这些女孩中最漂亮的那个，妆容如希腊雕塑中的女神，她看守着长条形的牌盒，用一块长木片将牌发到楚子航和文森特面前。

那个盒子装着共计八副牌，每种花色的牌都有 32 张，彻底洗乱之后混在一起，是没人能记忆或者揣摩的乱数，恰似命运。

"补牌。"楚子航说。

"补牌。"文森特也说。

新的牌分别补到两人面前，楚子航面无表情，文森特带着优雅的笑意，看上去谁都不在意这 1 亿 6 千万美元的输赢。

可实际情况却不是这样，只要蹲下来从桌肚里看向文森特，真相就清楚了。他那只干枯的右手猛捏身边女孩的大腿，女孩腿上块块青紫，却不敢出声喊痛。

他这是在发泄自己的怒气。他在这艘赌船上生活了十几年，在这间赌厅里招待过全世界最顶级的赌徒，富豪、军政府首脑、被国际刑警通缉的要犯，文森特都能从容地接待他们，无论输赢，笑容一定慵懒。

但今天例外。今天他的情绪相当火暴，因为楚子航太安静了，跟块石头没什么区别。

楚子航根本没有表现出对文森特的财富和他坐拥这些美少女的羡慕之情，自始至终，楚子航就是两个动作，把一叠本票推出去，被发了新牌点点头。

文森特把这间赌厅装饰得如此奢华，又找来这些衣着暴露的少女，是想用纸醉金迷来扰乱对手。这招之前屡屡生效，好些赌客的目光就粘在女孩们的肌肤上移不开了。但这招在楚子航身上失效了，楚子航看着被酥胸粉腿围绕的文森特，感觉是牧师在给棺材盖盖上之前最后看死者一眼。

如果只是这样也就罢了，楚子航还在开局的时候做了一件奇葩的事。楚子航从箱子底拿出了一本英文版的《常用赌博规则》，先翻了五分钟。

文森特惊讶地说："你难道还要临场学习赌博规则？"

楚子航点点头说："是啊，我是接到任务之后才开始学 21 点的，怕有什么遗漏。"

文森特怒极反笑说："你们调查过我，想必知道 21 点是我的长项，就算是世界冠军也未必能胜过我，你现在学习规则是不是太晚了？"

楚子航想了想说："不用了，规则也不是很复杂，我玩着玩着就能记住了，也就是打扑克而已。"

这句话直接把文森特推到了失控的边缘，在他看来这是很明显的挑衅！所谓赌博，是在胜与败的刀锋上行走的危险游戏！是真正男人的游戏，赌博的过程中涉及数学、心理和体能等诸多元素。而他文森特，虽然已经老了，却是赌桌上的一头雄狮！无数豪赌客在他的手下输得心惊胆战！

这个二十岁出头的年轻人却只淡淡地说"我来只是打扑克"。他成功地挑起了文森特的怒火，文森特前所未有地专注，他要楚子航把那 1 亿的本票全部留下再走！他

巧妙地控制着场上的输赢，不断地推高赌注，最后要在这一局把楚子航彻底赢空！

这对普通人来说是太不可思议的事，赌博输赢总有概率，即使是世界冠军也没法说自己必定能在某一局取胜，但文森特却能做到。多年以来，他其实是靠赌博赢来的钱维持着这艘巨舰的开销。

他能够记牌。

21点总是用四到八副牌洗在一起来发，这就是避免某些记性特别好的赌客记牌。如果你能清楚地记住出过的牌，再辅以强大的算式，就能极大地提升胜率。

普通人顶多能记两副牌，超级赌客能记四副牌，某些天赋异禀的数学家能记到六副牌，而文森特能记八副牌！这张赌桌上就是用的八副牌，所以整个赌局全在他的控制之中。

新补的牌入手，文森特彻底放松下来，他果然拿到了自己梦寐以求的那张牌，牌面加起来恰好是21点。21点的游戏规则是看谁的牌面加起来的点数高，但又不能高过21点，超过21点就是"爆掉"，反而会输得一败涂地。文森特已经站在了巅峰，楚子航的运气再好，不过是和他打平而已。

"补牌。"楚子航说。

他补了第四张牌，这在21点中是很罕见的情况，四张牌加起来还没爆掉，每张牌的平均点数不能大过6点……文森特猛然警觉起来，他发现自己忘算了一件事，确实……确实是有那么一条特殊规则的！

对赌徒来说，遗忘了一条特殊规则就像是数学家在方程式中漏掉了一个参数，那样算出来的结果会天差地远！

难道开局前楚子航翻开那本书就是为了确认那条特殊规则？难道这个刚刚学会21点不久的年轻人从一开始就把胜负赌在了那条特殊规则上？

"补牌。"楚子航再一次说出了这个单词。

第五张牌！仿佛雷霆落在文森特的头顶，把他的脑海轰得一片空白！果然……果然是这个特殊规则！最后一刻，那条看似弱小的规则逆转了全局！

楚子航把五张牌全部翻开，两张3和三张2，加在一起只有区区的12点，但这是所谓的"五星"。补到第五张牌还不爆掉就是"五星"，只有最弱的牌凑在一起才能凑出五星，可弱小的五星偏偏能胜过文森特的那手21点。

五星是一条至弱胜至强的特殊规则，而且它只出现在英式的21点里，在美国甚至都不承认这条规则，但偏偏这艘从欧洲出发的赌船遵循的是英式规则！

"我知道你能记住八副牌，"楚子航慢慢地靠在椅背上，"我能记十副，必要情况下能记到十二副。"

长达一分钟的沉默后，巨大的欢呼声自下而上，透过几层钢铁船板传入了位于11层的小赌厅。满船的人都在为那个最后一刻逆转败局的神秘赌客欢呼，连侍者都不例外，这种时候可没人会考虑到文森特的心情。

　　老船长的脸先是惨无人色，继而忽然涨得血红。他剧烈地咳嗽起来，咳到接近窒息，然后猛地吐出一口浓腥的血，溅在女孩们素白的肌肤上。

　　那一刻楚子航一踢桌脚，连人带椅子向后滑出，准确地避开了飞溅的血丝，仍旧是冷冷地看着文森特。

　　文森特眼红如血，伸手指向楚子航："你们……"

　　不用他说完，女孩们立刻反应过来。她们整齐地从圣诞短裙下抽出俄制的PSS微声手枪，手撑赌桌一跃而过。十几个圣诞配色的女孩扑面而来，香艳却杀机逼人。

　　楚子航端坐着不动，女孩们从四面八方围住了他，十几支枪从不同方向指着他的头，就好像楚子航是钟表的轴，而她们是十二时刻。她们齐齐地看向文森特，等待文森特的命令，文森特仍旧指着楚子航，颤颤巍巍，目眦欲裂。

　　枪上忽然传来了惊人的灼热感，女孩们惊讶地看向手中的PSS，发现扭曲的红黑色条纹正从枪口向枪柄处蔓延，仿佛黑红色的藤树正围绕着枪生长，而那些条纹又像蛇一样是活的！

　　她们还没来得及抛弃那些灼热的枪，就听见轰然巨响，十几个爆炸声完全叠合在一起，十几支枪机盖带着火焰向屋顶弹射而去，所有的PSS在同一刻炸膛，火风撩起了淡金色的长发。

　　那些枪机盖叮叮当当落在地上，女孩们捂着烫伤的手跌坐在地，而楚子航依然静静地坐在那把椅子上，连根手指都没有动过。

　　精密控制，这不可思议的一幕源于他对"君焰"的精密控制，他在精确到0.01秒的时间里，用君焰加热了PSS枪膛里的子弹，令它们在极致的高热下爆炸。

　　0.01秒，十几支PSS，十几个在间谍学院受过训练的女孩，全灭。

　　文森特终于喘过气来了，这个看上去早该进棺材的老家伙不知道哪里来的力量，跳过赌桌扑向楚子航。楚子航微微皱眉，他不想对老人动武，可那老家伙扑过来的架势又着实有点瘆人。

　　动作接近于"猛虎落地式"，文森特"扑通"一声跪在楚子航面前，紧紧抱住他的大腿："天命之子啊！你们就是天命之子啊！我可找到你们了！要是元首他老人家还在人间……要是元首能亲眼看看你，该是多么地高兴！"

　　接着他就开始号啕大哭，哭得仿佛黄鼠狼吊孝，说感人至深催人泪下倒也不假，可总觉得有那么点儿不太对。

　　楚子航一下子窘住了，这是他进入这间赌厅以来第一次流露出表情。

女孩们也呆住了，面面相觑，唯有守候在旁的萨沙耸了耸肩，想来这种事情已经不是第一次发生了，萨沙见过。他给楚子航的杯中多斟了些酒递到他手里，意思是说你先喝着，他有的哭呢。

文森特一路哭一路擦鼻涕，唠唠叨叨说了很多，夹杂着"元首""帝国""命运"之类的宏大名词。他说的是德语，楚子航只能勉强听懂几个词，没懂他为什么忽然如丧考妣。

好一会儿，女孩们才把哭泣的老船长扶回椅子上坐下，楚子航拎了把椅子坐在他对面："现在我们可以正常地说些话了么？"

"在那之前我还有个问题，"文森特抹着眼泪，"你是卡塞尔学院里最强的么？如果是跟'跋扈贵公子'和'炎之龙斩者'比起来呢？"

楚子航有点想捂脸，但那张很少有表情的脸似乎捂不捂也无所谓。文森特显然是费尽周折调查过卡塞尔学院，但是不知道为什么，查出了一个完全扭曲的结果。

他直视文森特的眼睛，把这个问题生生地逼了回去："轮到我问问题了，学院派我来，只是想要问你几个问题。"

文森特停止了抽泣，抬眼看着楚子航，目光透着一股子狡黠。这绝对是条老黄鼠狼，楚子航来之前诺玛就给他下了定论。

"如果你坦白地回答我的问题，那学院就会放弃收取从你那里赢的钱。"楚子航说，"今晚你输了差不多两亿美元给我，你是付不起这笔钱的。当年你是阿根廷最富有的人之一，但自从十几年前你踏上这艘船，来来回回地在北冰洋里转圈，你的财富就越来越缩水。这艘船每年都要亏损上亿美元，所以你才设置了这间特别的赌厅，用从豪赌客手里赢来的钱来维持船的运转，你其实已经破产了，对么？"

文森特怔了几秒钟，沮丧地叹了口气："你们果然什么都知道……"

"现在摆在你面前的是两个选择，要么支付那笔两亿美元的赌资，要么告诉我们，这些年你在找什么？"楚子航缓缓地说，"是什么令你执着到舍弃一切的地步？而那个东西，就在北冰洋里。"

"你的学院，"文森特眯着眼睛，"也对那东西有兴趣，对吗？"

"我是来问问题的，不是来回答问题的。"楚子航说。

"这有什么不能说的？任何人都会对那东西有兴趣，除了死人！"文森特恢复了几分活力，换上谄媚的笑容，"既然是你们，我当然愿意共享那个秘密！要想找到那个东西，我还想得到你们的帮助呐！"

他收起了笑容，重又变成那个神秘的老船长、冰海上的巨富。他冲萨沙使了个眼色，萨沙立刻带着女孩们退出了小厅。随着那两扇海蓝色的大门合拢，所有的秘密都被封锁在这间小厅里了。

"在讲述那个秘密之前，也许我应该重新做个自我介绍，请允许我去换一身衣服。"文森特站起身来，冲楚子航微微鞠躬。

楚子航愣了一下，不明白文森特要换衣服的用意。不过他并不介意，耽误几分钟而已，反正只要老家伙不是脱光了衣服回来跟他聊，他都无所谓。

可当文森特推开更衣间的门，再度出现在他面前的时候，他还是吃了一惊，文森特当然没有赤身裸体，恰恰相反，他从头武装到脚！

黑色的高筒皮靴，塞在靴筒里的马裤，黑呢上衣，皮带扣闪闪发亮，带 SS 标记的肩章，大檐帽上是鹰徽和骷髅军徽，这套衣服是那么沉重，年迈的文森特几乎撑不起来，但这只老黄鼠狼还是颤巍巍地踏着步来到楚子航面前，举手行礼，嘶哑地高呼："Heil Hitler①！"

楚子航忽然明白了文森特抱着他大腿时絮叨的那些话，"元首""帝国""命运"……难怪连诺玛也查不到这老家伙的过去，因为世上原本并不存在文森特·冯·路德维希这个人，这是一个伪造出来的名字，他的真实身份是个纳粹余党！

二战之后，很多纳粹党成员逃亡阿根廷，那里远离欧洲大陆，而且在二战中保持中立，堪称纳粹党最后的逃亡天堂，文森特恰恰是其中之一。

"党卫军文森特·冯·安德烈斯中尉，向你致以最高的敬意！'永燃的瞳术师'！"文森特大声说，想来安德烈斯才是他的真实姓氏。

又来……楚子航在心里叹了口气，不过这时候"永燃的瞳术师"反倒没那么荒诞了，因为眼前这一幕已经太太太荒诞了。

文森特走到墙边，墙上挂着一幅用黑布遮起来的画。文森特的眼神忽然变得梦幻瑰丽："尊敬的瞳术师，请让我向你公布帝国最后的秘密……"

"叫我楚子航好了。"楚子航打断了他。

"好的，楚先生。在如今这个世界上，只有你和我知道这个秘密的全貌！"文森特扯落画上的蒙布。

那幅画骤然呈现在楚子航的面前，青色的大海和青色的天空，天空中流动着奇异的云彩，神秘的光从天而降，照亮了海中那座孤零零的石岛，岛中央长满了参天大树，而岛的外围却呈半圆形，仿佛被从中间一刀切开的古罗马斗兽场，在斗兽场中本该安放贵宾座位的地方是一个又一个石洞，每个洞穴里都放着一具棺材。一只小舟驶近小岛，舟上的乘客正要登岛，船头放着棺材，船上站着紧紧裹在白衣中的人形，似死神又似天使。

画风非常写实，细到柏树的叶子和云的缝隙都清晰可见。可题材又匪夷所思，世界上怎么会有专门用于安置棺材的岛呢？多看几眼，一种非现实的恐惧感悄然升起。

----

① Heil Hitler，纳粹党对元首希特勒行致敬礼时说的话，二战之后这种礼仪在德国等国家是违法的。

楚子航移开了视线，这幅画有种奇异的魔性，令他不愿多看。

"这幅画的名字是《死亡之岛》，画家是瑞士人阿诺德·勃克林。他一生中画了五幅《死亡之岛》，元首一个人就收藏了三幅，这是其中之一，另外两幅都被烧了。"文森特幽幽地说着，往壁炉里丢了一块柴，"那是 1945 年 4 月，苏联红军攻破了柏林，元首在总理府的地下室里自杀，那天我记得很清楚，是 4 月 30 日。那年我 20 岁，是党卫军成员，兼任元首的秘书。"

随着这番话，纳粹德国的气息仿佛幽灵般回来了，文森特缩在厚重的座椅里，直勾勾地盯着壁炉里的火，看侧脸满脸老人斑，像个从棺材里爬出来的死人。

楚子航沉默地听着，不予置评。

"元首生前钟爱艺术品和圣物，其中绝大部分都被付之一炬，我拼着命也只抢救出来一小部分，带着它们前往阿根廷。其中的一部分就挂在外面，另外一部分不那么容易追查的被我卖掉了，我的财富就是从那里来的。而其中最珍贵的就是这幅《死亡之岛》，评论家们对这幅画发表过各式各样的评价，比如画家是在描绘一个并不真实存在的岛屿啦，反映了死亡和生命之间的和谐啦……扯淡！"文森特忽然面目狰狞，"只有元首那样的伟人才看穿了这幅画的本质！"

楚子航继续沉默，他来这里不是来纠正这个老纳粹的思想的，以文森特的年纪，再过几年就得带着他对元首的忠诚死在这艘船上了，想为纳粹招魂也没机会了。

"只有真正的艺术家才能看到这幅画里隐藏的秘密！比如元首，再比如伟大的谢尔盖·瓦西里耶维奇·拉赫玛尼诺夫[①]！他在 1909 年看到了这幅作品，被它深深地吸引了，并创作了伟大的交响诗《死亡之岛》！"文森特兴奋地说，"你这样来自卡塞尔学院的高材生，想必也会一瞬间就感触到画中那强大的灵魂！"

楚子航无话可说，文森特在这方面太过高估他。作为一个理科男，楚子航对油画的理解能力，跟恺撒对漫画的理解能力差不多。他从那幅画中没有感触到什么伟大的灵魂，只是觉得画家在绘制那幅作品的时候处在某种极度神经质的状态，近乎疯狂。

换句话说，这应该是幅疯子画出来的画，难怪希特勒喜欢，文森特也喜欢，文森特在纳粹党里也许是个不起眼的小人物，可疯癫倒是跟党魁有一拼。

"元首说，那是一座真实存在的岛！"文森特忽然身体前倾，神情极度诡秘，"那座岛在神话中的名字……叫阿瓦隆！"

楚子航一怔，这个故事越来越离谱了。

阿瓦隆他是知道的，那是凯尔特神话中的一座岛屿，跟英格兰历史上那位伟大的君王亚瑟有关。

------

①谢尔盖·瓦西里耶维奇·拉赫玛尼诺夫，1873——1943，俄国著名作曲家、钢琴家和指挥家。《死亡之岛》是他在 1909 完成的作品，确实是受了勃克林那幅《死亡之岛》的感染。

　　根据吟游诗人们的说法，阿瓦隆是位于世界北方的岛屿，是被精灵之力守护的岛屿，迷雾和沼泽围绕着它，只能划着小船抵达。亚瑟王战死之后，尸体乘着小船前往阿瓦隆岛，到达那里之后，他就将死而复生。阿瓦隆岛上的时间是不流动的，因而它是永恒的，它既是死亡之岛又是生命之岛。

　　这种神话无法考证，但即使世界上真有一座名叫阿瓦隆的小岛，它也不该在北极圈内，否则亚瑟王要从英格兰出发前往阿瓦隆岛，就得乘坐一艘 YAMAL 号这种破冰船。

　　"所以你一直在寻找阿瓦隆岛……或者叫死亡之岛？"楚子航暂时还只得跟着文森特的神经病思维往下走。

　　"是的！是的！是的！"文森特大声说，"这是为了伟大的帝国！阿瓦隆岛，那是伟大帝国的最后希望！"

　　"你怎么知道那座岛——如果它真的存在的话——在北极圈内？"

　　"嘿嘿！"文森特面露得色，"元首是近代史上最伟大的神秘主义研究者啊！全世界最好的巫师和通灵师都效忠于他。他曾经拥有那支刺死过耶稣的'命运之矛'，也曾派遣党卫军的精锐赶赴西藏调查永生的秘密！没有人像他那样了解这个世界的本质，就是他亲口告诉我的。根据对凯尔特古代石刻的研究，阿瓦隆岛就位于这个海域，连经纬度都能推算出来！也是他告诉我，世界上可能存在一个特殊的族群，他们身上流淌着古神的血，他们拥有特异功能，甚至能够呼风唤雨！根据元首给我的线索，我才找到了卡塞尔学院的蛛丝马迹，可我深入研究之后发现你们比元首想得还要闪耀……"

　　"这跟主题无关，继续说阿瓦隆岛，为什么你要去那里？"楚子航赶紧打断。

　　文森特的眼中忽然泛起了泪花，他起身走到那幅画旁的祭坛前。

　　楚子航一进门就看到那个小祭坛了，它其实是个在墙上挖出来的洞，洞的上方带着弧度，洞壁上是拉斐尔那幅《西斯廷圣母》的复制品，旁边放着两支白银烛台，两支烛台中间，是个黑色的匣子。

　　庄严肃穆地行礼之后，文森亚特端起那个黑匣子返回楚子航面前，缓缓地打开匣盖："为了……复活元首！"

　　黑色的天鹅绒上，摆放着一颗白色的骷髅头，头顶上用白银烫着纳粹的卐字徽章，旁边还有 "Adolf Hitler, 20/04/1889 — 30/04/1945" 这行小字。

　　"希特勒的……头盖骨？"镇定如楚子航也呆住了。他只是来做些调查问些问题，没想过要在这个圣诞节有任何奇遇，但自从他踏入这艘船的第 11 层，就不断地遇到古怪古怪更古怪的事。

　　文森特深吸一口气，满怀激情："是的！这就是 20 世纪的伟人、第三帝国的缔造者、德意志的救星、亚特兰蒂斯的继承者……"

　　楚子航不得不打断他："阿道夫·希特勒是么？"

　　"是的！这就是当年我拼着命抢救出来的、元首的头盖骨！元首的智慧和灵魂都附在上面！我要带着它去阿瓦隆复活元首！"文森特说着流下泪来，"元首啊！是文森特没用啊！这么多年还没找到阿瓦隆！"

　　楚子航在心里叹息……这个第三帝国的神经病余党沉浸在复活希特勒的幻想里，世界观完全是扭曲的，难怪他会相信那个奇怪版本的《卡塞尔学院英雄列传》。

　　"是的，"文森特显得很沮丧，"元首曾经跟我说，根据对凯尔特神话的研究，阿瓦隆岛每年只有一天会对外界开放，就是每年的12月25日。所以我租了这艘YAMAL号，每年都在这片海域巡弋。可这片海域里并没有海岛，只有没完没了的浮冰。"

　　楚子航心里苦笑，一座只会在圣诞节对外开放的岛屿，那种东西在游乐园里被称作"圣诞节特别节目"。

　　"但现在就不一样了！"文森特重又振作起来，"现在有你们加入，我相信我一定能在有生之年找到阿瓦隆！你们是古神的血脉！你们能呼风唤雨！您刚才那招叫什么来着？意念爆破？真是太帅了！能有你们加入复活元首的阵营，元首一定很开心！"他捧起那颗也不知是不是希特勒的骷髅头，热泪盈眶，"元首！我都能看见您笑了！"

　　楚子航冷眼看着这个疯子哭哭笑笑。卡塞尔学院当然不会对复活希特勒感兴趣，学院其实是误会了文森特的目的。

　　格陵兰海是学院最关注的几个区域之一，因为那起令学院遭受重创的神秘事件"格陵兰事件"就发生在这个海域，执行部部长施耐德教授声称他在冰海深处见到了龙，高阶的巨龙，甚至某位龙王！

　　之后的十年，再没有人报告过那条冰海巨龙出现，但它的阴影存在学院高层的心里。而YAMAL号总在格陵兰海附近巡航，很明显是在寻找什么东西，于是楚子航奉命登上YAMAL号调查，没想到其实是个脑子完全混乱掉的纳粹余孽想要复活他的元首。

　　"你认为我们也想找阿瓦隆岛？甚至会帮你复活希特勒？"楚子航觉得可以结束这场对话了，白跑一趟毫无收获就算了，不要耽误他按时睡觉，他不喜欢生物钟被打乱。

　　"当然！"文森特眨巴着眼睛，"你们当然会帮助我！元首是20世纪的伟人，改变了整个世界的格局！元首还是伟大的军事家，发明了闪电战和集团化坦克战！元首还是伟大的科学家，没有他就没有导弹和虎式坦克！原子弹最早也是我们德国人研究的，只是被那帮美国小子剽窃了创意！我跟你说连UFO都是……"

　　"听着！世界上没有阿瓦隆，也没有任何关于人类死亡之后可以复活的记载！"楚子航打断了他，"你的元首神志不正常，他的话没有任何可信度，而且还是由一帮巫师和通灵师推测出来再告诉他的。"

　　文森特一下子呆住了，就像被成年人打碎了梦想的小孩子似的，目光呆滞，接着他显而易见地愤怒起来，怒视着楚子航，攥着拳，牙齿咬得格格作响……

"可你们就是证明啊！"他忽然又软了下来，带着祈求的神情，"元首说你们是存在的，你们就真的来到我面前了。那元首说阿瓦隆是一座真实存在的岛，你们为什么不相信？"

楚子航愣住了，从某个角度说，文森特说得也不是全无道理，比起那个什么阿瓦隆岛，龙类与人类的混血后代听起来也够荒诞的。如果荒诞的命题 A 是能被证实的，荒诞的命题 B 为什么就一定是虚假的呢？

他看着文森特，忽然间没有那么讨厌这条老黄鼠狼了。按照文森特自己所说，纳粹的第三帝国覆灭的时候，他只有二十岁，是纳粹党里最不起眼的小人物，只不过是因为接近希特勒而自以为是。他整个世界观都是在纳粹的熏陶下养成的，纳粹灭亡了，希特勒死了，他的世界一下子就崩塌了，所以才会沉浸在复活希特勒的幻梦里。对别人来说第三帝国是地狱，对他来说第三帝国是天堂，只有在那个高悬卐字旗、党卫军皮靴咔咔作响的世界里他才能找到自己。准确地说文森特是个精神病人，一个人生完全错位却又极度偏执的精神病人。

每个人都可能成为这样的精神病人，如果这个世界上只有唯一的一个东西能让你觉得有依靠，你也会不停地找、不停地找……直到再也爬不动。

他站起身来，将那些本票收回皮箱里，拿出手机给那幅《死亡之岛》拍了张照片，这些回去都是要放进报告书里呈交给学院的。

"我想你真正需要的，是个心理医生。"他转身离去。

"请等等！请等等！神秘的瞳术师，请千万听我说完！如果你们能帮我复活元首，元首会慷慨地报答你们！元首当年还有很多宝藏藏在世界各地，只有他知道那些宝藏的开启方法……元首还会建立起新的帝国！到时候你们都是帝国元老院的成员！"文森特慌了，不顾一切地扑上来，想要挽留他。

楚子航半转身，手掌在身后轻盈地切过，一道蒙胧的火影隔开了他和文森特。这也是他对"君焰"控制力上升后的新技巧，在指定的空间里制造一道很快就会熄灭的高温火焰，类似魔法书中的"火墙"。

"这个世界再也不会属于你的元首，死去的人就该沉寂，无论他是否伟大过。"

走到门边的时候楚子航最后一次回头，看见泪流满面的文森特跪倒在那道火影之后，手捧着那颗烫了银的骷髅头。

萨沙把楚子航一直送到大厅，告别的时候萨沙的表情倒是蛮欢快的。

"我也觉得船长需要找个心理医生！"萨沙耸耸肩，"可他那蛮横到不行的样子，平时谁敢劝他呢？我们都是他的雇员，他说什么我们就装得相信什么啦。"

"他跟你们说了他为什么要找那个岛屿么？"

"说是希特勒的宝藏在那座岛上，这故事听着可真玄，不过船长付钱很爽快，你们也知道的，我需要钱。"

"这个我真不知道。"楚子航老老实实地说。

"哦，我有个前妻啦。"萨沙叹了口气，这个满脸胡须的中年男人少见地流露出落寞的神情，"跟我离婚后她遭遇了车祸。你知道的啦，我们俄国人爱喝酒，喝醉了就稀里糊涂撞在车上了。现在她成了植物人，我得赚钱供她住医院。"

"前妻么？"

"是啊，说起来我这辈子也喜欢过好些女人，跑船的人到哪个港口不是寻欢作乐呢？船上太寂寞啦。"萨沙挠头，"可那是唯一一个计划过要跟我生孩子的女人啊！要是真能找到那个岛也不错，分了希特勒的宝藏，娜塔莎这辈子住医院的钱都有了。"

"不耽误您的时间了，要是有空可以来船长室找我喝酒，我可不是说上面那间船长室啊。"萨沙摘下自己的船长帽，冲楚子航挥舞道别，"文森特船长大概得休息上十天半个月才能指挥这艘船了。"

萨沙走了，楚子航独自站在人流中，满耳都是老虎机吐硬币的声音、筹码撞击的声音、调酒师摇晃冰块的声音、高跟鞋敲打地面的声音，客人们还在兴奋地议论那场世纪豪赌。

萨沙并没有派人尾随他，这一点楚子航很确定。此时此刻在这间大厅里没人认识他，他又回到了惯常的状态，拎着执行部配发的箱子，肩上挂着刀袋，满世界行走，处理一个又一个任务，没人知道他是谁。

从日本回来之后差不多已经过了一年的时间，一年里他只回过学院本部两三次，其他时间里都过着如此的生活。多数学生直到四年级才加入执行部实习，但他只用了两年半就完成了全部学分，剩下的时间全都是实习。

学院为他选择的实习地点位于挪威首都奥斯陆，那是个优美而寂寞的城市，宽阔的街道上看不见什么人，因为接近北极圈，它在冬天的日照很短，太阳出来之后几小时就落山了，有时候黑夜简直像是永恒的。生活在那种城市的人都学会了喝两口酒，睡前不喝点酒生物钟就会混乱，楚子航也不例外。他学会了用汤力水和金酒调制鸡尾酒，对着夜幕下的城市一杯杯灌下去，然后倒头就睡。

他走到吧台旁边，示意侍者给他一杯 Gin & Tonic，就是他自己经常调制的那种廉价鸡尾酒。

"Merry Christmas！"香槟酒开瓶，一群人振臂欢呼。

"希望圣诞老人从烟囱里扔给我一个性感的未婚夫！我希望他会拉大提琴，有一点点络腮胡子！"女孩闭着眼睛许愿。

"Jingle bells, jingle bells, jingle all the way……"背景音乐是那首熟

悉的圣诞歌，在中国的大城市，圣诞来临的时候满街也都是这首歌。

男孩在烛光下打开了丝绒的首饰盒，钻石戒指反射着璀璨的光。女孩尖叫出声，男孩就势跪在她的长裙下向她求婚。也不是所有人都是为了赌钱而上这艘船的，去北极圈过圣诞本身就是很浪漫的事。

圣诞老人打扮的侍者穿着鲸骨裙为这对情侣祝福，酒杯里斟满了粉红色的香槟。

这个世界很好很欢乐，只是跟楚子航有些距离，他慢慢地喝着那微苦的液体，回想那个在北京度过的圣诞节……那天路明非和芬格尔说要去西单的天主教堂过圣诞节蹭圣餐吃，楚子航没去，他说他得去帮一个朋友看家。

他拿着那柄银色的钥匙，来到那个老旧的小区，打开那扇尘封已久的门。夕阳满屋，空气中满是灰尘的味道，屋子里还残留着那个凭空伪造出来的女孩的气息……他觉得很累，于是躺在了唯一的床上，醒来的时候，屋里一片漆黑，窗外也是响着这首《Jingle Bells》。

那以后他再也没过过圣诞节，也不是故意不过，就是忙忙碌碌地错过了一个又一个圣诞节。

今后的很多年他可能都会过这样的生活，陪伴他的只有手提箱和刀袋。这是他想要的生活么？楚子航不确定。

最初是为什么要找卡塞尔学院呢？是为了给父亲复仇，想着只要能进入混血种的世界，就总能找到奥丁。但奥丁从此消失了，再也没有关于他的线索。

耶梦加得也不在了，那个如影随形、陪了自己很多年的女孩，坐在吧台边总觉得她还会忽然走进来，吸引所有人的视线，然后在你身边一屁股坐下，双手撑着椅子盯着你的眼睛看，说，你要不要给我买杯喝的呀？

那些年里他认识的到底是夏弥还是耶梦加得，他自己也说不清楚。

执行部的任务中当然不乏有趣的，可更多的时候都是例行公事。再过半年他就彻底毕业了，成为执行部的正式专员，继续驻扎在奥斯陆分部或者被分派到韩国分部——据说韩国分部非常期待他的加入，因为韩国分部同时还兼营演艺事业，出过好几个天团，韩国分部觉得他有这个潜力——再就是全世界流转，成为应付突发事件的特派专员。

然后呢？然后就是升为资深专员，再升为副部长、部长，学院这套组织方式跟政府部门没什么两样，而他会越来越像个公务员。

他会一天天地慢慢变老，也许这辈子都找不到奥丁，也遇不到下一个夏弥……这么回想起来，在日本的那段日子虽然很狼狈但也蛮开心，有那么几个下雨的晚上他们在高天原的浴池里泡澡，拆客人送的礼物，路明非抱怨说恺撒的雪茄太呛人，恺撒说楚子航你泡澡就不要带刀了好么？楚子航枕在刀鞘上，听窗外的雨声……他忽然有点

想念恺撒和路明非，可那之后差不多过去一年了，恺撒也跟他一样去了某个分部，再想聚一起泡澡是很难了。

圣诞老人开始送礼物了，多数游客都离开赌桌过去凑热闹。Gin & Tonic 也喝完了，趁着酒意正好回去睡觉。楚子航把一张10美元的钞票压在杯子下面，说声"不用找了"，起身离去。

他和人潮移动的方向相反，背后传来大家齐声合唱的圣诞歌：

"Jingle bells, jingle bells, jingle all the way

Oh what fun it is to ride

In a one-horse open sleigh

Jingle bells, jingle bells, jingle all the way

Oh what fun it is to ride

In a one horse open sleigh……"

歌声像是海潮，海潮就要把他淹没，海潮中有人看着他的背影，她的目光也如潮水。

楚子航忽地站住了，猛地转身，张口结舌："夏……"

他感觉到了熟悉的目光，这一刻，这个巨大的空间里，就只有他和那道目光。那道如白色潮水般的目光，把他的脑海洗得一片空白！

人们都聚在那棵高大的圣诞树下唱歌，烛光照亮了每个人的眼睛，他们的眼睛是深蓝色的、绿色的和玳瑁色的，却没有楚子航熟悉的那双黑色眼睛，在他视线所及的范围内根本没有中国人。

楚子航足足站了一分钟之久，然后无声地笑了笑。

这种日剧里经常出现的情节居然会发生在他身上，人海中偶尔有个背影让你觉得眼熟，你不顾一切地奔过去，在背后喊他，等那人转过头来，却是一张陌生的脸。

心里有事的时候，人人都会自作多情。

回到自己的船舱，楚子航先用冷水冲了一下头发，在沙发上坐下，回想刚才那个瞬间。

那种感觉挥之不去，总觉得是有人在背后看他。那种鬼精鬼精的目光，捉摸不透的目光，介乎软萌和坚硬之间的目光，带着隐隐的讥诮。

这个世界上只有一个人用那种目光看他……

但那是不可能的。耶梦加得的遗骨留在了坍塌的尼伯龙根里，而那个尼伯龙根恰恰是由耶梦加得和芬里厄构造的，他们都死了，于是坍塌的空间再也没人能打开。

"原来真的会想她啊。"楚子航摸了摸自己的额头，也许是因为喝了酒的缘故，也许是被神神叨叨的船长影响了，竟然产生了幻觉。

酒意消退了些，今晚终归还是没能按时入睡，对他这种机械般精密的人来说，生物钟一乱就很难睡着了，不如做点事情。他取出录音耳麦和电脑，准备把给诺玛的报告写了。

他最近开始试着用录音来写报告，给妈妈的邮件也用录音，妈妈非常开心，说"儿子你的声线可像你亲爹了！虽然你亲爹靠不住，可那嗓音，念情诗真是一流！"楚子航笑笑说"好啊，那我以后都用录音跟你报告。"

妈妈至今也不知道那个男人死了，还以为他是跟狐朋狗友出门做生意了。

"执行部临时专员楚子航，编号 060143A，于北纬 72°格陵兰海报告，时间是晚间 23:42，位置是 YAMAL 号破冰船上。经过跟 YAMAL 号船长文森特·冯·安德烈斯的对谈，基本排除了他是在寻找龙类的可能性……"

接下来是给妈妈的录音，他尽可能地欢快些："妈妈，最近很少给你录音留言，因为一直在船上。导师忽然对北极鲸群的洄游曲线有了兴趣，让我们跟着一艘捕鲸船在格陵兰海上做研究，听起来很危险，不过其实船上还挺有意思的。船很大航行很平稳，船长说这个季节不会有风暴，出海其实很安全。他人很好，捕到鱼之后还教我们怎么切鱼怎么做寿司，我学会了回去教你……"

他给老娘发类似的欺骗性邮件已经发了好几年，说谎张口就来，其实寿司他早就会做了，但不是在捕鲸船上学的，而是在歌舞伎町学的。

"……佟姨休假了你会比较辛苦，毕竟那么多年都是她照顾你，新雇的阿姨有些事情可能不知道，你要耐心地教人家，不要因为人家有一点没做好就着急。要记得热牛奶喝，鲜奶的保存期只有三天，一定要看清楚。今年春节也许能回去过年，我会给你带礼物的。"最后总得对"爸爸"有所表示，他虽然说谎张口就来，但还是无法伪造感情，于是干巴巴地说，"也祝爸爸财源广进吉祥如意！"

录完后他又听了一遍，确认无误，将这两段音频拖进邮件的附件里，按下"全部发送"。

"邮件未能成功发送，已存入草稿箱，请检查您的网络链接。"

这还是他登船以来第一次出现这种情况，YAMAL 号有专用的卫星信号收发台，客房上网是直接走卫星，卫星的超短波通信是打到火星轨道都没问题的。

他拿起座机呼叫服务中心，服务中心歉意地说刚刚接到通信舱的报告，可能是因为磁场异常，YAMAL 号目前对外的通信全部中断了，请他稍后尝试。

他放下电话，舷窗外传来了惊声尖叫，但不是惊恐的，而是极度兴奋的状态下发出的。

通过舷窗往外望去，甲板上聚集了很多人。这是非常罕见的情况，极地游轮跟加

勒比海游轮不同，甲板上没有和煦的阳光，只有凛冽的冰风，客人们只有在想透气的时候才会去甲板上站个五分钟。

楚子航迟疑了片刻，披上风衣走出门。

赌厅里的人都跑到甲板上来了，客人们是盛装礼服，白俄罗斯女孩们将就着裹一件防寒服，短裙下露着白生生的大腿，但即使这样也没人返回温暖的船舱，因为眼前的一幕实在太绚丽了。漆黑的天幕下挂着几百道淡青色的极光，变幻莫测，像是一幅能够覆盖整个天空的长裙，它的边缘以最轻薄的淡青色丝绸装饰。

这种罕见的现象被北欧人称为"神之裙摆"。一般的极光是不够格用这个名字的，必须是漫天的极光，而且以接近静止的状态长时间地留存，恰似女神的长裙悬挂在夜空中。

北欧人都以一生中能看一次神之裙摆为荣，YAMAL 号的游客们能有这样的好运，难怪忍着严寒也要多看几眼。人们在极光下互相拥抱亲吻喊"Merry Christmas"，喊"圣诞老人谢谢你的礼物"，用手机拍照留念。

楚子航却微微地皱眉："那么强的电离现象？"

极光是大气电离形成的，如此盛大的极光说明此刻高空密布着高能粒子流，极其紊乱的高能粒子流。用龙族的世界观来解释，元素流极度混乱，难怪网络服务中断了，剧烈的电离现象影响到了卫星通信。

船长室里，萨沙也在皱眉，他们的指南针和经纬仪全都失效了，YAMAL 号和外界的所有联系都中断了，他们甚至没法确认自己所在的位置。

更奇怪的是温度在明显地下降，冰层正沿着船体往上生长。

"这块海域已经完全冻结了，两个小时内冰层厚度会超过 100 厘米，很奇怪，更往北的海域没有完全冰冻。"大副也醒了过来。

"你确定你的航向没问题么？"萨沙看着海图。

"刚才喝多了点……趴在舵机上睡了会儿……"

"航行记录仪呢？"

"可能是因为大气电离的缘故，几个小时前莫名其妙地死机了。"

"慢速航行，别对乘客们公布，这种小事情，YAMAL 号没问题的。"萨沙说。

好在是 YAMAL 号，他对这艘巨无霸级别的破冰船有着绝对的信心，100 厘米的冰层对别的船来说很麻烦，但 YAMAL 号能轻易地撞碎，只是航速不得不降下来而已。

游客们又一次尖叫起来，因为更壮丽的一幕出现在他们面前，一座巨大的冰山缓缓地接近了 YAMAL 号。它暴露在海面上的高度就超过了 100 米，那么它在海面以下的高度差不多是 1 公里！YAMAL 号在它面前只是一艘小船，每个人都被它那白色巨舰般航行的身姿惊艳到。

"见鬼！没人见过那块巨型浮冰！那东西可别撞上我们！"萨沙的神情略紧张。

"不会的，那东西会在距离我们几公里的距离擦过，要是那么远我都撞上去，那我还不如现在就一头撞死在船长室里呢。"大副倒是神情轻松，他的航海技术原本就在萨沙之上，曾是俄罗斯北方舰队的成员。

白色巨舰般的冰山缓缓地切入了这片封冻的海域，刚凝固不久的海冰根本无法承受它的撞击，裂缝沿着冰面极快地延伸，满耳都是冰层碎裂的脆响。

那种感觉就像是漫天飞雪，剑客飞掠湖面，以一柄霜白色的利刃切了冰封的湖面，冰下的水都从裂缝中涌了出来，顷刻间死寂的湖面就变成了满池碧波。

在"神之裙摆"下，海水也泛着青色，就在船侧方大约几公里处，青色的海水中倒映着黑色的岛屿，可海面上却空无一物。

"嗨！嗨！你们看那边！海水的倒影里有座岛啊！"有人高声说。

"真的！不可思议啊！分明海面上什么都没有！"

"应该是跟海市蜃楼差不多的大气投影或者海水投影吧，别处的小岛被投影到这边来了。"

"这张船票可真是买值了！冰山、极光、海市蜃楼！"

人群中只有楚子航的脸色变了，好像有一道寒气沿着脊椎冲入大脑，在脑海里爆炸开来，跟他一样反应的人是扑到舷窗上的萨沙。

呈现在海水倒影中的那座岛他们都见过，在那幅名为《死亡之岛》的画里！那古罗马斗兽场般的古怪外形，那围绕岛屿的黑色岩壁，甚至岛中央的参天大树和岩壁上安置棺材的石洞都隐约可见！

原来世上真的是存在那座岛的！原来画家是从海市蜃楼中看到的那座岛屿，难怪他能把它的细节全部复制下来，可又完全不提这座岛在哪里，因为他根本没去过！

诸多的巧合让他们找到了通往那座岛的门，极光、撞碎冰面的大型冰山还有大副无意中偏离了航线。

楚子航急速地思考着，海市蜃楼么？海市蜃楼的原理是因为空气温差过大，光线在空气介质中弯曲前进，所以才能看到地平线以下的东西。但人的视力毕竟有限，就算在空气质量最好的情况下，人也不过能看到几十公里以外的建筑物而已，换而言之，那座岛就在附近。

可是北极圈内为什么会有一座生长着参天大树的岛屿呢？又有什么人会在那座岛上开凿洞穴，放置棺材？

"元首啊！伟大的元首！是你的灵魂指引我道路！"哭泣的声音从侧面的浮冰上传来。

那是文森特！这个纳粹余孽高举着黑木匣子，哭着向岛屿倒影的方向奔跑。他分

明老得都快死了，可却跑得飞快，看背影真像一只刚刚偷了鸡的黄鼠狼。

甲板上的人都不知道他是真正的船长，也没人听清他在喊什么，还以为是某位游客发了失心疯。

"见鬼！"萨沙大吼。

这个前阿尔法部队特种兵清楚地知道在浮冰上奔跑的危险，看起来连成一体的冰面，其实里面都是缝隙，人很容易踩进冰缝里去。落进低温海水里，人只有死路一条。

从这种大船下到冰面上需要不少时间，萨沙来到冰面上的时候楚子航已经在他前面奔跑起来，他们都比文森特跑得快，但老纳粹已经遥遥领先了，他蹦跳着越过冰缝，脚下不断打滑。

"回来！你是不可能跑到那里去的！"楚子航高呼。

"别想我停下！你们是魔鬼派来阻止元首复活的！"文森特神经质地尖叫道。

楚子航想怎么可能呢？魔鬼跟你家元首简直是亲兄弟啊！你搞错阵营了！

"你左我右，我们抓住他的脚！"萨沙追了上来，作为俄国前特种兵，他应付冰面还是强过楚子航很多。

两个人同时加速，可就在那一刻，裂缝出现在文森特的脚下，老家伙凭空消失在他们的面前。冰层沿着裂缝缓缓倾斜，眼看他们也会重蹈文森特的覆辙滑进冰海里去。楚子航把手伸向背后，背后是他的刀袋。

蜘蛛切在空气中切出一道淡青色的微光，轻而易举地洞穿了冰面，楚子航一手攥住刀柄，另一手把萨沙从浮冰的边缘拉了回来。

再看裂缝中，只剩几个气泡了，还有那个漂浮的黑色木匣。

萨沙俯身拾起匣子，摇摇头叹口气："船长你这个人呢，说起来也没那么邪恶，就是太蠢……"

引擎声从后面传来，黑色的橡皮艇从浮冰之间的空隙里驶了过来，艇上是萨沙手下的"冲锋队"。这个名字还是文森特给他们起的，大概是幻想自己也能组建起一支党卫军冲锋队那样的精英部队。

可这帮人其实只是来船上混吃等死的，对"希特勒的宝藏"并没抱太大的希望，反正文森特支付的薪水还是相当不错的。此刻老板死了，老板追寻一生的宝藏却露头了，这帮懒散的俄罗斯人才兴奋起来。

"头儿！快上船！我们去找希特勒的宝藏！"站在船头的爆破手大声说。

萨沙犹豫了片刻，他跟那帮糙汉手下不同，感觉到那座岛屿的倒影中藏着某些神秘的、令人不安的东西，但若是真的能带着宝藏从那座岛回来，他至今还惦记的前妻娜塔莎就有一辈子的住院费了。

最后他还是跳上了橡皮艇，正要挥手跟楚子航道别，才发现楚子航已经不在原处了。

冲锋队员们怔怔地看着那个鬼魅般出现在船尾的中国人，楚子航在他们之间坐下："开船吧，海市蜃楼维持的时间不会太长，我们得抓紧时间！"

船沿着浮冰间的裂缝前进，两侧都是矮墙般的冰块断面，他们距离 YAMAL 号已经很远了，船上的灯火星星点点，看上去也像是海市蜃楼。可那座岛的倒影还是不远不近地位于前方，视觉上像是只有两三公里远，可有种永远无法抵达的感觉。

冲锋队员们焦躁起来，驶往一座岛的影子，这听起来其实是很荒谬的事，哪有根据海市蜃楼定位的？很可能那座岛位于完全不同的方位。

只是楚子航始终坚定地指向前方，这个帆船运动中常用的手势，当你在海面上锁定一个目标，你就得一直指着它，否则在一望无际又波涛起伏的大海上，很可能一个浪过来你再回头去找就什么都看不见了。

"兄弟，你确定么？"萨沙靠近他，压低了声音。对这个中国人，一开始他就有好感，楚子航永远都很直接，就像刀切出去的轨迹，让人莫名其妙地相信他的判断。

"你会潜水么？"楚子航反问。

萨沙点头。作为前阿尔法精英，他当然会潜水，这条橡皮艇上也带有潜水服，但在零度左右的冰海里潜水？

"稍等一下稍等一下……你不是真的以为那座岛其实在海平面以下吧？那只是倒影好么！"萨沙说。

楚子航没回答。

橡皮艇绕过一块巨大的浮冰，眼前的海面忽然变得开阔起来，岛屿的倒影看起来格外清晰，因为岩壁呈规整的半圆形，它看起来很像大海的漏洞，有种"掉进去的东西都会在另一个时空出现"的错乱感。

楚子航默不作声地脱掉了风衣和西装，从船尾拿了一套潜水服换上，在零下几十度的气温下换衣，他好像完全没觉得冷。

"不会更好，在这里等我，如果我拉扯绳子，就说明下面有危险，立刻加速返回YAMAL 号。"他又补充，"必要的时候你们可以切断绳子。"

说完他就以倒翻的姿势跃入了冰海，甚至没有带氧气瓶，留下满船的冲锋队员干瞪眼。

楚子航觉得无数的冰针在刺戳自己的全身，龙族血统极大地提升了他的抗寒能力，同时也极大地提升了他的感知力，寒冷产生的痛觉不但不比一般人弱，反而更加强烈。四面八方都是气泡包围着他，他一直在往下沉，可浮力抵消了绝大部分重量，又觉得像是飘浮在太空中。寂静中仿佛藏着古老的声音，整个世界好像在飞速地离他而去。

他放任这种感觉，完全不抵抗，直到海水再度将他托起。

他上浮得越来越快，一头冲出了水面！温暖的空气冲入他的肺部，他睁开眼睛，前方是青色的大海和青色的天空，天空中流动着奇异的云彩，神秘的光从天而降，照亮了海中那座孤零零的石岛！

阿瓦隆，永恒之地，精灵守护之地，生命与死亡之岛……他真的抵达了！

他跳上这艘橡皮艇的时候，所有线索都在脑海中连上了，关于那座岛的真面目，关于它的种种奇特属性，当这些线索轰然贯通的时候，他毫不怀疑所谓的阿瓦隆，那就是一个尼伯龙根！

北极圈内当然不可能有一座长着参天大树的正常岛屿，阿瓦隆的环境很像是在地中海，那么阿瓦隆的世界是扭曲的，就像北京尼伯龙根是扭曲的地铁站。

传说在阿瓦隆里时间是不流动的，而在北京地铁中的尼伯龙根里，时间也是不流动或者流动得很慢，呈现出一种 20 世纪 70 年代的古老感。

至于极光和强烈的大气电离，恰恰是阿瓦隆导致的。

而要真正到达阿瓦隆，就得通过一个物质界面，这个界面通常都是由水构成的。他见到奥丁的那一次，瓢泼大雨洗刷着整座城市，高速公路变成了迷宫。

而在这里，由水构成的界面岂不就是海面么？大海如同镜子一般映出了阿瓦隆，那其实根本就不是什么海市蜃楼，阿瓦隆就是一个存在于水镜中的尼伯龙根！它既是岛屿也是深渊，抵达它的方式很简单，跃入水中而已。

周围的海水忽然一阵翻腾，又一个脑袋从水里冒出，萨沙甩着湿漉漉的乱发，如一头刚刚横渡河流的狮子，反握匕首四面警戒。

他忽然看到了阿瓦隆，整个人全傻了，脚下忘了踩水手里松开了刀，目瞪口呆地就要往下沉。

楚子航一把抓住他的领子："不是让你们待在船上么？"

"你不知道你跳进水里之后发生了什么，"萨沙抹了把脸，"你忽然消失了！海水很清澈，我们拿氙灯照能看见水下十几米游过的鱼群，但我们根本看不见你。你带着的那根绳子好像忽然变得无限长，一直一直往海底延伸！我不放心就下来看看。"

楚子航微微皱眉。他不希望萨沙下来，尼伯龙根关系到龙族，不该让外人看到，否则学院心理部那帮负责善后的家伙又得从美国飞来给萨沙他们洗脑。当然，他们的洗脑技术比起文森特那是更胜一筹，被洗完的人都表示最近烦心事少了，生活充满了希望……可对这个今晚刚认识的俄罗斯男人的义气他还是有些感动的，不过杀胚的脸不太适合表达感动之情，所以看起来他好像有点不高兴。

海水又是一阵翻腾，冲锋队员们接二连三地浮了起来，跟萨沙一样，他们先是流露出极其精英的一面，抓着防水步枪和高压碳酸气驱动的鱼叉枪，一脸遇龙杀龙遇虎杀虎的横样，可随后他们就看到了阿瓦隆……

"镇静！镇静！镇静！"萨沙大吼，"抓稳你们的家伙！我们还不知道那座岛上有些什么，也许用得上！"

这时候连橡皮艇都浮上来了，想必是萨沙下水之后也古怪地消失了，冲锋队员们担心他的安危，跟着"扑通扑通"地跳了下来。每个人身上都拴着绳子，绳子跟橡皮艇相连，结果把橡皮艇也给带翻了，越过了尼伯龙根的边界。

这群冲锋队员的思维方式真是够简单。不过橡皮艇能给他们带来不少方便，凫泳去阿瓦隆的话还有两三公里，即使对萨沙和楚子航来说也是不小的体力消耗。

橡皮艇风驰电掣地驶向阿瓦隆，在这里完全感觉不到风，海面也没有什么起伏，呈现出青色琉璃一般的质感，橡皮艇就像刀把这块琉璃切开，那个白色的伤痕在片刻之后无声无息地弥合。

天空中密布着青色的云，仔细看去的话云中有着海水般的纹路，再看往这片海的深层，会觉得海底有着隐约的光带，仿佛巨大的青色裙摆。

楚子航缓缓地打了个寒战，这个尼伯龙根的结构方式跟他以前所见的尼伯龙根都不一样，它似乎真的被藏在了海水的镜像中。也许他头上的天空其实是数千万吨的北冰洋之水，而他下方的海才是悬挂极光的天空。

他看向四周但看不到天海交界处，那里弥漫着青色的雾气，那应该就是边界。他据此判断这个尼伯龙根其实并不大，一切全都是围绕那座孤零零的石岛。

橡皮艇加速冲上了沙滩，石岛正面是有码头的，但冲锋队员们选择以抢滩登陆的方式先占领侧面的浅沙滩，这样如果岛上有什么东西要对他们不利，他们有时间巩固阵地。

石岛以绝对的安静等待着他们，他们一直摸到码头附近，别说遇敌了，连一只飞到头顶拉屎的海鸟都没有，空气温暖湿润，令人想起古代的地中海，这座岛在勃克林的画中名为"死亡"，却透着母亲般的温暖。

难道死亡其实是这样的东西么？温暖、寂静、孤独……

码头很小，用简单切割的石块砌成，是那种只能容纳一艘小船的简易码头，连拴船的石柱都只有一根。又是一个跟凯尔特神话吻合的点，运载亚瑟王的小船就是在这里靠岸的么？

冲锋队保持着战术队形前进，萨沙抓着一柄 AK-74 突击步枪走在最前面，这种老枪很稳定，有经验的老兵还是很喜欢用。楚子航走在最后，手里抓着刀袋。

码头往前是两侧有香榧树的小路，那神秘的天光把树影印在他们身上，白色的石灯笼看起来很随意地安放在道路的角落里，那么静谧那么寂寞，就像是一条通往墓园的路。

楚子航伸手在某个石灯笼上摸了一把，手上一点灰尘都没有，像是每天都有人打扫似的，可再看没走过的路面，生长着薄薄的一层青草，战术靴踏过必然留下清晰的脚印，如果有人来打扫，怎么会不留下脚印呢？

它果真像是被封印在了时光之中，不生不灭不老不死，类似的概念在佛教神话和印度教神话中也有，当然也很像凯尔特神话中说的阿瓦隆。

岛屿并不很大，他们很快就接近了岛中央，这里生长着参天的巨树，深绿色的树阴在半空中仿佛绿色的阴云。

这种树看起来很像柏树，树形高挺，树干上的纹路如龙蛇般扭曲，可柏树不该有这么高。从树下仰望是很难判断其高度的，也许 100 米，也许更高。

"真是个不可思议的地方！"萨沙赞叹，"可希特勒的宝藏埋在什么地方？希特勒是怎么找到这地方来埋宝物的？他现在在我心里好似一个海贼王！"

楚子航不知道怎么跟这个粗线条的俄罗斯汉子解释，只得摇了摇头，心说希特勒的宝藏这里是肯定不会有，其他宝藏或许有，但不是你能够带走的。

路边开始出现石雕了，雕刻非常精美，有些是长着羽翼的狮子，有些是遍体长满羽毛的长蛇，更多的是男人女人，男人戴着骨质的面具，女人面覆轻盈的头纱。

"这东西要能搬回去，会有富豪花大钱来买吧？"一名冲锋队员围绕着石雕转了好久。

"混账！快点跟上！我们要找的是宝石和黄金那种好带的东西！"

但冲锋队员们还是忍不住对着那些古老寂寞的雕塑发出啧啧的赞叹，那些东西的美不需要美学基础就能欣赏，有些让人想起君王而生敬畏，有些让人想起情人而生爱恋，有些甚至会让你觉得世界的深邃不可测。

当然冲锋队员们想到最多的还是其中个头最小的能不能搬回去……这时萨沙的军靴下传来"咔嚓"一声！

萨沙如同被踩到尾巴的蛇那样弹起，侧翻落地，AK-74 指向自己刚才所站的方位，人在空中的时候枪已经上膛，随时可以开火。可他枪口所指什么都没有。冲锋队员们围聚到他的身边，枪口冲外结成圈子，神情严肃。

"老大怎么了？"

"我好像踩碎了什么东西……"萨沙迟疑地说。

一名冲锋队员上前看了一眼："哦哦，没什么啦，你踩碎了元首的头盖骨。"

"那就好那就好，好在不是什么重要的东西。"萨沙也看了一眼，果然是那颗烫银的骷髅头，他本来说当作对文森特的纪念，随手扔在战术背包里了。

大大咧咧的俄罗斯冲锋队员们继续进发了，楚子航踢了点土掩盖了那颗骷髅头的

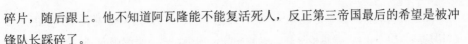

碎片，随后跟上。他不知道阿瓦隆能不能复活死人，反正第三帝国最后的希望是被冲锋队长踩碎了。

前方隐约出现了白色的祭坛状建筑，有点像是英格兰的巨石阵，石梁上挂着长长的、半透明的东西，好像是古代君主或者贵妇出行时挂来遮挡容颜的纱幔。

"那里该有宝藏了吧？"一名冲锋队员说着把手榴弹拿了出来，拔掉保险栓握在手里。

"我觉得应该有！"另一名冲锋队员试了试火焰喷射器的火力。

"没准有漂亮女人呢，你们看那纱幔！"

"有也该是漂亮女人的干尸吧？找到就归你！"

冲锋队员们都拿出了十二分的劲头，也准备着十二分的火力，危险与珍宝并存，这对珍宝猎人们来说是永恒的法则，所以越是觉得有可能出现宝藏，他们越是小心。

可接近的时候他们才发现那只是一个巨石阵，比英格兰那座巨石阵大出很多倍的巨石阵，巨石阵中空无一物，就只有那些"纱幔"纵横零乱地挂在石梁上。

纱幔的形状有点奇怪，像是用纱织成的长形袋子，撑开来大约是一人合抱那么粗，长度约有几十米。这样的袋子显然不是用来当遮挡物的，可装什么东西要这么巨大的袋子呢？

"有些黏。"一名冲锋队员用戴着战术手套的手轻轻触碰了纱幔之后，疑惑地说。

楚子航忽然想起了什么，神色骤变："注意周围！那些东西是……蛇蜕！"

就在这个时候，巨石阵周围的巨型龙柏上传来了"沙沙"的声音，隐匿在树荫中的巨大黑影们苏醒了，它们盘绕着龙柏向下游动，仿佛夭矫的龙。

真的是蛇，巨大的蛇。它们盘绕在龙柏树上的时候并不很醒目，因为那些龙柏树太高大了，而那些蛇又是墨绿色的，和树荫的颜色几乎一致。唯有它们动起来的时候，巨大的身躯才显现出来，全世界都被鳞片和树干摩擦的沙沙声填满。

它们中最小的也有十几米长，最大的个体超过三四十米，腹部洁白如雪而背部覆盖着墨色云锦般的鳞片，有点像是生活在亚马逊丛林中的森蚺，但森蚺也长不到这么大。

"见鬼！"萨沙端起他的AK-74自动步枪。所有冲锋队员都握紧了武器，就等着萨沙的枪头一个轰响，然后大家就尽情扫射。

"别开枪！"楚子航按在萨沙的枪机上，不许他击发，"它们不是要进攻！"

果真如他所说，那些巨蛇从龙柏树上下来之后并未直扑巨石阵，而是四散离开。它们巨大的身躯在草中碾过，就像是巨石碾子推了过去，草叶倒伏，留下波浪形的纹路。

岛屿周围都是山壁，巨蛇们沿着山壁攀援而上。巨大的蛇躯和山壁碰撞，轰隆隆的声音四下回荡，所有的龙柏树都在摇晃，墨绿色的叶子仿佛纷纷暴雪从天而降。

冲锋队员们目瞪口呆地看着这一幕，而楚子航忽然想起了中学时背辛弃疾的那首《沁园春》，词中说："看纵横斗转，龙蛇起陆，崩腾决去，雪练倾河。"

巨蛇们登顶之后去向了山的另一侧，就此消失，龙柏树还在微微摇晃，树叶还在幽幽下坠，如果不是草里那些波浪形的纹路，人们会误以为那些蛇根本没出现过。

"我的天！世界上真有那么大的蛇？"萨沙喃喃地说，"那是什么蛇？"

作为精英级的特种兵，他只带一把猎刀就能在世界上任何一片原始森林里独立生存上两个星期，这种能力当然是基于他对动植物的了解，但他没听说过几十米长的蛇。泰坦巨蟒能长到差不多 20 米，号称历史上最大的蛇，但那东西 5000 万年前就灭绝了。

"蛇能长得很大，是因为爬行动物的细胞分裂和哺乳动物不同，它们的细胞分裂永不停止。也是因为这个原因它们要蜕皮，因为持续长大的躯体总会撑破原来的外皮。"楚子航低声说，"原则上说它们可以长得无限大，前提是有足够长的寿命，而蛇虽然很长寿，但是寿命总是有限的。你听说过阿瓦隆的传说么？在这个岛上，时间是不流动的，任何东西都不会死去……"

"所以它们能无限地长大？"萨沙瞪大了眼睛。

"猜测而已。"

"那你怎么知道这些蛇不是想吃掉我们？"

"蟒蛇的视觉很差，但对于红外线非常敏感，我们踏上这座岛它们就知道了。如果它们很饥饿，想要捕食，早就进攻了，别忘了我们刚刚从那些树下经过，距离它们很近很近。但它们没有，这说明它们并不想进食。它们看起来很害怕我们，刚才它们是在逃走。"

"蟒蛇为什么要害怕我们？因为我们拿着枪么？"

"我也不知道，只是有这种感觉。"楚子航说，"动物总是本能地畏惧另一种动物，虽然它们没见过对方。我听说野生虎伤人的案例其实很少，因为对于野生虎而言，人类就像外星人那样可怕。"

萨沙频频点头。他越来越喜欢这个中国人了，他好像什么都懂，有这种人帮忙，真是冲锋队的运气。

"上山去看看。"楚子航说。

跟那幅画中呈现的景象几乎一模一样，岛屿的周围是一圈弧形的山壁，只有一个缺口，码头就修建在缺口处。

这个地质结构看起来像是天然形成的，可又太过规整，形状如坍塌了一角的古罗马斗兽场，而原本应该安放贵族座位的山壁上，却是一个又一个的洞穴，开凿得整整齐齐。

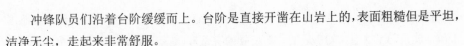

冲锋队员们沿着台阶缓缓而上。台阶是直接开凿在山岩上的,表面粗糙但是平坦,洁净无尘,走起来非常舒服。

"这是给人类开凿的阶梯……"楚子航停下脚步,沉思着说。

萨沙听得懵了,心说阶梯不是开凿给人类的,难道还是专门开凿给那些大蛇走的么?

"到了这种地方,如果出现什么非人类的印记,也不该太惊讶吧?"楚子航低声说,"但这台阶我们走起来很轻松,恰好符合人类的身体结构。这说明建造者是人类,或者至少跟人类差不多身高,两足行走。"

他不能说得更多了,再说下去就会触及龙族的秘密。这座岛屿,无论它叫"死亡之岛"还是阿瓦隆,只要它是尼伯龙根,就基本可以确定跟龙族有关。而楚子航要思考的,无非是曾经行走在这些台阶上的生物,到底是人类形态,还是昂首阔步的巨龙。

最前面的冲锋队员抵达了第一个洞穴,他用战术手电照向洞穴的深处,忽然惊叫起来。

萨沙吃了一惊。这帮人他太了解了,职业军人,前阿尔法精英,都是习惯于玩命的主,既玩别人的也玩自己的。刚才巨蛇群体出现的时候这帮人都没发出声音,那洞穴里到底有什么东西,能让这帮人失去了常态?

他和楚子航几乎是同时抵达洞穴旁的,萨沙抓过冲锋队员手里的战术手电,卡在自己的AK-74上,猛地转身枪指洞穴内部。管他什么东西藏在洞穴里,它敢动弹萨沙就敢开枪。

"我操!"看清了洞穴里的东西之后,萨沙也惊叫起来。

那是一具棺材,一具完全用黄金铸造的棺材,通体雕刻藤蔓般的花纹,就像被一株黄金的古树包裹着。它是那么地古朴庄严,但又奢华至极,令人毫不怀疑那里面安放着一具古代君王的遗骨。

在巨蛇群面前冲锋队员们可以镇静自若坚如磐石,可在黄金面前这帮家伙全都流露出"想要跪倒"和"想要咬一口"的表情,珍宝猎人就是一群可以为了宝藏去死的亡命之徒,这下子集体被打中了软肋。

就在他们争先恐后地拔出战术匕首,想爬进去撬那具棺材的时候,楚子航的刀袋横在了他们面前,把洞口封住了。

"别碰那东西,相信我没错。"楚子航低声说。

冲锋队员们你看看我,我看看你。是楚子航带他们找到了这个岛屿,并且在巨蛇群出现的时候做了最冷静的判断,他们心里都愿意相信这个陌生的中国人。可单是那具棺材就得耗费几吨的黄金,更别提棺中的随葬品,难道为了相信这个中国人就放弃唾手可得的宝藏?最后他们都看向了萨沙,等着头领给出决断。

萨沙舔着牙齿，贪婪地盯着那具棺材，不说话。他当然贪婪，他在冰海上晃悠了十年，就是为了这泡沫幻影般的"希特勒的宝藏"，他还有家人要养，还想给成了植物人的前妻弄一笔钱养老……

可他最终还是咬了咬牙："听楚先生的！别碰那东西！"

这个决断并不只是因为他相信楚子航，还因为他觉察了这具金棺的异样之处，它价值连城、工艺极致精美，却用两个手臂粗细的铁箍箍住了棺材的头尾。每个铁箍上都连着四根粗大的铁链，铁链末端的铁钎深深地插入岩石里。

有人，无论是什么人，似乎是害怕棺材里的遗骨会复活，所以用铁箍把整具棺材锁死了，进而用铁链将它固定。那是一具极致尊荣的棺材，却也是牢不可破的囚笼。

人类历史上有类似的传统，在古代的罗马尼亚，盛传吸血鬼故事的区域，亲人们会把那些被认为可能是被吸血鬼咬死的人封进钢铁棺材里，并在尸体的嘴里塞上砖头，这便能阻止他作为吸血鬼复活。

当然，从另一个方面说，有那两个铁箍在，以他们的工具没个几天工夫怕都撬不开那具金棺，想想还是只有算了。

洞穴旁的岩壁上有一小块被抛光了，上面雕刻着萨沙看不懂的古文字。萨沙当然不是古文字专家，但为了干珍宝猎人这一行他也补过不少的课，各种古代文字，即便是古埃及文和苏美尔人的楔形文字那种早已没有人使用的"死文字"，看字体形状他也能认出大概是源于哪种文明的。但这种文字完全不在他的知识库里，每一根线条都是一条发怒的蛇，所有笔画组合起来就像是暴躁的蛇群。

萨沙看了几眼就不想再看下去了，不知道为什么，看这种文字令他有点不安。而楚子航蹲在那里，看了很久很久。

"你看得懂？"萨沙问。

"看不懂。"楚子航摇头，"不过可以基本肯定的是，这是棺材里那个人的名字和生卒年月，就像墓碑上的内容。"

"继续往上走吧，也许还有新的发现。"他站起身来，沿着台阶去往更高层。

每个洞穴里都有一具棺材，不同质地的棺材，有的用整块的花岗岩雕刻，有的用黑铁，也有用金银之类的贵金属，没有一具不是价值连城的宝物，但每一具都用铁箍箍好，再用铁链锁死在岩洞里。

最初见到黄金的兴奋劲很快就过去了，冲锋队员们开始意识到这个神秘的岛屿中弥漫着某种可怕的气息。就像传说中的那样，这座岛同时具备生与死两种特质，参天的龙柏树、反复蜕皮的巨蛇，是它"生"的一面；而满山的棺材，棺材中那些不可考证的遗骨，则是它"死"的一面。

生与死，两种截然相反的概念，在这座诡异的小岛上达成了平衡。

"这些都是……国王的棺材吧？"萨沙低声问。

他想只有国王才有资格享受这样的棺材吧。他听说过埃及有个国王谷，谷中埋葬着 64 位法老，风化严重的地表之下都是金碧辉煌的地窟，里面藏着用黄金包裹起来的木乃伊国王们。

这里岂不也是一座国王谷么？斗兽场般的环状结构，本应安置贵族们的座位，却被国王们的洞窟取代，他们的灵魂似乎仍旧端坐在山壁之上，俯瞰着场中的斗兽表演……这么想的话，场中的野兽岂不就是他们这群人？

萨沙使劲地晃晃脑袋，想把这个不祥的念头从脑袋里赶出去。

"有可能。"楚子航低声说。

楚子航并不擅长考古，仅能勉强认出其中有两具棺材是古埃及"底比斯第二帝国"时代的制品，棺材用整块花岗岩雕刻，重达数吨，表面刻有古埃及特有的鸟形文字。第一具黄金棺材则很可能是苏美尔时期的东西，那是有记载的最古老的人类文明，那时候冶铁术还未发明出来，反倒是黄金更为易得；至于那些黑铁棺材，则应是赫梯文明的制品，古赫梯帝国就是靠着强大的铁制刀剑横扫小亚细亚的。

就像萨沙说的那样，这些可能都是国王，或者是国王级别人物的棺材，它们本应位于世界各地的宏大王陵中，却被不知道什么人运到了这个尼伯龙根来。这是个帝王遗骨的博物馆，却从不对任何人开放，除非你知道它的经纬度、对现实世界开门的时间和进入的方法。

希特勒手下那帮神秘学家里真有些有门道的人，他们不知道从什么古代文献中分析出了阿瓦隆的经纬度和大约的开门时间。可文森特多年以来都未能找到门径，因为在这个尼伯龙根开门的时候，海面上总是被浮冰占据，很难见到它的倒影，而今夜那座巨型冰山恰好撞碎了冰面。

太巧合了，一切都太巧合了。巧合中隐藏着某种危险，楚子航隐约意识到了，却想不明白那危险是什么。

最后他们登上了山壁的最高处。放眼眺望出去，海水恒定地微微起伏，天空永远是同样的颜色，周围永远是半明半暗，像是早晨又像是傍晚。回看岛屿中央，不知何时袅袅的雾气已经湮没了巨石阵，连参天的龙柏树也只有树梢暴露在雾气之外。一切都介乎真实和虚幻之间，站在这里，就好像抵达了世界的尽头，让人忽然间生出厌世的心来，想要坐下来慢慢地呼吸，就此化为一座石像。

连神经粗大的冲锋队员们都被这一刻的美震撼住了。"不知道自古以来有过多少人曾经到达这个神秘的地方。"萨沙喃喃地说。

楚子航微微一愣："文森特说，每年的 12 月 25 日才能在这个经纬度找到这座岛，他跟你说过么？"

萨沙点点头："船长是这么说的，这座岛正在每年的 12 月 25 日开门，错过这一天，就只有等明年了。"

楚子航思索了片刻，忽然狠狠地打了个寒战。从登岛以来就有些事情困扰着他，但他一直没想清楚那是什么，直到萨沙随口说出了那句话，但也许……已经晚了。

"我们得离开这里，越快越好！"楚子航说。

冲锋队员们彼此看看，都不明白为什么这个始终漠无表情的中国人忽然焦急起来。他们已经在这里滞留了很久，没有遭遇任何危险，这个地方给人的感觉是极度的宁静祥和，待一辈子都不会有事。

"你刚才说'开门'，"楚子航直视萨沙的眼睛，"一间屋子如果开门，一定是为了让某人通过，要么是有人要出去，要么是有人要进来。不管是哪种情况，总之这扇门不是为我们开的！"

萨沙的脸色也变了。一间屋子如果开门，要么是有人要出去，要么是有人要进来……这座岛上没有活人，有人要出去的话就只有那些尸骨自己推开棺盖站起来；有人要进来的话，听起来好像更糟糕。

这时天海交界处忽然亮了起来，仿佛有火焰燃起。这个没有时间流逝也没有昼夜变化的岛屿，像是要日出了。那点微光扩张得极快，很快半个天空都变成了金色，青色的云块完全被光芒吞没。

萨沙什么都看不清，但他本能地意识到那是有人来了。什么人，他到来的时候，世界都被他的光芒照亮？他的气息弥散在天地之间，就像是一面接天的高墙。

这种情形只该出现在《圣经》或者《摩诃婆罗多》中，不是用于描绘人类甚至人皇的到来，而是描绘天国的洞开，神的降临！

"离开这里！"楚子航低声说。

"离开这里！"萨沙纵声咆哮。

汉子们狂奔下山，大踏步地穿过林间小路，仿佛群狼饿虎。岛上不知何时开始刮起风，狂风卷着满地的落叶。所有的龙柏树都在风中扭动，仿佛一群狂龙正从石化的状态中苏醒，叶片纷落，仿佛滚雪。

一切异象都预示着有什么事情将要发生，仿佛天崩地裂，整个世界都在惊惶。

天空中的光芒越来越炽烈，虽然有山壁遮挡，他们仍是不敢回头，那极致的光极致的热，烤得他们后背都发烫。那些巨蛇再度出现在环岛的山上，它们的鳞片反射着火河般的烈光，各种颜色变幻，像是随时都会燃烧起来。它们分头躲进那些存放棺材的石洞中，紧紧地蜷缩起来。

推想起来每年的 12 月 25 日，那个人都会踏上这座小岛，每次他出现都带着这般的光和热，这一天对蛇群来说，大概是世界毁灭的一天。

　　他们来到海边的时候，整片大海都是火红的，天空中的火光在海水中反复折射，大海上好像翻腾着烈焰。狂风是从海上吹到岛上的，一人高的海浪反复地冲向小岛，看上去简直是排成一列的、燃烧的枪骑兵！

　　"那……那到底是什么东西？"萨沙的声音都扭曲了。

　　"我也不知道，"楚子航低声说，"但我知道那东西不是我们任何人可以对付的，我们能做的只有一件事，就是快走！"

　　他确实不知道，但他的心里有些模糊的线索：一座隐藏在尼伯龙根中的岛屿；岛上保存着从古至今很多君王的棺材；时至今日棺材中的东西仍然可能复活；每年尼伯龙根开门一次；每次都有人来检查那些藏品……

　　他们无意中接触到了巨大的秘密，而这个秘密，毫无疑问和龙族有关！

　　龙族的历史到底何时中断的？为什么黑王死去之后，龙族的文明很快就衰落了？即使黑王和白王不在了，四大王座上还有足足八位龙王，它们都是可以毁灭军团甚至国家的超级存在！

　　最后的龙类去了哪里？为什么耶梦加得和芬里厄会在中国出现？而又是为什么诺顿和康斯坦丁所造的青铜城会位于三峡水库的下方？天空与风之王呢？海洋与水之王呢？

　　关于龙族的疑团太多了，而这个巨大的发现也许会让所有的秘密水落石出，前提是他们能活着离开这里！

　　那个正在到来的人或者神察觉他们了么？他们还有机会么？楚子航一点把握都没有，此时此刻他们能依靠的，只有沙滩上的那条橡皮艇。

　　橡皮艇还好好地搁在沙滩上，但一时他们竟无法出发，因为登岛的时候过于兴奋，他们驾驶着橡皮艇直接冲上了沙滩，现在他们得先把橡皮艇拖回海里。这倒难不住这帮冲锋队员，以他们的臂力，抬着吉普车过河都不是难事。大家都把装备扔上橡皮艇，之后抬起橡皮艇迎着海浪往前冲。但涨潮的势头实在太猛了，一波波的浪潮把他们往回打。

　　橡皮艇渐渐离开了海岸，冲锋队员们一个接一个地跳上船，抓起船桨拼命地划动，最后只剩下萨沙和楚子航还站在海水里。

　　"上船！你也上船！"萨沙咬着牙，肌肉隆起，几乎撑破了作战服。他当然知道这种时候留下来推船是最危险的，很可能你把船推出去了，海浪却把你打回了沙滩。但他是冲锋队长，这是他的责任。

　　"你的力量根本不够。"楚子航说，"现在不是说这种没有意义的话的时候，全力推，别看那边！"

　　他说的那边是指火光逼近的方向，在橡皮艇的侧面。炽烈的光芒中好像有一个黑

点，可能是一艘船，很小很小的一艘船，可随着那艘船的推进，平静的海面上布满了皱褶，每道皱褶都是一人高的狂浪。

《圣经》中摩西劈开红海的壮举，大概也就是这种气势。

萨沙很清楚地知道自己不该看，有些东西是凡人不该去看的……他们错误地踏上了这座岛，侵犯了神的领地，想要活命就该蒙着眼睛离开，难道还要去瞻仰神的面容么？

但是压抑不住的好奇心还是让他偷偷地瞥了一眼。忽然间，文森特为之痴迷了一辈子的那幅画无比清晰地浮现在萨沙的脑海里——小船缓缓地航向死亡之岛，船上载着棺材，穿着紧身白衣、如同木乃伊的人静静地站在船头……此时此刻，那艘在火光中逼近的小船，船头就站着这样一个白衣人，那强烈到仿佛太阳初升的光芒，就是源于船头挂的灯笼！

萨沙不敢再看了，低下头猛推橡皮艇。他现在只求能够离开这个鬼地方，他甚至希望自己根本没有"幸运地"踏上这座岛，他无比地想念 YAMAL 号，船上还有一瓶他刚打开的伏特加，还有漂亮活泼的白俄罗斯女郎。如果他还有机会回去，他一定要好好地喝上一大杯，并对第一个照面的漂亮姑娘说"我爱你"！

橡皮艇已经离开沙滩差不多有 20 米了，这里的浪头还是很高，但已经不像岸边那样凶猛了。

"发动螺旋桨！发动螺旋桨！"萨沙大吼。

是时候起航了，起航离开这个鬼地方！马达轰鸣起来，一名冲锋队员抬脚踢在马达上，让翘起的螺旋桨浸入水中，橡皮艇开始加速，它的动力足够突破那古怪的潮汐。

萨沙一跃而上，转身去拉楚子航。可楚子航轻轻地推了他一把，将他推了一个趔趄。萨沙再度起身的时候，橡皮艇已经驶出去好几米了，火红色的海水中，楚子航静静地站着，向他挥手道别。

"你疯了么？我们一起离开这个鬼地方！是你说那东西不是我们任何人能对付的！"萨沙急得大吼，"调头！调头！把船开回去！"

不知道为什么，他就是觉得自己不能丢下那个中国人。

"那是我的宿敌，我已经找了他很多年。"楚子航从眼中取下两片薄膜抛入海水中，永远无法熄灭的赤金色瞳孔暴露在萨沙面前。

萨沙怔住了，偷看"神"的那一眼，他隐约觉得神的眼睛也是如此这般的赤金色，只是更加锐烈威严。

他不敢直视楚子航的眼睛，只觉得那对诡异的瞳孔中藏着太古的凶兽，随时都会突破瞳孔的束缚出来吃人……原来他这一路都在跟某个类似神的人同行，难怪楚子航那么博学那么镇定，因为从踏上岛的那一刻他已经隐约知道了一切。

　　按理说这种情况下萨沙就该转头离去，可他又回想起楚子航叫他们留在橡皮艇上不要下来，楚子航叫他们不要打开那些棺材，楚子航迟迟不愿上船半身泡在海水中奋力地推着……

　　萨沙忽然解下了自己心爱的AK-74突击步枪，远远地扔向楚子航："那就拿这支枪打爆他的头吧，兄弟！"

　　橡皮艇突突着远去了，楚子航诧异地看着那个站在船尾的俄罗斯男人，又诧异地看向自己手中的枪。

　　这到底算什么？兄弟间的信任么？即使我知道你是异类，可你也还是我的兄弟，因为我们一路并肩走到这里？真可笑啊，这样的武器，又怎么能伤害到随着海潮而来的神？

　　可他还是珍而重之地把AK-74背好，轻声说："谢谢你，萨沙·雷巴尔科，你大概是我在这个世界上认识的、最后一个朋友了。"

　　他在水中跋涉，返回码头，再度走过落叶如雪的林荫小路，登上高处。这时候"死神"的小船已经接近了码头，自始至终，那艘船既没有加速也没有减速，好像楚子航和冲锋队员们是留是逃对"死神"来说根本无所谓。

　　死神的身影也越发地清晰了，宛如那幅画中所描述的形象，只是画中死神是以背影出现，因此那对璀璨的金色瞳孔没有描绘出来。

　　神的黄金瞳太耀眼了，楚子航根本无法看清他的面部，但那个形象早已深深地烙印在他的脑海里。

　　多年之前的雨夜，那条现实中不存在的高速公路上，他们曾经见过！

　　楚子航永远都无法忘记那一幕。他驾驶着一辆狂奔的迈巴赫轿车，扭头看去，父亲举着长刀跃向空中，那一刻自称"奥丁"的男人于深蓝色风氅中伸出了苍白的手……那只手上裹着层层叠叠的白布，就像是木乃伊的手。神的白袍下，也是层层叠叠的裹尸布。

　　楚子航本该跟萨沙一起跳上那条橡皮艇，可劝萨沙不要看向"那边"的时候，他自己也没能控制住好奇心看了一眼。就是那一眼，让他决定要留下来。

　　当然要留下来，他追逐这位神的踪迹已经追逐了很多年，可神始终藏在世界之外。正当楚子航觉得自己就要作为一名执行部专员平淡地、默默地过完一生时，命运又把他送到了神的面前。

　　他毫不怀疑神已经注意到了他们，没有人留下来阻止的话，他们没有任何人能离开这个尼伯龙根。当年是父亲留了下来，所以楚子航逃了出去，今天只有他留下来，萨沙他们才有机会逃出去。

　　只要有一名冲锋队员逃离这里，学院就会知道这个神秘的岛屿，诺玛知道他在

YAMAL 号上执行任务。联系中断超过 24 个小时，执行部的直升机就会降落在 YAMAL
号的甲板上。

他很清楚自己跟神之间的差距，并没有心存侥幸逃离的打算。不过如果时光可
以倒流，让他重回 15 岁那年那月那天的雨夜，他一定开着迈巴赫撞向神而不是逃走
……在他的心底深处，他一直痛恨自己没有胆量跟父亲一起死在那个雨夜里。

那样的死亡很好，一点都不孤独。

他从背后的刀袋中拔出了两把黑鞘的刀——蜘蛛切和童子切，是那个叫源稚生的
日本男人留赠给他的武器。真是好刀，也只有这样的好刀才能配得上这样盛大的结局。

"可惜不能帮你砍断婚车的车轴了，但无论如何，都不要轻易放弃。"他轻声说。

"神啊！来吧！到了我俩算总账的时候了！"他如金刚怒目，如狮子咆哮。

他跃向火光翻卷的大海，双刀划着凄冷的弧线，落向神和他的小船。

这一刻，神从斗篷中抬起头，发出了嘲讽的笑声。

DRAGON RAJA

奥丁之渊

| 狂欢夜之舞 |

Dance in the Gala Night

那舞蹈并不美，而是邪异，冈萨雷斯看上几眼就眩晕得想呕吐。但整条街上的人们却都如痴如醉，他们跟随舞王的节奏一起扭动，千万双手有节奏地摇摆，仿佛一片手臂组成的森林在风中摇曳。

巴西，里约热内卢，狂欢节。

夜空被焰火照亮，强劲的音乐声中，彩车队穿城而过，桑巴舞娘们踩着鼓点扭腰送胯，全世界都是飞舞的大腿和羽毛裙摆。

有人说"巴西人是为了狂欢节而活在这个世界上的"，这话也许不假，每年的里约热内卢狂欢节，巴西人和来自世界各地的游客都像"狂欢完去死也无所谓"似的酗酒、歌舞、眉来眼去。

今夜这座城被欢乐挤满，不留一丝空间给悲观情绪，你若是在街边愁眉苦脸，立刻就会有人从酒吧里窜出来拉你一起喝酒。

但也有少数人例外。临街的酒店顶楼，身穿黑色西装的年轻人们正手持望远镜，监视着整条街。焰火在他们的头顶炸开，他们像是一群趴在屋檐上的枭鸟。

"一号观察哨，未发现目标。"

"二号观察哨，未发现目标。"

……

他们通过挂在耳朵上的蓝牙设备相互联络。这条街上共有七处观察哨，每个观察哨都安排了两名临时专员，沿街的酒吧里还有执行部的十二名正式专员待命，他们都带着枪，弹匣里填满了强力麻醉效果的弗里嘉子弹。

今晚的目标非常棘手，参与行动的又多半是一年级的学员，在秘党的战场上，这是帮纯粹的菜鸟。卡塞尔学院的惯例，新生入学的第一年必须参与一次执行部的行动，让他们亲眼目睹跟龙类或死侍作战的战场。

"A+级的危险目标，这种活儿交给我们真的没问题？"冈萨雷斯嚼着口香糖，俯瞰西方千万条抓着荧光棒的手臂摇摆，仿佛一片莹蓝色的大海起伏。

"你担心什么？要担心也该我担心才对。任务书上说，他狩猎的对象都是美少女，我俩谁是美少女？"他的拍档维多利亚漫不经心地整理头发，执行部那身乌鸦般的黑衣也遮挡不住她的好身材。

冈萨雷斯，西班牙籍学员，卡塞尔学院一年级生，血统阶级 C。

维多利亚，英国籍学员，同样是卡塞尔学院一年级生，血统阶级 B+。

B+ 级别的血统在卡塞尔学院里最多只能算是二流，但维多利亚却在入学第一天就出了名，因为颜值和出身。她是英国皇室的旁支，从祖辈上顺下来，应该算是一位女伯爵。

这次行动冈萨雷斯和维多利亚分在了一组，他心里还是蛮兴奋的，忘了哪本泡妞手册上说的，危险情形下女性会自然而然地对身边的男性产生依赖感，这种依赖感往往是好感的开始。

所以冈萨雷斯还蛮期待那个 A+ 级的危险目标号叫着杀上来，他后腰里插着两支满弹匣的格洛克手枪，如果维多利亚吓得扑向他，他就在搂住校花的同时双枪齐发。

不过这是冈萨雷斯的一厢情愿，如果目标真的狂暴起来，应该是维多利亚保护他才对，因为维多利亚的血统级别高于他，而且还是战斗系天赋。

"他进攻我们倒还好，可这里都是平民，如果他想在人群里杀出一条血路怎么办？"冈萨雷斯有些忧虑。

"这种事轮不到你和我操心，我们这些菜鸟的任务就是监视，动武的事情还是由资深专员来。"年轻的女伯爵说。

"我可信不过那帮什么资深专员，他们面对过几个 A+ 级目标？"

"普通的资深专员确实不行，"维多利亚轻声说，海蓝色的眼睛里透着异样的光彩，"但这一次，他们出动了学生会主席！"

冈萨雷斯微微一怔，心里既向往，又有点失落。是啊，这次出动的精英中有学生会主席，那是尚未毕业就名列执行部精英的男人。关于他的传说很多很多，精英血统、天生领袖、风度翩翩、挥金如土……如果只是这些还罢了，传说他还曾几次对阵龙王级别的目标。

龙王，那是几百年都未必会出现的超级存在，却在主席手中接连溃败。这与其说是实力，不如说是命运。

冈萨雷斯入学以来还没有机会跟主席先生碰面，这次能见到那位"天命的屠龙者"的战斗姿态，当然期待，可有那种男人在，维多利亚和其他女生是绝不可能把多余的注意力投注在他这种衰仔身上的。

这个世界就是这样，多数女孩都向往着太阳般的光芒，可成群的男孩中，往往只有一个是太阳，而其他都是阴影。阴影原本也没有那么晦暗，只是太阳太闪耀了，阴影就越发地晦暗了。冈萨雷斯不幸地就是这么个阴影。

"冈萨雷斯、维多利亚，聊天时注意关掉你们的蓝牙耳机。"耳机里传来冷冷的声音，这是负责他们的那位资深专员，学生们叫他"教官"。

冈萨雷斯和维多利亚赶紧捂嘴。狂风扫过屋顶，黑色的直升机高速掠过，教官正

驾驶直升飞机在附近低空巡弋，经过时还向他们投下冷冷的目光。

学院为了这次行动可是下了血本的，各种战术装备全部出动，整个行动组超过120人，分布在里约热内卢的各个闹市区，只为狩猎"舞王"！

"舞王"，这是个代号，因为没人知道他的名字。

他是个神秘的街头桑巴舞者，里约热内卢的传奇之一。他是三年前开始出现的，穿着一身缀满 LED 光源的舞衣，在著名的科巴卡巴纳海滩上跳桑巴舞。

没人能记住他的容貌，因为夜太黑而 LED 的蓝光太耀眼，他整个人都笼罩在一团莹蓝色的光芒中。但也没人能忘记他的舞蹈，他的舞蹈带着无可名状的魔性，令人血脉贲张，忘却一切烦恼。

有人说舞王出现的地方，就是狂欢节开始的地方，整个海滩的人都跟着他忘情地舞蹈，着了魔似的。很多人慕名而来，流连于科巴卡巴纳海滩，渴望着见舞王一面。但舞王的出现和消失都是毫无征兆的，一旦他出现，人们就会情不自禁地舞蹈，舞步停止的时候，仿佛从梦中醒来，而舞王已经离去。

舞王的名声越来越大，可警方却越来越不安。舞王的出现频率，跟女性受害者的数字是成正比的。

这些残缺不全的受害者都是在舞王出现的第二天清晨被发现的，无一例外地面容姣好、身材性感、小麦肤色、金发，前一晚都去过科巴卡巴纳海滩。非常诡异的是，死者分明遭受过酷刑般的折磨，脸上却无一例外地带着沉醉的笑容。

最后是一个侥幸逃脱的受害者帮助警方揭开了谜底。清晨的时候，她在距离科巴卡巴纳海滩两公里的地方被人发现，膝盖骨折，神情呆滞。

经过大约两个月的心理治疗之后她说出了那晚的经历。那天夜里她和朋友们想去科巴卡巴纳海滩碰碰运气，看能不能见到舞王。舞王后来真的出现了，全海滩的人都像着魔那样跳起舞来，她也不例外。跳着跳着她发现自己离人群越来越远了，跟她一起离开人群的还有好几个漂亮女孩，舞王在前面扭动着，她们跟在后面。

她既不恐惧也不抗拒，那一刻她觉得自己是要去天堂。可她忽然崴了脚，膝盖在石头上撞骨折了，只能眼睁睁地看着舞王带着那些女孩离开。她哭着喊着，伸手去够他们的背影，可他们就这样载歌载舞地离开了，根本不回头。

听完整个叙述后，负责舞王案件的警长叹息着告诉她是骨折救了她一命，因为那天晚上跟随舞王离开的女孩们都死了。第二天早晨，她们残缺的尸体在一间废弃的修理厂中被发现，简直像是被一群野兽撕咬过。

令人惊讶的是那位幸存者根本不信，她哭着说"不不，她们是跟舞王去了天堂，我是多么地不幸啊，为什么是我摔断了腿？"

"这是个对女性有着极强进攻性的恶魔！"警方最终得出了结论。

因为案件涉及神秘学的领域，所以并未对民众公布消息。警方几次暗中监控科巴卡巴纳海滩想要抓捕舞王，可再多的警力配置都没用，舞王出现的时候，警察们也跳起舞来，甚至有一位漂亮女警因此殉职。

警方还在焦头烂额，卡塞尔学院执行部已经无声无息地介入了。

基于"一切神秘主义事件都跟龙族有关"这一基本前提，学院毫不怀疑舞王是个危险的混血种。他的血统中龙血比例很高，高得突破了"临界血限"，龙血中自带的嗜血基因已经牢牢地控制了他。

这种人距离完全丧失神志的"死侍"只有一步之遥了，是必须捕获的高危目标。他应该擅长某种精神控制类的言灵，普通人类脆弱的精神太容易受他的影响，唯有混血种能够抵御。

"他对于桑巴舞存在着极度的迷恋，而狂欢节就是桑巴舞的节日，正常人在那天都会为了桑巴舞而疯狂，舞王也不例外。他很可能出现在闹市区，尤其是游行队伍经过的路线上，那里最容易找到他渴望的食物，金发、小麦肤色的年轻女孩。"

执行部分析舞王的行为模式之后做出了判断，抓捕的网也就此拉开。

时间已经是夜间十点了，舞王还是没有出现，冈萨雷斯开始嚼最后一片口香糖。

舞王的传说在里约热内卢不胫而走之后，很多舞者都会模仿他的装束，把LED光源缝在舞衣上，扭动起来也很炫目，这给监视工作增加了很多难度。

但经过长时间地观察，这些嫌疑对象一个接一个地被排除了。都是些拙劣的模仿者，舞姿显然还没到蛊惑人心的地步，还有几个跳累了就冲进街边的酒吧里买瓶啤酒狂饮。

"看得我也想去学桑巴舞了。"维多利亚忽然说。

"为什么？"冈萨雷斯随口问。

"有什么为什么？"维多利亚噘着嘴，"因为我有胸有腿不行啊？"

真是个好理由，冈萨雷斯想，为什么要去学桑巴舞？因为老娘有胸有腿。世界要都是这么简单就好了。

两人闲极无聊地看彩车上的舞娘，能上彩车跳舞的都是顶级舞娘，都是有胸有腿的好姑娘，羽毛裙摆甩起来的时候，有种遮天蔽日的气派。

她们这是在竞争"狂欢公主"的桂冠，舞者们为此练习了整整一年，所有技艺都毫无保留地展现出来，活力如火山般迸发，跳得浑身大汗，身体在灯光下闪闪发亮。

除此之外还有体积惊人的大胖子，他们也在彩车顶上跳舞，浑身肥肉如水波般颤动，论技艺并不亚于那些身材纤细的舞娘。

"哦!"冈萨雷斯被那些胖子的舞姿逗笑了。

"每年他们除了评选狂欢公主,还会评选狂欢王。狂欢王不仅得桑巴跳得好,还得体重在 130 公斤以上,那些胖子是来竞争狂欢王的头衔的。"维多利亚说。

作为女伯爵,从小就得了解世界,这些杂七杂八的东西都是她从书上看来的。

"哦。"冈萨雷斯重又把望远镜转向那些身材窈窕的舞娘,初看肥仔跳舞还比较有意思,可当然是有胸有腿的姑娘好看。但这一次舞娘们的身体总是无法完全吸引冈萨雷斯的注意,心里似乎有道阴影,像小虫子似的钻啊钻,钻啊钻……

恐惧在心中爆炸,冈萨雷斯猛地站了起来,同时握着后腰的枪柄:"注意彩车上那些跳舞的胖子!舞王可能就在其中!"

虽然没有讨论过,但在整个行动组的心里,舞王的形象都是个肌肉结实体型消瘦的舞者,想来也只有这种人的舞蹈才会颠倒众生,所以他们一直把注意力集中在这样的男性舞者身上。

可为什么舞王不能是个体重超过 130 公斤的胖子呢?根本没有人见过舞王的真面目,人们只是看到舞衣上的 LED 光源在闪动!一个胖子也可能穿上黑色的舞衣,用 LED 光源拼凑出一个体型消瘦的舞者来!

舞王毫无疑问是个酷爱"秀出自我"的疯子,对于这样一个人,最适合他的舞台当然不是街边,而是高高在上、众目焦点的彩车上!

就在这时,整条街的灯都熄灭了,连那些自带电源的彩车都熄灭了,只剩下漫天的焰火。

焰火之下,彩车之上,莹蓝色的人形缓缓亮了起来。就是那些竞争狂欢王的肥仔中的一个,是哪个肥仔并不重要,从这一刻开始,他不再是肥仔而是舞王了。

所有人都惊呆了,全世界只剩下一个人还在狂舞,在没有音乐伴奏的情况下,踩着魔性的节奏。

那舞蹈并不美,而是邪异,冈萨雷斯看上几眼就眩晕得想呕吐。但整条街上的人们却都如痴如醉,他们跟随舞王的节奏一起扭动,千万双手有节奏地摇摆,仿佛一片手臂组成的森林在风中摇曳。就像古代玛雅人的巫术集会,人们在毒蘑菇制造的幻觉下随着巫师跳舞,群体无意识。

一架直升机原本平稳地飞行在附近的海滩上,这时毫无征兆地坠向海面,起火爆炸。并非执行部出动的那架直升机,而是电视台派来航拍狂欢节实况的,毫无疑问,直到飞机坠海的那一刻,驾驶员和摄影师都还在机舱中尽情摇摆。

剧烈的爆炸声也唤不醒舞蹈中的人们,他们跳着舞,就像到了天堂。

冈萨雷斯的脚也下意识地打起拍子来,不过他好歹也是混血种,反手一耳光把自己抽醒,而这时候维多利亚已经双枪在手了。

　　维多利亚的言灵是"刹那"，是极大地提高行动速度的言灵，长项是射击。两项能力叠加，能制造出威力惊人的弹幕。

　　"临时专员全体退后！"蓝牙耳机中传来教官的咆哮，"这不是你们的工作！"

　　直升机从舞王上方飞掠而过，教官吊着绳索从天而降，扑击的动作就像巨鹰掠食。

　　他没有拔枪而是拔出了后腰里的刺剑，执行部中擅长冷兵器的都是精英，而教官恰恰是其中之一。看舞王那身肥膘，弗里嘉子弹未必能贯穿，还是冷兵器更可靠一些。

　　必须一击制敌，否则任这个暴虐的疯子行动，不知道有多少人会遭殃！

　　双方擦肩闪过，体型巨大的胖子仍在翩翩舞蹈，教官惊讶地看着自己空空的右手。那一瞬间太快了，他看不清楚更想不清楚，他觉得自己刺中了舞王，却被一股暴力夺走了手中的武器。

　　毕竟是执行部的资深者，意外情况下教官只迟疑了不到半秒钟，落地时已经拔出了大口径的"眼镜蛇"左轮枪，转身把六发子弹全都打了出去。

　　弗里嘉子弹撕裂了舞衣，肥膘如奶油那样从裂缝中溢了出来，白得晃眼，油腻程度能让人把胃里的东西全都吐出来。

　　单论体重的话，狂欢王的头衔非此人莫属，他的体重少说也有200公斤，舞衣是用某种高强度含碳纤维的材料制作的，就跟女人的塑形内衣一样，把大量的脂肪紧紧地裹了起来。弗里嘉子弹对他的伤害几乎可以忽略，油脂层完全吸收了子弹的动能，丝毫不见出血，那柄剑刃长度超过75厘米的刺剑也被脂肪层咬住了，滑稽地插在他颈部的肥肉上。

　　舞王冷冷地看了教官一眼，眼瞳是熔岩般的赤金色！龙血正在他的身体里沸腾，面对那双眼睛，教官的心中也生出了"逃"的念头。

　　但已经来不及了，舞王右手拔出刺剑，像丢一根稻草那般随手丢出，贯穿了教官的肩膀，把他死死地钉在地下。接着他从彩车顶上跃起，以泰山压顶之势扑向教官。

　　被那堆沉重的肉碾压，不死也是全身性的骨折，教官毕竟是A级精英，强忍剧痛，伸手握住剑柄将剑掰断。在舞王落地之前翻滚出去，只留下一截带血的剑身，深深地插入地面。

　　肥男的舞衣被撕裂了，黑暗中那身白肉荡漾着水波般的纹路，可他的脚步却轻灵得像是踩在水面上。他缓缓逼近教官，细小的眼睛里燃烧着黄金火焰。

　　执行部的其他专员都被人群挡住了，受伤的教官单独面对舞王，绝对是被碾压的下场。冈萨雷斯急得跳脚，维多利亚却已经展开了行动。

　　他们所在的位置不被人群阻碍，只有他们能救教官。格洛克轰鸣，维多利亚在几秒钟内把所有子弹都打了出来，言灵"刹那"叠加精准射击，枪枪命中舞王的后脑。

　　星星点点的火光在舞王的头皮上溅起，子弹打上去竟然响起金属轰鸣般的巨响。

"骨骼强化！"冈萨雷斯惊呼。

龙血已经令舞王的身体产生了严重的异变，混乱的激素分泌令他长出了那层能够抵挡子弹的脂肪，把他的肌肉强化，甚至将骨骼提升到接近高强度合金的硬度。到了这个程度，他很可能已经拥有了超高速细胞分裂的能力，不管受什么伤都能迅速复原，而下一步，他的骨骼会异化，甚至长出龙翼！

但这么一坨肉长出翅膀来真的好么？那不是一块会飞的猪排么？冈萨雷斯满脑子混乱。

舞王缓缓地转过身来，黄金瞳中闪着野兽的凶狠，造成的威压仿佛实质，压得冈萨雷斯喘不过气来。

"回来！"冈萨雷斯伸手想把维多利亚拉回烟囱后面来。

但维多利亚不躲，她脱下执行部标配的黑风衣，放手让风把它带走。风恰好是从维多利亚这边吹向舞王，舞王如愤怒的公牛对着那件风衣发动了攻击，将它撕得粉碎。

风衣下维多利亚穿着白色的紧身皮衣，曲线毕露，她昂首挺胸，面无惧色，当着舞王的面拔出了硝烟弥漫的弹匣，再把新的弹匣塞进去。她不是不怕，但她是堂堂的女伯爵，面对一个疯子怎能露出惧色？况且她的本意就是吸引舞王的注意力，看清楚了，攻击你的是个女孩！你喜欢的那种、漂亮性感的女孩！有种你就过来！

她把自己当作了诱饵，唯有这样才能给教官一线生机。

冈萨雷斯想要给自己的枪上膛，可他的每块肌肉都在痉挛，每根骨头都在咯咯作响，连枪柄都握不住。真可笑啊真可笑，这不是你英雄救美的时候么冈萨雷斯，有胆量的话就该从烟囱背后走出去，挡在维多利亚前面啊！这时候尿了，那一辈子也别想打动那个骄傲的女伯爵！

可他就是控制不住。原来人在内心深处是那么畏惧死亡的，平日里想几千遍你可以为那个女孩去死，真到能为她死，你却连步子都迈不动。

"快走！快走！快走！"维多利亚低声说，语气急促。

舞王正高速地接近他们，他直线前进，前方挡路的人们如海水般分开，这场面既诡异又搞笑，一个肉山般的男人仿佛踏波而行，轻盈灵动。没有人能阻止他扑向维多利亚，他就像一辆行驶在高速公路上的坦克，一切障碍物都可以碾过去。

此时此刻，维多利亚能够凭借的地利就只有他们脚下的这座建筑了。这是葡萄牙人殖民巴西时代的老建筑，坚固的大理石墙壁，楼高四层。以舞王的身材，无论是走楼梯还是坐电梯都不容易上来。

维多利亚觉得自己是安全的，但她没有十足的把握，所以叫冈萨雷斯走，诱饵只要一个就够了，舞王没有看到冈萨雷斯，他现在走还来得及。

舞王冲到了圣多明戈旅馆楼下，并未急于去寻找酒店的入口，而是轻盈地跃起，抓住了二楼露台的铁栏杆！这个体型接近马熊、河马、大懒兽的大白胖子竟然像猿猴那样贴在大理石外墙上，抓着一层层栏杆往上爬。

他的动作是那么地轻巧，但他抓过的铁栏杆全部变形，踩过的大理石砖纷纷碎裂。

维多利亚忽略了一件事，马熊、河马、大懒兽这类动物也只是外表上看起来笨拙，其实行动起来非常矫健。脂肪对舞王来说并非负担，因为他的肌肉力量更加惊人，高度对他来说根本不是障碍！

舞王晃动着浑身的白肉，如同一轮圆月那样升起在维多利亚面前。那张肥肉堆叠的脸上毫无表情，黄金瞳深陷在肉缝里几乎看不见。

即便这样，维多利亚还是能够清楚地感受到他的情绪波动——那是雄兽的狂喜！

维多利亚握着两支填满子弹的格洛克，可她连枪口都抬不起来，在舞王面前，她像只被贯穿在羽箭上的鸟儿，无从挣扎，只能垂死呻吟。

舞王从天而降，张开怀抱，无疑是想把女伯爵狠狠地拥入怀中。

被几百公斤肥肉裹住是什么感觉？也许是油腻也许是窒息。可被几百公斤能抵挡子弹的肥肉裹住是什么感觉？只能是全身粉碎性骨折，碎骨片和肌肉内脏被他像捏橡皮泥似的捏在一起！

维多利亚听见了清晰的骨裂声，原来一个人的全身骨骼碎裂是这样的声音啊，就像一张挺括的打印纸被人粗暴地揉成了纸团……鲜血溅了她满脸，黏稠地往下流。

"维多利亚……维多利亚……快走……快走……"冈萨雷斯的声音将维多利亚唤醒。

被舞王抱住的并非维多利亚而是冈萨雷斯。最后一刻，这个小个子的西班牙男生也不知道哪来的力量，像是一颗炮弹那样撞在了舞王的胸口，代替维多利亚承受了那致命的拥抱。

维多利亚呆呆地看着冈萨雷斯，已经不成人形的冈萨雷斯。冈萨雷斯也回头看她，他只剩最后一口气了，可眼神还是清亮的，他说："快走……快走……"每说一个字，就有黏稠的血块从他的嘴里滑出。

愤怒和世袭的自尊心帮维多利亚克服了恐惧，两柄格洛克顶在舞王的胸口，她吼叫着扣动扳机，子弹撕裂白色的脂肪，枪火把周围一片烧得漆黑。

舞王也怒吼起来，这是今晚他第一次觉得疼痛。他松开了怀中的冈萨雷斯，跌跌撞撞地后退。维多利亚趁势夺回了冈萨雷斯，闪电般地后退。

但她没退几步就失去了平衡，抱着冈萨雷斯摔倒了。其实不摔倒她也逃不掉，她心里很清楚，舞王的血统优势是压倒性的，即便是在这倾斜的屋顶上奔跑，他的速度也远胜于体态轻盈的维多利亚。何况维多利亚还抱着冈萨雷斯，抛弃冈萨雷斯的话还有一线生机吧？反正是个救不回来的人了……可此时此刻她怎么能抛弃冈萨雷斯？

舞王一步步地接近维多利亚，每一步都踏碎瓦片。刚才他的眼神还是雄兽接近雌性的欣喜，此刻已经转为受伤雄兽的暴虐。

维多利亚低下头，抚摸着冈萨雷斯的脸，第一次认真地端详这个西班牙来的小个子男孩："没想到还蛮帅的……"

生命的最后一刻她带着微笑，仿佛一丛怒放的苹果花。连舞王也在这无瑕的面容前迟疑了一瞬，这时耳机里传来了陌生的男声："所有人退后，由我接管战场！"

"学生会主席？"垂死的冈萨雷斯睁开了眼睛。

"学生会主席……"维多利亚死死地按住蓝牙耳机，想要听清那个男人发出的每个音节。

"学生会主席在哪里？"执行部的资深者们不约而同地大吼。

眼泪滑过维多利亚的面庞，最后一刻，学生会主席终于抵达了战场！那个号称即使对上龙王级目标也能锁定胜利的男人，终于来了！

引擎声如同暴雷，黑色的摩托车高速逼近圣多明戈旅馆。

那辆摩托车是跑在屋顶上的，在有几个世纪历史的屋顶之间跳跃，留下曲曲折折的白色尾气。

舞王霍然转身，这个连子弹都毫无畏惧的怪物似乎觉察到某种巨大的危机正在逼近。摩托车越过七八米的间隙，落在了圣多明戈旅馆的屋顶。

舞王本能地摆出了警戒的姿态，双臂交叉在胸前，层层叠叠的脂肪隆起。

此时此刻，维多利亚、冈萨雷斯、执行部的资深者们在他眼里都不算什么了，舞王的黄金瞳中，只映出那辆黑色的摩托车和摩托车上披着黑色风衣的男人！

双方距离剩下不到 10 米，骑手忽然腾至空中，无人控制的摩托车继续冲向舞王。

他把摩托车用作了武器！所有人都在心里为学生会主席的随机应变喝彩，手边的一切东西都可以用作武器，这才是真正的战略高手。

那辆杜卡迪 Pikes Peak 摩托车应该有上百公斤，这样一个高速运动的物体，动能是弹头的几千倍！舞王不怕子弹，但他敢跟钢铁对撞么？

但舞王纹丝不动，摩托车撞上来的瞬间，他一个虎扑，抓住摩托车，把它举过头顶。巨大的自身重量、惊人的肌肉力量加上极其准确的时机判断，让他轻而易举地"擒住"了摩托车。

学生会主席还在空中没有落地，已经抽出了银色的沙漠之鹰。双手沙漠之鹰都是三发点射，六颗子弹的弹道几乎是平行的，全部命中摩托车的油箱！

爆炸声震耳欲聋，摩托车在舞王的手中分崩离析，燃油一边倾泻而下一边燃烧，火雨笼罩了那肥白的巨大身躯。

这远远不是结束，在人们没来得及喝彩之前，学生会主席已经从风衣的衣摆里拔出了双手短刀，落地就向着那熊熊燃烧的舞王发动了冲锋。

他围绕舞王高速地闪动，双刀在舞王的身体上一触即走，每一刀下去，舞王的皮肤就裂开一道小口子，可流出的不是鲜血，而是白花花的脂肪。

脂肪燃烧起来，舞王身上的火势越来越猛。但他的凶性不减反增，大幅度地挥舞着手臂，想要抓住身边闪动的影子。若是被那双手臂扫到，正常人甚至是体质较差的混血种都有脊椎折断的风险。

但他连学生会主席的衣摆都碰不到。学生会主席的速度太快了，刀和人的轨迹都行云流水全无滞涩，绝不贪图一刀制胜，也就不会给舞王抓住自己的机会。

舞王越来越狂躁，扑击的动作也越发地凶猛，但这样只是把更多的空当留给了学生会主席，任凭他一刀接一刀地制造伤口。伤口中流出的白色脂肪已经变成了粉红色，舞王开始失血了。

"所有人远离！所有人远离！你们过去没用！"执行部的资深者们对着蓝牙耳机下令。

附近观察哨的学员试图跳上那边的屋顶，想抢救重伤的冈萨雷斯，资深者们这是要喝止他们。学员们太高估自己了，这样很可能会反过来拖累学生会主席。

究极混血种之间的战斗，人数优势往往没用，再多的人冲上去，都只会沦为舞王用来要挟学生会主席的人质。

舞王忽然转过身，拼着让学生会主席的双刀在自己背后连斩的危险，扑向了维多利亚。

他并不是低智商的凶兽，没有别的人质，他就利用维多利亚！学生会主席自身是没有弱点的，但冈萨雷斯和维多利亚是他的弱点，这两个低年级学员不幸地身处在究极混血种们的作战圈内。维多利亚刚刚努力把重伤的冈萨雷斯藏在了烟囱后，自己还没来得及藏起来。

维多利亚闭上了眼睛，她不抱希望了。很显然学生会主席也无法正面对抗舞王，所以才会凭借敏捷优势绕着他缠斗，想学生会主席来救她显然是不明智的。此时此刻唯一能对抗舞王的就是学生会主席，如果有战场指挥官的话，他也不会下令学生会主席来救自己，谁会为了一个丧失战斗力的一年级学生牺牲当前最重要的战力呢？

但鹰一般的身影浮起在舞王的头顶，那是学生会主席，他踏着舞王的后背起跳，抢先不到半秒钟落在维多利亚面前。维多利亚有种腾云驾雾般的失重感，学生会主席把她横抱了起来，高速地前冲。舞王斗牛似的撞在他的背心，他离地飞起，狠狠地撞在前面的烟囱上。

维多利亚吐出一口鲜血，觉得五脏六腑都移位了，这还是学生会主席用身体为她

挡下了大部分冲击力的结果。她真是懊恼，懊恼自己拖累了学生会主席，但也有些欣喜，在生命的最后一刻，她竟然是在这种传奇人物的怀里。

她睁开眼睛想近距离看看学生会主席，却只看到了那对慑人的金色瞳孔，学生会主席吐出了威严的词句，仿佛神谕般笼罩了她。

"不要死！"

这句话好像真的产生了某种效果，不知从哪里来的暖流在维多利亚的身体里流淌，血流加快疼痛降低，维多利亚觉得自己甚至能听见身体里的细胞在快速分裂、修复伤口。

学生会主席缓缓起身，他的手中已经没有双刀了，双刀插在舞王的两肩肩胛下方。从舞王头顶越过的瞬间，他用脚把刀踹了进去，这次终于贯穿脂肪层，插入了舞王的肌腱。

舞王奋力地扭动着，想要摆脱插入肩胛的异物。疼痛对他来说倒不是大事，可他关键的肌肉被那两柄刀锁死了，双臂无力地下垂，浑身力量都使不出来。但他实在是太胖了，属于那种连自己肚脐都摸不到的身材，又怎么能摸到背后的刀柄？

学生会主席低沉地咳嗽几声，吐出一口血之后，缓缓地逼了上去。他每进一步，舞王就退一步。轮到这个庞然大物战栗了，在舞王眼里，这个黑衣飞扬的瘦长身影被放大了无数倍，带着巨大的威严笼罩了他。

这个野兽般的凶残猎食者终于意识到，这次自己才是猎物。

他忽然转过身，不顾一切地狂奔出去，两条肥大但无力的胳膊在身体两侧甩动。

"照顾好他。"学生会主席说完这句话，如影随形地跟上了舞王，手中银光闪动，他再次拔出了那对银色的沙漠之鹰。

维多利亚呆呆地看着那两个追逐着远去的背影，忽然听见旁边的烟囱后传来了低低的呻吟声，那是冈萨雷斯发出的，不久之前他还处在濒死的状态，只有出气没有进气，现在竟然能够发出声音了。

维多利亚冲过去摸他的脉搏，惊讶地发现冈萨雷斯的心跳正在恢复，像是有一股不可思议的生命力注入了他的身体，把这具濒临破碎的躯体暂时修补好。以这样的状态，冈萨雷斯应该是可以撑到救援队到来了。

原来那句"不要死"其实是对冈萨雷斯说的，自己只是连带的受益者……维多利亚抚摸着冈萨雷斯的面庞，想着那个风一般到来的男人，和那居高临下的三个字，像是在对这个世界下命令，而世界……就真的服从了他的命令。

学生会主席和舞王在里约热内卢的老楼间跳跃，舞王的弹跳力堪称惊人，七八米宽的间隙一跃而过，沿途的各种障碍都被他撞碎。学生会主席则是利用楼顶的高低变化，紧紧地跟在后面。

几十名专员在街面和空中尾随，街面上的专员们骑着抢来的摩托车，还有一个家伙居然开着一辆送奶车，而空中的专员则是乘坐那架直升飞机。

"他们正接近有轨电车！让电车停运！别管什么办法！我要那列电车停运！"

"前方闹市区，通知警方疏散人群！"

"医疗组！医疗组在哪里？学生会主席应该受了伤！"

"该死！那死胖子还在跑！拼体能的话学生会主席可能不是他的对手！"

"狙击手！狙击手有开枪的机会么？"

"狙击手报告，没有开枪的机会，他们移动的速度太快，障碍物太多！"

奔逃中的舞王已经无力对周围的人群施加精神控制了，他们穿行的区域又恰好是闹市区，于是世界各地的游客们都看见了这神奇的一幕，体重几百公斤、被烟熏得漆黑的肉山越过一栋又一栋建筑，身穿黑风衣的男子紧随其后，直升飞机在空中盘旋，一群身穿黑衣的外国人骑着踏板小摩托甚至开着送奶车，大呼小叫地追赶着。

"距离贫民区还有多远？"骑着踏板小摩托飞奔的负责人神情严肃。

"两公里……不！1.4公里！根据他们的速度，只要五分钟就会到达贫民区的边界！"直升飞机上的专员立刻给出数据。

负责人的脸色很难看。行动展开之前他们分析过里约热内卢的地理环境，闹市区的人流当然是阻碍，但如果舞王出现在贫民区，那么抓捕行动成功的概率几乎为零。

几百万没有房屋的贫民将他们的住所搭建在城市里的山上。那里尽是相连的铁皮窝棚，很多窝棚甚至连窗户都没有，道路错综复杂，简直就是一座迷宫。

一旦舞王到达贫民区，就像一只肥大的蛤蟆跳进了湖里，再想尾随他就太难了。而且如果真的在贫民区激战，会造成大量的无辜者死伤，那里的人口密度太可怕了。

"交给我！"耳机里再度传来学生会主席的声音。

随着这句话他陡然加速，凌空跃起，稳稳地落在了舞王的双肩上，沙漠之鹰咆哮起来，一尺长的枪口焰连续吞吐，每一枪都对准舞王颈后的肥肉，每一颗子弹都从同一个位置钻入。

舞王惊恐地咆哮起来。他的颈部正传来惊人的剧痛，沙漠之鹰的大口径子弹重复撕裂伤口，脂肪开始是白色的，然后是粉红色的，最后变成了浓腥的血红色！

"精彩！"看到这一幕，行动负责人忘乎所以地振臂高呼，踏板小摩托几乎失控。

舞王最难缠的地方是那身子弹都钻不透的脂肪层，但一颗子弹打不穿，整整一盒子弹呢？学生会主席用的是实弹，每颗钢芯弹都撞击在前一颗子弹的底部，弹头层叠起来，向着舞王的脊椎骨推进！

一柄由子弹组成的匕首缓慢地推向你的脊椎骨，这是何等恐怖的感觉？

连舞王这种凶兽都忍受不了，他在废楼的楼顶上疯狂地摇摆，想要把学生会主席晃下来，但学生会主席死死地扳着他的下颌，稳定地继续往伤口里灌入子弹。

"残酷、冷静、高效、沉默……还在学员阶段就能达到这样的程度，等他真正进入执行部，岂不是要统治这个部门了？"负责人叹息。

资深者们集体停车在距离废楼几百米的地方眺望，学生会主席已经完全控制了局面，现在赶过去帮忙已经没意义了。

"那是学院花费了巨额成本培养出来的利剑啊，他真正出鞘的时候是对龙王级的目标。"另一名资深者轻声说。

与资深者们的感慨神情形成鲜明对比，女生们神情陶醉。她们都听过学生会主席的传闻，但很少有人跟他照过面，所以他在新生们的心目中往往是个笼罩在光晕中的、遥远的人影，今天她们却能亲眼见到他作战的英姿。

他对待舞王时的手段强横到令人心惊胆战，保护维多利亚时的温柔同样让人印象深刻。如果说人类都是上帝制造的，那么这种人一定是作为传奇而被造出来的吧？

整整一个弹匣打完，舞王背上的伤口深可见骨，学生会主席一拉枪栓，卸掉空弹匣，同时把一枚深红色弹头的子弹插入枪膛。

最后一枪，弹头还是从那个创口进入，毫无阻碍地命中了舞王的脊椎。就在这一刻，弹头爆成一团鲜红色的雾气，融入脊椎骨周围的血肉。

舞王停止了挣扎，摇摇晃晃。几秒钟之后，他那沉重的躯体仰天倒下，砸在废楼的屋顶发出"砰"的巨响。

学生会主席同时落地，戒备着接近肥男，俯身下去摸他的脉搏。心跳居然很平稳，被枪击被火烧被刀砍之后，这怪物的生命力并未明显下降。他之所以倒下，只是因为最后那颗强效麻醉的弗里嘉子弹。

他长长地出了一口气，向着远处围观的同伴们比出战术手势，意思是"行动完成"。这一刻夜风撩起他的风衣，他提着银色的沙漠之鹰独立风中，瘦长的身体看上去就像一支裹着黑色战旗的黑矛。

"师兄是最棒的！"有人情不自禁地高喊。

"师兄是最棒的！"所有女孩都兴奋地尖叫起来。

资深者们相互看看，神色尴尬，这架势更像是明星见面会的会场。执行部自从建立之日起就是学院最骄傲的部门，今夜却在尚未毕业的学生会主席面前下了半旗，在这些女生心中，他们都是学生会主席的跟班吧？

欢呼声仿佛潮涌，学生会主席的脸色却忽然变了，变得非常难看……倒不是舞王又站起来了，而是脚下的楼板传来了明显的断裂声……

"我靠！没有一次能帅到最后……"他低声嘟囔。

浓烟腾起，舞王和学生会主席从五层楼的楼顶砸穿层层楼板，坠入废墟。

忽如其来的变故让所有人都傻了眼，几秒钟后，没等资深者们下令，全体学员都扑向了那座楼。

满地狼藉，数以吨计的碎砖和腐朽的木质骨架堆在一楼的地面，一呼吸就仿佛被灰尘堵塞了鼻腔。这座楼也有上百年的历史了，已经到了不堪使用的地步，里面的住户早已搬走，正等待拆除。它那脆弱的结构没能承受住肥男最后的狂暴，终于坍塌。半栋楼都倒了下来，残留在一层大厅里的废弃家具也都被砸得粉碎，看起来找到幸存者的概率几乎是零。

"天呐……"资深者们面面相觑。难道就这样失去了学院的骄傲？那可是校长精心培养准备对付龙王级目标的利刃啊！这回去可怎么交代？

学员们还没放弃希望，用手电筒照着，在废墟中摸索。

"舞王！是舞王！"一名男生高喊。

他们首先发现的是废墟里一条白胖的腿，搬开一块朽木房梁后，舞王那巨大的身躯静静地躺在灰堆里，像是一块肥白的大饼平摊在地面上。

坚韧的脂肪层被擦得伤痕累累，可即便这样舞王的呼吸和心跳仍旧平稳，龙血把他的身体强化到了匪夷所思的地步。

"主席……主席被舞王压在下面了！"

舞王的身下露出黑色风衣的一角，从高空坠落，被几百公斤的胖子压在身下……死亡方式惨不忍睹，更别说匹配一位英雄的身份。

受不了这个打击的女学员们猛地掩面，泪水几乎夺眶而出。

"路明非主席……路明非主席！"在场的学员中就有学生会的新会员，他们围成一圈，手拉着手，神情悲怆，下意识地说出了主席的名字。

在他们眼里，这个曾经跟龙王对阵的男人是不会死的啊，就如屠龙的圣乔治那样，闪烁着永恒的光芒。

这时肥男身下传出了虚弱但镇静的声音："我想我还可以抢救一下……"

片刻的震惊和沉默之后，悲戚的人群中爆出了巨大的欢呼声。男男女女相互拥抱，连执行部的资深者们也被卷了进来，大家抱在一起蹦蹦跳跳。

几百公斤的肥肉下方，路明非虚弱地叹了口气。他能活下来跟最近一年来的强化训练有关，也有很大的侥幸成分。在下坠过程中他紧贴着舞王，用这个胖子屏蔽了大部分撞击，而落地的时候，舞王砸在一座壁炉上，壁炉没有完全砸塌，路明非落在角落的空隙里，没有被舞王砸成全身粉碎性骨折，只是头很晕，想来脑震荡之类的是免不了了。

通过舞王那臭烘烘的胳肢窝，他能看见师妹们相拥流泪，哭得梨花带雨，心说你

们这些小娘们好歹也长长心啊，没死归没死，帮我叫救护车可以么？叫起重机来把这个死胖子从我身上吊走可以么？哎哟哟我的老腰都快断了，我都三年级了，可不像你们都是年轻人……

DRAGON RAJA

奥丁之渊

第二章

| 十五岁少年的葬礼 |

The Funeral of a 15-year-old Boy

钟声响起，像是要把整个世界都撕裂，钟声中他蓦然回首看向那具烛光中的棺材，他忽然惊了！他忽然想起他是认识那个少年的！

一周之后，美国，伊利诺伊州北部，古老而茂盛的红松林里，一座火车站。

很难想象如此现代化的车站会被修建在这种人迹罕至的密林中，月台上还停着一辆银色的布加迪威龙跑车，淡褐色长发、身穿米色风衣的女孩站在跑车旁，望向铁轨的尽头。

她的长发丝绸般光亮，末端打着细碎的小卷儿，腰细腿长还不满足，更穿了带三英寸跟的罗马鞋，风衣下摆扬起的时候，隐约可见白色的蕾丝裙摆。

偌大的月台上，只有她一个人和一辆车。

狂风忽然席卷了月台，几秒钟后，一列墨绿色和银色混合漆成的流线型列车冲出红松林，带着尖锐的气流声。

它平稳地减速，停在月台边的时候，已经如丝绒落地那么轻柔。

这列高速火车由加拿大庞巴迪公司生产，加挂十节满载的车厢还能以每小时400公里的高速行驶，但今天它只加挂了一节车厢。车厢里唯一的乘客穿着黑色的风衣，胸前挂着执行部的盾徽，膝盖上放着银色的文件箱。面前的小桌上摆着一杯冰镇的薄荷茶，还有两柄短刀和一对银色的沙漠之鹰手枪。

他站起身来，把武器收入那件经过特别设计的风衣里，走出车厢的那一刻，接车的女孩就顺手接过了他的文件箱。

"里约热内卢好玩么？"女孩微笑起来像是蒙特卡洛的阳光。

伊莎贝尔，西班牙裔二年级生，学生会舞蹈团的现任团长，同时也是学生会主席的秘书。

这列火车是学院为学生会主席派出的专车，作为"S"级学员，他备受学院重视，时间宝贵，当然不能像普通学生那样等候列车，所以月台上就只有伊莎贝尔来接车。

"可以吧。日落之后烤海鲜半价，吃到撑死也才10美元。"学生会主席路明非先生没精打采地说，旅途委实有点劳累。

他是半年前接任学生会主席的，因为恺撒毕业了。

主席毕业，学生会自然要举办盛大的送别酒会，酒会进行到一半，恺撒忽然抓着麦克风登台，表示在他即将离开学生会之际，有一个非常出色的人要推荐给大家，相信他能够接替自己的工作。

那时路明非还全无"上位"的自觉，跟其他人一样叼着根卷了西班牙火腿片的面包棍站在台下，有一搭没一搭地听着。

这位候选人，按照恺撒自己的说法："毫无疑问是我和楚子航之后最优秀的人，在他初入学的时候，我就下定决心要为学生会争取到他，不能放任狮心会抢走他，他在哪边，哪边就会加分。我跟他一起出过几次任务，他的表现总是令我欣喜。在品位和修养方面他也在逐步提升……"

路明非心说何方妖孽，竟然能被老大夸成一朵花？

接下来恺撒又说："如果只是我认可他的优秀，想必不能说服所有人，可校长也很看重他，S级的评价在学院的历史上屈指可数！"

路明非心里"咯噔"一声，心说要坏事！

"那么就请用掌声欢迎这所学院的明星、Mr.Ricardo Lu上台来，和我并肩站在一起。"恺撒遥遥地向他伸出手来。

聚光灯从四面八方打来，把他傻眼的样子照得纤毫毕现……真扯淡啊，忽然就成了焦点人物！

高中时候他满腔骚情无处发泄，很想成为大家眼里的焦点。当时学校的春节晚会上总有团体舞的环节，路明非羡慕极了，看着聚光灯中男孩女孩的侧影，心说那要是我多好，穿着那么酷的表演服，肩膀上还有金色的流苏，还可以明目张胆地拉女孩的手……可惜他毫无"才艺"这东西可言，只能待在灯光室里，按照老师的指示拨动开关，让聚光灯依次照在那些登场的同学身上，看他们拉着女孩的手旋转。

如今他只想嚼着面包棍，当个安安静静的美男子……却不能了。

他和恺撒并肩站在台上，恺撒紧紧地搂着他的肩膀，镁光灯连闪，记录下新老主席交接的历史性一刻。

"老大，"路明非压低了声音，"你玩我呢？学生会主席这事儿我真的干不来。"

"没有人生来就是学生会主席，练练就会了。"恺撒以政治家般的翩翩风度向人群挥手。

"为什么选我？"

"你还记得我的舞蹈团么？"

"记得啊。"路明非当然记得，恺撒的蕾丝白裙少女团嘛，几乎选尽新生中颜值最高的女孩，学生会各部门中最闪耀的明珠。

"把她们留给别人委实有点不放心……"

父王你是要把后宫娘娘们都留给儿臣吗？

不过学生会也是有规章的机构，继任者不是恺撒指定就行的，合影完了之后恺撒环顾台下说："这样吧，我们就简化投票流程，请同意路明非继任学生会主席的各部部长举手示意。"

"路明非师兄，我们爱你！"舞蹈团团长率先举手，就是伊莎贝尔没错，说来路明非黄袍加身她有首义之功。

"同意路明非师兄成为下届主席！"敦实坚毅的后勤部部长。

紧跟着是帆船部、滑雪部、登山部……各部长齐刷刷地举手，场面之踊跃，意见之一致，令路明非想起高中时选班长。

高中时代的班长是给老师跑腿的人，大家当然乐得推举一个倒霉鬼去顶这个雷。但卡塞尔学院学生会主席的位子就不一样了，含金量极高，甚至可以说是呼风唤雨，按常理竞争会很激烈才对。路明非忽然意识到恺撒连投票环节也考虑到了，这两年来学生会各部多半都更换了新部长，新任部长们以二年级生为主，这帮人是听着"校园唯一的S级"的传说长大的。

最后当着学生会全体干部的面，恺撒把百年历史的深蓝色天鹅绒斗篷披在路明非的肩上，用一届届传下来的佩剑击打他的肩部三下。

就这样路明非继承了学生会主席之位，基本相当于子承父业、兄终弟及。

路明非心里也知道，所谓后宫不能放心交给别人什么的，那是恺撒随口瞎扯。恺撒把主席的位子留给他坐，应该是出于友谊，在日本那场似乎永无止境的暴风雨中结下的友谊。

此外大概就是希望他继承了蕾丝白裙少女团以后就别老惦记着他的未婚妻了。

伊莎贝尔拉开车门，路明非在副驾驶座上坐下，伊莎贝尔帮他关好车门，再绕到另一侧去开车。

这辆布加迪威龙还是从恺撒手里赢来的，修好后一直都是交由伊莎贝尔来驾驶。她也是战斗系的天赋，既是秘书，也兼任主席先生的保镖，必要时还可以扑到主席胸前挡刀挡子弹。

果然是"一入学生会深似海，从此衰仔是路人"，今时今日这待遇，路明非自己都要喷喷了。让这种如花似玉的妞儿给自己保驾护航，简直是给野狗穿上黄金甲。

半小时之后，布加迪威龙驶入山顶校园，进入诺顿馆的地下车库。

几分钟后，二楼会议厅的红枫大门左右敞开，路明非进门时略停了一下，伊莎贝尔的双手已经搭在他的衣领上，为他脱下了风衣。他在会议桌尽头坐下的同时，各部部长整齐地起身鼓掌。

"里约热内卢的战斗真是漂亮！"有人大声说。

看起来路明非力挽狂澜捕获舞王的事迹已经传遍了整个学院，还不知道冈萨雷斯和维多利亚那种低年级生怎么添油加醋。

路明非没精打采地点点头，在别人看来他的意思是舞王这种级别的胜利跟我那些龙王级的战绩相比何足道哉？实际上是他舟车劳顿困得不行。

"听说您受了点小伤，已经在校医部为您预约了全身体检，是现在去还是开完会去？"伊莎贝尔关切地问。

"轻微脑震荡而已，用不着。"路明非嘴里说得轻松，心里话却是我擦嘞那个死肥男就差把老子满肚子的便便都给砸出来了。

"以您的血统，我想也是不会有大碍的。"伊莎贝尔由衷地说。

路明非心说那是你不知道我之前是什么样子，换作一年前我被这么压一下你们就别等我开会了，学生会全体戴孝吧。伊莎贝尔你穿白估计也蛮好看的。

他的变化是从日本回来之后开始的，因为很多证据都显示，在昂热、恺撒和楚子航忙于应对海萤人工岛的危机时，路明非凭着惊人的意志抵达了风暴的中央"红井"，直面赫尔佐格化身的白王。虽然最后赫尔佐格是坠落在东京湾上，并非由路明非击杀，但独闯龙潭的勇气却是坐实了。

昂热坚持将他的评级定在 S 上的时候，学院内部对他还充满质疑，但眼下教授们觉得他的潜力毋庸置疑，只是需要量身打造一套强化方案。这个方案是地狱式的，需要冒险，即使冒险成功也得经受惊人的痛苦。拿到那份方案的时候，路明非的手直哆嗦，心说我我我要跟我的律师谈一谈……可连他自己都不敢相信，他真的坚持下来了。

因为想要力量，如果早些拥有力量，在红井深处就不会那么无助地大哭。真讨厌那样的自己，无助的时候只能求助于小魔鬼，空着自己的双手，什么都做不了。

"正式开会之前还有个小事情，在里约热内卢和您见过的新生冈萨雷斯和维多利亚，很希望得到您的签名。"伊莎贝尔把两张明信片放在路明非面前，钢笔也是旋开了笔帽递过来的，"我觉得可以满足他们的要求。"

路明非低头刷刷地签字。

"那个维多利亚很漂亮，有芭蕾舞的底子，要不要吸收过来加入舞蹈团？"伊莎贝尔微笑着问。

"你决定就好了。"

会议正式开始，路明非这趟出门半个月，留待他处理的事情很多。虽然其中多半只是点点头的事情，但这个头还是得主席自己点，伊莎贝尔的脑袋显然比他的脑袋好看很多，但伊莎贝尔不能代替他点头。

当了主席之后路明非才知道，原来学生会主席还真不是当着玩的，尤其卡塞尔学院的学生会属于有资产的学生社团，跟中国的学生会靠学院的拨款混日子不同。

会议从下午一直开到晚上，窗外太阳西沉，夜幕渐黑星辰渐亮，各部为了预算的事情吵得不可开交。

路明非强打精神看他们吵，恍惚间仿佛回到了中学时代，那时候他陪着陈雯雯去学生会吵，是为了给文学社争五百块钱的预算买书，如今帆船部想争取预算买条新船。

对面的镜子里坐着个衣冠楚楚意气风发的家伙，那是他自己，可看着挺陌生。

恺撒留了几位元老辅佐他，元老们围着路明非转了几圈，叹口气说真心不如砍掉重练。

改造先从外形开始，总不能跟前主席区别太大。

服饰风格锁定为西装加风衣的干练型，西装从伦敦萨维尔街定制了一批，风衣品牌被锁定为 Barbour，因为有很多皇室委任状。皮鞋品牌选定 Corthay，手工定制的小牌子，路明非根本没听过，但凡人没听过的牌子才是好牌子。至于那头乱毛，伦敦来的发型师整过之后，很有点范儿了，只不过泡水就塌。

置装费不是问题，因为学生会自己有钱。

武器也是男人重要的装饰物，枪械选了沙漠之鹰，因为恺撒的存在感太强，给人"不用沙漠之鹰的学生会主席就不是真正的学生会主席"的感觉。

那对短弧刀是日本分部寄给新任主席的贺礼，灵活多变，边打边跑。

真是砍掉重练，完全不像他自己，可是大家都觉得新版的路明非师兄好棒，"我要是成为师兄那样的男人就好了"……原来只要你"上了年纪"就一定能掩饰自己的过去，装得好像你从不曾怯懦和迷离，从娘胎里出来就是响当当的男子汉。

部长们还在吵，路明非偷偷摸出平板电脑，连上网浏览守夜人讨论区。今晚讨论区很火爆，因为《东瀛斩龙传》更新了。

这部小说描述了一群年轻的秘党成员远赴日本，卧底牛郎店，和日本历史最悠久的黑帮周旋，最后勇斗寄生龙王的冒险故事，作者署名"炎魔诗人"——这是芬格尔的笔名。

三人组被芬格尔毫无廉耻地扩充为四人组，还分别加上了绰号，楚子航是"永燃的瞳术师"，恺撒是"跋扈的贵公子"，路明非是"神眷之樱花"，芬格尔自己的绰号最为炸裂，是"炎之龙斩者"。

至于零，作者把她处理成"楚楚可怜的少女"，一路上屡次被"炎之龙斩者"所救，按照最新的情节发展已经暗暗地生出了情愫……看到这里的时候路明非很想捂脸，跟帖说："No Zuo No Die，走好不送。"

但他心里真的很喜欢这个故事，每次更新都会追看，大概只有看这个故事的时候他才能清楚地回想起往事的点点滴滴，那时候他还不是学生会主席，是那个危险来时问"师兄我们该怎么办"的尿货。

今天的更新延续之前的故事，根据蛇岐八家逼到高天原门前的那一幕改的。

炎魔诗人写道，当时夜间演出刚刚结束，一个被雨淋湿的白裙少女拖着鲜血淋漓的腿敲响了高天原的门——这是刺探情报失败的零——她说帮帮我，蛇岐八家的人还有五分钟赶到，然后就晕过去了。

这时候芬格尔提刀出门……

"芬格尔横着长刀，站在那场仿佛永远都不会停止的大雨中，挡在瑟瑟发抖的俄罗斯女孩前，唇边带着漫不经心的笑意，冷对数以千计的黑道人物，他们的黄金瞳在夜色中咄咄逼人……"

鬼嘞！"唇边带着漫不经心的笑意"又"冷对"，你是阴阳脸不成？

"'这件事跟你没关系，交出那个女孩，我们各走各的路！'风魔小太郎咆哮着。'初次见面，自我介绍一下，我从卡塞尔学院来，大家叫我炎之龙斩者。'芬格尔淡淡地说。"

嘴脸！就你还淡淡地说，"淡淡地说"这种词用在面瘫师兄身上就是牛逼感，用在你身上就是装逼感好么？

"'炎之龙斩者？'风魔小太郎的脸色变了，记忆中似乎听过这个可怕的名字。他心说这次运气如此不好，竟然招惹上了这般棘手的人物，可嘴里还强硬道，'久闻炎之龙斩者的大名，请问你跟这个女孩有什么关系么？'

"芬格尔淡淡地笑笑，'没有关系，只是偶遇的美少年和美少女罢了。你要我交出这个女孩并无不可，但得先问过我的兄弟。'

"风魔小太郎看向芬格尔背后持枪戒备的小樱花，'你的兄弟？'

"'哈哈，'芬格尔一抖手中利刃，忽然豪笑道，'你们想要伤害她，便先问过我的好兄弟，这柄暝杀炎魔刀吧！'

"说时迟那时快，芬格尔奋起7级言灵，刀上卷起黑色烈焰，铺天盖地的杀意涌向黑帮众人，风魔小太郎顿时脸色苍白……"

路明非看得欢乐极了，哇咔咔咔！暝杀炎魔刀！哇咔咔咔！黑色烈焰，楚子航的看家本领都给嫁接到他自己身上去了！哇咔咔咔！偶遇的美少年和美少女……

创作这篇扯淡小说的时候，芬格尔已经远在古巴，他也毕业了。

听到这个消息的时候路明非有点感伤，忽然间有岁月荏苒白驹过隙的感觉，本以为世上什么人都会变，唯独败狗是永恒的，谁想到芬格尔居然也有毕业的一天。

可芬格尔兴高采烈，完全看不出依依惜别之意，欢呼雀跃着收拾行李，踏上了前往古巴分部的小飞机。他是自己要求被派往古巴分部的，声称要为了学院战斗在最艰苦的地方。只有路明非知道去古巴是芬格尔一直以来的梦想，他说那里有世界上最好

的雪茄，还有翘臀上能放一只高脚杯的南美姑娘。

那之后很久都没有芬格尔的消息，再度联系上他是他自己在守夜人讨论区里冒头，贴了近照。照片上，他坐在一辆1972年产的老式克莱斯勒敞篷车的引擎盖上，叼着粗大的手卷雪茄，搂着巧克力肤色的漂亮女孩。

当时路明非在坐在空荡荡的宿舍里，给那张照片点了个赞。他很高兴废柴师兄过上了心心念念已久的生活，于是那天晚上他又买了一瓶以前跟芬格尔一起喝的劣质红酒，一个人喝完了。

再然后芬格尔就开始写《东瀛斩龙传》了，情节既欢脱又装逼。看着看着，路明非能想象那家伙在屏幕前敲打键盘时贱逼微笑的脸。

部长们还在吵，真是，有完没完了，路明非开始烦了，不就是买条船的事儿么？多少钱？几十万美元？路主席给他批了不就完了么？这么吵下去啥时他才能回宿舍睡觉？

这么想着吵架声真就离他远去了，终至寂寥，当他觉察到这份寂静抬起头来的时候，忽然发觉会议室里空荡荡的，只有他和长桌对面的那个男孩。

男孩穿着黑色的西装，打着素白色的领带，端庄矜持得像个大人。那是出席葬礼的服色。

"别烦！没召唤你你又瞎蹦出来做甚？我没生意跟你做。"路明非说。

"哥哥，时间到啦，我们不是要去参加葬礼么？"路鸣泽微笑着说。

葬礼？路明非一时间有点迷惑，什么葬礼？谁的葬礼？可他好像确实记得有那么一场葬礼，他从里约热内卢赶回来，就是要参加这场葬礼的。

路鸣泽来到他身后，给他穿上同样的黑色西装，系上素白色的领带，两个人并肩走出诺顿馆，夜幕下的校园里点满了蜡烛。

他们沿着烛光小道前往教堂，一路上路鸣泽都拉着他的手。

教堂里也满是蜡烛，烛光如山如海，管风琴演奏着低沉的弥撒音乐，白色的六角形棺材摆放在祭坛上，身穿黑衣的男孩女孩们围绕着它。路明非看不清他们的脸，但能感觉到他们的神色哀伤。

他们根本挤不进人堆里，只能探头探脑地往里看。

牧师用低沉的声音念诵着悼词："今天我们聚集在这里，是为了悼念这位15岁的少年。他离开我们了，如那静静流逝的万物。安息吧，我的朋友，你的灵魂，将会延续。我们在此将泪水献给你，那是别时的爱语，我们感谢你给予我们的梦想与幸福的日子，直至永远。我们也将走过那片阴暗的草坪，但不会感到恐惧，因为你的灵魂与我同在……"

15岁的少年么？自己认识什么15岁的少年？路明非茫然地看向路鸣泽，可小魔鬼也跟所有人一样低垂双目，摆出哀悼的样子。

屁嘞！魔鬼会哀悼什么人？魔鬼只会为了每个灵魂的堕落欢呼吧。

人群中传出女孩的抽泣声，哭得那么伤心，大概这个死去的少年对于他们而言真的很重要吧？可路明非的心里空空如也，毕竟没人会为素不相识的人悲伤。他只是不想破坏这悲伤肃穆的氛围，才没有偷偷溜走。

人就是这样，同一个人，对某些人来说差不多是世界的全部了，对另一些人来说，是死是活都没关系。

管风琴变了调子，人们手拉着手唱起歌来，一首祈愿灵魂安息的歌：

"万物终将流逝，只有世界永恒，

沉睡吧我的爱人，你的灵魂会继续下去，

你的诞生是为了将希望之诗传达。

我们奉献你以泪水，

感谢爱，感谢梦，感谢那些幸福的日子，

在这世界，我们曾经相遇。"

歌唱完了，牧师把最后一根棺材钉敲了下去，说："阿门。"

这一刻教堂里的气氛忽然轻松下来，那些悲伤的宾客脸上都露出了笑容。路明非不禁有些诧异，他也知道按照基督教的教义，人死了只是灵魂去了天堂，亲人朋友终将在那里团聚。

可也犯不着如此放松吧？好像那个人根本就不曾存在过似的。

宾客们说说笑笑地往外走去，牧师也脱了牧师袍，浑身轻松地跑掉了。等到路明非回过神来的时候，教堂里只剩下他一个人了，小魔鬼也不知跑哪儿去了。

寂静的教堂里，如山如海的烛光里，他独自面对那具棺材，棺材里躺着他不认识的、15 岁的男孩。他忽然开始悲伤起来，悲伤像无名的根苗那样从他的心里冒了头，长出了芽。他想那些人就这样忘了你啊，难道我们为你祈祷了、唱歌了，就不再怀念你么？你躺在棺材里那么孤独，他们却能继续欢声笑语。

他莫名其妙地为一个他不认识的少年悲伤，难过得简直要哭出来。

他也向外走去，不想在这个悲伤的地方久留了。

钟声响起，像是要把整个世界都撕裂，钟声中他蓦然回首看向那具烛光中的棺材，他忽然惊了！他忽然想起他是认识那个少年的！

曾几何时……曾几何时……

"主席？主席？"轻柔的声音在耳边响起，有人拍打着他的肩膀。鼻端有淡淡的柏木香，那是伊莎贝尔常用的香水味。

路明非骤然惊醒，这才意识到自己是趴在会议桌上做了个梦。部长们的争执声隔墙传来，想来是主席开着开着会一头睡死了，他们转移到旁边的小会议室里去了，只留下伊莎贝尔守着路明非。

"对不起对不起！"路明非窘得挠头。

"最近事情太多太疲惫了吧？"伊莎贝尔永远温柔，善解人意，"主席，狮心会会长来了，想跟您见个面，正在楼下等。您看？"

路明非刚从那个奇怪的梦里醒来，心情还有点复杂，听说楚子航来了，立马恢复了大半截精神头。楚子航还差半年毕业，也已经挂名在执行部，最近一直外派执行任务，两人很难得碰面，想不到他刚刚回来，楚子航也回来了。

他站起身来："我下去见他。"

伊莎贝尔显得有些惊讶："主席，以学生会和您的地位，请狮心会会长自己上来就好了，犯不着您亲自下去见他。"

"你说什么奇怪的话，当然是我去见师兄，还能我坐在这里让师兄来见我？"路明非说，接着他无视伊莎贝尔脸上奇怪的表情，脚步轻快地下楼去了。

诺顿馆的一层是一间巨大的厅，从学院餐厅临时雇来的侍者们正在准备餐桌，按照学生会的惯例，会议结束后是晚宴。楚子航却不在厅里，路明非问起的时候侍者说狮心会会长在门外等候，路明非不由得埋怨他们说"怎么这么对待客人呢？"

他推开门快步而出，外面已经彻底黑了，小路两侧的地灯已经亮了起来，门前空无一人。

"师兄！师兄！"路明非赶紧喊。他想莫不是这帮不会办事的杀才让楚子航在门外等，楚子航生气就先走了，要是没走远还来得及喊回来。

"你们最后看见狮心会会长是什么时候？"他回头问跟出来的侍者。

"我一直等在这里啊，主席先生。"黑暗中传来标准的伦敦腔中文，"还劳您大驾亲自下来，这可真叫我不好意思。"

黑影从黑夜中走了出来，热情洋溢地向着路明非伸出手来。

哇嚓嘞这什么神兽？路明非吓了一跳。

真是黑影，从头黑到脚不带一丝杂色的。那是一个穿着黑西装和黑衬衣的黑兄弟，英俊挺拔衣冠楚楚，问题是这衣服颜色选的，夜色里跟忍者似的，也难怪路明非没发觉那里站着个人。

"狮心会会长一直在这里等您。"侍者说，"我们有请他进来等，但他说贸然来访打扰您用餐，还是在外面等比较好。"

"之前我们见过几次，但您一直很忙，没有机会深谈，您可能不记得我了，我再自我介绍一下，我是狮心会会长巴布鲁，二年级，龙族历史学专业。"巴布鲁举止优雅动作干练，委实也配得上狮心会会长这个称号。

"哦哦，原来是巴布鲁同学……我这个记性，真该死我这个记性……"路明非磕磕巴巴地说着，和巴布鲁握手。他明白了，难怪伊莎贝尔说不必他亲自下来迎接，原来在他去里约热内卢的这段日子里，狮心会已经选出了新任会长。新任会长是二年级生而他是三年级生，摆一摆师兄的谱也未尝不可。

发觉连狮心会会长都换届了，他又有点丧气，奶奶的真是岁月不饶人。但他不记得和这位巴布鲁会长见过面，也许是在什么联谊的情况下吧，人山人海中打过照面。

狮心会新任会长亲自来拜山，路明非也不能不礼遇，于是他邀请巴布鲁会长共进晚餐，反正就是多加一把椅子的事，巴布鲁会长欣然答应。

宾主聊着天往里走，气氛融融恰恰。

巴布鲁会长说这些年学生会的发展速度超越了狮心会，狮心会所谓"卡塞尔学院第一社团"的地位实际上早已不保，他有很多地方需要跟路明非学习。路明非说大家分享经验共同发展，卡塞尔学院就一个，大家都有责任维护它的安定繁荣……越说越像接见非洲兄弟国家的领袖。

巴布鲁会长又赞美说路明非荣任主席之后，诺顿馆装修一新格局优雅，学生会不愧是最有钱的社团。路明非说哪里哪里，社团活动场所舒适，成员们来了就有家的感觉，应该的应该的。

巴布鲁会长又说……路明非又说……

说来说去路明非开始烦了，巴布鲁到现在一次都没有提楚子航，路明非心说我跟你的前任是好朋友啊，你来拜山丝毫不提师兄是什么意思？

"师兄不是还差半年才毕业么？怎么就让出会长的位置了？"路明非干脆自己先提出来了。

"师兄？"巴布鲁看起来有点摸不着头脑。

"楚子航啊。"

"主席您开玩笑么？"巴布鲁一脸严肃，"我没听过这个名字。"

路明非也愣住了："开什么玩笑？你没听说过楚子航？那你从谁那里接的狮心会会长的位子？"

"前任会长阿卜杜拉·阿巴斯，去年毕业，我通过社团内部竞选成为狮心会会长。主席先生觉得有什么问题么？"巴布鲁有点不太高兴了。

"扯淡！"路明非更不高兴，"我没听过什么阿卜杜拉·阿巴斯，整个学院的人都知道狮心会的前任会长是楚子航，你蒙我？"

巴布鲁又气又茫然，摸出手机来给路明非看照片，照片无疑是在狮心会的总部拍的，狮心会各部部长和巴布鲁以及一个路明非没见过的阿拉伯人合影，那个阿拉伯裔

学生正把猩红色有狮纹的旗帜交到巴布鲁手里。

这看起来确实是新老会长的交接仪式，跟恺撒为路明非披上斗篷，用剑击打他肩膀三次是一个意思。

路明非莫名其妙地惊慌起来，好在伊莎贝尔和各位部长都下楼来了，路明非转向他们求助，脸上摆出哭笑不得的神色："这家伙跟我说他不认识楚子航，狮心会的前任会长是个叫什么什么的阿拉伯人！"

部长们也都愣住了，他们交换眼神之后，有人暗中推了推伊莎贝尔。伊莎贝尔关切地凑上来摸摸路明非的额头："主席，您应该立刻去做体检的，看起来脑震荡有点后遗症。"

"你们什么意思？"路明非急眼了，"又不是愚人节，大家合起来玩什么把戏？"

伊莎贝尔认真地看着他的眼睛："主席，脑震荡是可能导致记忆混乱的，但这不是什么大问题，您现在只是需要体检，需要心理医生的辅导。这间学院里确实没有过名叫楚子航的学生，更别提他是狮心会会长。"

"太……太荒唐了！你们别搞笑了！"路明非的声音不由自主地高了起来，在诺大的餐厅里回荡，"你们不知道楚子航？'永燃的瞳术师'楚子航啊！你们不看守夜人讨论区里那个很火的小说么？"

急切间他找不到证据，就摸出手机来翻守夜人讨论区。《东瀛斩龙传》里到处是楚子航的名字，那虽然是芬格尔自我吹嘘的小说，可毕竟是有真实依据的。

精华帖高高地置了顶，路明非的手指快速地滑动着，可怎么都找不到楚子航的名字。他干脆输入关键词搜索……"在文中搜索'楚子航'完毕，用时 0.0003 秒，找到符合项 0 个。"

路明非不信了，直接去文中找跟楚子航有关的桥段……片刻之后他脸色苍白，浑身冷汗湿透了衬衣。

他分明记得芬格尔写了楚子航和恺撒开着辆租来的破丰田追踪自己和绘梨衣来着，他们在路上起了争执，谁都不说话，收音机里放着玉置浩二的歌。可现在的版本里，追踪的人只剩下恺撒，他行驶在风雨中，身边的座位上空空如也。

芬格尔还写过楚子航跟恺撒在源氏重工的大楼里并肩对抗死侍群，可现在的版本里，变成了"炎之龙斩者"芬格尔和恺撒背靠背，豪笑着扫射。

再想到刚才看到的最新章节，路明非觉得浑身的血都冷了……难怪芬格尔的刀上会腾起黑色的火焰，在《东瀛斩龙传》的故事里，芬格尔和楚子航合二为一了，楚子航就此消失……或者说，根本不曾存在过！

路明非猛咬舌尖，真痛，他妈的不是做梦，可不是做梦怎么会把师兄给搞丢了？他再去翻手机邮箱，难不成楚子航发来的那些邮件也会消失？

真的消失了，他的联系人列表中根本就没有一个叫"楚子航"的人。

路明非呆呆地站在那里，有那么一刻他真的觉得自己是被肥男砸出问题来了，也许这个世界上真的没有楚子航，楚子航是他臆想出来的，这样逻辑就通了。

"主席，您真的需要医生的帮助！"巴布鲁也意识到路主席刚才并非故意挑衅，而是神志出现了一点问题，上来关切地劝说。

"你……你……你……"路明非一步步后退，在他眼里这帮人忽然都变得那么陌生，面目那么可憎，即使是伊莎贝尔那张明媚的脸蛋都不例外，"你他妈的离我远点！我不认识什么巴布鲁！我们没见过！在我这里只有他妈的楚子航是狮心会会长！你他妈的不配！"

恐惧和愤怒把他的脑海烧得一片通明，他面目狰狞，凶猛得像头狮子。

他不承认！他当然不能承认！我跟那个男人出生入死啊！师兄给我讲的七八九十条人生道理我可以背给你们听啊！将来我要去抢亲师兄还是我的同案犯啊！他是我的……朋友啊！

他头也不回地逃离诺顿馆，伊莎贝尔、各部部长和巴布鲁都惊恐地看着他的背影，却不敢追赶……他们从未见过路明非的这一面，仓皇的背影像条丧家之犬。

三个小时之后，图书馆的电脑终端前，路明非疲惫至极地靠在椅背上，双眼空洞。

几分钟前他搜完了学籍档案，以他 S 级的权限，学籍档案可以随便浏览，但他没找到"楚子航"这个名字。他冥思苦想，连楚子航的学号都回忆起来了，那个学号确实是存在的，但学号的拥有者是阿卜杜拉·阿巴斯。

看来巴布鲁真的没有骗他，再怎么开玩笑，搞到修改学籍档案的地步都太荒诞了。

他还去过楚子航的宿舍，两个三年级生正在宿舍里玩牌，看见路明非非常欣喜，不知主席先生为何大驾光临。

路明非大吼着问："你们什么时候搬进这间宿舍的？这间宿舍里原来住的是谁？"

两个学生茫然地说："我们在这里住了半年了，之前这间宿舍是空着的啊。"

守夜人讨论区里不存在"村雨"这个 ID，执行部的任务记录里也没有，楚子航是个习惯于远离人群的人，很少照相，所以照片也没找到。

最后连施耐德教授都被惊动了，路明非冲到中央控制室里去问他，施耐德教授沉思良久，摇头说："我对你所说的这一切完全没有印象，我已经多年没有亲自辅导任何学生了，脑海里也就没有叫楚子航的学生。我和你之间，必然有一个人记忆出了问题。如果其他人都和我的记忆一致，只有你的记忆不一样，那你最好去找富山雅史教员咨询一下。"

路明非没去找富山雅史，因为他很清楚富山教员的专长是洗脑，很多情况下这项

技术都很有用，比如无意中见到龙类的家庭主妇，洗脑之后就绝对不会泄密，依旧活得快乐茁壮。如果富山教员也觉得路明非的记忆出了问题，一定会对他进行轻度的洗脑，帮助他忘记那个臆想出来的"楚子航"。可路明非不愿意，如果说人的大脑都是硬盘的话，如今这个名叫"楚子航"的存档只剩下一份拷贝了，就存在他自己的脑袋里，这个时候他怎么能格式化自己？

这个道理还是楚子航给他讲的，楚子航说其实人脑是一块靠不住的硬盘，总会慢慢地消磁。

楚子航又说容易忘记的人其实更幸福，忘记是人类的自保机制。可他自己偏又逆反着这个规则，每晚都得背完那些他害怕忘记的事，才能安然睡去。

如今是他自己被大家忘记了，原来没有楚子航的世界一样可以运行得很好，大家一样可以欢声笑语……只有路明非觉得很不好，这世界绝对是出问题了，出大问题了！

"路主席您亲自来图书馆……上网啊？"某位新生发现了委顿在电脑前的人是学生会主席，惊喜地凑上来搭话。

路明非心说我还亲自上厕所呢，亲自上网很不寻常么？

他挥挥手："抱歉，让我自己待会儿好么？我想静静……别问我谁是静静，梗太老了。"

DRAGON RAJA

奥丁之渊

第三章

| 新娘养成学院 |

The College for Brides

她丝毫都不紧张，反而有点点开心。她会怕小贼么？哈哈哈哈哈别可笑了！她可是那所疯子学院出来的啊，血管里流着炽热的龙血，以她身体里龙类的那一半看来，这座岛上的妞儿和老师都是填牙缝的小鲜肉！

北纬 35°，地中海，马耳他共和国。

这是一个由五座岛屿组成的岛国，在"世界最小国家"的列表中能排进前十位，却拥有长达 3000 年的历史。公元前十世纪，腓尼基人就在马耳他定居了，发展出人类最早的航海文明。

五座岛屿分明名为马耳他、戈佐、科米诺、科米诺托和菲尔夫拉，根据官方公布的资料，只有前三座岛上有人居住，科密诺托岛和菲尔夫拉岛都为了保护生态而关闭，甚至不允许船只近岸航行。

但在那些自驾帆船的游客中一直流传着一种说法，菲尔夫拉岛上其实是有人居住的，如果沿着生态保护区的边缘巡弋，在岛屿凹进去的某处，你会看到一座白色建筑，它的外面就是一座小型的天然港，里面停泊着长达 200 英尺的豪华游艇和悬挂白帆的轻型帆船。

好事者当然想知道是哪位富豪隐居在菲尔夫拉岛上，但马耳他政府对此讳莫如深，只说即使菲尔夫拉岛上有人工建筑，也只是为了生态研究而搭建的临时基地，豪华私宅这种东西是绝不会有的。

好事者们就只能把船停在远处，借助望远镜窥望，可那座建筑被繁茂的灌木丛包围着，阻挡了他们的视线。

只有极少数的幸运儿能看到建筑里的人露面，那是在阳光最温和的春夏两季，身穿白色纱裙的女孩们会成群结队地走过木质栈桥，一个个都像是骄傲的天鹅。她们登上栈桥尽头的游艇，脱下纱裙后，里面已经穿好了白色的比基尼泳衣。大海和天空一色的蓝，海天之间浮着白色的游艇，女孩们在甲板上磨指甲或者互相抹防晒油，用几天的时间把自己晒成漂亮的淡棕色。

有幸看到这一幕的人，心也跟脚下的大海一样起伏，感觉这是《辛巴达纵横七海》那类故事中才会出现的场景，世界之外的天堂。

因为无从知道这些女孩的身份，大家就叫她们"鸢尾花女孩"，因为菲尔夫拉在古腓尼基语中就是"金色鸢尾花"的意思，那座岛也可以称作金色鸢尾花岛。

　　早晨 5 点 45 分，海天还是混混沌沌的一片，蒙蒙眬眬有些光浮起在东方的海平面上，纱帘在风中起落。

　　纱帘后是一间白色的卧室，画着金色鸢尾花的屋顶下，女孩裹着白色的羽绒被酣睡。被子被她蹬乱了，胳膊、腿和半边肩膀都暴露在外，还有那头深红色的长发。

　　若是不考虑那糟糕的睡姿，这场面绝对让人怦然心动，女孩睡得那么沉，睫毛长而浓密，在窗外透进的微光中，她的皮肤有种玉石般的质感，仿佛触手生凉。

　　一双眼睛自黑暗中睁开，射出绿色的激光束，缓缓地扫过女孩的身体。

　　那是一个放在书桌上的黑色球形物体，比棒球略大一些，睁眼的同时它还探出了两只耳朵。它无声地移动起来，用肚子上的转向轮，绕过满桌的零食和闲书，来到书桌的边缘，一头栽了下去。

　　"小强！小强！你怎么了？小强！

　　小强！你不能死啊！啊啊啊！

　　小强！小强！你怎么了？小强！

　　小强！你不能死啊！啊啊啊！"

　　落地的那一刻这球形的家伙就尖叫起来，准确地说，是用很大的音量播放一首没品的歌。歌没品也就算了，伴奏还是闹腾的胡琴小鼓锣，像是某家出殡，又像是开封府要升堂。

　　女孩一个虎跳，从被窝里蹿了出来，大吼："哪里跑！"

　　球形的家伙满屋乱跑，一边跑一边播放没品歌，一边哔哔叫还一边大喊"有种你来抓我啊！"

　　那是台闹钟，人类有史以来最贱的闹钟就是这一款了，你别想一巴掌拍在它脑袋顶上把它摁灭。它没有"小睡片刻"这个键，一旦到了你设定的时间，它就会满屋子乱滚并以农业重金属般的惨烈音质放歌，你如果不想办法抓到它，它会一直这么折腾到没电为止。

　　女孩非常矫健，一双长腿，一步能够跨过一张单人床。但她实在不是一个懂收拾的女孩，满地都是书和单只的鞋子，每一步都会踩上。闹钟那对小眼睛里射出的绿色激光束是探路用的，它敏捷地绕开各种障碍物，从桌肚钻进床肚，时而跑八字线路，时而跑圆形线路。女孩追得气急败坏，膝盖几次磕在桌子角上。她倒是很硬气，抱着腿龇牙咧嘴地跳上几下，又带着满腿的青肿接着追。

　　这场追逐最后以女孩滑进床底，一把攥住闹钟君，熟极而流地抠下它肚子里的电池告终。

　　女孩恼火地把闹钟君扔在床脚，想要再钻进温暖的被窝睡个回笼觉，这时太阳已经从海平面上升了起来，钟声响彻四周，金色鸢尾花岛的新一天开始了。

这是极其美好的一幕，每个阳台后都是一间白色卧室，身穿白色丝绸睡裙的女孩们集体从梦中醒来，摁灭闹钟，起床、刷牙、沐浴，坐在梳妆台前涂抹乳液，描画眉梢和眼角，熟练地盘好头发……

清淡的早餐妆画好之后，她们蹬上一双考究的中跟鞋，换上颜色素淡的礼服裙，踏着阳光出门，沿着可以看海的长廊前往餐厅，一路上恬静地微笑，相互行注目礼。

这种场面像是中世纪的欧洲宫廷里贵妇们所过的生活，但她们都是二十岁上下的年轻女孩，青春逼人。

刚跟闹钟君战斗完的女孩却没走这个流程，而是放任自己像半片猪肉那样摔回床上，又睡了二十分钟后才再一次虎跳式起床，光着脚冲向洗手间，抓着各种洗面奶和洗发膏在自己头脸上乱抹。

梳妆镜上贴着一张黄色的便签，随时随地都能看到今天的繁忙安排，先是早餐，然后形体训练，午餐时间考烹饪，下午是日式茶道课和英国古典文学课，晚餐之后还有声乐欣赏。

这是一份绝对紧凑的课程表，比卡塞尔学院还要紧张。

这是金色鸢尾花淑媛学院的风格，您既然来到这里，就是立志要过贵族的生活，生活对您而言就是一场战斗。您要时时刻刻保持状态，上可跟政界领袖商界精英讨论今天的头条新闻，下可去厨房做一款法式甜点让客人们吃了赞不绝口。您风姿绰约，您性感迷人，就算是路上偶遇贝克汉姆，他还带着维多利亚，都得回头多看您两眼。

除了那种立志当圣女贞德拯救祖国和世界的奇女子，做女人做到这份上也就是极致了，而金色鸢尾花淑媛学院，恰恰是通往这种生活的一扇门。

一家深藏不露的基金会跟马耳他政府合作，在岛上设立了这所学院。至于这座城堡式的白色建筑，则是 1798 年拿破仑皇帝驱逐了马耳他骑士团之后建造的，作为他跟约瑟芬皇后的安乐窝，但还未完工皇帝就被迫退位并给流放到厄尔巴岛去了。基金会以重金买下了这座湮没在灌木丛中的建筑，整修完毕，港口、游艇和帆船都是学院的附属设施。

没有任何地方能够查到这间学院的招生通知，也不设考试，想入学只能通过某位校董介绍。那些女孩来到这里，在一年里学习贵族化的生活方式，从社交礼仪到莎士比亚舞台艺术。数据显示，这里毕业的女孩 80% 以上都跟政治商业领域的精英结合，还有少数幸运儿获得了"王妃"之类的头衔。

外人可能误以为它是一间"丑小鸭学院"——把丑小鸭培养成白天鹅再嫁入豪门的礼仪学院——这其实是一种误解，能够来这里进修的根本就没有丑小鸭。这些女孩自己的家世就非常好，并不需要金色鸢尾花学院的毕业证作为她们的"品质保证"。她们来这里学习，只是提升自我修养，金色鸢尾花学院聘请白金汉宫的服务人员给大家讲解用餐礼仪，请出西班牙皇室的资深管家担任教务总长，梵蒂冈的老修女传授宗教礼仪……全欧洲的遗老遗少在这里汇齐，愣生生地在岛上打造出一个19世纪宫廷风的超微国度。

　　最后一刻，红发女孩冲进了临海而建的悬空餐厅。

　　其他女孩都已经温文尔雅地在餐桌边坐好了，优雅地用餐刀分割面包涂抹黄油。乐师在晨光里弹奏着竖琴，地中海的风掀起女孩们白色的裙角。

　　"早上好，陈小姐，昨晚睡得好么？"老嬷嬷面无表情地说。

　　红发女孩根本不答，闪电般地在自己的餐位上坐下，一本正经地切着面包，好像她一直都在那里坐着，差一秒钟就迟到这种事，根本就没有发生过。

　　女孩们相互递着眼色，有的得意洋洋，有的摊摊手。这得在老嬷嬷的视野之外，在金色鸢尾花学院，早餐也是课业的一部分，老嬷嬷会给她们打分。

　　用餐也是贵族生活中的一门技艺，想你将来被英国女皇邀请参加国宴，无论端上来的是烤鸡还是大石蟹，你都得笑盈盈地、举重若轻地对付了，绝不能招呼侍者过来说这石蟹的壳太硬，拜托你给我拿一把榔头来。

　　"她们在搞什么？"红发女孩觉察到周围的气氛不对。

　　"她们在赌你今天早晨会不会迟到，有人赢了有人输了。"她对面的黑人女孩耸了耸肩。

　　那是一位非洲酋长的女儿，酋长垄断着当地的钻石业，富到可以把那个国家都买下来。这位非洲公主12岁的生日礼物就是一辆兰博基尼跑车，唯一的问题是她家周围方圆100公里没有能供那辆车跑的路。类似这样家庭出身的女孩在金色鸢尾花学院数不胜数，你要只是个正常的银行家，在这里你会觉得自己是个擦鞋的妞儿。

　　"我看起来像是总迟到的人么？"红发女孩瞪眼。

　　"诺诺，你们中国人说人'贵有自知之明'，不是么？"非洲公主慢悠悠地把烤过的培根塞进嘴里，"你上个月可是整整迟到了半个月，所以你的迟到概率恰好是50%，赌你的盘口是1:1，非常公平。"

　　诺诺愣了差不多有十秒钟，忽然露出垂头丧气的神情，简直想把脸埋在火腿、蛋和炸薯条里。

　　没错，她是这间学院里的迟到王，各门功课的吊车尾，否则她在半年前就该毕业了，不至于时至今日还被困在这座与世隔绝的小岛上。这一切都是加图索家的安排，目标是把她培养成一位堪任加图索家主母的名门淑媛。

　　恺撒求婚成功后，给叔叔弗罗斯特写了封措辞堪称"粗鲁"的信，大意是我已经向诺诺求婚了，你们面临两个选择，一是答应，二是滚你妈的继承人身份，大家就此

说再会好了，反正我爹是匹如假包换的种马，要说生育后代，没准比我还强些，让他再给你们生一个继承人出来好了。

没想到两个小时之后弗罗斯特就回信了，大意是家族是爱你的，最终还是会尊重你的意愿，陈墨瞳既然答应了你的求婚，就是加图索家的一员了，请带她来一趟罗马，和家中的老人们见见面吧。

恺撒吃了一惊。他很清楚家中那些"老家伙"的地位，在他们面前连庞贝都保持敬畏。那些枯槁得像是尸体、终年生活在低温病房里的老人，有些年龄超过300岁，昂热在他们面前都是粉嫩嫩的青少年。他们靠着龙族血统和医疗技术活到今天，仍然在家族重大事务中扮演着重要的角色，每当局面濒临失控的时候，他们便会从休眠中被唤醒，拖着氧气瓶去开家族会议，而他们的决定有时候可以毁灭一个小型的国家！

恺撒从小就不喜欢这群老妖怪，却没想到在如此关键的问题上，老妖怪们集体对他和诺诺寄予了祝福。

真正见面的那天，有权踏入病房的只有诺诺，连恺撒也被委婉地挡在了门外。"老人们有些话想单独跟新人说，而且病房是无菌的，不能有太多人同时进去。"弗罗斯特是这么解释的。

于是在那间教堂般庄严的病房里，诺诺独自见了加图索家的老人们。他们躺在铝合金的低温箱里，被医护人员推了进来，从观察窗看进去，他们的身体就像是古树化石，惨白多瘢，肌肉萎缩得厉害，干燥的皮肤像是直接包裹在骨骼表面。升温之后，他们的脸色就渐渐接近常人了，血流速度加快，肌肉和皮肤都饱满起来，苍白的皮肤呈现出婴儿般的嫩红。医护人员打开低温箱扶他们坐起，拍打他们的后背，让他们吐出积在喉咙里的黏痰，他们就神清气爽起来，再披上轻软的、古罗马风格的白色长袍，他们就像是变了一个人，慈眉善目，又带着长者的威仪。他们依次跟诺诺见面，自我介绍，每个人的名字都像是古罗马皇帝。

宾主各自落座，诺诺的座位被设在正中间，老人们围绕着她。窗外阳光氤氲，脚下的大理石地面光可鉴人，倒映着另一个阳光氤氲的世界，人仿佛坐在镜面之上。

这阵仗与其说是家庭聚会，不如说是"托勒密女王接见朝觐王座的先知们"。

获得如此待遇，诺诺本应多少有点欣慰，可不知道为什么她有点不安，老人们一寸一寸地打量她，同时交换眼神，说是在看新娘子，但更像是在品鉴一件玉器。

老人们表示对诺诺非常满意，觉得她有资格成为下一代继承人的孕育者。这种意义上的认可当然不会让红发巫女开心，但她还是强迫自己坐在那里，温和地回答着老人们的询问。

因为在她跟老人们碰面之前，她的父亲已经提前见过了庞贝。

以诺诺的性格，很多人都会误认为她是个野孩子，但其实她出自一个很有影响力的家族，从小是当公主来养的。

路明非也知道，诺诺当年去接他的时候，开着一辆法拉利 599 GTB Fiorano。那辆车不是诺诺自己的，而是她从当地有名的大企业"黑太子集团"借来的。可一辆差不多 500 万人民币的车，谁能想借就借？

这并非学院的力量在起作用，而是诺诺家族的力量。黑太子集团跟她家的企业有着很密切的合作，对于黑太子集团来说，诺诺不是什么红发巫女，而是陈家大小姐。

诺诺从不跟人说起自己的家人，寒暑假也不回家，要么猫在宿舍里任自己慢慢地长毛，要么就是跟她唯一的闺蜜苏茜满世界去野。她就像一个翘家的公主，而且最好翘了之后永远不再回去。

但婚姻是大事，藏在水面之下的陈氏家族还是冒了出来。诺诺的父亲，那个武士俑一般森严的中年男人乘坐私人飞机抵达罗马，难得庞贝这家伙也关心起儿子的婚约来，亲自带领车队到机场迎接。双方长辈宾主尽欢，都认可了这桩婚事。

出于某种不可告人的原因，诺诺可以在绝大多数事情上抗拒自己的家里人，却必须在这件事上妥协。她得开始为扮演加图索家的主母做准备了，不能再像以前那样任性妄为。

双方家长达成的一致意见是，诺诺即刻从卡塞尔学院休学。她的生活方式得完全改变，跟过去朋友的联系都要切断，她未来会是欧洲顶级的贵夫人 Motong Gattuso，不再是陈墨瞳。至于"诺诺"，这将是只有恺撒能在私下场合里称呼的小名。

金色鸢尾花学院无疑是最合适她"调养性情"的地方，那艘 200 英尺长的白色游艇跨越半个地中海把诺诺送来这里，登岛的那一刻她扭头望去，望向罗马的方向。

正为她介绍学院的老嬷嬷以为她是想念远在罗马的未婚夫，正要出言宽慰她说区区一年的淑媛课程并不那么难熬，你很快就能跟你的未婚夫团聚啦，他会高兴地发现你更青春靓丽更有吸引力了……

这时候红发巫女撇了撇嘴，对着遥远的罗马比了个中指。

远离自己熟悉的人，去一个学习当淑媛的地方把自己变成另一个人，然后回到罗马结婚生猴子，如那帮古尸似的长辈的愿，这种屁事儿诺诺能心甘情愿才见鬼了！

但就像皇帝必承受皇冠之重，每个人都会有强撑着坚持下去的理由，很多时候那种理由被称作命运，其实说到底是你自己不愿意放手。

为了那个……不可告人的理由。

上午 9 点钟，舞蹈教室里，女孩们穿着天鹅羽翼般的白色纱裙，长腿起落，授课老师身穿猩红色的长裙从她们之间穿过，面如寒霜地喊着"起落起落"。

只有一条腿总是跟不上节奏，它属于哈欠连天的诺诺。别人就像孔雀开屏，她混

在里面，就像孔雀尾巴上的呆毛。

中午 12 点钟，教学厨房，女孩们在老师的指导下把黑松露酱灌进一只肥鸡的肚子里，再塞进烤炉。一小时后，老师端着红酒从那排烤鸡前经过，向烤制它的女孩点头致意，然后叉下一小块鸡皮品尝。

走到陈墨瞳同学面前的时候，发现只剩下鸡脖子和鸡屁股了……因为在整个烤制过程中，诺诺都在不停地打开烤箱吃一点吃一点再吃一点……

下午 2 点钟，日式茶道课，原木色的地板上花瓣随风滚动，女孩们穿着和服白袜，席地而坐，把翠绿色的茶汁倾入瓷盏。

诺诺久坐无聊，两个大脚趾在屁股后面互相打架……换作是江户年间的茶道老师，估计连刀都拔出来了。

……

……

每天都是这么过的。

晚餐后，小型交响乐团露天演奏李斯特的交响诗，女孩们全都换上了夏季礼服，边听边做记录，结束后器乐老师会阅读这些记录，看看学生们对音乐的鉴赏能力。

这是诺诺最放松的时候，她可以神游物外，当作周围的人都不存在。

音乐鉴赏是诺诺的长项，依靠那种名为"侧写"的特殊能力，她可以从一个错误的滑音中体会出乐手的烦躁。有这种本事垫底她大可以随便在报告里写"从犹豫不决的黑管声中我能够体察到某种不安"，器乐老师事后征询乐手，确实验证了诺诺的话。

所以她虽然离开了卡塞尔学院，但还是有人私底下叫她小巫女……这可能是她身上所剩的唯一的、卡塞尔学院的痕迹了。

听着听着她又困了，来到金色鸢尾花学院之后老是这样，怎么都睡不够似的，以前分明没这么贪睡来着。

来这里之前她可没试过当吊车尾的滋味，在金色鸢尾花学院她差不多就是最后一名，虽然这里并不排名次。不过没有人会因此看轻她，因为她是加图索家指定的新娘。即使有时候感觉到不善的眼神，也都是妒恨而非鄙夷——恺撒在认识她之前风流倜傥，15 岁就开始约会，学院里还有好几位也曾是恺撒的约会对象，对他朝思暮想。

当然恺撒不承认那些是他的女朋友，他女朋友就一个，名叫陈墨瞳。他说他遇到诺诺之前心如止水冰清玉洁。

诺诺倒不是故意散漫，可无论她怎么努力，就是跟不上大家的节奏，大概是因为根本没有流淌着"蓝色的血液"①，做什么都照猫画虎吧？或者说，当你不喜欢做什

---

①蓝血，是指贵族的血液。这个典故出自西班牙皇室，意指贵族肤色惨白，静脉血管在皮肤下呈蓝紫色。也有说这是因为银中毒或者铅中毒，当时的贵族使用大量银器并用含铅的化妆品。

么的时候，勉强自己也没用。你想要装得驯服，可你心底那个倔强的女孩在大声说"不"，露出她雪白而锋利的虎牙。

麻质挎包里传来了轻微的震动，诺诺从敞开的包口往里瞅了一眼。包里不是手机，而是那个圆头圆脑的小闹钟。它震动报时，告诉诺诺现在已经是晚上 10 点钟了。

学院执行非常严格的作息制度，不管多重要的课程，晚上 10 点钟都得结束，免得学生们睡不够第二天没精打采。交响诗该结束了。

诺诺总跟那个小闹钟搏斗，又总是把它带在身边，让它在包里无声地报时。这台闹钟也真结实，每天早晨跟诺诺玩追逐战，还被狂摔，居然运行一切正常，贱、顽固又忠诚。

这是她 21 岁那年的生日礼物，路明非送的。

认识恺撒之前诺诺还是能收到很多生日礼物的，那时候她疯疯癫癫地漂亮着，喜欢穿红色的裙子，就像一只红鸟，自由地飞过天空，好多人都想抓住她。后来恺撒抓住了她，那些人就都消失了。没人想跟加图索少爷竞争，因为脑筋清楚的人都不愿打一场绝对不可能赢的战争，所以诺诺就只能收到恺撒的礼物了。

恺撒是个送礼狂魔，一年 365 天，有三分之一的日子都能找出送礼的理由来，比如初次见面纪念、表白日纪念、情人节、圣诞节、按照危地马拉风俗男女应该互赠礼物定情的"塔库鲁鲁节"……

在恺撒的礼物攻势下，只有两个人还坚持着给诺诺送生日礼物，一个是她唯一的闺蜜苏茜，另一个就是路明非。

诺诺当然知道路明非喜欢自己，她可是小巫女，路明非再怎么满嘴烂话，也没法完全藏好自己的心事。但对诺诺来说这根本不叫事，喜欢过她的人大概能坐满卡塞尔学院的餐厅，路明非只是其中之一。

对于男孩来说，爱上女孩太容易了，只要对方足够漂亮，就能有一千一万个理由一见钟情。多数男孩都曾懵懵懂懂地喜欢上一个比自己大的女孩，就像大一男生总觉得三年级的师姐比同为新生的小土妞们有魅力。师姐们懂得打扮，懂得把自己当作女人来看待，受伤过失落过，所以能不经意间流露出风情万种。但等那些男生升入三年级，他们会转而喜欢上一年级的师妹，师妹们傻傻的萌萌的，但总会变得风情万种。一个在别人手里变得风情万种的女孩，当然不如一个在自己手里变得风情万种的女孩。

诺诺想自己就是路明非生活里的一个过客，她当这个过客也好，至少她不会欺负那个笨蛋。

总有一天路明非会喜欢上某个师妹，比如同级那个叫零的俄罗斯女孩吧。诺诺觉得零不错，多年之后同学聚会，路明非可能会自嘲地说师姐我当年还暗恋你嘞！诺诺也会一笑而过。

　　所以她既不揭穿也不回避，只是有时候取笑他几句。比如那天她生日，路明非从早到晚看她的眼神都躲躲闪闪，他从不背包，那天却背了个包，里面鼓鼓囊囊的似乎是个大盒子。

　　恶作剧的心一下子就蹦跶起来了，吃晚餐的时候，诺诺大大咧咧地走到路明非身边把餐盘放下，猛拍他的肩膀，当着众人的面大声说："喂！你不是我的马仔吗？要有马仔的觉悟啊！今天是我生日，你没有孝敬？"

　　看着这家伙窘毙了的神情，诺诺差点笑场。

　　就这样她收到了这个小闹钟，包在一个白色的方盒子里，既没有商标也没有说明，想来是什么极客公司出品的小玩意儿，不值多少钱，但做得挺精致。

　　第二天早晨诺诺就知道这是多贱的一个东西了，那股不把你叫起床誓不罢休的劲头，绝对是你命中的讨债鬼。

　　不过这件礼物倒是真的很适合她，没有这种混不要脸的劲头，是很难把她从被窝里拽起来的。

　　她来金色鸢尾花学院时没带多少东西，这个闹钟却被塞进了行李箱，每天早晨跟它战斗。她起床气很大，抓住它之后总是狠狠地抠掉电池砸在床角里，等气消了再给它塞上电池重新设定时间。

　　人用惯了一件东西后就懒得换，她有时候也会担心自己把这贱贱的闹钟摔坏了，从此一睡不醒什么的，想去买几个来备用，可上网搜索的时候才发现那家极客公司已经破产了，这款闹钟是他们唯一的产品，早已清货下架了。

　　真是什么人送什么礼物啊！她没来由地想起路明非来，那个小马仔也该三年级了，不知道混得怎么样，继续被人当软蛋捏来捏去？或者已经泡到了那个俄罗斯小女孩，啊不，被俄罗斯小女孩泡到了？

　　诺诺回到卧室，外面已经是星垂大海。

　　卧室已经恢复了干净整洁，在金色鸢尾花学院，女孩们是不用自己打扫房间的，连你看过的书都会准确地塞回属于它的位置。

　　诺诺从冰箱里倒出一杯新鲜的橙汁，在书桌前坐下，抽出那本昨晚看到 1/3 的闲书，心不在焉地翻着。这些书她都已经读完几遍了，现在是重读。上岛的时候带了几十本书，可没想到会在这里待整整一年半。

　　其实想出去买新书也行，学期之间的假期，那艘游艇会送学员们回陆地上去，离开学院你怎么疯都没关系，想带什么东西回来更是随意，只要不违反淑媛学院的宗旨——在岛外买了个英俊的意大利男仆带回来玩玩那肯定是不行的。

　　但每个假期诺诺都待在岛上，游泳，晒太阳，读旧书，她既不想回家也不想去加图索家，至于卡塞尔学院，她很想跑回去待上一阵子，却又没法给苏茜或者路明非解释自己如今的人生。

"本宫在金色鸢尾花岛修习欧洲版《女训》和《女诫》，不日神功大成，化身上等仕女，就要嫁入加图索公子家中相夫教子琴瑟和鸣……"

这么说行么？这么说不如让她去死！

越想越不高兴，她"啪"地合上书，一跃而起，反手拉开礼服后面的拉链。礼服如白色的蝉蜕坠地，诺诺从里面蹦了出来。礼服下她穿的不是内衣，而是皮肤般贴身的泳衣。

泳衣是换礼服的时候就穿好的。多数晚上她都会偷偷地溜去岛屿的另一侧游泳，那里是一座几十米高的悬崖，岩石锋利如犬牙，海潮在岩壁下方被撞得粉碎，发出雷鸣般的巨声。

那种海岸当然不是舒服的海水浴场，却能够避开学院保安的视线。诺诺徒手沿着悬崖爬下，往外游出几公里再游回来，好几次她都游到能看到马耳他岛的地方了。面对着那座灯火辉煌的大岛，真想干脆游走不回来算了，可最后还是灰溜溜地游了回来。

这让她觉得自己是个老女人了，再也没有那股无法无天的劲头了。

她蹦上窗台，忽然愣住了。白纱在海风中轻盈地起落，满室凉风，窗户是开着的。

诺诺悄无声息地退回了卧室，移动到书桌边，手指扫过那排读过很多遍的闲书。她摸到了一个空缺，有本书不见了。难怪刚才就觉得有点不对，因为书架上有个空缺。

她又注意到书桌表面有些细碎的残渣，捻在指尖闻闻，一股韩式泡菜味。

没什么可怀疑的了，卧室里藏着个人，他翻窗进来的。凭着侧写的能力，诺诺能大约想到那人侵入卧室后的举动，他在书桌附近逗留过一阵子……不，准确地说，他在书桌边坐了很长时间，并不像一般小贼那样警觉，反而是随手从书架上抽了本书看，那个空缺位置里本该是诺诺带来的那本《禅与摩托车维修艺术》[①]，一本书名超级唬烂但内容颇有点深度的书。诺诺倒是有点惊讶于这个小贼的品位。

不仅如此，这贼还自来熟地拿了诺诺偷藏的泡菜味薯片出来吃！真他妈的胆肥！

这个贼并没离开这间卧室，空气中浮动着这个人的气息，诺诺能从屋里的每个细节感受到他的存在。

她随手熄灯，右手在腿上一抹，黑胶刀柄银灰色刀刃的潜水刀就到了手心里。她的大腿上绷着一根胶皮带，这把刀就插在那里。在没有防鲨网的野海里游泳，带把防身武器总是没错的。

她无声地移动，贴着墙，尘封已久的战术知识重又浮现在脑海里。

[①]《禅与摩托车维修艺术》，英文名《Zen and The Art of Motorcycle Maintenance》，作者罗伯特·M·波西格，书名搞怪，但其实是一本内容很深邃的书，是关于科学和哲学的探讨。因其搞怪的书名而被大众所知，经常跟它并称的作品是《乌克兰拖拉机简史》，一部由英国作家马琳娜·柳薇卡创作的小说。

她丝毫都不紧张，反而有点点开心。她会怕小贼么？哈哈哈哈哈别可笑了！她可是那所疯子学院出来的啊，血管里流着炽热的龙血，以她身体属于龙类的那一半看来，这座岛上的妞儿和老师都是填牙缝的小鲜肉！

终于有个机会不用伪装成淑媛了，金色火焰在她的眼底隐现，她像一只夜行的虎。

卧室面积是五星酒店行政套房的两倍，可以藏人的地方多了去了。诺诺从卧室摸到外面的小会客厅，再到洗手间和步入式衣帽间，都没找到人，她甚至检查了天花板，以防对手具备类似忍者的能力。

她心里有点没底了，难道说自己的侧写能力出错了？那个小贼早已逃之夭夭？

她藏在帷幕后，再度扫视整间屋子。如果有人藏在这间屋子里而她找不到，那么必然存在一个被她忽略的盲区，这间屋子里还有什么空间能够藏下一个人呢？

她的视线停留在卧室中央那四根翠绿色的罗马柱上，心里微微一动。果然，那里看起来根本就不是个合格的藏身地，但确实够藏下一个人……

那个青铜铸造的法式浴缸！

浴缸位于卧室的正中央，以法国人的浪漫，美人沐浴那是艺术，当然要公然置于卧室中央了。学院又在浴缸周围建了四根包裹着翠绿色大理石的罗马柱，挂上白色的纱质帷幕。在月光皎洁的夜晚，纱幕中的一切看得清清楚楚，并不见人影，但那个很深的青铜浴缸里却是足够藏下一个成年人的。

诺诺俯低身形，以"S"形路线接近浴缸，还剩不到5米的时候她忽然加速，水手刀带着一道冷冽的银弧，纱幕在那道银弧中无声地开裂。

浴缸中果然有人。他平躺在无水的浴缸底部，脸上盖着那本《禅与摩托车维修艺术》，肚子上放着那袋吃了一半的薯片。

诺诺既惊又怒，这个贼竟然胆大到在她的浴缸里睡起觉来了，想来睡前吃了薯片看着书，还蛮惬意的。

刀尖停在那本书的书脊上，多下几寸就会刺入那人的眉心。对于入室小贼诺诺当然不准备下很重的手，但也没准备让他舒舒服服地离开，跟着一拳打在他的腹部。

中了这样的一击，那家伙骤然惊醒，一纵身弹了起来，可是痛得无法出声。书从他的脸上落下，月光中四目相对，诺诺尖叫道："啊！"

背后传来"砰"的一声闷响，那位负责风纪的梵蒂冈老修女举着烛台站在门口，神色警觉："怎么了？出了什么事？"

为了学员们的安全，老嬷嬷每夜都会起来巡逻三四次，想必是路过门口听见了响动。她的钥匙能打开所有的卧室，当下就开门冲了进来。

诺诺想也没想，一脚踩进浴缸，踩在小贼的胸口，把他踩回浴缸里，死死踩住不松脚。

"陈墨瞳，刚才是你在惊叫么？出了什么事么？有人闯进来么？"老修女从黑袍下拿出左轮枪来上膛。

诺诺心说"喂喂您真是从梵蒂冈请来的修女吗？这随手就从莫名其妙的地方抽出枪来的范儿是卡塞尔学院的专利啊！"

这种话当然只能在心里吐槽，表面上看起来她是被人撞破了即将入浴的一幕，紧张地抱住了胸口，可脚下又狠狠地碾了几下。

这是提醒那小子说信不信你乱喊乱叫我踩折你的鼻梁骨？妈的这叫什么事儿啊？加图索家委培的新娘，被人撞破卧室里藏着男人！要是个胡子拉碴劫匪般的男人也就算了，谁也不会相信诺诺会私藏那种货色……

问题是这货是路明非！

难怪这贼压根不紧张，进来之后跟回到自己家里似的，从书架上抽出书名最贱的那本书看了两章，熟门熟路地摸出诺诺藏的零食吃了几块，困了就去浴缸里睡觉了。

"哪有什么人啊？我只是放了热水要洗澡，没想到水太烫了。"诺诺一贯都是个会撒谎的丫头，一秒钟就把谎话编了出来。

她打开了镀金的水龙头，热水哗哗地浇在路明非的脑袋上，开始水温没调好，烫得路明非想嗷嗷叫，好在他偷偷伸手把凉水也给打开了，这才摆脱了危机。

趁着嬷嬷还没开灯，诺诺把浴缸边上装满玫瑰花瓣的篮子弄翻了，深红色花瓣盖在路明非脑袋上，再随着水流铺满了水面。

老嬷嬷终于摸到了灯的开关，开灯之后她的眼神越发狐疑："你穿着泳衣洗澡？"

"刚刚游泳回来。"诺诺继续编谎话。

"沐浴既是清洗身体，也是一种心灵的净化，有类似瑜伽的效果，穿着泳衣洗澡也太敷衍了。"老嬷嬷还是抓着左轮枪四下里张望。

这些女孩的父亲把她们交给金色鸢尾花学院，学院就要承担起把她们教育成淑女的责任，淑女当然不能跟外面的野汉厮混，所以学院的保安主要就是严防痴汉和野汉。

诺诺心说幸亏姑奶奶我穿着泳衣，我要是没穿泳衣这家伙已经因为鼻血流得过猛而得送医院了！

她在浴缸边缘坐下，扯过浴巾把自己裹上。这时老嬷嬷已经完成了全屋搜查，提着左轮枪走了过来。

"陈墨瞳，关于你在这里的表现，我一直想找你谈谈，不如就趁今晚的机会。"老嬷嬷也在浴缸边坐下。

"您还会用枪呢？"诺诺难得少有地露出谄媚的笑容。

"我出身在阿富汗，在那个地方信仰上帝可是件艰难的事，我们都得一手拿《圣经》一手拿左轮枪。可没准这是上帝给我们的考验呢？"老嬷嬷的枪悄无声息地收进

了黑袍里。

"那您真的对谁开过枪么？"诺诺想尽办法要把话题岔开。

"一般的罪行我是可以容忍的，但面对那些玷污女性贞洁的恶人，我绝对不会吝惜子弹！"老嬷嬷的话掷地有声，"你的脸色怎么有点不对？"

"游泳可真是蛮耗体力的运动呢……"

"我想这不是真正的原因吧？"老嬷嬷幽幽地说。

诺诺心说您不会立刻摸出枪来对着我们背后的热水连开六枪然后指着冒出的朵朵血花说"这才是真正的原因"吧？

"我想在金色鸢尾花学院的生活并不能让你真正满意，或者说，当一名能让你未来丈夫满意的女性并不是你个人的心愿。"老嬷嬷叹了口气，"你过得并不开心，我看得出来。"

诺诺一愣。

"人不想做什么事情却勉强自己的时候，就像身体在前面跑而灵魂在后面追，可灵魂永远追不上身体。"老嬷嬷说，"你很聪明，虽然我不知道你之前在哪里就读，但我想那也是一所非常优秀的学院。从小到大你一直都是佼佼者，可在金色鸢尾花学院你却遭遇了困境，因为这不是你真正想要的，对么？"

"我也不太清楚我想要什么。"诺诺耸耸肩。

"加图索家是本校的校董，我问这个问题可能会触犯到校董，但私下里问应该没关系，你对你的未婚夫很满意么？"老嬷嬷看着诺诺的眼睛。

诺诺沉默了几秒钟："满意，我自己答应的婚约我怎么会不满意？要说不满意，我只是不满意他的家族要把我培养成他们喜欢的那种新娘。"

"原来是这样，那倒还好，如果爱情的根基牢固，只是对于过程不满意，那么终究都是好结果。说起来我可是蛮懂女孩的心思的，我 28 岁才成为修女，之前也曾订过婚……"老嬷嬷絮絮叨叨地说了起来。

铺满玫瑰花瓣的水中，路明非载沉载浮，好像在一场混混沌沌的梦里，但关键的几个词他还是听清了，爱情、婚约、新娘……原来诺诺在这个岛上是要学习怎么当一个完美的新娘子，来之前他可什么都不知道。

他张张嘴想要嘲笑自己，可又怕吞进满口的水，最终只是一个气泡从他的牙缝里冒了出去，晃晃悠悠地去向玫瑰色的水面。

老嬷嬷唠叨了大半个小时才离开，也不知道是她今夜忽然追忆似水年华想找个人倾吐心曲，还是加图索家对她下达过照顾诺诺的指令，她受命来探探这个靠不住的准新娘在想什么。

诺诺把左轮枪老奶奶送出门外，互道晚安之后带上卧室门。门锁"啪嗒"一声落下，诺诺瞬间从乖巧的淑媛变回夜行猛虎，扑到浴缸边，伸手抓出了浑身沾满玫瑰花瓣的路明非。

"你怎么知道我在这里？你想玩死我么？你要睡觉躺床上老老实实地挺个尸不行么非要藏在浴缸里？你都多大了怎么还是那么鬼鬼祟祟的？"诺诺劈头盖脸地一顿臭骂，跟小机关枪似的。

"喔喔喔喔……"路明非又开始结巴。

72个小时之前他还端坐在诺顿馆会议桌最顶头的位置，喝着伊莎贝尔泡的咖啡，君临天下的气势……72个小时之后他重又变回那个笨蛋衰仔屄货了，被这个红头发的妞儿气急败坏地臭骂，连话都说不出来……

诺诺忽然停下不骂了，怔怔地看着路明非。有那么一瞬间她觉得自己捞错了，也许水下面藏着两个人，她捞错了人。

她本来要捞的是一个走路经常塌着肩膀耷拉着脑袋的男孩，他的头发总是乱糟糟，眼神总是躲闪……可她现在抓在手里的家伙穿着暗纹西装和英伦风的黑色风衣，全身上下没有任何多余的装饰，却并不简陋，透着执行部特有的冷冽气息，要不是眼角还是微微下垂，显得有点没精神，还真认不出来是当初自己从中国带回学院的那个笨蛋。

路明非也在看诺诺。诺诺跟他记忆中也很不同，红发贴着两鬓精心地梳好，用一根银色的簪子别在脑后，只留出两根长长的鬓角，末端烫成C形，那张希腊雕塑般的脸蛋，看起来妆很淡，却用尽了心思。她身上散发着海藻、风信子和檀木混合而成的香气，高贵温和，逼得人透不过气来。要不是耳边那个熟悉的四叶草坠子和脚踏浴缸的霸气姿势，路明非也觉得自己摸错了门。

两人尴尬地沉默着，两个大脑都在高速运转，思考打破沉默的方式。

"好些日子不见，师姐看起来清减了。"

"师弟忧国忧民，日夜操劳，身子骨倒是壮实了许多……"

不对不对！这频道肯定是错了！

"师姐！这次来是组织上有重要的任务要托付给师姐！"

"组织上还没有忘记我么？终于轮到我出场了么？这冷板凳老娘可是坐够了呀！"

频道还是不对！

最后是"咕咕"两声，路明非的肚子叫了起来。他过去的一天里就吃了那点泡菜味的薯片，早已经饿得前胸贴后背了。

诺诺叹了口气，一巴掌拍在他脑门上："没用！等我换身衣服带你去偷东西吃。"

学院酒窖里，诺诺点燃了放在石墙凹槽里的烛台，路明非就着烛光从架子上挑了瓶红酒。

"哟！一抓就抓到了82年的拉菲，如今变成会喝酒的人了嘛！"诺诺哼哼两声，从挂在高处的西班牙火腿上片了几片下来，丢给路明非。

金色鸢尾花学院的酒窖拥有非常可观的收藏，世界名酒数不胜数，很多红酒藏家来到这间酒窖里都妒忌得眼中冒火，可眼下路明非其实只想要块面包填肚子。

不过眼下也只有这里能搞到吃的，学院厨房晚间关闭，且有专人看守，以防热爱宵夜的女孩们长成小胖猪。但这挡不住诺诺，她很快就发现酒窖是没人看管的，开一瓶来就火腿，当作宵夜是足够的。

路明非把瓶塞打开，把酒瓶放在一旁，诺诺在他对面坐下，她换上了一件沙滩白裙，露着肩膀，两根细细的肩带。盘起来的红发也散开了，随随便便地披着。

这样的诺诺就有点像记忆中的模样了。还是没什么话好说，他就看着烛光里的女孩，嚼着火腿。

"看什么看什么？喝你的酒！"诺诺一瞪眼。

"不醒醒酒①么……"

"饿到前胸贴后背了还穷讲究！每任学生会主席都会遗传一种叫'不讲究就会死'的绝症吧？"诺诺抓过酒瓶来给自己和路明非各倒一满杯，仰头咕咚咕咚地灌了一小半下去。

"哦。"路明非也小口小口地喝了起来。

拿破仑时代的藏酒地窖，里面阴风阵阵，两人都不说话，喝完一瓶再开一瓶，牛嚼牡丹般往肚里灌，水手刀扎在那条火腿上，想吃就自己起身去片。

酒意渐渐地涌了上来，诺诺觉得暖和起来了，也没那么拘谨了："喂！说吧！出什么大事了？"

路明非咕地把嘴里的食物咽了下去，犹豫了好一会儿才抬起头来："师姐……你觉得我会不会是发神经病了？"

"啊？本校谁敢说自己不是神经病？"

"我不是那个意思，我是说，我真的得了神经病，出现了幻觉，我以为我认识一个叫楚子航的人，可其实他并不存在，是我臆想出来的。"路明非盯着诺诺的眼睛，"师姐，你认识楚子航么？"

"也许吧。"诺诺耸耸肩。

"也许？"路明非懵了。

---

①醒酒，这是饮用某些地区所产的红酒的一道准备工序，把酒瓶打开后把酒倒入开口较大的容器里，让酒和空气充分接触，放置一段时间，通常是几十分钟到几个小时。这其实是个氧化过程，会让酒中的香气浓郁、口感柔顺。但通常只有高档红酒特别讲究醒酒的程序，所以诺诺说路明非穷讲究。

"我好歹也长了二十多岁，认识过这么多人，怎么可能个个都认识？我连前男友都认不全！"诺诺理直气壮。她号称自己有100多个前男友，那是把幼儿园摘了狗尾巴草送给她的小男生都算上，不过真正有名分的只有恺撒一个。

对于未婚妻这种吹牛皮的行为，恺撒非常地宽容，因为他自己恰好相反，他号称只有过诺诺一个女朋友，但自称是他女朋友的女孩却能编出一个加强连来。

"原来你也不记得他了……"路明非轻声说。

"表情这么丧气干什么？那个楚子航欠你很多钱？"诺诺撇嘴。

"我以为我认识一个叫楚子航的人，他是我朋友……"

他慢慢地给诺诺讲那之后的事。

很快学院上下都知道学生会主席发癔症了，可能是在巴西被舞王砸出脑震荡了。这事开始并没引起很大的风波，卡塞尔学院英才辈出，医科圣手也是大把，有病就治。

心理科教员富山雅史接了这个案子。还没见到路明非他已经有了初步的判断，这是比较严重的精神分裂，应该立刻给予适当的催眠引导，并配以药物镇静，让他回到现实中来。

路明非被催眠后跟富山雅史大讲自己跟楚子航怎么认识的，小时候自己看着师兄被全仕兰中学的女生仰望着，心中是何等的不忿，多么希望自己重新变回一枚受精卵一头栽到楚子航老娘的肚子里去；后来又是如何警惕楚子航，觉得他简直是T800转世，遇佛杀佛遇鬼杀鬼；再后来对他又是多么地不耐烦，因为揭开那层T800[①]的外壳那家伙又八卦又絮叨；有时候还对他有点"恨铁不成钢"的遗憾，睡梦中感慨说以师兄的情商，也就女版巨龙能配他了，可世界上已经没有小龙女了……

富山雅史心说尼玛啊，你对一个臆想出来的男人的感情竟然如此复杂，仿佛一个巨大的洋葱剥了一层还有一层，你不精神分裂才怪了呢！催眠的末尾他诱导性地提问说，那你是不是觉得如果没有了楚子航，世界会更加轻松点儿？

如果路明非说是，富山雅史就准备动手给他洗脑，把那个鬼魂般的男人从他的记忆里洗掉……路明非久久地沉默着，富山雅史心中一动说原来那个叫楚子航的幻影对这个曾经懦弱的孩子真的很重要……他曾经强行删除过某人误以为仍然活在世间的母亲，那人在"母亲"被删除的时候眼角流下两行泪来。

他正想着路明非莫不也会流下泪来的时候，就看这小子"噌"地从催眠椅上蹦起来，闭着眼睛人还在梦中，风衣下的两支沙漠之鹰已经抽出来了，吊着嗓子高喊谁他妈的删除师兄我跟他玩命！

以如此暴力的方式终结催眠疗程的，富山雅史还是第一次遇到。

与此同时，路明非还千方百计地搜寻楚子航存在过的痕迹。可跟楚子航关系密切

---

① T800，《魔鬼终结者》中的人形机械，由阿诺德·施瓦辛格扮演。

的人太少了，楚子航一直以来都活得像个僧侣，或者说独狼也无所谓。

狮心会那边是没戏了，狮心会上下一心团结在巴布鲁会长的身边，否定了楚子航的存在；灭杀大地与山之王，好吧，虽说这是杀胚师兄最不想提起的往事，但谁也没法否认是他一刀刺入了耶梦加得的胸膛拯救了人类，可调出执行部的宗卷，讲的完全是另外一个故事，在耶梦加得和芬里厄即将融合为海拉的前一刻，由狮心会前任会长阿卜杜拉……路明非气得想吐血，恨不得去找那位阿卜杜拉大哥理论说你配么你配么你配么？人家是相爱相杀好么？你一个中东地区来的路人你瞎搀和什么啊！

毫！无！美！感！

最终他敲开了校长办公室的门，坐在了昂热的对面。一如既往地，老家伙在透光的天井下方，喝着红茶，逗着他的松鼠们。

"我想这个人的存在对你而言非常重要，但我的回答只怕要让你失望了，我从不认识一个叫楚子航的来自中国的年轻人，这些年我们在中国找到的最有潜力的年轻人就是你。"昂热把红茶倾入路明非面前的白瓷杯子。

路明非喝着温热的红茶，却觉得自己一寸一寸地凉了下去，血管里好像都泛起了冰渣。

"可怎么会有那么逼真的幻觉？"路明非看着旁边空着的座椅，"我还记得那天晚上我们就在这间办公室试着拔出七宗罪，他就坐在那个位置上，他拔刀的时候死死地攥着刀柄，被上面的鳞片刮得都是血……"

"我确实记得拔刀的那个夜晚，那晚我泡的是大吉岭产的红茶，落叶把天窗都盖满了，风很大。"昂热说，"你就坐在现在的位置，恺撒坐在那边，一切都跟你说的一样，唯有你现在看的那张椅子是空着的。"

"那场弹劾您的闹剧呢？加图索家的那个什么代表坐着火车来，说您不再适合当校长，罪名很多，其中一条是你容忍楚子航这种高危分子入学，你们还拿了他的血样来做实验。"

"那场弹劾确实发生过，但没有什么血样实验。他们弹劾我的理由是混乱的管理以及超支的预算。"

"那在芝加哥的六旗游乐园呢？六旗游乐园那事也是假的么？"路明非忽然激动起来，"我看着他冲向轨道的尽头！我看着他把砸过来的钢件融化成钢水！没有他我们都死了！我们都死了！"

"那件事是真的，但我不记得有钢件砸过来，鳍状制动器刹车之后我们顺利地回到了加速隧道。确实千钧一发，因为轨道在我们返回后的不到半分钟就塌掉了。"

路明非呆呆地看着昂热，腰杆还强撑着，心里已经泄气了，他觉得自己像个破了洞的橡皮鸭子。

"你的情况我已经收到了报告了。你是唯一的现役 S 级学员，学院的希望，我不想看到你出问题。可心病这种事往往不是外人能帮忙的，你该去找能打开你内心的那个人。"昂热低头疾书。

"能打开我内心的人？"路明非一愣。

"马耳他共和国，金色鸢尾花岛，那座岛上有个封闭式的学院，陈墨瞳现在在那里。"一张卡纸扔在路明非面前，"别说是我给了你地址。"

"师姐？我去找师姐干什么？"路明非想要装傻，但身体倒是很诚实地抓住了卡片，恨不得立马背下来。

"她的能力是侧写，某种到现在为止还无法解释的洞察力。如果是她的话，应该可以挖出你的心病来。"昂热耸耸肩，"至于她为什么是能打开你内心的人……我在女人面前卖乖和装傻的时候你还没生下来呢！"

就这样他偷偷地溜出了卡塞尔学院，乘水上飞机达到马耳他共和国，从悬崖峭壁那边登岛。这些当年看来难比登天的事，现在做起来倒是驾轻就熟。

"可我真的不记得楚子航，侧写也没法用来治疗神经病，你现在的状态需要的是一个精神科大夫，"诺诺耸耸肩，"或者女朋友，你也许是太孤单了，可就算你觉得孤单为什么要幻想一个男人出来陪你！"

"喂！不要这样无限制展开好么？我不是幻想了一个男人出来陪我，我是无法忘记他！"

"看看，承认了吧，今晚在酒窖喝酒路明非说他无法忘情于某个男人。"诺诺笑着露出两个虎牙，"回去我要在日记里写一笔！"

"师姐你严肃点好不好？我真的觉得糟透了。"路明非苦着脸。

"精神分裂症并不算很罕见的病啦，有什么糟糕透了？这种病最典型的症状就是'感知觉障碍'，简单点来说就是会出现幻觉、幻视、幻听什么的。而且患上这种病的人特别偏执，会对幻觉坚信不疑。"诺诺说，"类似的案例可多了，比如说在 1967 年，南非一名黑人妇女在高烧之后醒来，忽然会说一口非常流利的法语，她自称想起了自己的前世，她是一位旅居巴黎的画家，还是个男人，住在塞纳河边的一间公寓里，打开窗可以望见卢浮宫。她把从公寓阳台上眺望巴黎的景象画了下来，告诉别人门牌号码，人们居然按图索骥找到了那间公寓，从阳台上看出去，景色和她所画的简笔画一模一样。"

"太神了吧？"

"没人能解释一个帮人洗衣服的黑人妇女为什么忽然能说流利的法文，更没人能解释从未离开过南非的她怎么会知道从那间公寓阳台看出去的景色，她的护照显示

她没有任何出国经历。于是她一时间成了媒体的宠儿，很多神学家宣称她足以证明人是有灵魂的，可以转世轮回，当然也有人说她是骗子，邀请她参加催眠测谎。她真的就接受了挑战，被催眠后她甚至回忆起了更多的前世细节，于是她的名声更加响亮，甚至有出版商邀请她写一本关于自己前世的自传体小说。"诺诺耸耸肩，"但那就是个精神分裂症患者，直到 1976 年，人们才发现了真相。黑人妇女确实一直生活在南非，但她妈妈为一个富有的法国家庭工作，所以她从小生长在一个说法语的环境中。她在六岁之前能说一口流利的法语，但之后那户法国家庭离开了南非，她渐渐地用不到法语了，这项语言技能就退化了，应该是那场高烧重新激活了这项沉睡的技能。"

"可还有那间公寓和阳台上的景色呢？她又没去过巴黎，她怎么知道从那扇窗看出去是什么样的？"路明非不自觉地为那个素不相识的南非妇女辩护。

"那间公寓曾经属于那个法国家庭，女主人画过一幅油画，就是从自家窗口看出去的巴黎。发病的妇女小时候很向往巴黎，画上的每个细节她都记得清清楚楚，她只是凭着记忆复制了那幅画。至于催眠测谎在她身上失败，那是因为她根本就没撒谎，她从心底里相信自己的前世是住在塞纳河边的巴黎画家……就像你深信自己有过一个名叫楚子航的朋友。"

路明非呆了很久很久，再开口的时候，声音莫名其妙地苦涩："可我记得他的好多好多细节啊！他的背影，他的语调，他跟我说过的话……我记得他跟我说过的好些话……这都能假？"

"你做过梦么？"

"做过啊。"

"多数的梦都是很模糊的，但有些梦却出奇地真实，醒来后你能记住梦里的许多细节，简直就像是真实发生过的事。你做过这样的梦么？"

路明非忽然就想起路鸣泽来。每次跟路鸣泽见面都像是在梦境中，但细节异常地清楚，跟现实区分不开。

"那种特别真实的梦，细节都是从别的地方借的。"诺诺接着说了下去，"人脑储存信息的模式非常奇怪，它会把碎片化的信息存储在大脑的不同部位。比如我们现在坐在这里喝酒，你会把酒的香味储存在 1 号脑区，把我的样子储存在 2 号脑区，把我们说的话储存在 3 号脑区……就像把信息存进各种各样的文件夹里……正常情况下，你读取这些信息的时候会原封不动地从 1 号脑区读取酒的香气，2 号脑区读取我的样子，3 号脑区读取我们今晚说的话……然后把今晚的情况重现出来了。但你在梦境中读取记忆的方式是混乱的，你读取的场景是大排档，读取的味道是麻辣烫，读取的人是芬格尔，这些乱七八糟的信息拼凑起来，就是你和芬格尔在大排档上吃麻辣烫。"

"就是说我现在的精神状态就像一个梦境对么？我的大脑读取了乱七八糟的信

息，拼凑出一个叫楚子航的人来，其实他并不存在。"路明非轻声说。

这种时候容不得诺诺耍宝了，她感觉路明非不知因为什么原因而处在精神崩溃的边缘，这时候再跟他胡说八道，会让他的脑子越发地混乱。

"想想那个南非妇女，她的所有骄傲都源于她的上辈子是个生活在巴黎的艺术家，想让她承认自己只是个在洗衣店打工的普通人，肯定是很难受的。可事实就是事实，她在臆想里沉浸得越久就越不好。"诺诺直视路明非的眼睛，"有时候你要相信你周围的人……也许你应该接受富山雅史教员的治疗。"

"我知道接受治疗对我好……"路明非点了点头。

诺诺心里一松，说妈妈的幸亏姐姐当年在心理课上下过一阵子工夫，否则真未必能拿下这个固执起来的小混蛋……说起来那个叫楚子航的幻影，在这小混蛋的心里那么重要？

"来这里的飞机上，我还看了一部跟催眠有关的电影。"路明非接着说了下去，声音很轻而咬字清晰，"说有个中年妇女去找精神科医生，说有个年轻女人一直纠缠着她，年轻女人是个神经病，非说自己抱走了她的女儿。中年妇女说女儿分明是我自己生的，你神经病！可年轻女人不信，阴魂不散地追着她们娘俩，每当他们去找警察帮忙的时候，警察又说并不存在什么年轻女人，只是中年妇女的臆想。中年妇女说大夫，你帮帮我，你帮我把我脑袋里的那个年轻女人抹掉，让我和我女儿好好地生活。大夫就给她催眠来着……"

他慢慢地喝着一杯几百欧元的酒，架势跟他当年喝冰冻可乐没什么区别："梦境里，她抱着女儿在一条破旧的走廊里跑，走廊很长很长，前面看不到头，背后响着那个年轻女人的高跟鞋声。年轻女人越逼越近了，中年妇女拼命地敲每扇门，想要找个地方躲躲，可每扇门都是锁死的。当那个穿白裙子的年轻女人出现在走廊尽头的时候，她终于摸到了一扇虚掩的门。她推门进去，那是个很老气但也很安逸的家，大夫坐在沙发上。她庆幸地跟大夫说那个年轻女人追来了，好在你在，你帮帮我抹掉她吧！大夫说看看这间屋子先，你不觉得很熟悉么？中年妇女愣住了，那屋子她确实很熟悉，每个细节都很熟悉，熟悉得就像家。大夫说这就是你当年住的公寓楼啊，这就是你当年的家，这间屋子存在于你记忆中。他拿起桌上的照片给中年妇女看，问照片里的人你认识么？中年妇女看了一眼就惊了，因为照片里是那个穿白色连衣裙的年轻女人，抱着她的女儿。"

诺诺悄悄地打了个寒战，这是个迷宫般的故事，故事讲到这里，他们仿佛正站在那个巨大迷宫的中央，再推开一扇门就能看到最终的结果，但她本能地知道到那个结果是她不愿意看的。

"大夫说你一直在逃避的年轻女人其实就是十年前的自己，当年你没看住孩子让

她淹死在浴缸里了，所以就从这间伤心的公寓里搬了出去。后来你越来越自责，也越来越想念女儿，所以就臆想着她还活着，仍是小时候的样貌。但你的理智又时时刻刻在提醒你说女儿是属于某个穿白裙子的年轻女人的，因为女儿确实是你从十年前的记忆里偷出来的。你时时刻刻都担心白裙子女人再把她带回去，而事实上那个白裙子女人就是你自己。在现实中既没有白裙女人，你也没有女儿，她们都是你记忆里的鬼魂。"路明非讲完了这个故事，望着酒窖黑漆漆的顶，"故事的结束，那个中年妇女就醒过来了，原来过去的十年她一直生活在一场梦境里，没有人追她，也没有女儿陪她……孤零零的，好像一条发胖的野狗……我想要是我是她，我宁愿别醒过来好了，我抱着我的女儿满世界地逃，跟那个白裙女人死打……"

"敢情我跟你说这么多都白费了啊！"诺诺总算听明白了，气得想要蹦起来一酒瓶砸在路明非脑袋上，可她最终只是抱拢膝盖，搓了搓微凉的双臂，"那个叫楚子航的，无论他是不是真的存在过，对你真的很好吧？"

"很好，虽然说起来他是个笨蛋来着，用来鼓励人的话各种不通，什么冰下的鱼啊，什么我们一起去打爆车轴啊……"他偷偷看了一眼诺诺，"都好蠢的。师姐你知道么？发了神经病那是很可怕的，你觉得整个世界都不可信了，所有人都在骗你。我在学生会有个很漂亮很漂亮的秘书，叫伊莎贝尔……"

"那不是恺撒说过好几次的那个低年级的妞儿么？跳波尔卡跳得很好的那个？你们这帮臭味相投的男人莫非下作到连秘书都相互转赠的地步了？"诺诺龇着小白牙，努力想要打破此刻低郁的气氛。

可路明非没理她，自顾自地说，眼神荒凉得像条丧家之犬，只是还未发胖："以前我什么事都听伊莎贝尔的，学生会的事情她懂得比我多，我也觉得她好漂亮的，可出了这事之后我觉得她变丑了，她说的什么我也都不相信了……全世界都在骗你的感觉真的好可怕。我知道只要我接受治疗把师兄删掉就好了，那我就能回到正常的世界里，伊莎贝尔还是那么漂亮，狮心会会长是那个蛮崇拜我的那个谁……管他呢，反正是非洲来的……我就不会那么害怕了，一切都回复正常……可我就是做不到，我想要是世界上真有师兄那么一个人呢？他在这个世界上的某个角落里等着人去救他，可大家都把他忘记了，他说救救我啊我是楚子航，可大家都说你是谁楚子航又是谁？"

他抱着自己的脑袋，慢慢地弯下腰去，脑袋几乎要蹭在冰冷的地面上："所以我不能忘了他，忘了他就再也没人能回答他了。"

谈话到这里再也进行不下去了，空气中弥漫着那股坚硬得近乎实质的悲伤，诺诺小口地啜饮着杯中的红酒，连酒都变得苦涩起来。

过了好久好久，路明非才听见诺诺说："那你抬头看看我有没有变丑。"

他抬起头来，不解地看着诺诺，看了好一会儿："没有啊。"

他本想说师姐你好像还变漂亮了一点嘞，不过觉得有点太谄媚，就按下不表了。

"伊莎贝尔也不记得楚子航，我也不记得楚子航，为什么伊莎贝尔在你眼里变丑了，我就没变丑呢？"

路明非愣住了。他真没想过这个问题，诺诺在他眼里怎么会变丑呢？经过那么多年，她还是当年那个开着法拉利的威风少女，即使他后来认识了死犟且美爆的女版龙王，还有那个叫人心哗哗碎掉的黑道小公主，跟她们比起来诺诺就是个家境不错的普通妞儿，可诺诺在路明非眼里还是那么威风凛凛。

就像你当年光着脚连鞋都没得穿，在荒原上遭遇骑着红马的女孩，她对你说，要是勇敢我就带你上战场，你就真的跟着她的背影跑上了战场。很多年后你牛逼了，被各路过硬的妞儿包围着，其中有帝国公主有骑着魔龙的妖国女皇，一个个都比那个骑红马的女孩拉风。可在你心里最深处还是那片荒原那个骑红马的影子，你玩命地追，因为遇到她的时候你是个连鞋都没得穿的小屁孩，只有她对你伸出手来。

不过这理由没法跟诺诺说，路明非眨巴着眼睛想要再编一个理由。

没等他编完，诺诺忽然一个俯身，额头狠狠地撞上他的额头，撞得路明非眼冒金星。他还没反应过来已经被诺诺抓住脑袋，把那头半湿的头发揉成了一个鸡窝。

他晕乎乎的，被诺诺身上那股海藻和檀木的香气包围着，只觉得一脚踏进了云海里。正满心温柔呢，已经被诺诺推着额头一把推出老远。

"真他妈的没用！神经病也来找我，将来你生不下孩子也会找我来当催产婆吧？我到底是怎么不开眼，当时收了你当小弟的？"诺诺不耐烦地骂着，"吃饱喝足休息好了我来想想办法，这里面好像是有点问题。"

其实她心里是说真没出息啊，当不当学生会主席，你也还是当年我从那间放映厅里捞出来的衰仔。你觉得整个世界都不可信，就又屁颠屁颠来找我了……可我能罩你到几时？

心情正乱糟糟的时候，手电筒的光忽然割裂黑暗，跟着是一声断喝："什么人？"跟着就是电流嘶啦嘶啦的声音。

那是一名保安，头上扣着耳机，手腕上挂着电警棍。他大概是正听着音乐巡视酒窖，所以没听到诺诺和路明非的说话声，转过弯来忽然看见烛光，大吃一惊，赶紧从手腕上撸下电警棍来。

诺诺和路明非也是太专注于说话了，否则以他们的听力，即使那名保安穿着软底鞋，也不至于察觉不到他的脚步声。

诺诺心说糟了，立刻就生出灭口的心来！加图索家委培的新娘，深更半夜跟陌生男子在学院的地窖中饮酒作乐，这话怎么说怎么有问题。恺撒那边还好说，可加图索家的老头子们还不气得飙血？

灭口当然不是要杀掉，打晕之后丢上开往赤道索马里的货船就是一个灭口的好办法，等这哥们醒来，一定会惊讶于秀丽的热带风光，几年也不得回来……那里遍地都是海盗。

但在诺诺动手之前，一瓶红酒已经在保安的脑袋上碎裂，黑暗中仿佛开出了一朵酒红色的巨大花朵。保安嘤咛一声婉转倒地，露出了藏在他背后的高大黑影。

诺诺心里一惊，这间酒窖里居然还有第四个人，这人一路尾随保安，忽然暴起痛下狠手，不知道是敌是友。她随手拔下插在火腿上的水手刀，眼中爆出杀气："谁？"

"炎之龙斩者，芬格尔·冯·弗林斯！"黑暗中的汉子自报家门，渊渟岳峙，宗师风范。

家门还没报完，那边路明非的高踢脚就已经到了，Corthay 家手工定制的好皮鞋，纯阿尔卑斯山牛皮做底，绝对耐磨，端在芬格尔脸上老大一枚鞋印。

"神眷之樱花，你摊上事儿了你知道么？你摊上大事儿了！"伟大的炎之龙斩者说完这句话，才捂着呼呼冒血的挺拔鼻子，痛得一屁股蹲在地上。

芬格尔选了一瓶 1989 年的奥比安，闭着眼睛闻了很久："不愧是世纪大酒，开瓶就有浓重的花果香，我觉得自己置身于一片蔷薇盛开的花墙下，蔷薇间点缀着红色的小浆果……"

"闭嘴！你俩的那点底子我还不知道？还装品酒师！"诺诺挎着水手刀，气得七窍生烟，"不是摊上事儿了么？不是摊上大事儿了么？什么事儿说啊？写网络小说写多了，还非得打赏你才更新？"

"师妹你也知道我如今成了一枚作家么？"芬格尔眼神惊喜。

"苏茜写信来说的。"诺诺没好气地说，"快说快说！"

芬格尔深吸一口气，转身指着路明非的鼻子："神眷之樱花……"

"有事说事别喊奇怪的绰号！还有，你的电话号码怎么不对？我前两天玩命地想跟你联系，就是联系不上。"路明非说。

他当然试过打电话跟芬格尔求证，可往古巴打了几十个国际长途，根本就接不通。鬼知道他怎么会忽然出现在金色鸢尾花岛，连恺撒也不知道金色鸢尾花学院的地址。

"那里是古巴！你去过古巴么？遍地生长着烟草，电话线都从烟草地里经过，电话打不通不是很正常么？"芬格尔哼哼，"厕所里都是上等雪茄的味道，还有屁股上能搁一个酒杯的混血妞儿，妈的！真是人间天堂！要不是为了你这废柴我打死都不会离开那里半步！我说，你还是把龙骨交出来算了，被学院通缉的人，逃到天涯海角都没有活路的……"

"等等等等……我被学院通缉？什么龙骨？你讲话有点逻辑行么？"路明非懵了。

"还装无辜呢？"芬格尔啧啧，"知人知面不知心，反正学院现在可是认定你是龙类派来的卧底！"

"他？龙类派来的卧底？"诺诺吃了一惊，指指路明非，"那龙类可真是缺人，连这种货色都派了重要任务。"

"谁知道呢？卧底都不能太显眼对不对？总之，学院这几天出大事儿了，就在路明非失踪的当晚，有人侵入冰窖，夺走了保存在最深处的龙王康斯坦丁的骨骸，校长当时恰好在场，被打得全身骨折，80%的脏器大出血，现在还躺在急救舱里没醒过来呢！"芬格尔说，"那天晚上，学院只丢了两件东西，路明非和龙骨，任谁都会觉得这两件事有联系对吧？否则新任学生会主席为什么会一句话不留悄悄地离开学院呢？"

"这种鬼话别人信也就算了！你不会也信吧？"路明非吓得几乎蹦起来。

芬格尔斜眼看着路明非："鬼知道龙族是不是拿出十几个穿吊袜带的小御姐贿赂你呢？要真是那样你能把持得住就见鬼了！反正换我是把持不住……"

"校长的言灵是'时间零'，效果接近于暂停时间，在时间的缝隙中行动。"诺诺的神色郑重，"掌握那种言灵的人能够跟龙王级目标对抗，那么能重伤他的人……难道是新复苏的龙王？"

"反正各种证据都指向路明非，"芬格尔说，"诺玛可是对冰窖设置了重重保护，半米厚的贫铀钢板加十米厚的胶质混凝土，氢氖激光屏障，必要时还能把冰窖灌满硝酸甘油炸上天！就算是龙王想要侵入冰窖再平安撤出也不是容易的事，但那个入侵者偏偏就做到了！为什么呢？因为他拿着一张学生证！前面几道屏障都对他无效！谁的学生证那么牛逼呢？当然是我亲爱的师弟咯，他是学生中唯一的S级嘛！"

"我根本就没去过冰窖好吗？"路明非赶紧申辩，"别说当晚没去过，压根就没人告诉我那地方是我能去的！"

"别冲我嚷嚷别冲我嚷嚷，"芬格尔拍拍路明非的肩膀，示意他少安勿躁，"我会真的怀疑你么？我们俩什么关系啊？我们俩情同父子……"

"不要趁机占便宜！"

"好吧！义同兄妹！"

"你正经说话会死么？"

"在古巴好些日子找不到人说烂话，见到你这样的烂人不好好说几句真觉得自己会死……其实我是相信你的，觉得你不会是潜伏在我们内部的龙王，"芬格尔幽幽地叹了口气，"你要真是龙王，我跟你睡了这么几年想必贞操难保……"

诺诺无聊地喝着酒，看着这俩贱货在酒窖里东跑西窜上蹿下跳，芬格尔说哈哈哈你来追我呀你来追我呀，路明非真就提着酒瓶子在后面追。

出了天大的事儿，感觉这俩家伙还很欢脱的样子，大概是因为重逢吧……跟信任的人又聚在一起了，所有麻烦都能解决，所有的困难都不足为惧。

"严肃点儿！都给我滚回来！"诺诺砸碎了一个瓶子，"我们得想想这到底是怎么一回事儿！路明非发了神经病，幻想自己认识一个叫楚子航的人；恰好在这个时候有人侵入冰窖，盗走了龙骨，还重伤了校长；如果两件小概率的事情同时发生，那么其中很可能是有联系的。"

"我想起个事情我先问，"路明非踢踢芬格尔，"你在那个小说里写过楚子航的对吧？永燃的瞳术师什么的。可我后来看你更新了版本，师兄的戏份都被你自己顶掉了！莫非你也不记得师兄是谁了？"

"永燃的瞳术师？"芬格尔一怔，"当然记得！"

"真的？你记得师兄？"路明非不意听到这样的回答，如遭电殛，一跃而起。

"当然真的，"芬格尔一甩额发，"我炎之龙斩者什么时候说过不负责任的话？何况在东京我们还共患难过！"

"我靠！你居然没忘记！"路明非冲上去大力地拥抱这家伙，认识几年来他从没觉得这废柴如此可靠。

"永燃的瞳术师便是我，我便是永燃的瞳术师！"芬格尔正襟危坐神情严肃，"我怎么会忘记我创造出来的人物呢？"

"你你你……你搞什么飞机？"路明非懵了。

"永燃的瞳术师不是我书中的人物么？"芬格尔认真地说，"当时我写那部小说的时候，觉得需要一个和'跋扈贵公子'恺撒相对应的人物，就把自己的一部分经历拆出来，创作了一个新的人物'永燃的瞳术师'。说白了，永燃的瞳术师的存在意义就是跟跋扈贵公子相互吐槽，读者们最喜欢这种一冷一热的角色对比了。可我后来觉得男主角有点太多了，就在修改的时候把这个角色删除了，所以他的戏份又都回到炎之龙斩者身上了。不过这样也好，毕竟炎之龙斩者是大主角嘛。"

"你的意思是楚子航完全是你笔下的虚构人物？"诺诺听明白了。

"真的啊，我怎么会拿我重要的创作开玩笑？"

"鬼扯吧你！"路明非急眼了，"你让炎之龙斩者跟老大吐槽不就完了？你还非单独写个人物出来？"

"那怎么可以？炎之龙斩者的角色定位是生性豪烈不拘小节的异侠，我不能吐槽，吐槽会伤害我的气质……"芬格尔义正词严。

路明非双手抱头，失魂落魄地蹲了下来。原来是一场空欢喜，芬格尔跟其他人一样，并不认为楚子航真实存在过。

"怎么啦？垂头丧气的，我不远千里来找你，是把你当兄弟！"芬格尔捅捅他，"我都说了我觉得你不是龙族的卧底了！"

"是啊，你不觉得我是卧底，可你觉得我是神经病对吧？我内心空虚寂寞冷，玩命想男人，以为世界上存在某个名叫楚子航的男人……"路明非耸耸肩，"好吧，现在有一半人觉得我是神经病，另一半人觉得我是卧底。"

"屁！你可不要小看了我们同睡那么长时间的义气！"芬格尔气哼哼地说，"为了你，我可是把执行部派来调查你的人埋进了烟草地……当然，脑袋露在外面了。"

"我靠！你把执行部的人埋进了烟草地？"

"那帮家伙从美国直飞古巴，落地就气势汹汹地来找我，要我交代跟你有关的事。我心说这不只是怀疑你是卧底，是怀疑我也被卧底收买了啊！我当然没什么可招供了，就把他们全都打晕埋进了烟草地！"

"见鬼！我俩到底谁才是学院的叛徒？"

"可笑！叛徒不叛徒不看你干了什么，而是你以前效忠的组织怎么说！反正在学院看来你才是叛徒，而我顶多就是叛徒手下的鹰犬。"

"中文说得越来越溜了啊鹰犬兄！"

"请叫我作家兄！"

"够了！别扯这些乱七八糟的了！都没长大吗？"诺诺气得又砸碎了一个酒瓶子，"你们现在得想办法从这团乱麻里理出个头绪来！你们的时间不多了！"

"时间不多了？"路明非一愣。

"传说中没有人能逃脱执行部的追捕，即使你逃到世界的尽头，即使你藏在白宫那座能扛核爆炸的地下掩体里。不要因为卡塞尔学院现在是座学院就忽略它原本的属性，它是秘党，以龙血为纽带的暴力组织，而且非常可能是世界上历史最悠久的暴力组织。一旦他们严肃起来，就会显露出秘党的本相！"

"就是说我们现在变成了龙王那样的目标，而我们原本的队友正在满世界追杀我们？"路明非下意识地吞了口寒气。

诺诺点了点头："恐怕是这样的……他们正在逼近，别忘了他们手中有诺玛。你们来这里的路上只要用过护照，订过机票，用过手机和网络，都会留下痕迹，这些痕迹会形成一张路线图，他们会循着路线图赶来。"

路明非开始坐立不安了。他当然知道诺玛的能力，她是你的朋友的时候，你远在千里之外的日本小镇，她都能给你空投武器，那她扮演你的敌人时该有多可怕呢？

"你们必须自己查出真相，更糟糕的是，学院现在还是你们的阻碍。"诺诺说，"分析我们手头的线索，只有三种可能性。"

"哪三种？"路明非略微振作起来，好歹他们这个小团队里还有个有逻辑思维能力的人。

"最大的可能性仍然是你疯了；其次的可能性是你是龙族派来的卧底，你现在说的所有话都是谎言，就是你侵入冰窖抢走龙骨重伤了校长，然后还来扮好人！"

"好可怕的可能性！"芬格尔挪动屁股坐到诺诺身旁，小心翼翼地挽着诺诺的胳膊，警惕地看着路明非，"你说他会不会狂性大发忽然把我俩灭口？"

"就算出现这种情况也该是你保护我好么学长！你不是炎之龙斩者嘛？"诺诺一把推在废柴的脑门上把他推出老远，"第三种可能性，也是最小的一种可能性，我们所有人都被催眠了，除了你。"

"群体催眠？"路明非倒也不是没有考虑过这种可能性，但把整个学院的人催眠，听起来太过匪夷所思。

"普通的催眠术当然不可能做到这一点，但确实存在有催眠效果的言灵，富山雅史教员使用的就是这种言灵。如果有某个超级言灵，能窜改我们所有人的记忆，那就成立。"

"这种言灵……真的存在？"路明非不太敢相信。

"我不确信，只是说存在这种可能性。言灵周期表并不完整，有些言灵人类迄今都不曾接触过。但即使真有那种言灵，也是超高阶、神术级别的，而龙王中专精精神领域的是白王，"诺诺说，"这种猜测会导向一个可怕的可能性……也许白王仍然存活！"

路明非狠狠地打了个寒战。

东京作战，对于参战的每个人来说，都是平生最惨烈的战斗。赫尔佐格融合了圣骸之后，那神明般的威仪，把整个东京都拖入元素乱流的力量，不愧是最接近黑王的龙王！

虽说最后靠着路鸣泽的疯狂爆发和加图索家耗资几十亿美元的卫星轨道武器把事情摆平了，可那种事情真别再来一次了，学院剩下的那点家底儿，未必能再摆平白王一次。

"所以要么楚子航根本不存在，要么白王还活在这个世界上。你愿意接受哪个可能性？"诺诺耸耸肩。

路明非耷拉着脑袋："我希望师兄是真的……"

"真爱啊！"诺诺和芬格尔异口同声地说。

"别闹了行么……"路明非叹口气。

"行，说正经的。想找楚子航的话，只有一个线索。"诺诺说。

"什么线索？"路明非立刻竖起耳朵。

"你！"诺诺弓起手指在他鼻子上一弹，"如果那个幕后黑手真把我们所有人都催眠了，却偏偏漏掉了你，那你岂不就是唯一的线索么？只有循着你这根线索，才能找到楚子航！"

芬格尔闻言一愣，然后拍了拍路明非的肩膀："就是可惜这根线索有点短……"

"短你妹啊！高个子了不起啊！"路明非捂着鼻子。

"那我们怎么用这根短短的线索呢？"芬格尔完全不理他的抗议，转过头去跟诺诺说话。

"就算真的存在群体催眠的超级言灵，想要完全彻底地抹杀掉一个人，还是很难。任何人从这个世界上走过，都会留下太多太多的痕迹，这些痕迹就像画笔留下的笔触，交叠在一起，构成了这个人的形象。群体催眠可以抹杀绝大部分的笔触，但总该有些笔触是漏网之鱼。你就是其中之一，跟着你这根笔触，就能找到其他的笔触，最终重新把楚子航这个人物描绘出来。"诺诺缓缓地说，"到了那个时候，如果这个人还活着，你们就能找到他，也就能推断出幕后黑手是谁，以及他为什么非要抹去楚子航。"

"侧写！这就是师姐你侧写的能力！"路明非恍然大悟。

"是的，这就是侧写的原理。"诺诺点了点头，"有侧写能力的人，能通过蛛丝马迹的细节推断出曾经发生过的事，就像有经验的画家，给他一张洗过的油画布，只凭残留下来的少许痕迹，他能猜出原本画的是什么。"

"难怪校长让路明非来找你，莫非校长也觉得这里面有什么不对？"芬格尔捏捏下巴，"让我沉吟沉吟。"

"你还沉吟，你呻吟还差不多！"路明非翻翻白眼，"不过校长确实说过在师姐这里也许能找到答案这样的话。"

"原来这次炎之龙斩者要搭档的是一个暴力的文艺女青年和一个废柴……妈的团队组合比日本那次差很多啊！不过也只好将就了，事不宜迟我们赶快出发！执行部那帮小贱人没准正在过来的直升飞机上！"芬格尔说。

"谁是暴力的文艺女青年？"

"谁是废柴？说别人前拜托照照镜子先！"

"别纠结这些无关紧要的事啦，"芬格尔慵懒地挥手，"诺诺，给你半个小时收拾行李。路明非，你选几瓶酒带上，我去厨房里看看有没有别的吃的……半个小时之后大家还在这里碰头，出发拯救世界！"

"好！"路明非一跃而起。

说起来拯救世界这种工作对他来说太家常便饭了，不过以前都是被生拉硬拽去的，这一次是自发主动。

"喂！这种事情征求一下别人的意见好么？"诺诺往后缩了缩，把带来的大围巾往身上一裹，像只不愿配合的猫那样盯着路明非和芬格尔。

火烛在她的瞳孔深处跳动，那抹叫人惊心动魄的红……这么看的话她俩真的很

像，尤其是那猫一样看人的眼神……他的头一昏心一软，轻轻地张了张嘴，但是终究还是没能喊出那个名字。

"我可没说跟你们走！"诺诺耸耸肩，"这就像一个游戏，你缺乏命运的指引，你来找巫女，巫女跟你说勇士啊你只需循着你自己的感觉前进就好啦！巫女的使命到这里就结束了，你们道谢之后滚蛋就好啦，还想把巫女拉进你们的战队吗？"

"我靠！这种时候你居然说不帮忙？还能继续当朋友么？师兄妹间拳拳的爱都被狗吃了么？"芬格尔皱眉，"别废话！拯救世界这种大事儿，一般人还没资格呢！快收拾行李出发！多带超短裙和高跟鞋！"

"干什么？"诺诺一瞪眼。

"战队里就一个女性角色，不赏心悦目一点说不过去……"

"我拜托你们搞清楚状况，"诺诺皱眉，"我在这里是为了新娘修业！修业到一半新娘跑路了算怎么回事？还是跟两个男人……我该怎么解释这件事？我知道拯救世界是个大事，但是婚礼对我也是个大事！很多人可以拯救世界，但是我的婚礼上能当新娘的只有我好嘛！"

她抱紧双腿把下巴放在膝盖上，眼瞳黯淡下去："我已经从卡塞尔学院退学了，龙族的事情从那天开始就跟我没关系了……好吧好吧我知道你们要嘲笑我，看啊看啊这个要去当夫人的女人，那就嘲笑好啦！反正我知道你们会嘲笑我的……"

"拯救世界回来继续结婚就是了，"芬格尔大大咧咧地说，"拯救世界和结婚丝毫不冲突，我也是丢下了无数痴缠我的古巴妹子赶回来拯救世界的。"

"不，冲突的。"诺诺盯着路明非的眼睛，轻声说，"你记得你决定加入卡塞尔学院的那天晚上我对你说的话么？卡塞尔学院对你来说是一扇门，打开这扇门你就会进入新的世界，但那样你就再也回不去了……你每做出一个新的选择，其他选项就消失了。自始至终，你都只有一条路走。你不用知道我为什么这么选择，但我已经做好选择了。"

寂静，就像是心里有根弦被拨响了，音波袅袅地弥散开去，最后剩下那份寂静。

路明非这才意识到酒窖里真的很寂静，如果他们三个都不说话，那它简直寂静得像个黑洞。烛光摇曳，芬格尔抓耳挠腮，诺诺拥着她的长围巾，眼神倔强地看他，像猫，像死也不会认错的猫，外面的潮声正急。

他当然记得诺诺说的那句话……你打开前方那扇门的时候，身后的退路就会消失，自始至终，你都只有一条路走……

他当然记得当初自己为什么加入卡塞尔学院，那是因为外面的世界已经没有值得他留恋的东西了，在那间放映厅里最后一个让他舍不得的人切断了他们之间的联系，这个时候诺诺走了进来，向他伸出手来。

诺诺可能也有一个隐隐作痛的理由吧？这时候恺撒为她打开了门，拉住了她的手。

"记得，那我们走了。"他站起身来，点了点头，整理自己那条湿透的领带，让它紧得快要喘不过气来，然后转身离去。

时至今日他都是学生会主席了，哪还能事事都指望着诺诺帮他呢？就看他这一身上下，萨维尔街定制的西装、Barbour 家的风衣、Corthay 家的皮鞋，还有藏在领子深处的黄金领撑……时间过去，他终于成了那种领子里衬着黄金的男人。

所有领子里衬着黄金的男人，都该独自上战场。

他走得那么干脆利落，诺诺倒是愣住了，眼看着那个穿长风衣的身影快要没入黑暗中，她才挥了挥手说："加油……"

其实她想说更多的话，比如不愧是我的小弟就该那么帅师师姐当年就看你是一条拯救世界的好苗子如今果不其然……可这些话到嘴边全都消散了，最后只剩干瘪的"加油"二字。

路明非点点头表示自己听到了，竖起右手拇指向上，却不回头……因为回了头诺诺就会发现他其实是张沮丧的脸，沮丧得就像小狗被大狗抢走了吃的……

这时脑后传来"哐"的一声巨响，然后是人体重重倒地的声音……路明非吃惊地回头，芬格尔正丢下手中的酒瓶，把昏迷的诺诺往肩膀上扛……

"我们拯救世界当然需要这条会侧写的肥羊了！靠！管她是谁的新娘我都得带走！"那条败狗加废柴冲路明非猛瞪眼，"他妈的快来帮我一下！哇噻好沉……这妞是发胖了么？"

DRAGON RAJA

奥丁之渊

第四章

| 元老 |

Old Head

就像EVA说的那样，该发生的都已经发生，只是他们眼拙，没有看清。那一刻肉眼不可见的恶鬼经过，切开了英雄的心脏。

这寂静却悲怆的一幕令元老们记起太多的往事，那些倒在屠龙战场上的同伴，其中甚至有他们的亲人和爱人……在这个战场上，死亡如同钟声，总在倒计时。

意大利，米兰，米兰大教堂。

这座哥特式建筑物是米兰的精神象征，拿破仑曾在这里加冕，达·芬奇为了它发明了升降梯。因为使用了无数的大理石，它被称作"大理石之山"，而马克·吐温称它为"大理石的诗"。

这是游客们造访米兰必经的一站，平日里都是熙熙攘攘的，但今天例外，教堂前挂了"宗教活动日暂停参观访问"的告示牌，偌大的主殿里只有一个人，他坐在最前排的长椅上，身边放着一束白花。

主殿外停着一辆哈雷·戴维森摩托车，那台机械有着镀银的把手和黄铜的油箱，倨傲得像匹误入人类城市的野马。

来祭奠母亲的时候，恺撒·加图索总是穿得体的三件套西装，骑哈雷摩托车，在街角固定的花店买一束白色的玫瑰。

没什么别的原因，他觉得妈妈喜欢看他这样。妈妈说我的儿子恺撒穿上西装真像个男子汉；妈妈送过他一辆缩小版的哈雷摩托车说我的儿子骑上它就像牛仔。后来杜卡迪的全球销售总监百般哀求他试试自家产的 Diavel 摩托车，说真的少爷，我们跑得比哈雷的任何一台车都快，操控更是没的说，恺撒冷冷地说你生产的是摩托车，而我并不骑摩托车，我只是骑哈雷·戴维森。

他把当年的所有记忆都穿在了身上，在这个重要的日子，来祭奠母亲。他母亲的葬礼就是在米兰大教堂举办的，罗马教宗亲自主持。

"妈妈，我想我快结婚了，你应该会喜欢我的新娘，我觉得你们有点像……"恺撒轻声说。

其实这些话都没必要说，母亲的眼睛应该在天空里看着他，知道他做的所有事，也看过他心爱的女孩。

说起来以加图索家一贯的家教，他本该长成某种类型的混蛋才对吧？比如恃强凌弱什么的，比如跟种马老爹一样满世界睡女孩什么的……可就因为母亲曾经说，即使有一天她不在人世间了，也会在天上看着恺撒，所以恺撒就不愿做坏事，因为做了坏事会被母亲知道。

他站起身来，在大殿中央那块白色大理石上俯身一吻，把花放在上面，然后转身离去。

哈雷摩托驶出米兰大教堂的时候，银色的阿尔法·罗密欧轿车迎面撞来，车速极高，轮胎摩擦地面发出尖锐刺耳的声音。

车门打开，帕西·加图索，加图索家的高级秘书出现在恺撒面前。

恺撒从卡塞尔学院毕业后，加入执行部意大利分部，这个分部完全在加图索家的掌握中，更像是加图索家的私属机构。整个分部是以"欢迎少主驾临指导"的架势来迎接恺撒的，顺理成章的，整个部门都听从他的指挥。

家族还特意派了帕西作为他的特别助理，在那之前帕西服务的对象是他的叔叔弗罗斯特。

"我是来祭奠，但有些人好像赶着送葬。"恺撒皱眉。

这种重要的日子，他一直都是不干活的，天塌下来也跟他没关系。祭奠完母亲之后，他的本意是在附近的老街里溜达溜达，随便找间咖啡馆喝喝咖啡。

当然他知道最近发生了很多事，他的继任者路明非忽然失踪，接着是龙骨失窃，事实上整个秘党系统都如临大敌。

"陈小姐丢了。"帕西说话总是很简洁。

"丢了？"恺撒一怔。

他已经知道诺诺在金色鸢尾花岛"进修"了。他从日本回来之后，家族告知了他这一消息，并称新娘很高兴接受这次对身心都有益的进修，因此暂时不能跟他见面。

恺撒很清楚诺诺的性格，知道她不愿意的事情是没人能强迫她的，那么既然她答应去金色鸢尾花岛进修，恺撒也不会要求中断这个课程把她叫回来。

原本再有几个月进修就结束了，可新娘忽然丢了？

"三十分钟之前，金色鸢尾花学院报告说，学员陈墨瞳无故失踪。根据巡夜嬷嬷的说法，昨夜陈小姐房中传出异响，当时陈小姐还在宿舍里，看起来并未受到人身威胁。但今早陈小姐就失踪了，连带失踪的还有她的随身衣物。她留了一封信给你，这是一份传真件。我没有看过，因为据说信中涉及你们之间的私密，最好直接交到你手里。"帕西将一只封好的白色信封递到恺撒手里。

恺撒撕开信封扯出信纸，看起来确实是诺诺的笔迹，她的笔迹跟娟秀扯不上半点关系，基本是鳖爬。

致我亲爱的恺撒：

忽然告别或许让你觉得有点意外，但忘记了哪位诗人说的，人生中总是充满了意外。

你说过你自己是艘船，航行了很多片海，最后来到我这片海上，忽然就厌倦了远

航，只想放松缆绳在夕阳下随波起伏。

其实船在找它的海，海也在等它的船。

如果我真的是海的话，非常感谢跟你的相遇，因为大海等到了属于它的那片白帆，戴着船长帽的年轻人站在船头，靠在桅杆上。

但船已经环游了全世界，而海永远都只停留在原地，在同一片天空下潮涨潮落。海没有去过其他地方，海对这个世界一无所知。

很想知道这个世界是什么样的，所以就想出去一下。

或者说，这次换你是海，而我是船。请等着我，给我一些时间，你会看到白帆返回，穿着婚纱的女孩站在船头，戴着白色的船长帽。就像你航向我的那时候。

你的，陈墨瞳

恺撒默默地折好信，递还给帕西。

"信中说了什么？如果我可以问的话。"帕西低声问。

"信在你自己手里，想知道的话为什么不打开看看？"

帕西只用十几秒就读完了整封信："看信里的意思……她应该是对家族为她规划的人生不满意。婚约对她而言，也许是个束缚。不过我想她并不是对你有什么意见……"

恺撒从司机手里接过风衣披上，挥手打断了帕西："别傻了，这信里弥漫着一股自恋的文艺大叔气。这不是诺诺写的，我没猜错的话，是芬格尔。"

帕西愣了一下，返回去再读那封信，想要找出恺撒所谓的"文艺大叔气"。

"诺诺从来不会给我写这种信，即使她真的要出去走走，她也只会随便扯张餐巾纸在上面写'不高兴，要出去玩，会回来的，有种你不等我。'"恺撒闪身坐进阿尔法·罗密欧，面无表情，"我完全能想象到芬格尔扭动着模仿女孩心态写这封信时的状态……没准还挠着心窝里的毛。那家伙职业洗煤球，能伪造各种人的笔迹。既然有芬格尔，那路明非也在其中，那是她的小弟，她不会放着不管。既然来了，就带我回去，找人把我的哈雷骑回去，擦好后收进车库。那可是全世界独一台的限量版，别给我碰坏了。"

阿尔法·罗密欧行驶在米兰城外的高速公路上，去向加图索家位于乡间的古堡。时值春天，原野间生长着茂盛的迷迭香和鼠尾草，恺撒喝着一杯威士忌，望着深紫和浅紫的花海从车窗外一掠而过。

虽然他很确定那封信是芬格尔写的，但也许婚约对诺诺来说真的是个束缚？恺撒第一眼喜欢上她的时候，她就是一只自由自在飞过天空的红鸟，野喳喳的。可当他想要拥有她的时候，她就没法野喳喳的了。

你喜欢一只鸟，是想她继续野喳喳的，还是乖乖地不要飞走？

想着不由得心情有些沉郁，恺撒把杯中的酒一饮而尽。

美国，伊利诺伊州北部，卡塞尔学院。

英灵殿深处的会议厅，墙壁上悬挂着历代秘党领袖的画像，黑衣的人们端坐在桌边。他们多半都垂垂老矣，像是从坟墓里挖出来的，衣着也像是从坟墓里挖出来的，感觉倒像是大侦探福尔摩斯时代的绅士聚会。

"很多年没有这样的会议了啊，范德比尔特先生。"

"是啊，图灵先生，上一次我记得是 1961 年。"

"我本以为你已经死了，谁知道又看见了您这张让人不悦的脸。"

故人重逢的对话也是毫无生气的，像是棺中的鬼魂在窃窃私语。

二战之后这群秘党长老从未聚得如此整齐，能坐在这张桌子上的人多数都曾改变历史进程，比如造出原子弹终结了第二次世界大战，当然也有些是纯粹的暴力型，埋葬过多条复苏的古龙。

对这些改变过历史的人来说，本该没什么事情能让他们不安了，但今天的气氛非常阴沉，长老们看似云淡风轻地闲聊，却忍不住看向会议桌尽头那张空着的椅子。

那是校长希尔伯特·让·昂热的座椅，此刻他正躺在铝合金的急救舱里，生命体征微弱。

"心脏几乎被完整地剖开，好在抢救及时，用体外循环装置代替了心脏。但目前仍然未能说抢救成功，他的半条命在死神手里。"那位负责缝合心脏的秘党成员是这么说的。

"至少还有半条命在您手里。"执行部部长施耐德教授说。

"不，另外半条命在他自己手里，这种情况下还能存活，是因为他心里那复仇的野火吧。"医生说，"换成其他人，就算有我在旁边立刻救治，现在也该举行葬礼了。"

昂热也是秘党的元老，最活跃的元老，他以铁腕开创了秘党的"学院时代"，并在对龙王的战场上连续取胜。

在他的手中，混血种终于看到了永远终结龙王的希望。可就在三天前的那个夜晚，情况急转直下，昂热遇袭，龙骨失窃，所有的战果归零。

秘党的核心高层震惊了，长老们再度聚集在这间尘封已久的会议室里，共同面对接下来可能进一步恶化的局势。

那位冷傲的伊丽莎白·洛朗女爵和还未成年的少女夹在这帮古玩般的老东西之间，像是坟堆上开出的娇嫩鲜花。

洛朗女爵的神色有些悲凉，校董会中她和昂热的关系最亲密。昂热对于她而言是

父亲或者祖父般的人，历经风霜，坚不可摧，谁知道这样的人一下子就被摧毁了呢？

门被推开了，浓郁的酒味直飘进来，晚了十五分钟，这次会议的主持人终于登场了。洗得变形的花格牛仔衬衫、破洞连着破洞的牛仔裤、中年发福的肚子……但屁股还是扭得蛮有味道的。

副校长拍打每位长老的肩膀，跟洛朗女爵和少女飞吻，最后一屁股坐在本属于昂热的座椅上。

"弗拉梅尔导师。"长老们都微微点头，表达敬意。

弗拉梅尔，这个姓氏在卡塞尔学院内部几乎无人知晓，学员们只知道那是副校长，在守夜人讨论区里的 ID 是"午夜甜心"和"大飞行时代"，最大爱好是喝酒，第二爱好跟看起来像女生的 ID 聊天，聊得热火就问人家要照片……

可在元老们面前，他是弗拉梅尔导师，每个人都要表示敬意的弗拉梅尔导师。

"大家都没死呐？"副校长环顾四周。

"不，死了一部分，"图灵先生说，"能动的基本都在这里了，请弗拉梅尔导师给我们讲一下眼下的局势吧。"

"对于学院和秘党来说局面当然糟透了，龙骨失窃，校长在挂掉的边缘……"副校长耸耸肩，"可对我个人来说倒未必不是个机会，昂热要是真挂掉了，就该轮到我了对不对？那就再也没人会阻拦我举办卡塞尔学院女子裸泳锦标赛的提案了。"

他仰望屋顶，神色飘忽："想起来还有那么点点小期待哦……不过想到那家伙可能再也醒不来了，没人和我一起看翘臀在碧波里起伏，好像也没什么大意思呢……"

换作别人说这种没心没肝的话，早就被逐出会场了，可说这话的是弗拉梅尔导师，"恐怖的弗拉梅尔"，历代弗拉梅尔导师都是秘党中的首席炼金大师。

弗拉梅尔这一脉出现得很突兀，根据秘党内部的记载，一位技术可以直追古埃及时代的炼金大师，初代的尼古拉斯·弗拉梅尔，在 15 世纪初加入了秘党，为秘党的屠龙伟业提供了巨大的助力。他的后代继承者们也都叫尼古拉斯·弗拉梅尔，一直传到今天。弗拉梅尔一脉并未把炼金术的秘密跟所有秘党成员分享，因为担心力量被滥用，只是谨守当年的承诺，以盟友的身份支持秘党。

元老们私下里把这些人称作"恐怖的弗拉梅尔"，因为炼金术师在屠龙战场上基本等于枪械师，他们既能造出炼金术强化的子弹，也能造出炼金术驱动的毁灭性武器。

历代的弗拉梅尔导师都德高望重，可不知道为何，这一代的传承出现了一些问题，某个浪货继承了先师的衣钵……好在他在炼金术上的造诣仍旧无愧于弗拉梅尔这个伟大的姓氏。

出于笼络的目的，他们把副校长的头衔授予了这位弗拉梅尔导师，但并未指望他管理教务。弗拉梅尔导师在教堂的阁楼上生活了几十年，酗酒颓废，难得看他出现在会议桌边。

"给他们看看昂热最后的视频吧。"副校长吐出一口酒气。

莹蓝色的光束在他的身后投下，光束中站着身材纤细的女孩，肌肤晶莹得近乎透明，淡蓝色长发委地。那种发色很超现实，但在这个女孩身上，竟然非常的和谐。

光柱中可见灰尘无序地飞舞，毫无障碍地越过她那纤细的身体。

"EVA，诺玛的升级版，或者说，少女人格的诺玛，运算能力大约是诺玛的14倍。虽然看起来是个小姑娘，不过相对于诺玛的'学院秘书'属性，EVA是中央电脑的'战争人格'。"副校长说，"考虑到现在基本就是战争状态，我唤醒了她。"

EVA微微躬身，看起来乖巧温柔，所谓战争人格在她眉目间根本无从体现。但知道她的元老们都微微点头作为回礼，他们很清楚这个虚拟少女的惊人权限。

莹蓝色的激光束从天花板上投下，交织成网格细密的光束网。这张网缓缓地扫过整间会议室，全息3D投影逐步成形。在座的某些元老已经隐居世外几十年了，不曾见过如此先进的激光成像技术，惊讶地瞪大了眼睛。

场景骤然转换，他们觉得自己正坐在走廊两侧，周围是精美的立柱和巴洛克式的恢弘穹顶，墙上挂着文艺复兴时期的大师画作，大理石地板光可鉴人。

这是学院图书馆中的某条走廊，他们甚至能看见远处成排的橡木书架。但当他们试着伸出手去，墙壁、家具、油画都毫无障碍地被穿透，只留下淡蓝色的干扰波纹。

"这是根据图书馆内三维监控复原的情景，所幸我们安装了这套系统，否则那晚发生在校长身上的意外可能永远都是谜。"EVA的声音还在周围回荡，人已经消失得无影无踪，"时间是三天前的午夜，凌晨02:42……"

没错，确实是深夜的场景，风吹着长长的白纱帘子，树影在窗上摇曳。

脚步声由远及近，挺拔的身影出现在走廊尽头，白发、三件套西装、锃亮的牛津鞋，那是元老们熟悉的朋友，希尔伯特·让·昂热。如果不是他的轮廓边缘带着微弱的干扰波纹，人们简直要以为那个男人正昂首阔步地走进会议室。

"02:42，校长独自进入图书馆，他沿着这条走廊，似乎是要去冰窖。"EVA还在解说，"想必各位都记得走廊尽头的电梯直通冰窖。"

元老们都摒住了呼吸。遇袭的场面正在他们面前重演，偷袭者随时都会从角落中闪现，是谁？他怎么做到的？为了什么？

黄金瞳接二连三地亮起，元老们的体内，龙血开始高涨。唯有副校长例外，他把

脚翘在会议桌上，小口地喝着威士忌，眼神迷蒙，像个不愿醒来的梦里人。

昂热的神色凝重，似乎边走边思考着什么，他的指间翻转着一张黑色的卡片——那是黑卡，这间学院里权限最高的卡片，显然他是准备去冰窖。

前方不剩几步就是电梯了，那部电梯非常坚固，它本身就是通往冰窖的"门"之一，当然是最高级别的防护，就算面临什么突袭昂热也能躲进电梯才对。

好奇心压过了不安，大家都很想知道在最后的几秒钟里是什么样的攻击瞬间剥夺了昂热的战斗力，甚至不让他有时间躲入那部电梯。

昂热忽然站住了，黑卡还在他的指间翻转，只差几步就能抵达安全地带，他却不走了，神色凝重。

敌人来了？敌人在哪里？敌人要发动什么样的攻击？元老们不约而同地看向上下左右，他们中不乏战术高手，各种应对策略在脑海中闪过。

但昂热只是低头看着指间那张黑卡如黑色的蝴蝶般飞舞。

"是你么？"他轻声说。

元老们再度对视，这句话倒像是老朋友之间的问候语，难道说昂热认识那个偷袭者？

无人回答，窗外树影摇曳，风吹着白纱帘起落，昂热静静地站在那里，低头沉思，仿佛一尊雕塑。

"EVA，什么情况？"图灵先生不解地问，"如果不是那些窗帘在动，我简直要以为你的放映机卡壳了。"

"不，该发生的都已经发生了。"EVA 的声音仿佛从极远的地方传来。

图灵先生愣住了。他还在思索 EVA 那句话的意思，范德比尔特先生已经惊呼起来："那张黑卡！那张黑卡不在他手中了！"

那张黑卡真的不在昂热指间了，它正插在前方不远处的电梯门上，黏稠的黑血沿着卡片边缘往下流！

昂热的西装从胸部口袋处开裂，裂得很慢很慢，仿佛虚空中有柄看不见的剪刀优雅地剪过，接下来开裂的是里面的衬衣……昂热的胸前爆出巨大的血花，仿佛伤口中开出了一朵红艳的玫瑰。

昂热无力地跪下，元老们惊悚地起立。昂热仰望穹顶而后向前扑倒，鲜血在身下慢慢地扩大，画面在这一刻定格，元老们手按胸口，低下了头。

就像 EVA 说的那样，该发生的都已经发生，只是他们眼拙，没有看清。那一刻肉眼不可见的恶鬼经过，切开了英雄的心脏。

这寂静却悲怆的一幕令元老们记起太多的往事，那些倒在屠龙战场上的同伴，其中甚至有他们的亲人和爱人……在这个战场上，死亡如同钟声，总在倒计时。

他们中未必每个人都喜欢昂热，但这一刻唇亡齿寒也好，兔死狐悲也罢，他们既心情沉重，又惊恐不安，还勃然大怒。

"怎么可能？"图灵先生率先怒吼，"根本没有任何人接近他！"

"监视系统每秒钟会记录上百帧画面，我一帧一帧重放那个瞬间，各位就能看见那个刺客了。"EVA再度出现，就站在昂热的影像旁。

时间线回到黑卡从昂热手中消失的那一刻，缓慢重放，画面定格，昂热的身影微微地模糊，似乎是在高速运动中产生的虚影，而那张黑卡则滞留在空中。

昂热的面前，也就是会议桌的尽头，忽然有大团的金色火焰闪现，那团火焰像是一朵金色的、巨大的花绽放，火焰中央……隐约有个白色的身影，端立如同神庙中的雕像！

"那是什么东西！"图灵先生惊呼。

"没人知道那是什么东西，"EVA说，"只有在这帧画面中我们捕捉到了这个影子，换句话说，一台每秒拍摄上百帧画面的摄影机，只有一帧画面记录到了那个人，说明他只出现了1/100秒。"

"这太荒诞了！"范德比尔特先生摇头，"对方怎么来的？直接穿越空间？在1/100秒内完成刺杀，然后再穿越空间消失掉？这是科幻小说么？这是幽灵杀手么？"

"确实荒诞，我也无法解释，"EVA点了点头，"校长的言灵是'时间零'，这个言灵的效果非常诡异，在他的感受中，时间流速能减慢到大约1/50的程度，也就是说在对手的眼里，校长的速度增幅是50倍。"

"这是个杀手型的言灵，"图灵先生说，"昂热本应是那个快到能够躲避监视镜头、瞬间发出致命杀招的人，可他却被比他更快的对手反制了？"

"而且那个瞬间昂热确实使用了时间零，他掷出了那张黑卡，割伤了对方的身体。"范德比尔特先生沉吟。

"是的，"EVA指了指昂热的左腕，"众所周知校长的左腕里捆着一柄折刀，但事发的时候，他甚至没有来得及抽出那把刀，只能用手中的黑卡作为武器。"

"他在掷出那张黑卡之前有几秒钟纹丝不动，因为他意识到对手就在他旁边，他一旦动了，对手也会动。这说明对手的速度能对他造成威胁。"图灵先生沉思着说，"能对昂热造成速度上的威胁……"

"不难猜啊，对手的言灵跟他一样，是'时间零'就好咯。"有人轻描淡写地说。

说话的人是副校长，他继续摇晃着双腿喝酒，好像那惊人的结论不是他做出的。

元老们悚然，有些言灵是先天稀缺的，"时间零"就是其中之一。当年狮心会的创始人梅涅克·卡塞尔在昂热身上发现了"时间零"，惊呼这是命运赐给人类的屠龙刀！因为它实在太强，也太罕见了。

另一个掌握"时间零"的混血种，这听起来匪夷所思。但又不得不承认，这是最合理的解释，昂热和偷袭者之间的较量，就像是西部牛仔比拔枪，枪慢者死。

"对方既然重创了昂热，为什么不杀死他？"有人问。

"他以为校长死了，那种程度的伤，本该绝无生还的可能。"EVA回答。

"有什么嫌疑人么？"图灵先生说，"我听说你们怀疑路明非，那个新生代中的S级。"

"不是我说的，"副校长耸耸肩，"那小子可是昂热特批入校的，我倒是怀疑那是昂热的私生子……"

"当晚龙骨失窃，系统显示是路明非刷了他的出入卡，打开了通往冰窖的门。"一个寒冷而威严的声音从会议桌的对面传来，"当晚只有他的卡在那些门上刷过！"

"好吧，有些人认为路明非的失踪跟龙骨失窃以及昂热遇袭有着必然的关系，在各位抵达之前我们已经争论过了。"副校长耸耸肩，"我是说我和我们尊敬的'嗜龙血者'贝奥武夫先生。"

元老们都微微欠身，向"嗜龙血者"这个尊贵的姓氏致敬。

如昂热、伊丽莎白·洛朗甚至加图索家族，都算是混血种中的新贵，而在工业革命之前，在那个仗剑屠龙的年代，贝奥武夫是最显赫的姓氏之一。

北欧神话中的长诗《贝奥武夫》就是按照这个家族的历史写的。

几千年来贝奥武夫家族一直是最坚定、最勇敢和最残酷的屠龙者，他们秉承着古老的家训，每生下一个男孩就给他喂食一滴龙血结晶，那是剧毒的物质，但只有经过那种剧毒的考验，这个婴儿才被家族认为有用。

不知道是不是因为生下来就服食了龙血的缘故，龙血对贝奥武夫家族的男人们有着致命的吸引力，就像毒品之于瘾君子。他们为了追杀一条奄奄一息的龙类，可以横穿欧亚大陆，只求亲手把武器刺入它的心脏，把它的鲜血融入家传的烈酒，然后一饮而尽。

秘党把"嗜龙血者"这个称号授予贝奥武夫家族，就像大家称呼弗拉梅尔为"导师"那样。危机迫在眉睫，传奇般的人物都重新浮出了水面。

这一代的贝奥武夫已经超过150岁，比昂热还老，多数元老在贝奥武夫的面前还是年轻人。他苍白而魁梧，坐在那里好像一面厚实的石灰岩墓碑。灯下，那双交叠的、苍老的手反射着微弱的光，皮肤表面竟然布满细密的白色鳞片。

贝奥武夫近百年不曾出现在这张会议桌上了，因为他对于秘党成立学院这件事持激烈的反对态度。

"学院培养出的所谓屠龙者只会是贪生怕死之徒，真正的屠龙者只能在战场上完成洗礼！"这是贝奥武夫的一贯态度。当时他担任"行动队"的负责人，那是执行部的前身，满世界追猎龙类。他们冷血而高效，彼此之间从不救援，死去的同伴和死去的龙类一同被埋葬，顶多是在坟前吹一曲口琴作为哀悼。

但最终多数元老赞同成立学院，昂热一派的势力崛起，原本应当接任执行部的贝奥武夫愤而拒绝担当这个职位，从此就只是作为元老。如果当初是他接管执行部，执行部很有可能还是当初那个冷酷的"行动队"。卡塞尔学院的人都说执行部是疯子部门，但跟当年的行动队相比，今天的执行部简直就是慈善机构。

"弗拉梅尔导师，这个名为路明非的学员从一开始就充满了谜团，不是么？"贝奥武夫的声音像是两柄锯齿剑相互摩擦剑刃，"他的父亲路麟城、母亲乔薇尼号称S级的秘党成员，可我想在座的各位没有任何人见过这两位优秀的成员。他们在执行部有档案，可他们从未向执行部报到，我们没有任何人知道他们在世界的哪个角落，从事什么样的秘密任务，当然，除了昂热。但现在他正躺在急救舱里，如果他死了，这个秘密就永远没人知道了。父母很神秘，儿子更神秘。这个孩子进入卡塞尔学院之后，我们才在对龙王的战场上屡屡取得决定性的胜利。虽说青铜与火之王诺顿是死于恺撒·加图索之手，大地与山之王双生子是死于狮心会前任会长阿卜杜拉·阿巴斯之手，白王的篡位者赫尔佐格是死于加图索家的天谴武器，但每场针对龙王的战争，路明非总是必到！"

"你的意思是路明非杀了这些龙王？"副校长懒懒地说，"那不是说明这小子赤胆忠心么？"

"弗拉梅尔导师说得有道理。"图灵先生说，"如果路明非是龙族派来的潜伏者，那他又为何帮助我们屠龙呢？"

"各位，从来没人说过龙族之间是团结的！"贝奥武夫扭头四顾，黄金瞳熊熊如炬，"龙类！本就是极端暴力的存在！它们连孪生兄弟都能杀死！龙王耶梦加得就是例子！"

元老们都沉默了。贝奥武夫说得没错，如果是人类的话，种族濒临末日，大家肯定会互相协助以求度过难关，但龙族奉行的逻辑跟人类迥然不同，杀戮基因根植在它们的血脉深处，它们摧毁一切弱者，无论对方是不是同族。

"根据执行部的档案，路明非没有言灵，或者说言灵未知，对么？"范德比尔特先生问。

"是的，在二年级之前他的战术战略能力都很差。"EVA回答，"他的进步是最近一年的事，能力迅速提升。"

"如此优秀的血统却没有言灵，是不是故意隐藏呢？"范德比尔特先生又问。

"莫非他的能力是'时间零'那种可怕的言灵？"图灵先生说。

"'时间零'应该是天空与风之王一系的言灵吧？"某位元老说。

"想必各位都知道，天空与风之王堪称龙族诸王中最神秘的一位，在漫长的历史中，我们从未得到这位龙王苏醒的消息。"贝奥武夫幽幽地说，"他游荡在我们所知的历史之外！"

"如果是天空与风之王，当然能够使用'时间零'！那本来就是他的特权范围！"图灵先生恍然大悟。

"那个男孩……是天空与风之王？"

元老们不约而同地倒吸了一口冷气，这个推论委实太惊悚了，但那个S级学生的身上充满了谜团，偏偏在昂热遇袭龙骨失窃的那天晚上，他离开了学院。

"哇嚓嘞，想象力不要那么丰富可以嘛？在座的各位谁身上没点谜团啊？我看起来很正常吗？你们贝奥武夫家那些喜欢喝龙血的疯子很正常么？"副校长满脸无所谓，"说起来我看你最不正常了，今天洗澡没有刮鳞片吗？要我借你刮胡刀吗？"

"弗拉梅尔导师，我是出于对弗拉梅尔这个姓氏的尊重才容忍你的说话风格！"贝奥武夫冷冷地说，"装疯卖傻并不有趣！"

元老们都保持了沉默，除了贝奥武夫，他们恐怕都没有资格对弗拉梅尔导师这么说话。

"加图索家的代表没有到场么？"贝奥武夫环顾四周，没有找到弗罗斯特。如此重要的会议，作为校董会中最有势力的家族，加图索家竟然缺席了。

"谁说我们家没派人来？"角落里传来某个男人忿忿不平的声音，"是你们的秘书一直没有打开投影机不让我出现好嘛？"

只是听声音就能想象到说话人的形貌，应该是某个穿着海蓝色西装和白色休闲裤、脚蹬一双乐福鞋的花花公子，正慵懒地躺在热带海滩的阳光下，喝着啤酒，望着碧蓝的大海。

那居然是庞贝·加图索的声音，居然是这货而不是弗罗斯特代表加图索家出席这场会议，真是太阳从西边出来了。

"EVA，为什么不让庞贝进来？"副校长也有些不解。

EVA垂下眼帘，面无表情地挥手，某张空着的座椅上方，莹蓝色的光柱投射下来，光柱里端坐着只穿白色泳裤的男人，胸肌腹肌块块分明，不知多少双纤纤玉手正在他全身上来摸来摸去，或者说在给他抹防晒油。

庞贝举高手中的果汁杯："终于进来啦！各位老板好久不见！"

"庞贝你这是来参加会议么？"贝奥武夫怒吼。

庞贝并未亲身到场，而是通过全息投影出席会议。他那边是什么情形，投影过来的就是什么情形，因此EVA不愿打开投影机。

"我亲爱的老伙计昂热不是还没死么？"庞贝显得有点委屈，"参加葬礼的时候我保证会换上黑西装的！"

"够了！"贝奥武夫无意继续这种没有营养的对话，凌空挥手示意这个话题就此斩断，"为什么是你而不是弗罗斯特？"

"哦！我亲爱的堂弟啊？他有更重要的事，所以只好由我来出席会议咯。"庞贝叼着吸管，"我说，你们议论了那么久，难道没有想过那个偷袭昂热的家伙，他的下一个目标会是哪里么？"

"下一个目标？"贝奥武夫一愣。

"他应该不是为了偷袭昂热而潜入学院的吧？只是偷龙骨时遭遇了正去往冰窖的昂热，连我这种花花公子都能想明白，'嗜龙血者'怎么没有想到呢？"庞贝挥手，示意那些纤纤玉手暂停摸他，"龙王骨骸的价值无与伦比，谁都眼红！"

"我们当然知道龙骨的珍贵，所以才会把它保存在最安全的冰窖里……"贝奥武夫忽然想起了什么，脸色骤变。

"保存在学院的那具龙骨，是龙王康斯坦丁的半具龙骨，而另外半具，保存在加图索家手里。"庞贝说，"如果对方那么想要龙骨，他没有理由不打我家那半具骨头的主意，现在弗罗斯特正转运龙骨前往罗马银行的地下金库。"

"你们想把龙骨保存在那里？"图灵先生问。

庞贝打了个响指，某个建筑物的三维图像被投影在会议桌上方，并缓慢旋转："那间金库的防御之森严，不亚于冰窖。罗马银行是由三家历史非常悠久的银行合并而成的，加图索家是其中两家的拥有者，因此罗马银行等于加图索家的产业。从1929年开始，我们就着手把罗马银行的本部打造为一处坚不可摧的堡垒，这就是银行地下金库的结构图。"

元老们都流露出惊讶的神色，从地面上看，罗马银行本部只是一座四层高、大理石外墙的小楼，但在地平面以下，它是一座倒立的帝国大厦！

工程量极其惊人，钻机直接下探到坚硬的花岗岩层，用千吨的高强度铝材和不锈钢，在地下搭出了一个巨大的空间。

庞贝摸出手机，神情炫耀地拨打电话："嗨！弗罗斯特我亲爱的弟弟，你到哪里了？"

桌面上方出现了新的投影，似乎是在某个极小的封闭空间里，空间摇晃，人影闪动。

几秒钟后弗罗斯特的脸出现在镜头前："现在的深度是地下120米，我们还在深入更深的地层。这部电梯最深能够抵达地下半公里处，最后还有一小段路要步行。"

"给大家介绍一下我们家的藏宝地吧。"庞贝说。

弗罗斯特微微点头："正如各位所见，罗马银行的地下金库已有近百年不曾被任

何人突破。全世界 1/3 的货币性黄金储存在这里，欧盟的中央机房也在这里，其他的钻石、珠宝、纸币、艺术品……可以说不计其数。即使罗马城被核弹夷为废墟，这座地下堡垒也能独立运转半年以上。金库位于地下 800 米深处，只能通过一个类似左轮手枪转轮的机械系统从中提取东西，如果遭到入侵，只需要摧毁那个转轮系统，金库就完全地封锁了，并灌入腐蚀性液体。龙骨被保存在那里是绝对安全的。"

随着他的解说，结构图缓慢旋转，各部分逐一被放大。不愧是能够造出天谴系统的加图索家，这间地下金库的技术水准甚至在冰窖之上！

"先把剩下的龙骨藏好了，然后我们就可以来设圈套了，"庞贝眉飞色舞，"既然他那么想要龙骨，一定会想办法侵入保存龙骨的地方。"

"在地下金库里给他设套么？"贝奥武夫沉吟，"如果对方的言灵是'时间零'，如果他可以像幽灵般活动……"

"人眼也许会被'时间零'欺骗，但超高速摄影机呢？"庞贝贼兮兮地笑着，"红外检测仪呢？激光切割网呢？神经毒气呢……"

花花公子还是蛮狠的，谁跟他结仇那肯定是倒了八辈子的血霉。

警报声忽如其来，元老们骤然起身，黄金瞳之光把投影的蓝光都压了下去。难道在秘党元老齐聚的时候，还有人敢入侵卡塞尔学院？

他们随即发现警报声并非来自 EVA，弗罗斯特所在的那架电梯正被闪烁的红光包围，入侵发生在地球的另一侧，有人侵入了罗马银行的地下金库！

"弗罗斯特，放弃原先的计划！带着龙骨离开那里！"庞贝大呼小叫，"见鬼！那家伙来得这么快！"

跟哥哥迥然不同，弗罗斯特临危不乱，锋利的眼神扫过，保镖们立刻围绕了他。加图索家的保镖，清一色的精英混血种，黄金瞳亮起，他们的身躯膨胀，肌肉暴胀，身体表面骨质化。

十几秒钟后，弗罗斯特被一群狰狞的怪物包围在其中。

"庞贝！我们需要你那座地下金库的电子地图！EVA，为他们找出最安全的撤离路线！"贝奥武夫大吼。

EVA 莹蓝色的瞳孔中流动着无法解读的文字，脸上只剩下霜雪般寒冷的表情。通过海底电缆，零点零几秒内，EVA 已经进入地下金库的中央电脑。

弗罗斯特搭乘的电梯紧急刹车，然后升向正上方，金库底层开始灌入腐蚀性液体，底层的警报器被触发，想来入侵者在下面。

这边电梯上升，那边电梯井里连续爆炸，微型炸弹藏在电梯轨道里，必要时这架价值数百万美元的电梯可以被摧毁，把入侵者困在地底深处。EVA 引爆了这些微型炸弹，这个女孩看起来幼齿，行为方式却是极其地狠辣。

入侵者忽然来了，但 EVA 控制了那间地下金库，鹿死谁手还是未知数。

"优先确保龙骨和弗罗斯特的安全！"贝奥武夫下令。

当年行动队的头目，如今也仍然是卓越的战场指挥者，贝奥武夫自然而然地接掌了指挥权。不接掌也没办法，难道指望副校长指挥作战么？

"明白！所有通道已经打开，撤离所需的时间预估为 47 秒！"

电梯返回了出发点，弗罗斯特在保镖们的掩护下经安全通道撤离。安全通道被重重叠叠的安全门分隔开来，每扇安全门都是纯钢质地，达到了金库门的级别。

平时打开这些安全门需要非常复杂的手续，指纹、声纹、密码、虹膜……缺一不可，但在 EVA 的强力介入下，这些门都是开放的。

每过一扇门就有一名保镖留下，手动将门封闭。加图索家的严酷家规从这个细节就能看出来，EVA 未必不能封锁这些门，但加图索家必须留下一个看门人。

人永远比机器可靠，入侵者正尾随而来，他们以生命为代价，层层阻截。

弗罗斯特也不是弱者，奔跑起来速度不亚于冲刺的猎豹，耗时比 EVA 估计得还要少，他就冲到了最后一扇安全门前，随着保镖手动扳下安全门的开启阀，圆形钢门轰然洞开。

门外弥漫着金色的烈火，火中仿佛有龙蛇舞动，那光映在弗罗斯特的眼睛里，仿佛神话中所说的地狱。

浑身裹着白色袍子，形如木乃伊的人形站在那地狱般的烈火中，端静得像是神祇。

"是你……是你？是你！"弗罗斯特惊声尖叫。

元老们惊骇莫名，集体起身。即便是通过摄像头、隔着上万公里跟那东西面对面，他们仍旧感觉到了可怕的威压……仿佛直面至尊！

更恐怖的是，那端静站立的姿势，恰似那个在 1/100 秒内浮现在金色火焰中的身影！

"弗罗斯特家长！立刻退后！"EVA 下达指令。

作为人工智能，她做出的"最优判断"是让弗罗斯特退后，同时她重新关闭安全门。那扇超合金的安全门也许无法彻底阻挡入侵者，但也许会给弗罗斯特争取到一线生机。

弗罗斯特没有回答，而是摸出了手机。这种时候他摸手机干什么，没人知道。

死神和弗罗斯特擦肩而过，背后的火光就像涨潮的大海。影像到此为止，摄像机在火墙推来的瞬间被毁，全息投影中只剩下嘈杂的雪花点。

事情并未到此为止，罗马银行的地下传出连续的巨响，一道又一道的钢铁闸门落下，像是多米诺骨牌连串倒下。

最后一秒钟，弗罗斯特通过手机发送了一条命令，将金库最终的控制权移交给了EVA。作为加图索家的代理家长，弗罗斯特有权这么做。

那是秘党成员弗罗斯特·加图索的最后努力，有了那项授权，EVA 就能彻底锁死金库。一旦关门，锁芯就熔毁，这间金库被用作了困死"死神"的铁牢。

全世界 1/3 的货币黄金、欧盟的中央机房和无数的珍贵艺术品都被锁在了里面，作为"死神"的陪葬。

这在秘党看来是值得的，虽然整个人类历史上从没有关于那位"死神"的记载，EVA 那浩如烟海的数据库中也找不到他的影子，但所有人都相信，如果任它带走龙骨，可能会导致类似"世界末日"的结果。

"地下金库没有其他出口么？"贝奥武夫大吼着问。

"构造图显示它只有唯一的出入口。"EVA 回答。

"它有没有可能突破金库大门？"图灵先生大声问。

"那就得赌赌人类的命运了！"贝奥武夫深呼吸，强迫自己重新落座。

会议室里静悄悄的，元老们静静地坐着，等待着人类的命运。

万里之外的罗马银行里，VIP 客户们正饮着威士忌、咖啡或者果汁，跟理财经理谈笑风生，根本没有意识到自己的正下方刚刚发生了一场怎样的巨变。

伦敦贵金属交易所里，交易员们呆呆地望着头顶上方的大屏幕，几秒钟之间，整个交易所的电话响成一片。这是金价平稳上涨的一天，原本大家都开开心心，直到十秒钟之前，数据显示全世界足足 1/3 的货币性黄金忽然"消失"了。

那相当于整个印加王朝的财富！消失掉了？就像神从高天上伸手，抹去大地上的一个国家……太扯了吧？这种事真的会发生？

时间一秒一秒地过去，金库深处再没有传出任何声音，死亡般的寂静，就像曲终人散。

"EVA，扫描整个金库！"贝奥武夫下令。

"是！"

金库隧道里安装了几百台摄像机，此刻这些摄像机中的绝大部分还能正常工作，EVA 把它们的画面投影在会议桌上方。

隧道中飘扬着白色的飞灰，仿佛一场绵密的大雪，却没有一台摄像机拍摄到死神，连一颗火星都见不到，好像那场焚世的烈焰根本没有烧起来过。

"死神消失了？"范德比尔特先生迟疑地问。

"准确地说，它从我们的视野中消失了。"EVA 回答。

"不是说那间金库就只有一个出入口？它要么破门而出，要么还在金库里。"

"根据感应器的数据，显示所有的门都是完好的。"

"想办法让我们看看弗罗斯特跟那东西遭遇的地方。"贝奥武夫说。

"那里的摄像头损坏了，我试着从远处调一个摄像头过去。"

地下金库内部，隐藏在墙壁中的摄像头探出头来，沿着滑轨去向弗罗斯特遭遇死神的那扇安全门。死寂的地下隧道里，它滑行时发出的嘶嘶声清晰得令人恐惧。

元老们终于见到了安全门前的情形。他们再度起身，戴着高顶礼帽的那几位摘下帽子来按在胸前，所有人都低下头去。

安全门前站立着几尊白色的塑像，其中一尊身上能明显地看出弗罗斯特的特征，他退后一步，伸手到怀中，似乎要拔出藏在那里的某件武器，弓着的身体仿佛蓄积着惊人的力量。

就是在那一刻，死神和他擦肩而过，将他们化成了白色的塑像。此时此刻，不知何处来的风吹过漫长的隧道，剥蚀着这些塑像，那些降雪般的飞灰就是他们身体的一部分。

秘党成员、加图索家代理家长弗罗斯特·加图索，确认死亡。

生前他在秘党中并不很有人缘，因为他太过维护加图索家的利益，和昂热争夺学院的控制权，像个锱铢必较的商人，但在死亡面前他仍无愧于"屠龙者"的称号。

"怎么会这样？"贝奥武夫问，"那东西怎么杀死他们的？"

"根据我的推测，是极致高温，"EVA回答，"人体构成中有18%都是碳元素，在极致高温下绝大部分其他元素都会汽化蒸发，但碳元素会瞬间晶格化，就是诸位现在看到的白色人体。"

"就像结构松散的钻石？"范德比尔特先生说。秘党成员中不乏自然科学方面的"领袖级"人物，范德比尔特先生就是，他和EVA一样，在第一时间明白了弗罗斯特死于什么武器。

"是的，结构松散的钻石，如果结构更加致密的话，他们的遗体能矗立几万年不倒塌。"EVA轻轻地点头。

"如果我没记错的话，石墨在几千度的高温和几百个大气压下才有可能转化为金刚石，"图灵先生说，"而死神在跟弗罗斯特擦肩而过的瞬间就制造出了那种高温高压的环境？"

"几千度高温和几百个大气压是指人造金刚石培养炉中的环境，在那种环境下，人造金刚石还要几个小时乃至于几天成形，瞬间人体金刚石化……真不敢想象那种温度。"范德比尔特先生轻声说。

弗罗斯特的"雕像"终于坍塌，满地晶莹的粉末，其中夹杂着少数熔化的金属块，足以佐证EVA和范德比尔特先生的判断。

一阵风吹过，弗罗斯特彻底从这个世界上消失了。

元老们重新落座，会议室里的气温好像一下子降低了，低到零下。

他们是最资深的屠龙者，领略过龙类的强大，也见识过很多的死亡，但"死神"唤醒了他们灵魂最深处的恐惧。

"你们看清楚了么？"范德比尔特先生低声问，"那个人影，跟图书馆里出现的人影……是一个人么？"

元老们彼此对视，微微点头。金色火焰，白袍，端静站立的姿态，神明般的威压，特征非常吻合。

"忽然穿越空间忽然出现的能力、堪比'时间零'的高速，还有那种似乎源于青铜与火之王的极致高温，"图灵先生的眼角微微抽搐，"如果是言灵，都是超高阶言灵，又怎么会集中在一个人身上？"

"龙王！那无疑是一位龙王！"贝奥武夫说得斩钉截铁。

"天空与风？海洋与水？或者……黑王本体？"有人低声问。

在对龙王的战场上，学院连续几年取得了斐然的成绩，最后的青铜与火之王陨落在三峡；大地与山之王兄妹陨落在北京；白王的继承者赫尔佐格陨落在东京。

龙王级的敌人中，就只剩下"天空与风""海洋与水"两对双生子，还有从未复苏过的黑王。

黑王复苏？真是个恐怖的概念。黑王复苏之日即是末日，龙族是这么认为的。

"不能确定，但它比我们面对过的任何龙王都恐怖！"贝奥武夫双拳捶桌，"先生们！这是龙王对我们的挑战！它在镜头中现身，就是要告诉我们，它来了！我们都得死！"

"恕我直言，尊敬的'嗜龙血者'，这话没有任何意义，龙王当然想要杀死我们，我们也想杀死它们。我们从生来手握刀剑，我们之间的战斗不死不休。"年轻而骄傲的声音在会议室中响起。

贝奥武夫的瞳孔中闪过浓郁的红色，正要发怒，忽然怔住了。

声音来自庞贝的座位，但被那束光投影出来的却不再是庞贝，而是身穿三件套条纹西装的年轻人，金发、海蓝色瞳孔，领口佩戴着半朽世界树的校徽，从头到脚每一根线条都像是雕塑家用刀在石膏上切出来的。

"什么人有资格坐在加图索家的座位上？"贝奥武夫喝问。

两双眼睛第一次交锋，贝奥武夫家族的血色黄金瞳并未能压过年轻人那双海蓝色的眼睛。

"恺撒·加图索，从我叔叔弗罗斯特遇难的那一刻开始，我受命成为加图索家新的代理家长。至于我的父亲庞贝·加图索，我想你们也不想跟他那种人对话吧？"恺撒缓缓地说，"所以我让 EVA 把他赶出去了。"

　　元老们这才意识到从弗罗斯特遇难到现在都没有听到庞贝发出声音，这种悲剧性的时刻，最好还是别有庞贝在场为好，那种没心肝的家伙只适合出现在喜剧场合。

　　"你的意思是现在你说话代表加图索家？"贝奥武夫打量恺撒浑身上下，"你多大了？居然还戴着校徽！"

　　"我可以向你保证，加图索家会支持我说出来的每句话。至于校徽，我曾在卡塞尔学院就读，那段经历令我自豪，所以我佩戴着校徽。"恺撒直视贝奥武夫的眼睛，"我为我所受的教育自豪，比我为我姓加图索自豪来得好吧？同样我也相信'嗜龙血者'贝奥武夫拥有今日的地位，绝不是因为贝奥武夫这个姓氏。"

　　尽管他身在罗马，但这种投影出来的直视令贝奥武夫印象深刻。

　　真不可思议，庞贝的儿子，却跟庞贝没有任何相似处。他不是父亲那样的喜剧演员，也不像叔叔那样精明算计，他是那么地骄傲阳刚，就像是热那亚湾上的刺眼阳光。从开口的那个瞬间，他的骄傲就如一面旗帜那样插在了会议桌上。

　　"那么，加图索家有什么话要说么？"贝奥武夫问。

　　"我赞同您的判断，新的龙王出现了，"恺撒说，"那是我们前所未有的强大敌人。"

　　"比白王更加强大么？"图灵先生问，"难道你认定这次复苏的是黑王？"

　　"不，我无法认定那是什么东西。"恺撒摇头，"但敌人的强大，并不全看血统，如果血统的高低可以决定一切的话，秘党根本就没必要存在，我们中没有任何人的血统超过纯血龙类。"

　　"那请问加图索先生，你从什么角度断言这个敌人的强大？"伊丽莎白问。

　　"因为这个龙王就隐藏在我们中间。"恺撒扫视所有人，"他了解人类，了解秘党，就像我们了解自己一样。别忘了，无论是诺顿、康斯坦丁、耶梦加得还是芬里厄，他们都拥有毁灭一座城市的力量。他们之所以失败，都是因为内心的弱点。他们在弱小但狡诈的人类面前，幼稚得就像孩子，如果诺顿不是因为康斯坦丁的死而暴怒，他大可以孕育出真正属于自己的巨大龙躯，没有人能够对抗完整的龙王诺顿，但他为了仇恨而选择了跟龙侍参孙融合，这个举动种下了他被杀的种子。至于耶梦加得……"

　　他顿了顿，略过了这个话题："但这个敌人不同，他完美地将自己隐藏在了暗处。他发起进攻的几天之内，两处的龙骨都落入他的手中。他的行为模式更像人类而不是龙类，这是他最可怕的地方！"

　　片刻的沉默之后，元老们彼此对视，眼中流露出欣赏之意。

　　经历过庞贝作为加图索家代表的"噩梦期"和弗罗斯特作为代表时的"头疼期"之后，他们真正认可的人终于站了出来。

　　那个端坐在光柱中的年轻人，从坐姿到冷静的推理，还有堪与贝奥武夫对话的气

场，骄傲而不骄狂，具备一个真正领袖所需的一切品质。

"各位注意到没有，弗罗斯特在那个东西面前，下意识地说了三次'是你'，语气从疑惑到确定，似乎是认出了对方，但没有来得及留下线索。"图灵先生说。

"我已经通知秘书开始排查叔叔的朋友圈，这可能需要一点时间，因为他的朋友圈太过巨大。"恺撒说。

这个高效率的举动再度赢得了元老们的好感，连贝奥武夫也微微点头。

"但我们需要更多的线索，某个龙王已经得到了龙王康斯坦丁的完整龙骨，他的目的是什么？如果真的他已经在人类社会中隐藏了许多年，那么为何要在这时忽然出现？"贝奥武夫说。

"还有另一个线索，"恺撒顿了顿，"路明非，他消失的时间和校长遇袭、龙骨失窃的时间太吻合了。"

"执行部已经介入对路明非的调查。"施耐德教授说。

作为执行部部长，他被特许旁听，但绝大多数时间只能沉默地坐在角落里。

"以你们的效率也想抓得住那个 S 级的小子？"贝奥武夫冷笑，"据我所知他在失踪之前已经是执行部的新星了，你手下能跟那小子比的人不多吧？"

施耐德默然。

"不仅如此，路明非还了解执行部的所有手段！他想躲开你们，太容易了！"贝奥武夫又说。

"关于路明非的成长速度，我有个疑问，"图灵先生说，"不久之前他还只是个普通学员，空有 S 级的评价，但在短短的一年间，他成了执行部的超新星，无法解释他那火箭般的成长速度。"

"有的，"伊丽莎白低声说，"尼伯龙根计划。"

"尼伯龙根计划？什么是尼伯龙根计划？"贝奥武夫皱眉。

会议桌上方忽然出现了无数的投影图片，彼此重叠，仿佛一层莹蓝色的天幕笼罩了会议室。EVA 不带任何感情的声音回荡在四周："尼伯龙根计划，目标是制造出最强的混血种。该实验由弗拉梅尔导师设计，糅合了炼金技术和生物技术，用龙血中提纯的血清唤醒混血种体内的龙血，帮助他在突破临界血限的同时保有自我意识。原理上这种技术能够打造出类似'皇'的超级混血种，但在具体操作中因为龙血清的数量极其稀少，炼金矩阵的植入又只有弗拉梅尔导师能做，所以以学院的力量，在可见的未来，也只能打造出一个超级混血种。这个项目的候选者曾经有两个，恺撒·加图索和路明非，因为校长和弗罗斯特先生僵持不下，所以尼伯龙根计划目前还未开启。"

那些图形超出了人类的理解范畴，即使以元老们对炼金学的理解，也只能大概看出这种匪夷所思的技术是将炼金矩阵植入人体，利用炼金术来克制龙血。

历史上从没有人想过这么做，硬生生地从零造出"皇"来，不单单是因为这种思路完全悖离常理，也因为实验素材太珍贵了，每一滴进入人体的龙血清都是无价之宝。

"看来尼伯龙根计划最终还是被执行了啊，弗拉梅尔导师。"贝奥武夫冷冷地说。

会议桌尽头的副校长正准备往桌肚里钻……两名元老一左一右把这家伙架了起来，直接给摁在座位上了。

贝奥武夫缓步逼近，瞳孔中仿佛喷吐着血色的火焰："弗拉梅尔导师，你和昂热不是把这间学院看作你们的私人机构了吧？耗费巨大资源的尼伯龙根计划，被你和昂热偷偷用在路明非的身上，没错吧？那孩子是你和昂热自己打造出来的怪物，你们到底还有多少事情瞒着元老会？EVA！查阅执行部的资料，我要知道我们的超级混血种到底强到了什么地步！"

"资料库查询完毕，"片刻之后，EVA回答，"在过去一年里，路明非的各项能力确实有着长足的进步，但迄今为止他表现出来的素质也只相当于A级混血种。"

"尼伯龙根计划没有生效？"贝奥武夫一愣。

"不，应该是生效了。因为之前他的真实素质连E级都够不上，这项计划成功地将他从E级提升到了A级，仅就实验效果来说，已经非常惊人了。"

"可那项计划的目的是打造能在正面战场上对抗龙王的超级混血种！"贝奥武夫怒吼，"是要在巅峰之上再造巅峰！而不是把废物打造成勉强能用的货色！"

"你和昂热到底怎么想的？"他猛地扭头看向副校长，"那个路明非真是你们的私生子么？即使他不行，你们也要强行保他过关？"

"都是昂热的错！跟我没关系！你不会真的觉得我和昂热是……那种关系吧？"副校长赶快给自己洗白。

贝奥武夫无言以对。他本是觉得这两个校长的脱线程度到了惊世骇俗的地步，盛怒之下吐了个槽，没想到副校长真的回答了。

那种满腔怒火却无处喷发的感觉就好像闷了一个火山在心里。

"还有我们驻古巴的专员芬格尔·冯·弗林斯，他又是为什么忽然消失了？"贝奥武夫强行压下心中的怒火。

"路明非忽然失踪之后，我们觉得从他的前室友芬格尔身上最可能找到线索，于是派了一小队人去古巴。"施耐德说到这里的时候犹豫了一下，"芬格尔盛情地招待了他们，醒来的时候他们都被埋在了烟草地里，赤身裸体……整个过程就是这样。"

"不用再犹豫了，把路明非和芬格尔·冯·弗林斯列入我们的通缉名单，把他们的资料发送给全球的每个分部。EVA，集中你的所有计算资源！在全球范围内搜索他们，

我要监控所有航空公司的购票记录，他们的护照使用情况，他们的邮件和信用卡……我要知道关于他们的一切！"贝奥武夫大力挥手，俨然已经接管了学院。

"路明非早已被列入学院的通缉名单，但很遗憾对芬格尔我不能这么做。"EVA的声音不带任何感情色彩。

"不能这么做？为什么？"嗜龙血者还不太适应被一个人工智能拒绝，愣住了。

"因为根据我的资料库，您所说的那个芬格尔·冯·弗林斯根本就不存在。"EVA说，"他在这间学院里没有学籍记录，当然也就没有照片，没有成绩单，他在古巴分部工作这件事也查不到记录。从我作为一个人工智能的角度，芬格尔这个人根本就不存在，我当然无法通缉一个不存在的人。"

"怎么可能？"贝奥武夫怒吼，"连我也听过那个总也不能毕业的芬格尔·冯·弗林斯！这间会议室里的绝大多数人想必都听过那个废物中的废物，对不对？"

好几位元老微微点头，他们多半不插手学院的事务，却听过大名鼎鼎的芬格尔。那条废柴在这间学院上了差不多十年学，创下了前无古人的记录，校董会每年都会考虑，要不要干脆开除他算了。

"我理解对于各位而言，芬格尔·冯·弗林斯是真实存在的一个人，但从人工智能的角度来说，他是不存在的。他没有在我的资料库里留下任何一点信息。"EVA摇头，"在全球的网络上，都查不到芬格尔的任何痕迹。"

"他删除了自己。"图灵先生低声说，"这是唯一的解释，芬格尔在决定逃亡之前，把自己从互联网上彻底地删除了。他甚至有能力对EVA的数据库做手脚。"

"跟那个叫楚子航的鬼魂恰好相反，"列席会议的富山雅史教员说，"我们都知道芬格尔真实存在，但没有办法证明；而楚子航我们都不记得有过这样一个人，但路明非对他坚信不疑。连我都要怀疑这个世界是不是出了什么问题……被干扰了。"

"当然出了问题，太多的问题搅在一起，像个线团，"恺撒缓缓地说，"而这个线团的头也许就是路明非，我们要尽早找到他。"

"我会尽快，但截至此时此刻我还没有任何线索，路明非太了解执行部的行为方式了，他曾是一只猎犬，即使现在变成了猎物，但他的经验会帮他避开其他猎犬的包围。"施耐德说。

"如果执行部都没有把握追捕路明非，那么何不把工作移交给某些路明非不了解的机构呢？"贝奥武夫说。

"路明非不了解的机构？"施耐德一怔。

"那些被我们藏在冰下的怪物，到了这个时候，该挖出来用了吧？"贝奥武夫说。

施耐德没来由地打了个寒战，他是号称这间学院里仅次于昂热的铁腕人物，但提到那些冰下的怪物，连他也不由得悚然。

真要把那些家伙"挖"出来用么？那些家伙根本就不属于这个时代啊，挖出他们来，就好像把旧时代的鬼魂释放出来。

元老们也神色犹豫，显然他们也知道所谓"冰下的怪物"指的是什么，即使在如此危急的状况下，对于要不要动用那支堪称"终极"的力量他们也还是犹豫的。

"喂喂！没必要这样吧？对付孩子我们要手下留情！"副校长的脸色有点难看。

"就要不要挖出冰下的那些家伙来，大家做个表决吧。"贝奥武夫完全没想要理睬这家伙。

元老们沉默着对视，仿佛无声的寒流灌注了会议室，那支冰下的力量……那支他们曾经雪藏来准备跟"终极"决战的力量，现在就要启用么？那等于压上秘党的全部赌注。

一位元老默默地举起手来，紧接着是第二位……第三位……第四位，无人说话，但人们相互传递着眼神。贝奥武夫当然举手，图灵和范德比尔特两位先生也举了手，最后连伊丽莎白·洛朗都举了手，但还有少数人的手始终按着桌面没动。

最后所有的目光都集中在恺撒身上，虽然他还年轻，但他说话代表加图索家，那是至关重要的一票。

恺撒沉默着，那张古希腊石雕般的脸上没有任何表情，这对他而言似乎是个艰难的选择，又好像只是思绪蹁跹。最终他举起了手，什么都没说。

"希望我们没有因为过于紧张而误开地狱的大门。"贝奥武夫低声说。

地狱的大门，真是形象的比喻，每个人都这么想。

副校长霍地起身向外走去。

"弗拉梅尔导师您要去哪里？在这么重要的会议中离席，不太妥当吧？"贝奥武夫盯着他的背影。

副校长猛地小跑起来，一边跑一边摸裤兜。

"截住他！"贝奥武夫喝令。

"快跑啊！这回你死定啦！他们派了一帮神经病去追杀你！快跑啊！"副校长冲出会议室，在外面走廊上兔子似地窜着，对着手机大喊。

几秒钟后他被一位身手矫健的元老扑倒在地，弗拉梅尔导师素来不以体能著称。手机滚出很远很远，电话仍在接通状态，上面显示对方的名字是——"炎之龙斩者"！

意大利，罗马，郊外，古老的城堡里，灯光渐渐熄灭。

帕西拉开窗帘，阳光取代灯光照亮了这间雍容华贵的客厅，安置在角落里的全息摄影机已经停止了工作，就是它们把恺撒的一举一动录制下来，再在会议室里放映出来，跟亲临现场并无区别。

恺撒仍然端坐在客厅中间的椅子上，帕西扭头看了一眼那个肩膀宽阔的背影，默默地躬身行礼，等待着代理家长的吩咐。

他还记得几年前，那时候帕西担任弗罗斯特的秘书，但也偶尔处理一些恺撒的需求。那时候电话响起，有时是要他在某个港口准备好一艘双体式的帆船供他出海，或者把某间餐馆清空，他要独自在那个靠窗的座位上看落日。

这类孩子气的要求好像永远没完没了，给人一种恺撒永远不会长大的错觉。但从一年之前，他从日本归来，那些任性的要求忽然没有了。

之后他从卡塞尔学院毕业，就任罗马分部专员，帕西担任他的秘书，但恺撒并不吩咐帕西帮他忙这忙那，绝大部分事情他都自己做好了。

就像弗罗斯特曾经说的那样，恺撒不会一直是个孩子，每个人都会长大，长大有时候只是一瞬间的事，只需那个令他脱胎换骨的时机到来。

帕西隐约能想到是那趟前往日本的旅途中，某个人帮恺撒长大了，但恺撒不提，帕西也就不提，两个人的相处模式往往就像眼下这样，帕西静静地等候在旁，恺撒静静地坐在他父亲和叔叔都曾坐过的椅子上，久久都不说一句话。

不过今天帕西还是多问了一句："路明非和少爷您之间，似乎存在着'友谊'这种东西，出动那帮冰下怪物去追捕他，没准会让局面失控。那帮怪物可是从不遵循任何规则的。"

"我并不想对路明非怎么样，但他犯了一个错误，不该把诺诺扯进来。"恺撒轻声说，"他自己处在矛盾的旋涡中，不该把无关的人扯进来。他也该长大了，男人总是要自己扛自己的压力。逃亡是毫无意义的，他和学院合作，才有可能解决这件事。所有的问题出在那个叫楚子航的鬼魂身上，从路明非臆想出那个鬼魂开始，一切全都不对了。"

"少爷您也不记得任何叫楚子航的人吧？"

"完全不记得，竟然说是我的宿敌什么的……我会忘了自己的宿敌么？又有什么人有资格当我的宿敌了？"恺撒摇头，"你随时跟进学院的动向，一旦找到路明非的行踪，你也立即前往当地，跟路明非好好交涉，确保诺诺平安地回罗马。"

"我想陈小姐的事情，让少爷你很困扰吧？"帕西点头，"我会处理好这件事的。"

他转身离去，走到门口的时候又回过头来："少爷你没事吧？"

恺撒今天格外地沉默，那份沉默让人不安，是因为诺诺的不告而别么？帕西不太确定，他回头的时候，恺撒正看着窗前的一件装饰物，那是一件男式和服，挂在榉木的衣架上，随着窗外流入的轻风，无声地摆动。

并不是那种昂贵的天价和服，而是旅行社发给赴日本旅行团的团服，背后还有旅行社的印文。按说这种东西是没有资格陈列在这间屋子里的，它的左边挂着提香的真迹,右边是伦勃朗的画作,可恺撒坚持要把那件和服摆在那里,似乎是很重要的纪念品。

"没什么,我在想我到达日本的那天下着雨,我穿着这身和服,打着一柄伞,"恺撒顿了顿,"我还在想……诺顿的弱点是康斯坦丁,那么耶梦加得的弱点是谁呢?芬里厄么?但是不像,我好像……忘记了点什么。"

很罕见的,少爷的眼里闪过一丝迷惘。

DRAGON RAJA

奥丁之渊

第五章

| 恰同学少年 |

A Dream of Youth

这些年他去过了很多地方，也在很多地方俯瞰过，每个地方的景色都比这个小区的天台好，可这座天台总在他的梦里反复出现，很多次他都梦见自己还是个高中生，坐在老楼铅灰色的天台上眺望，远处的灯光汇聚，仿佛潮水，随时都会汹涌过来。

诺诺想自己是被劫持了，虽然还不知道是被谁劫持了。

她最后的记忆停留在酒窖中的那一幕，路明非双手插在口袋里渐行渐远，湿冷的空气中弥漫着别离的味道。

那个瞬间她心里动过念头说要不就再帮这个笨蛋一把好啦，帮他去满世界地找那个叫楚子航的"鬼魂"，但下一刻她就听见脑颅内轰雷般响，眼前一黑就什么都不知道了。

到底怎么回事？难道说学院的人已经潜入了金色鸢尾花学院守株待兔抓住了路明非，把自己也当作路明非的同伙抓了起来？

我靠这帮秘党的暴力狂还有没有王法啊？姐姐我已经退学了好吧？你们难道还想把我抓回学校去严刑拷打不成？

指望芬格尔和路明非那俩废柴估计是没戏了，她得想办法逃出去。

她觉得自己是在一辆行进中的轿车里，蜷缩着卧在后排座椅上，眼睛上蒙着黑布，嘴巴上贴着胶带。

从颠簸感来看他们跑在城市公路上，从温度和湿度来看他们正在某个亚热带季风气候的城市，从这满鼻子的雪茄味来看开车的还是个自得其乐的烟鬼，从座椅贴在脸上的质感来看这辆车价值不超过 4000 美元……

卡塞尔学院前 A 级学员兼暴力巫女陈墨瞳面对危机表现出了极其优秀的心理素质，醒来后没有大喊大叫，而是全面分析眼下困境等待时机，这时候就听见司机在前排纳闷地问："你师姐是头猪吧？"

"怎么这么说？"副驾驶座上的帮凶反问。

"我喂她的强效安眠药药力是准确的 24 小时，可都差不多 30 个小时过去了这妞还没醒来，该不是自己又睡过去了吧？"司机很笃定地说，"不是猪怎么能在这种情况下睡着？"

诺诺脑袋里空了足足十秒钟，然后猛地蹦了起来，挣脱捆手的绳子，一把撕掉嘴上的胶布："你俩是活腻了吧？"

那根绳子没真的捆住她的手，不过是象征性地绕了几圈，可诺诺生怕暴露出自己已经醒来，愣是一直没敢动……不过贴嘴的胶布倒是真给力，嘴唇上的小绒毛都给撕掉了，痛得她差点掉眼泪。

"他干的！跟我没关系！"路明非和芬格尔同时指向对方。

面对这俩面露无辜的主儿，诺诺气得猛踢前排座椅，怒问："你们把我劫到哪里来了？"她先得搞清楚自己身在何地，要是语言不通的古巴、玻利维亚什么的，她想要脱困还得费点功夫。

恰在这时，一辆警车高速变道拦在了他们的车前，警灯闪烁，这是示意他们侧方停车。

诺诺心说好！来得及时！正愁没有车载我回去呢！

芬格尔老老实实地道边停车，前车的警察来到车窗前行了个礼："您好同志，请出示驾驶本和行驶本。"

芬格尔摸出一黑一蓝两个本子递了过去："同志，我们是美国来的良民，这是我的中国驾照。"

初春郁郁葱葱的山中，机场高速的道边，头顶绿色的指示牌上写着"距离上海125公里"，一阵风吹来漫山的三角梅摇曳……洋气的红色比亚迪轿车里，诺诺呆呆地坐在后排，满脑子都是槽……

我靠俩废柴还真能整啊！他们到底是怎么能在24个小时内从马耳他赶到中国的？还有……一个出身在德国、在美国受教育的家伙为何会随手摸出一本中国驾照来？你是机器猫啊你？

"谢谢您的配合。"验完了芬格尔的驾驶本，交警还是谨慎地看向后排的诺诺，"我是在后面看到车内乘客扭打……您没事吧，女士？"

"我没事！我看着像有事么我？我猪一样睡了30个小时我精神焕发！"诺诺气不打一处来，但这实在不是把这俩送去公安局的时候。

"您真的没事？"交警不放心地打量诺诺。

这辆车实在很难不叫人起疑，单诺诺这身衣服就有大问题，她还穿着金色鸢尾花学院的睡袍，超薄丝绸手工蕾丝，显腰显臀吊带露背……坐在一辆比亚迪的后车座上。

"我好兄弟和他女朋友，我们自驾环游中国。"芬格尔淡定地指指副驾驶座上的路明非。

路明非强撑着绷住脸，迎接交警审视的目光。他那身高级定制的行头终于说服了交警，看来这辆车上确实有个能配得上后排女乘客的男乘客，那应该没什么问题吧？

交警行礼之后上车离去，他并没有意识到在他转身离去的那一刻，真正脸上变色像兔子被狮子摁住的其实是前排的两位男乘客。

诺诺把绳子套在了芬格尔的脖子上，紧了紧："说遗言吧，短一点。"

"死有重于泰山和轻于鸿毛！为兄弟死是重于泰山……"

"滚！"诺诺狠狠抓住芬格尔的两边耳朵，像拉橡皮筋一样扯开再松手。

"啪"的一声，芬格尔疼得趴方向盘上了。路明非犹豫了一下，咽了口吐沫，凑过去好让师姐方便一点。

诺诺冷冷地看了他几眼，虚空挥动巴掌就当打了他两记耳光："算了！不跟你一般见识，你都神经病了！"

"说吧！计划是什么？"诺诺坐直了，重整御姐气焰，架起二郎腿，抖开毯子披在肩上，免得大好春光被这俩看去了。不过这俩都看了一路了……妈的这俩孙子也不知道给自己换件出门的衣服么？不过想想还是不换更好……

"快说！"她烦躁地一拍前排座椅。

"如果楚子航真的存在过的话，必然会在这个世界上留下痕迹。我们假设某种超级言灵能够像是群体催眠那样抹掉我们记忆里的楚子航，但它总不能把一切痕迹都抹掉，我们要想证明楚子航的存在，就得找到他留下的痕迹……"芬格尔小心翼翼地说。

诺诺皱着眉思索了片刻："所以你们来中国，因为楚子航人生的前十八年都是在中国度过的，这里残留着楚子航最多的痕迹？"

"师姐真是冰雪聪明！"芬格尔媚笑。

"滚！我不是你师姐！你这留级留成精的老梆子！"

"不敢，这是在中国，建国之后不得成精。"

诺诺忽然变了脸色，直直地盯着芬格尔："我记得你说过自己是'专业洗煤球的'，你很擅长颠倒黑白伪造事实，你就是那个有能力抹掉楚子航的人吧？抹掉他之后再跳出来做好人？"

"不能这样怀疑同伙啊！"芬格尔瞪大了眼睛，"我要想害路明非太简单了不是么？我跟他喝了那么多瓶酒，随便在哪瓶里加点老鼠药就好了！"

"我也觉得师兄是好人，"路明非赶快帮损友说话，"他就是想帮我。"

"滚远点儿！你也不是什么好东西！你是不是男人啊？就算是芬格尔想要绑架姐姐我，你不知道义气地阻止么？"诺诺看见这个屄货衣冠楚楚的就气不打一处来，"你就顺水推舟地跟着这家伙把我绑到中国来啦？你这样子就跟芬格尔一样打万年光棍吧！"

"师妹！鉴于确实是我们绑了你来，插刀是可以的，刀刀命中要害就没必要了嘛。"芬格尔龇牙，"而且自从我去了古巴，桃花运好得很，被各路妹子泡来泡去，你这一刀只扎中了路明非哈哈哈哈，我就在旁边笑笑！"

诺诺心里微微一动，扭头看见路明非把头扭了过去，呆呆地望着窗外，好像一下子就从车里的争吵中抽离出去了，她和芬格尔的唇枪舌战跟他再无关系。

那年她把路明非从那间放映厅里救出来，开车经过高架桥，俯瞰远处灯火通明的CBD 区时，他也是这样神游万里的表情，不喜不悲。

"没想到我们单身狗也是能翻身的吧？"芬格尔还在喋喋不休，"师弟你也用不着郁闷，等这件事完了我带你去古巴，遍地都是长腿翘臀的好姑娘！酒量在那里决定了一个男人的吸引力！"

"闭嘴！"诺诺懒得听下去了，一把把那张洋洋得意的脸从自己面前推开，双手抱怀靠在后座的靠背上，也扭头看向窗外，"开你的车吧！"

"那你是愿意跟我们合作了？"芬格尔有点惊喜，"我早就知道师妹你是仗义的美人啊！"

"仗义你妹！被你们劫持到这里来了，浑身是嘴也说不清了好么？"诺诺从鼻孔里哼哼，"我连护照都没有，在这里我连证明自己是谁都做不到！"

"我就说师妹你冰雪聪明嘛！"芬格尔怪笑，"你的护照我也偷出来了，这件事一结束就双手奉还，大家各回各家各找各妈！"

"你桃花运那么好，没人跟你说过多嘴的男人一点都不酷么？"诺诺耸耸肩，"快点开车！还有把你嘴里那根雪茄给我熄了！你想呛死我啊？"

她顿了顿："至于那边发呆的家伙，闲得无聊的话就跟我讲讲那个楚子航吧？你记得的、跟他有关的事，越多越详细越好，细节能提高侧写的成功率。"

路明非骤然惊醒，扭头看向后座上的女孩，那双深色的瞳孔里映出高速公路边翠绿色的山脉，那满头的乱发中有一束随风起落。

芬格尔再度发动了汽车，扬着一阵轻烟跑得飞快，早春的阳光照得车里温暖得有点热，远远说不上优秀的音响放着一首似乎是墨西哥的吉他曲《马拉加女孩》。他们超过了刚才那辆警车，芬格尔冲车里的警察行礼……

路明非忽然有种自己重新变小的感觉，变回原来那个怀揣着很大的世界却又很孤单的衰仔，坐在心爱的女孩旁边闻见她身上的隐约香味，被她随风舞动的发丝扫过手背都会幸福得浮想联翩的男孩。

他曾经非常想要长大觉得长大了就能……为所欲为不再被自己的无能为力束缚住，可这一刻他觉得自己重又回到了衰仔的状态，却又平安喜乐。

原来过了那么久，我们还在同一辆车上。那么，管这辆车要开到哪里去呢。

"快说快说！你不是那么在意那个什么楚子航的么？叫你讲他的事你又发呆！爱他在心口难开啊？"诺诺没好气地抓起毯子盖在自己的肩上，"到了城里给我弄件能穿的衣服先！"

车停在小巷子里，西装风衣的年轻人和身穿花格衬衫的年轻人蹲在巷子口，整齐

地往侧方看去。

重回这里路明非有点恍惚,自从大学一年级的暑假因为校工部的"介入"跟婶婶闹翻了,他差不多两年没有回家过寒暑假了,两年里这座城市以他想象不到的高速变化。当年这座城市只能算是二线城市,只是因为地处长江三角洲,算是什么"长三角经济开发带"中的一员而比较繁华,有不少有钱人家,比如楚子航的老爹。

CBD区那时候刚刚建起来,那里矗立着玻璃幕墙的摩天大楼,而叔叔家的小区还是灰扑扑的,外墙上挂满了壁挂式的空调主机,夏日里噼里啪啦往下滴水。

仕兰中学那时候是最牛逼的中学,算是涉外学校,可以招收外国人的,因为有400米的橡胶跑道而被其他学校的兄弟羡慕,可要说门脸却也并不如何的气派,黑色的铁门加红色砖墙,门前种满了梧桐树。

如今道路两侧的梧桐树都被砍了个干净,各种豪华车飚着高速来来往往,附近不知道多少片工地同时开工,挖掘机轰隆隆地作响,烟尘弥漫,路明非根本看不到仕兰中学那很醒目的红色砖墙。

"我说大小姐您换好衣服了么?"芬格尔等得不耐烦了扯着嗓子嚷嚷,这家伙据说是第一次来中国,可说话做事的感觉很像是在山西平遥或者河南平顶山长大的。

"不准回头你们这俩变态!叫你们给我弄件能穿的衣服!这算是能穿的衣服么?"

比亚迪的车门轰然打开,诺诺一个虎跳下来,横眉立目。

她已经换好了衣服,红色格子纹短裙,宽松的白色毛线衫,黑长袜和方口皮鞋。那无疑是一身校服,换身衣服的工夫,她从欧式名媛变成了高中学生。

"这是什么羞耻Play?"诺诺扯着自己的裙摆,"这就是芬格尔你给我找来的衣服?路明非你眼睛看哪儿呢?"

路明非愣愣地看着她的胸口,倒不是因为诺诺有胸,诺诺有胸这点早在她穿着睡衣的时候他和芬格尔都意会了,他看的是诺诺胸口的那个徽记,仕兰中学的校徽。

芬格尔搞回来的是一套仕兰中学的校服裙,当年路明非也穿着风格类似的男生校服,只不过很不合身而且皱巴巴,完全不像诺诺穿上身那么光芒四射。

她一开始出现在路明非的世界里就是一道光,直到今天,依旧照得人不敢直视。

"附近没有百货商场,我就去仕兰中学的小卖部买了一套,他们只有校服,尺码不是很合适么?"芬格尔拍着诺诺的肩膀,"把师妹你那中等偏上的身材展露无疑!"

"什么叫中等偏上的身材?损人很有一手嘛师兄!"诺诺气得龇牙,"我已经22岁了好么?你叫我穿高中校服?有种你也买一套来换上!"

"这有什么大不了的?想看我穿男生版还是女生版?配黑丝袜还是白丝袜?师妹你不要太高估我的节操,在我17岁那年它就跟我成了路人!"

"虽然我一直知道你很狗却没想到你能狗到这个地步……"

"你这么说我倒是没什么意见啦不过对狗是不是有点不公平？"

"我说我们仨现在都是学院的通缉犯了吧？这么大张旗鼓地回老家真的没事？"

"师妹你冰雪聪明，师兄我又何尝不是冰雪聪明？"芬格尔得意地一笑，"我早就用路明非的护照订了一家小航空公司的机票，目的地是圣基茨和尼维斯联邦！吼吼吼吼！他们很快就会搜索到那张机票的信息，然后学院的追兵一股脑儿都会奔那里去找路明非，谁会想到我们这么豪情壮胆地回了路明非的老家呢？"

"圣基茨和尼维斯联邦是什么东西？"诺诺问。

"东加勒比海上的一个小国，跟中国还没有建交。名义上说是英联邦的成员国，英女王算是他们的元首。那可是个自由的好地方，换乘游轮或者飞机可以去世界上任何地方，只需换本护照就人间蒸发！就让执行部的废柴在那座岛上兜圈子吧！"

三个人两前一后往仕兰中学走，芬格尔和诺诺在前面斗嘴，路明非低着头、闷不做声地跟在后面。他不能抬头，抬头就是诺诺那飞扬的裙裾，纤细的腰好像新生的竹子，笔直的腿隐没在路边工地上飘来的灰尘中……

这一幕让他有种穿越回高中时的感觉，那时候他也总是低着头走路，抬头就是陈雯雯的白色裙裾，陈雯雯的身材并没有诺诺这样好，可还是叫路明非心惊胆战。

如果当初跟他同学的是诺诺就好了，也没后面那么多事儿了，管龙族怎么闹腾，他缩在这座城市里打游戏暗恋师姐。

他又开始胡思乱想了，真是江山易改本性难移。

"我说，我们现在去仕兰中学是要查什么呢？楚子航总不会还在读高中吧？"诺诺问。

"要是就这点智商我也好意思自称冰雪聪明么？"芬格尔蛮得意，"来之前我已经通过网络查过仕兰中学的学籍记录了，结果就像我想的那样，根本不存在楚子航这个人。可根据路明非说的，当年楚子航在这座学校里可是无人不知的偶像级人物，我们去找他当初的老师和同学，还有对他朝思暮想的各路女同学，总能挖出点线索的。"

"喔！"诺诺忽然说。

"喔！"芬格尔也说。

两人忽然站住，路明非一直低头走路，来不及刹住，一头撞在诺诺背后。他赶紧退后一步，抬起头来，吃了一惊。

前方根本不是他记忆里那座红色砖墙黑色铁门、门前种满梧桐的精致学校，周围工地的烟尘忽然被风吹散，展现出来的是好一座气场宏大的……罗马万神殿！

没错！绝对是罗马万神殿！白色的"科林斯式"大理石柱撑起了金字塔形的屋顶，左右两边各是一座四五米高的雕塑，宽阔的白石台阶上还铺着猩红的地毯。

那天上地下唯我独尊的气派，感觉里面随时都会走出罗马皇帝来。

路明非定了定神再看，终于看出这座万神殿有点山寨了，首先门楣上的雕花文字不是万神殿上该用的拉丁文，而是英文，"Shilan Noble Junior & Senior High School"——"仕兰贵族中学"。

更可疑是门口的两座雕塑，左男右女，左边的男孩手里托着个航天飞机模型，右边的女孩则举着一个卫星模型，都呈撒欢跑的架势。

这些还不是最叫他心惊胆战的，最恐怖的是那个男孩的脸竟然有几分像他……

"我们真没有走错地方么？"诺诺不太有把握。她来过仕兰中学，但记忆并不深刻，被如此土豪的建筑震惊，侧写的能力都有点不好使了。

"卫星定位上说就是这里了，"芬格尔也不确定，但他并未觉察出这座山门……啊不，校门的山寨气息，"路明非，你们学校看起来很霸气嘛！"

霸气你妹啊！你这啧啧赞叹的语气是怎么回事？谁他妈想自己的母校是这种调调啊？老子那青涩的回忆怎么安放啊？

校门两侧呼啦啦地飘着红色条幅，对联似的，原本给吹得背了过去，这时候又被吹正过来了，"庆祝市重点涉外中学仕兰中学 50 周年校庆！"

校庆？路明非隐约记起来了，这几天真的是仕兰中学校庆的日子，当初上学的时候他们也是盼星星盼月亮地等着校庆这天，因为可以不上课，还因为活动上可以免费喝饮料。

从"万神殿"穿过去之后，他们抵达了更大的建筑工地。

白色大理石外墙、带玻璃穹顶的图书馆正在轰轰烈烈的建造中，当年已经极其拉风的、带 400 米塑胶跑道的操场被拆了个七零八落，施工队正在足球场上铺草坪。

至于路明非熟悉的那几栋教学楼，也在做外墙翻新；那间堆垫子和跳马的破房子、体育教研室的仓库已经修缮一新，并用一道空中廊桥跟体操房连起来了；体操房是间全新的玻璃房子，身穿白色舞衣的女生们把腿夹在排杆上，身体像是风吹柳枝那样轻柔地摇摆……

玻璃外面成排的叔叔阿姨兴奋地拍照，相机手机的闪光灯亮成一片。

平日里当然不会有这种情况出现，放学接孩子的车必须停在校外，等着铁门准点打开，学生们一涌而出，但今天各式各样的豪车都开进学校里来了，停在东头新扩建的停车场上，奔驰、宝马、奥迪……甚至还有宾利和劳斯莱斯。

出现这种情况是因为校庆，每年校庆都是仕兰中学对外展示本校"强横实力"的时候，校内开放参观、市领导到场祝贺、教育局也送花篮、功成名就的老校友发表演讲、大红榜上写满了去年优秀毕业生的名字。

当年楚子航就是因为托福成绩惊人，被"外国大学"录取，且获得全额奖学金，在那届毕业生中稳稳地列在第一。

不过这一点路明非倒也不用羡慕嫉妒恨，因为第二年是他的名字写在红榜的榜头。楚子航的名字写在榜头大家都没疑问，说实至名归，路明非的名字写在榜头就有人不服了。那年有个兄弟考上了悉尼大学，出榜的时候却比路明非低一位，他老爹很不高兴地跟校长说，我以前知道体育和少数民族能加分，敢情你们学校出榜，狗屎运也能加分啊？

对于这种质疑路明非全盘接受，因为没法反驳，回想起来今天他所拥有的这一切都是因为……走在他前面的那个名叫诺诺的女孩挖了个坑，他就自己跳进去了。

他抬起头来，忽然发现不知道什么时候他和诺诺、芬格尔走散了。他漫步在这座熟悉又陌生的校园里，看着彩旗招展，听着锣鼓喧天。操场上正在表演大型团体操，当年他可选不上表演团体操，负责挑人的老师说他坐没坐相站没站相。

心情也是熟悉又陌生的，他有时觉得自己是个外来的观光客，有时觉得自己还是当年那个衰仔，不过趁着课间跑出来瞎玩瞎看。

他从篮球架下经过，记起当年那个穿"11"号球衣的红色身影起跳扣篮，女孩们坐在场边的台阶上欢呼，风吹起她们的裙裾。

那是楚子航，楚子航的球衣是"11"号。

路明非是没机会去篮球场上露脸的，所以只能远远地坐在草坪上，叼着根草斜眼望天，表示自己既不喜欢篮球也不在意漂亮女孩的欢呼。

楚子航也不在意漂亮女孩的欢呼，他打完球，默默地把球上的汗擦干净放进包里，然后转身离去。有时候是他家那个叫老顺的司机开大奔来接他，有时候是那辆更加豪华的迈巴赫。

目睹这一幕，路明非那个心情，就好比当年刘邦和项羽看到秦始皇南巡的仪仗，旌旗连云铁甲铄日，刘邦感慨说"大丈夫当如是也"。

要是他路明非是这般少爷，何止是称心如意，绝对是土豪恶霸！每天都要穿李宁运动服和耐克鞋，放学就拦住新看上的小娘子，啊不，女同学，把长长的刘海往上面一捋，说我送你回家啊，今天我家大奔来接我！

见鬼！怎么觉得越想越美？难道他小时候的理想是成为一个高衙内式的恶霸么？

他胡思乱想着，一时没留意，迎面撞上一个人，赶紧后退几步说对不起对不起。

对方也说对不起对不起，路明非垂着眼帘，视野里只有对方白色的裙裾。

素白的棉布裙子，很有森系少女的气质，就是最简单的平纹细布，裙摆到膝盖，下面配一双系带的白色坡跟运动鞋，光着双腿。

问题是这双腿看着太熟悉了，裙子看着也熟悉，唯一变化的是鞋子，这双腿的主人以前爱穿的是那种平头的黑色系带皮鞋……妈的不会那么巧吧？路明非心里嘟囔。

抬眼一看，陈雯雯，披肩的黑发，还是当年那种略显病弱的素白肤色，全身上下就黑白两种颜色，除了手腕上缠着彩色丝带，那东西说明你是校友。

真他妈的那么巧啊……路明非下意识地耸肩缩头。

他倒不至于仍对陈雯雯念念不忘，可毕竟对方是自己最早暗恋的女孩，回想当年情窦初开，偷喝叔叔喝剩的半瓶啤酒，还曾有过"此生老子非陈雯雯不娶"的壮志嘞！

偏偏这时候人群忽然散开了，就剩他俩四目相对，路明非紧张地挠头找话说，却没注意到陈雯雯也紧张得左手抓住右手的食指和中指。

他俩最后一次见面是在北京，东四教堂，圣诞弥撒。那天陈雯雯是唱诗班成员，赵孟华是刚刚信教的"福音兄弟"的代表，上台讲话，两人的目光穿越烛光相聚的时候，路明非和芬格尔就在下面观礼。

赵孟华接受了学院的洗脑，自然不记得是路明非把他从尼伯龙根里捞了出来，陈雯雯重新迎回前男友，也是心无旁骛。

路明非没等弥撒结束就跟芬格尔溜了，望着满街幸福的情侣，芬格尔幽幽地说了一句妈的我忽然有点想念小龙女了，至少她会给我们送吃的。

废柴师兄又拍拍他的肩膀说，别想你前女友了！总有一天你也会遇到小龙女那种拉风的女孩！把你抢上马背一溜烟走了，你想半推半拒都没机会！你前女友算个屁啊！平胸！

路明非本以为已经完全地彻底地把陈雯雯从自己的人生里删除了，没想到又会在这里碰面。

有人说人生里每个相遇都是措手不及，还有人说有情人就是要互相伤害……路明非满脑子都是稀奇古怪的脑洞，这时候陈雯雯细声细气地说："路师兄你也来参加校庆啊？"

路师兄？我嘞了个去这个称呼听起来虽然性感但是有点问题，陈社长您要记得我俩是一个年级一个班的！我怎么可能是你师兄？您当年主掌文学社，座下无数热爱文学的美少年——或者热爱文学少女的美少年，比如赵孟华——我在您的后宫里就是个跑腿的马仔，我怎么就师兄了？您当年虽然娇娇弱弱可也是女王啊！

路明非正在心里跟自己吐槽呢，忽然发现陈雯雯两颊飞起了红云，连脖子都红透了！路明非一直知道陈雯雯有这毛病，害羞的时候会脸红，问题是陈雯雯见他为啥要脸红？分明是他应该脸红才对啊！

赵孟华！赵孟华你他妈的在么？把你女朋友领走好么？她这样搞得我很尴尬啊！路明非在心里大喊。

说曹操曹操就到，赵孟华不知道从哪个角落里钻了出来，看见路明非，一下子愣住了："路师兄你怎么在这里？"

"我靠！这不是路明非么？"有人惊声尖叫，是个瘦长脸的小帅哥。

"说话注意点！是路师兄！"另一个瘦长脸的小帅哥用胳膊肘一捅前者。

那明显是一对双胞胎兄弟，可路明非想不起来自己何曾认识过这样一对孪生兄弟……他认识的双生子确实不少，可都是愤怒起来能轰塌半个城市的那种……

"路师兄你不记得我们啦？我徐岩岩啊，这是我弟弟徐淼淼。"后来的小帅哥看出路明非处在云里雾里的状态，急忙自报家门，"我们当年都混文学社的。"

路明非终于想起来了，徐岩岩和徐淼淼嘛，文学社里那对孪生小胖子，总穿一模一样的条纹 T 恤，跟人家玩"你猜猜我们谁是哥哥谁是弟弟"的游戏。

当年他们都是赵孟华的小弟，赵孟华用零食和"请吃麦当劳"养着他们，关键的时候他们就给大哥撑场子，比如在文学社的毕业聚会上，哄着路明非当了赵孟华的表白道具。

几年过去了他们居然瘦了下来。

"你们怎么都叫我路师兄，大家不都是同学么？"路明非倒是很高兴徐岩岩和徐淼淼忽然出现，不然他真找不出话来跟那对基督教情侣说。

陈雯雯和赵孟华今天的装扮真是太搭了，陈雯雯是浑身素白，赵孟华是一身黑，领口处有个白色的十字架，不知道是不是考上见习牧师了。

"我们不一直叫你路师兄么？"徐岩岩一愣，"虽说是同学，可你是偶像人物，大家的师兄……只有小天女叫你'明非师兄'，可嗲了。"

小天女？路明非记起来了，那是他们年级最漂亮的女孩子之一，名叫苏晓楠，出入总有一辆奥迪 A8 跟着。苏晓楠也喜欢赵孟华，所以加入了死对头陈雯雯主持的文学社，天天跟陈雯雯对着干。

以小天女的心高气傲，眼睛那是长在脑袋顶上的，怎么会嗲嗲地叫他"明非师兄"？路明非的脑子有点乱，隐约有些不安。

"路师兄你也是回来参加校庆啊？"陈雯雯说，声音低如蚊呐，红色继续往全身蔓延，感觉小腿都红了似的。

妈的呀！陈社长你看到我是有多激动啊？你男朋友就在旁边，流露出这种老情人重逢魂不守舍的表情不好吧？我俩其实早都结束了……啊不，我俩他妈的根本没有开始过啊！

路明非赶紧看向赵孟华，意思是哥们你千万别误会！我当年也是想当你小弟的人啊！我也想蹭你的肯德基、必胜客和网吧包场啊！就是你不收我而已！我虽然没什么文化好歹看过《古惑仔》，知道大嫂不能染指的道理！

没想到赵孟华对于女朋友的失态只是轻轻地叹了口气，把目光转向操场，透出一种"你们老情人先聊着，我很绅士，我保持沉默"的感觉。路明非连想死的心都有了。

这时候越来越多的人围了过来，都是叔叔阿姨那辈人，一个个探头探脑。

"这就是那个传说中的路明非？"

"你看人家那身衣服，还有那个气质，不愧是美国贵族学校出来的。我家儿子也能考上那个……那个什么来着……卡扎菲学院？就好了。"

"还萨达姆学院呢……是卡塞尔学院！"一位大爷中气十足地说，显得见闻广博。

"真是有才华的小伙子啊，也不知道有女朋友没有。"某位阿姨上下打量路明非，有种丈母娘打量女婿的感觉。

"听说不仅成绩好，连打篮球也能是入选国家队的水平……"

篮球？路明非一愣。他对篮球可是一窍不通，为什么会有这样的传闻？

他忽然意识到了什么，匆匆忙忙甚至有点粗鲁地推开陈雯雯，拔腿就往校门口跑。

"万神殿"的白色大理石墙上，张贴着巨大的红色榜单。这种榜单每年只张贴两次，校庆张贴一次，高考出分的时候张贴一次，高考红榜只公布应届毕业生的排名，校庆的红榜则会列出近年来所有考上名校的学生。

路明非很快就找到了自己的名字，高高地挂在第一位："路明非，市级三好学生，以优异的成绩考入美国卡塞尔私立学院，并获全额奖学金。"

没有楚子航的名字，这在他的意料之中，可路明非的条目之下还有一行漂亮的小楷，标注这位学生在课业之外取得的成绩："代表仕兰中学参加市青年篮球队，赢得全国联赛亚军。"

一个篮球都没有摸过几下的人当然不可能代表学校参加市青年篮球队，而且他也没有当过市级三好学生，"市级三好学生"是很大的荣誉，只会落在风头最劲学习最好的明星人物身上……比如楚子航。

没错，那些都是楚子航获得过的荣誉，现在神奇地被加在了他身上。包括那个"路师兄"的称呼，也是源自楚子航的"楚师兄"。

这是路明非熟悉的校园，但也是陌生的校园，真正陌生的并不是新建的万神殿和翻修的教学楼，而是校园里的人……在这里他是众多女孩倾慕的对象，苏晓楠会喊他"明非师兄"，陈雯雯见了他会紧张得手足无措。

赵孟华在"这个"仕兰中学里根本没法跟他抗衡，连女朋友见了路明非羞涩紧张他都会默许，因为这是理所当然的嘛，在这里人人都爱路明非。

记忆中的世界进一步崩塌，一切全都错了，路明非摁着太阳穴，血管在疯狂的跳动，似乎什么东西要突破血管跳出来。

他忽然想起那个刘邦和项羽见到秦始皇车驾后，其实项羽也说了一句话，项羽说

"彼可取而代之"——"那个人，我可以取代他"。

他真的取代楚子航了，就像通过游戏修改工具把那个本该只会说"大侠您买点什么兵器啊"的NPC换成了主角，主角光环罩着，一路神挡杀神佛挡杀佛，沿路见的美女都收入后宫。

接下来就更热闹了，听说历届学生中人气高涨的路明非从海外特意赶回来参加校庆，校长率领各教研室一众主任，兴冲冲地迎出校门，把路明非给围上了。

老师们挨个跟路明非握手或者拥抱，都说几年没见明非更帅了啊，这不愧是美国私立大学的学生，穿上西装我们都快认不出来了。

路明非心说别扯淡了，陈老师你当年说啥来着，"路明非我对你最放心啦，你一看就不会早恋的样子！你问我为啥觉得你不会早恋？因为人家女孩子长眼睛的！"

赵老师你也别装好人，那话是谁说的来着？"路明非，你就是我们班的定海神针啊！有你定着，我们班的平均分才不会飞上天去！"

路明非跟每个老师握手，看着他们多少老了一点的容貌和白了一点的头发，感觉自己跟归国华侨似的。

接下来是请入大会议厅茶叙，顶头两把雕龙画凤的红木大沙发，校长坐一把路明非坐一把，其他老师两侧陪坐，气势宏大得就像中南海怀仁堂开门接待海外友人。

校长说这几年明非你没有回国，可不知道我们仕兰中学发展很迅速啊，国外的基金会投资了我们，引进了新西兰的国际化教育模式，我们现在招生都招到海外去啦！

路明非说是是，我生是仕兰人死是仕兰鬼，仕兰成功我自豪，仕兰进步我骄傲。

校长又说你们家真是龙虎门啊！路明非说校长，这"龙虎门"好像某部港漫里的黑道社团，我们家真是一家良民。

校长说一家出两个留美的高材生，可不是一龙一虎么？你们这叫龙争虎斗……语文教研室主任立刻纠正说不对不对，人家兄弟两个同心协力，怎么会争斗，那叫龙盘虎踞！

校长又领着路明非参观照片墙，某某学长如今已经贵为某省省委副书记，某某学长刚刚成为中科院学部委员，校长说你们这帮老校友才是我们仕兰中学的基石啊！有了你们，我们桃李不言下自成蹊。路明非说校长我还小，我跟老大哥们不能比。

看到照片墙的末端的时候校长忽然心生一念说，明非这么优秀的毕业生怎么没有挂上去？老挂那些老校友也不全面嘛，给我和明非照一张，今天就挂上去！

教务主任赶紧凑上来耳语说校长这照片墙可不是轻易好改的，得缓缓图之，现在我们挂上去的都是领导，明非虽然很有成绩，可要是领导们知道他们的照片跟个大学还没毕业的学生挂在一起，不知道心里会怎么想。

校长赶快收住，可话已经出口又不好食言，转着眼睛找补，忽然想起了什么，说其实明非的照片早已经挂上去啦！你们忘了嘛，我们做新校门的时候，门口那两座雕塑里，男孩就是照着明非的脸来的嘛！

路明非心说哇噻嘞，我就说那神兽有点眼熟！

这时候外面的大喇叭已经开始喊了，"各位家长各位同学，大家好！在仕兰中学五十年校庆的重要日子里，各方校友齐聚母校，共话同窗情谊！今天，我们隆重地请出优秀毕业生路明非同学，为我们讲讲他对母校的深厚感情！"

路明非在校长和老师们的簇拥之下走出会议厅，来到图书馆顶层的露台，俯瞰就是操场，话筒已经设好。

掌声七零八落，不过能有这么多掌声已经说明他名声在外了，否则谁会在意什么"优秀毕业生"的发言？

家长们抬起头来，望着高处那个衣冠楚楚的男孩，有人窃窃私语，说着这男孩是多么地传奇，成绩好、体育好、人帅气，毕了业就去美国上学，家里人都为他骄傲，谁都想自己孩子也这么出风头。

路明非无路可退，他终于站到了这个高高在上的位置上，在仕兰中学，能站在这个位置上俯瞰的绝对是人生赢家。

好像要下雨了，天迅速地阴了下来。好在这种南方城市原本就多雨，大家出门都习惯了带伞，此时操场上迅速展开了无数朵伞花，家长们还是等着传奇般的路明非同学讲话。

路明非心里苦笑，想说你们知道么？我所谓的成功根本就不是你们以为的那种啊，我这件外衣是学生会给我定做的啦，外衣下罩着的，还是一个废柴。

我其实是个怪物你们知道嘛？卡塞尔学院就是个怪物扎堆的地方，而我又是怪物中的怪物，我除了是个混血种，我还能召唤恶魔嘞！

不光如此我还是个神经病！全世界只有我以为这所中学里还有另外一个叫楚子航的怪物，他是我最好的朋友之一，跟我出生入死……可他忽然就消失了，就像阳光下的泡沫。

他好想说些真心话啊，这些日子他快憋疯了，可他张口吐出的话却是："作为仕兰中学的毕业生，很高兴母校能给我这个机会作为学生代表发言。在这春风送暖的美好日子，我们相聚母校、感恩母校，共同庆祝仕兰中学的五十岁生日。五十年来栉风沐雨，五十年来薪火相传，终于到了这硕果累累的日子……"

讲话稿是校长一早塞在他手里的，只是要借他这张嘴讲出来，而他还真就没休息地照着稿子念了。这么多年过去了，他还是讲着言不由衷的话。

雨终于下了起来，淅沥沥的，世界看起来是铅灰色的。校长和老师们都退回到室内去了，只剩路明非逐字逐句地念着稿子，操场上的家长们礼貌地听着，反正有伞。

好几次路明非都想丢下稿子说哈哈，反正你们都知道稿子是预先写好的套话对吧？大家赶快去避雨吧！

他抬起头来，铅灰色的世界对面，教学楼的某一扇窗边，身穿校服的大女孩斜靠着，她带着戏谑的笑容，暗红色的长发在风中起落，耳边的四叶草坠子跳荡着明亮的光。

讲稿念完了，操场上响起稀稀落落的掌声，然后大家就四散去避雨了，只剩一个傻逼样的中年男人大力地鼓掌，那油光水滑的小分头，还有那悬垂感一流走路带抖的裤子……路明非心里一咯噔，叔叔居然也来了。

晚上叔叔在福园酒楼设宴，名为谢师宴，招待校领导、教过路明非的各位老师和关系好的同学。

校长头一个说那我可得腆着老脸参加，我这么多年为人师表，书记说那我也给明非和鸣泽带过课，你们可不能不请我。

赵孟华显然是想找理由不参加的，说我晚上得去和教友们读经，我现在信了教也不喝酒，可陈雯雯细声细气地说老同学好久不见，晚上的读经班不参加也没关系，耶稣基督并不会因为我们一次不到而怀疑我们的虔信。

加上徐岩岩和徐淼淼异口同声地说那不能不去，路师兄家里请客，多大的面子啊！赵孟华也只得跟了过来。

芬格尔带着诺诺也来了。

芬格尔极其不要脸，上来就跟校长握手，自我介绍说我是路明非在卡塞尔学院的师兄，明非现在读的是国际金融，我读的也是国际金融。我如今已经毕业，在伦敦金融街开设了自己的金融事务所，有意邀请明非当我的合伙人，这次回国既是参加母校校庆，也是考察中国各地的好项目。感谢您为世界金融界培养出这样一位青年才俊啊，明非在我们卡塞尔学院的表现那是力压各国学生，深受昂热校长宠爱……啊不，青睐！您和昂热校长一样，都是明非的授业恩师啊！

校长看这厮形容邋遢，论派头只配给路明非擦鞋，但架不住芬格尔中文流利巧舌如簧，说的都是校长爱听的套话，也就相信这是外国人不拘小节。同是卡塞尔学院出来的，路明非衣冠楚楚一副上等人的派头，师兄又怎么会差了？观念一旦扭转过来世界都变得不一样了，校长一路上都跟芬格尔攀谈。

不过芬格尔不是纯贱，话里话外都在问楚子航的事。

芬格尔说校长我怎么听说贵校还有另外一个学生也考进了卡塞尔学院？我记得是姓楚。他没有回来参加校庆么？

校长说没有没有，要有我怎么可能不知道？我可不记得有什么姓楚的学生考去国外了。

芬格尔说可我真记得有这么一个人，要不是您记错了要不是我记错了，这样吧您让教务处查查学籍，记错的人开席先自罚三杯！

校长说好好！一言为定！这不就是我一个电话的事儿么？

不一会儿电话打回来，教务处说我们按您的要求查了学籍记录查了毕业生名册还找了那一届的几个班主任来问，绝对没有过叫楚子航的学生，外宾应该是记错了。

芬格尔挠着头说哈哈哈哈，看来真是我记错了，我跟校长酒逢知己千杯少。

芬格尔给诺诺安的身份是卡塞尔学院在校学生，兼职在招生委员会跑腿，这次代表学院回中国看看招生的情况。所以校长对诺诺也也蛮重视，一路上问了好几次卡塞尔学院有没有意思从仕兰中学再招几个"路明非这样"的优等生。无奈诺诺爱搭不理的，校长也只得赞美了几句说我们学校的校服穿着陈同学身上真是合适，转头继续跟芬格尔扯仕兰中学的伟大前景。

从赵孟华到徐家兄弟见到诺诺都有点敬畏的神色，点头打招呼。路明非对于这件事倒是有点好奇，问他们是不是认识诺诺。

按照如今的"世界设定"，他和楚子航合二为一，无数女孩憧憬着路师兄能多看自己一眼，陈雯雯也是其中一员，那自然不存在他在放映厅被赵孟华抢先表白横刀夺爱的可能性，也就不存在诺诺光芒四射闯入放映厅把他救走的事。那赵孟华他们怎么会认识诺诺呢？

徐岩岩说当然认识啊，这不是路师兄你在卡塞尔学院的师姐么？当初我们文学社告别聚会的时候，你正在激情演讲，师姐忽然推门进来把一套黑礼服扔在你身上说快点跟我出发！学校召唤我们！你就立马穿上黑礼服上了师姐的法拉利，好像是要去参加什么晚宴，我们当时都看傻了！

路明非心说我靠，故事编得很圆啊！敢情你们从没欺负过我，我也不是靠着师姐才在你们面前臭牛逼了一把，我和师姐加起来是牛逼牛逼更牛逼？

就这样一大帮子人都涌进了福园酒楼，原本要开一桌的，结果把整个二层都给包了。叔叔大大咧咧地招手说让老板过来说话，说我们今晚喝茅台！菜嘛就按着我最喜欢的菜单上！上菜别停，让老师和同学们都吃饱！

这豪气干云的气派，任何人看了都会觉得叔叔是土豪一枚，下馆子都不必点菜的，把酒店当食堂使了。

其实路明非知道叔叔的小鸡贼，这间福园酒楼是叔叔的老据点，单位宴请总往这里带，老板也就跟叔叔搭上线了。叔叔自己请客的时候，老板也会帮衬场面，说是喝茅台，其实喝的是茅台的副牌酒，百来块钱一瓶。说是最喜欢的菜单，其实就是酸菜炖猪肘子、糖醋小排骨、油爆猪肝、坛子红烧肉这种重油重色的家常菜，燕鲍翅那是绝对不可能见到的。

　　发现叔叔还是如记忆里那般没钱又要面子，路明非竟然有点开心，好歹这个世界还有些东西跟他记忆中是相符的。

　　叔叔是个合格的酒混子，开吃没一刻钟就把校长灌得微醺了，校长说大家放开喝啊放开喝，今晚喝不多的人不准出这道门。场面一下子就炸了，老师们互相敬酒，学生们上去敬老师。

　　酒过三巡苏晓樯居然也来了，说是接到了徐岩岩的电话。苏晓樯高考成绩不错，被复旦录取了，这时候本该在上海，但说是老爹高血压心脏病，有点担心自己还没把偌大家业安排好就挂掉了，就让女儿暂时休学回家，管管家里的矿业。

　　苏晓樯家是本地最大的矿主，铁矿、煤矿、钼矿、锰矿……基本上属于躺着赚钱。苏晓樯女随父性非常霸气，当年她每月揣着万把块的零花钱，到处请小姐妹们吃饭，只要大家承认她是姐姐。有人老吃她的饭不好意思了，说这顿饭我请吧，苏晓樯翻翻白眼说你家有矿么？对方说我爸爸做贸易的，我家里哪有矿？苏晓樯说没矿你买什么单？啪地翻出她爹的白金信用卡的副卡丢在桌上。所以大家都管苏晓樯叫小天女，天之骄女。

　　当年苏晓樯就是公认的校花，只不过太霸气了反倒没有陈雯雯那么惹人喜欢，如今更是艳惊四座，来的时候一身 Valentino 的限量版连衣裙，外面罩着 Burberry 的限量版风衣，脚上是 Louboutin 的限量版红底高跟鞋，总之全身限量版，画着淡妆，十足小富婆的气场。

　　叔叔请客路明非也是半个主人，硬着头皮也得起来迎客，嘴里说着小天女好久不见，心里犹豫着要不要握手呢……苏晓樯歪着头说既然好久不见要不要拥抱一下？

　　路明非惴了一下说没问题啊，苏晓樯就扑过来狠狠地拥抱了他，然后又一把推开他，一拳捶在他胸口，恨恨地说："明非师兄，出国那么久也不见你联系我？怕我吃了你啊？"

　　路明非心说姐姐你这唱的是哪一出啊？我为什么要联系你啊？当年你喜欢赵孟华我喜欢陈雯雯，我俩是两条同病相怜的暗恋狗，暗恋狗之间只是互相舔舔伤口而已……啊不！互舔伤口这种事情也从未发生过！

　　那边苏晓樯入座跟叔叔寒暄，这边徐岩岩捅捅路明非，悄悄说："路师兄，小天女带着几十个矿一直等着路师兄你回来呢！"

　　什么乱七八糟的？这世界已经完全乱套了好么？

　　徐淼淼看他发愣，说："路师兄你太小看自己的魅力了！柳淼淼跟小天女以前还蛮好的，毕业后还不是闹翻了？幸亏柳淼淼最近不在家，否则今天更热闹了。"

　　"还有……柳淼淼？"路明非当然记得那个钢琴小美女了，钢琴十级，每年春节联欢晚会上都有她的独奏表演，和楚子航的萨克斯独奏都是保留节目。她有一身只在

演出时穿的白衬衫加海军蓝长裙，坐在钢琴旁，侧影美得无可挑剔。

可在他的记忆里那是赵孟华的前女友啊！赵孟华先是跟陈雯雯在一起，然后踹掉陈雯雯跟柳淼淼在一起了，然后又回过头来陈雯雯在一起……好吧好吧！管他们三个怎么样嘞，问题是，这跟我有屁的关系啊！

徐岩岩捅了弟弟一下，示意他不要那么多废话，两人走开了，剩下路明非一个人在那里发呆。

这就算拥有"后宫"了？说起来这个扭曲的世界还真是对自己好得不得了呢，在这个没有楚子航的世界里，自己才是人生赢家。

一顿酒从 7 点喝到 10 点，不断有人醉得倒在包间沙发上就睡了，可校长和叔叔的劲头依然很猛，旁边的人也兴致高昂。

路明非觉得自己好似春天里的一把火，把大家的情绪都给烧热了。

他右边坐着苏晓楠，左边原本坐着赵孟华，赵孟华刻意选了那个座位把他跟陈雯雯隔开了。可赵孟华的酒量有限，几杯红酒下去就给徐岩岩扶到一边去休息了，陈雯雯默不作声地挪到他身旁，这下子他被陈雯雯和苏晓楠左右夹攻。

苏晓楠喝了几杯酒，眉梢先红了，说话声音渐渐地大了起来，每句话里都带着刀子。她说明非师兄你是不是觉得我们这帮老同学都是乡下土妞了？不值得你在意了？好吧，也许当年我们在你眼里就是一帮土妞！

路明非说怎么会呢？小天女你才是偶像级人物好不好？当年我算什么啊……我没有跟大家联系是因为学业很忙，我们那帮教授都是变态啊！

这句话倒是事实。

苏晓楠说我才不信！我信你个大头鬼！明非师兄有女朋友了吧？是美国女孩吗？

路明非说真心没有，对面那位芬格尔师兄可以做证，过去这几年都是芬格尔师兄看着我长大！

这时候醉醺醺的芬格尔忽然抬起头来，龇牙一笑说你明非师兄确实是没有美国女朋友，但你明非师兄是学生会主席啊！有个名叫伊莎贝尔的王牌女秘书！学生会还有一个舞蹈团！

路明非真想抓起吃了一半的松鼠桂鱼丢这厮脑袋上。

苏晓楠说我说吧我说吧！还是芬格尔师兄诚实！芬格尔师兄我们干一个！芬格尔师兄就遥遥举杯说，干一个！一会儿我们留个电话，以后你来伦敦找我玩，我一路全陪！

喝到这份上他还记得自己的假身份是混伦敦金融街的，路明非心里也有点佩服。

苏晓楠豪气地把酒倒进喉咙里，又转回头来脸烧红霞地看着路明非，说这种事情也没什么大不了啦，我们都是大人了不是嘛？我虽然出国不太多可我也知道美国女孩都很开放的……

开放你妹啊！小天女你的脑洞开得太大了好么？你这是在讲什么了不得的限制级话题么？对不起我年纪还小我没听懂啊！请问刚才那句话你能删除嘛？

喝着喝着苏晓楠又有点难过起来，说明非师兄你是不是觉得我变了？路明非说当然变了，师妹你变得成熟稳重又好看，简直是女性楷模！

苏晓楠伤心地说我也不想变的啊，可我爸爸身体不好我妈又只知道哭，我要管我家里的一大摊子事，女孩子管矿业的事情真的好难的，各种工商税务，还有来闹事的，我的叔叔伯伯还惦记着我家的家产，我就得穿成这样让他们知道我很强大，我不怕他们！可是我心里也好累的，我一累我就想起你来，想起我看着你在操场上打篮球，一看就是一下午……

路明非心说求求你不要再提篮球了好嘛……

他满头都是汗，一边安慰苏晓楠一边避开免得她靠在自己肩膀上哇哇哭，女酒鬼比男酒鬼更可怕，叔叔当年说的，叔叔果然是过来人，识大体明大理。

左边那位没喝多少的也给了他莫大的压力，陈雯雯一直在默默地给他倒酒和递擦汗的湿毛巾，一句话没有，像是优雅自信的贤内助，看着爱慕自家男人的女人哭哭啼啼却不能得手。

路明非害怕陈雯雯远胜于害怕苏晓楠，因为赵孟华还在后面的沙发上睡着呢。

"哎呦哎哟，这左拥右抱的，我没记得你在中学的时候那么风流倜傥啊？"桌子对面还有人发出冷冷的哼声。

那是翻着白眼的诺诺。叔叔左手边坐着校长右手边坐着诺诺，小巫女好几次想要起身离开都被叔叔拉了回来，说陈同学别急着走啊，我一会儿给你讲路明非小时候的事！可逗了！

喂喂！叔叔你脑子也出问题了么？我小时候的事为什么要讲给她听啊？你不是误会了什么吧？好吧我觉得你分明是误会了什么！

诺诺倒也不是很在意路明非夹在两个女孩之间的窘态，哼哼完了杯子一举："叔叔喝酒！"

原本喧闹的酒桌好像忽然安静了下来，叔叔那因为酒精而混沌的眼睛好像忽然也明亮了些。叔叔轻轻举杯跟诺诺一碰，一口饮尽，说："小姑娘我们是不是见过？"

叔叔你喝多了酒糊涂啦，上次那个跟你说"叔叔喝酒"的女孩，已经永远地埋葬在东京远郊的某口深井里啦。

路明非起身离席，说句我要去洗手间，经过沙发旁边的时候问服务员要了床毛毯给赵孟华盖上，赵孟华还在含含糊糊地说着醉话，说路师兄我一直都是很景仰你的，

你是我们中的 No.1 我无话可说，可雯雯老记着你我真心觉得不好，你们也不是一个世界的人……

路明非拍拍他低声说你想错了，你想的那些事从来不存在，一切都会变回正常的。

福园酒楼其实就在叔叔家的小区旁边，楼顶也是那种装有冷凝机和排风扇的大天台。路明非踏上了天台，深深地吸了口气。

雨已经停了，夜风中有一丝凉意。天台上居然还有个锈迹斑斑的篮球架，可能是厨师们自己装来玩的。

他靠在篮球架上，望向 CBD 的方向，没来由地安静下来，一颗心缓缓地落回原位。时间过去了那么久，他还是很喜欢天台上发呆的时间，感觉跟世界之间有一段距离，既不近也不远。

这些年他去过了很多地方，也在很多地方俯瞰过，每个地方的景色都比这个小区的天台好，可这座天台总在他的梦里反复出现，很多次他都梦见自己还是个高中生，坐在老楼铅灰色的天台上眺望，远处的灯光汇聚，仿佛潮水，随时都会汹涌过来。

有人拍了拍他的肩膀，路明非回过头来，竟然是叔叔。

"不陪老师同学，跑这里来干什么？"叔叔叼着根烟，满嘴酒气，可眼神还蛮清澈，不像在包间里那么混沌，好像再喝一杯就会倒下去。

"叔叔你没事吧？"路明非赶紧问候。

"我有事？开玩笑！你叔叔我战过多少酒场？我怎么会有事？给你讲真话我再喝半斤都没事！"叔叔豪气干云，"我那是装醉！是战术！战术懂不懂？我们家请客招待，客人要喝到位，我也得喝到位，可我得留点量，我先倒了谁把他们喝到位？"

路明非愣了几秒钟，下意识地笑笑，其实叔叔并不像他想的那么简单啊，这个男人其实一直蛮有心的。

婶婶看他不顺眼，叔叔一直都看在眼里，可叔叔怕老婆不敢多说什么，只能侧面帮帮路明非，比如叫路明非去买酱油的时候摸出张十块的票子，却故意不要找钱。

"叔叔你怎么也上天台来了？"路明非心说叔叔是看出我有心事吧？这男人喝起酒来还真是眼观六路耳听八方啊！

叔叔一愣："我想起来了，我上来是想撒个野尿！妈的厕所满了！"

他背过身去拉开裤子拉链，哗哗地尿了一泡，尿完之后打了个趔趄，扶着篮球架猛吐起来。路明非满脸黑线地看着叔叔的背影，心说自己还是高看了老路家的男人。

"好了好了！"叔叔吐完抹抹嘴，"酒后吐会儿是人体自然的排异反应，我这会儿清醒了，吹吹风杀个回马枪，再去把他们喝到位！"

路明非心说没必要吧？校长何止到位，校长简直已经起飞了啊！他这么说不是没根据的，下面包间里正传出校长和某女老师的男女合唱。

"你这次带回来的那个女孩子不是我们在日本见过的那个女孩子吧？两个人长得有点像。"叔侄俩并肩眺望了一会儿，叔叔忽然问。

"不是，"路明非轻声说，"叔叔觉得哪个好？"

这听起来是句玩笑话，可他一点都不觉得好笑。

"日本那个女孩甜一点乖一点，不过这个也不错，这个会说话。"

路明非笑笑，心说那个不是不会说话，那个是说出话来就会有人死。

"叔叔你见过师姐的，学员来招生的时候我们跟古德里安教授吃早饭，师姐后来来了。"路明非说。

"哦，是那个女孩啊，"叔叔想起来了，"你这师姐还对你挺好的。"

"叔叔你怎么这么说？"路明非有点做贼心虚。

"女人啊，看她对你好不好，就看一件事！"叔叔露出情场老手的嘴脸，虽然据路明非所知他跟婶婶是初恋结婚，"看她愿不愿意在你身上花时间！你师姐为你都来两趟中国了不是么？"

"看她愿不愿意为你花时间？叔叔这是怎么说？"路明非来了兴趣。

叔叔很喜欢后生晚辈跟自己请教情感问题，满足地打了个酒嗝："大家每天都是24个小时，这有限的时间花在张三身上就没法花在李四身上。女人要是见你的时候总漂漂亮亮的，那是见你之前化了妆吹了头发，愿意在你身上花时间。但女人又比较别扭，有的女人虽然愿意在你身上花时间，可就是不愿意给你好脸色看，你婶婶就这种人，她这一辈子都花我身上了，偏偏三天两头地跟我吵架！所以看女人对你好不好不看她对你使什么样的脸色，而是看她愿不愿意为你花时间！"

路明非有一种豁然开朗的感觉，正想再问两句，叔叔又搂着篮球架哗哗地吐了起来……

在清凉的夜风和呕吐物的臭味之间，路明非目空一切，浮想联翩。

叔叔吐完了又抬起头来："我说你在日本到底是惹了什么麻烦？怎么那么多人追你？日本黑社会可很恐怖的，你不要瞎搞！"

"哪有的事啦？我怎么会跟黑社会沾边？都是那个女孩的家里人。"路明非搜肠刮肚地找理由解释，"她们家在地方上是土豪，她哥哥当了家主，管她管得很紧，每次她偷跑出来玩都会大张旗鼓地派人抓她回家。"

"这是妹控啊！"叔叔感慨地说，"没事就好，没事就好，后来东京下可大的暴雨，你们那时候还在东京么？"

"都蛮好的，叔叔你放心吧。"

"我知道你们年轻人见过了世面，就不愿意我们老东西问东问西。说真的你说的这

些我也听不懂，从日本回来以后我想了好久，说明非到底怎么跟大小姐扯上关系了？又怎么跟黑道沾边了？明非现在在过什么样的生活？"叔叔点燃一根烟，深吸一口喷入漆黑的夜色中，"可我怎么也想不明白，那时候我想我老啦，之后是年轻人的世界了。你们自己心里有数就行，我才不像你婶婶，我不啰唆。"

路明非怔怔地看着叔叔，忽然发现他那油光水滑的小分头里夹着好些白发，面部线条也松弛了很多。果然时间才是最大的刺客，没人能逃过它的黑手。

"等我毕了业赚了钱，请叔叔婶婶去美国玩。"他说，装得好像自己真是个正常的留学生，有缺钱的烦恼，有找工作的烦恼，得努努力才能向叔叔婶婶展示自己的新生活。

"明非有没有考虑过回国发展啊？"叔叔忽然问。

"回国发展？"路明非有点懵。

他从没想过这个问题，以他的专业国内委实没有什么对口的单位……屠龙专业。

"我们家乡现在建设得可不错！"叔叔说，"你今天去仕兰中学不也看到了？建得跟国际学府似的。"

"国际学府"四个字让路明非心里一乐，中小城市的人就这样，动不动就带出几个书面语言似的词，像是出自市政府的宣传文书。

叔叔指向遥远的、灯火通明的地方："听说 CBD 区就要升级成保税区了，以后那边买东西都是不交税的，买台奔驰车只要 20 万，各种大牌什么菲拉格慕啊、香奈尔啊、LV 啊、瓦伦迪诺啊都要进来开店，还要建一个 5 万人的体育场，医院和学校也都是从北京上海引进的师资。那多带劲儿啊，以后生活在 CBD 就跟生活在国外似的，想回家来玩，开你的大奔，一个小时就到家！保税区现在可缺人了，你这种有国际视野的，考公务员肯定是一考一个准，想自由自在就自己开公司，归国人员开公司免税呢！"

叔叔舔舔嘴唇："别听你们班那个苏晓楠瞎说！找美国女孩有什么好的？作风太开放……"

路明非心说怎么又来啊？叔叔你觉得美国女孩太开放是从你收藏的那些小电影得到的感悟吧？而且我也真的没有美国女朋友……

"要是外籍的中国女孩还能凑合，像你师姐那种，不过那女孩我觉得性格不太好，娶回家她能给你烧早饭吃？"叔叔接着侃侃而谈，"还是当年你那几个女同学好，柳淼淼啊、陈雯雯啊，可惜陈雯雯跟赵孟华在一起了，咱们就不考虑了，还不是你这几年不在国内，否则陈雯雯能看得上赵孟华那小子？赵孟华那小子算啥？除了家里有点钱。还是柳淼淼那姑娘我看着顺眼，弹钢琴多好，弹钢琴养性格！柳淼淼是在北大读书么？"

"是是。"路明非心说叔叔你这是觉得我回国就可以开选妃会嘛？

"不过北大听说也很开放……"

我嘞个去！你们今天跟"很开放"干上了？

"苏晓楠也不错，那姑娘就是说话没脑子，做起事来可是雷厉风行，你要是娶了她，自己家里的事儿根本不用管。苏晓楠现在是工商联代表呢，开一辆宾利车！你娶她就等于娶几十个矿啊！你下半辈子就不愁了！"

"叔叔，我们老路家的男人不好吃软饭吧？"路明非无可奈何，只好跟叔叔逗，好把话题岔开。

"那也是你凭魅力挣来的！苏晓楠心甘情愿，别人能说你什么坏话？"叔叔义正词严。

路明非只好说那是那是。

"这人啊，太潇洒也是不行。明非啊，你跟你爹一样是个有本事的人，可你看看那边灯火通明的一大片保税区，还不够你折腾的么？回家什么都是现成的，车子、房子、漂亮女孩，人这辈子，也不就这点事儿么？"

路明非心里微微一动。其实他也不是真的要过学生会主席或者屠龙英雄的生活，叔叔说的那种生活在他来说完全可以接受，岂止可以接受，简直是完美无缺。

想当年柳漓漓和苏晓楠对他来说何等遥远，现在他居然可以"选择"了。如今柳漓漓苏晓楠也还是女神级啊，路明非跟她同学三年，今天才第一次注意到苏晓楠的眼睛长得很美很美，长长的睫毛飞起如鸟翼。

她那么专注地看着你，说着说着就哭了，那是天之骄女在你面前才会卸下华丽而沉重的甲胄，让你看到甲胄里面娇弱的女孩。

如果可能的话他当然不介意过叔叔说的这种所谓"蜜里调油"的生活，诺诺什么的，距离他太遥远啦，她应该嫁给恺撒成为名闻全欧洲的贵妇人，而他远在世界的另一端过丰衣足食的日子。

他会再无忧虑也再无恐惧，四季转换，岁月静好。许多年后他们要是有机会还能相逢一笑，这可能是他们最好的结果。

小雨又飘了下来，叔叔立刻竖起衣领缩起脑袋，路明非的反应却慢了半拍，他眺望着雨中光色氤氲的CBD，神思悠远，嘴角带着一丝傻笑。

好啦好啦，这种事想想就好，还当真啊！他停止胡思乱想，跟着叔叔往回跑。瞎想啥呢？学院的人迟早都会找上门来的，他这一辈子要么是秘党的人要么是秘党的鬼，还想过老婆孩子热炕头的日子？

"哥哥，你真想过那种日子，也不是没有可能哦。"声音从他背后传来，仿佛来自世界尽头。

"你还真阴魂不散啊。"路明非站住了，但并不回头。

"我可是敬业的魔鬼啊哥哥，我都买到你 3/4 的命了，最后的 1/4 我怎么会轻易放弃呢？"

"我就不卖给你最后 1/4，看你怎么办。"

"哥哥你就可怜可怜我嘛，眼下就有一笔好生意我们可以做。"

路明非慢慢地转过身来，看见了那个坐在天台边的男孩，他背对着路明非，面朝 CBD 的方向，背影浸没在潮水般的灯光中，显得格外纤细。

路鸣泽，当然是路鸣泽。

雨忽然就停了，或者说一股无形的力量暂停了时间，数以亿计的、冰晶般的雨丝悬浮在空中，叔叔奔跑的身影定格在一旁，一只找地方躲雨的燕子悬停在了路明非的头顶，他只要一个助跑起跳就能够到它。

而燕子那凸起的眼睛，就像球形透镜那样反射着整座被定格的城市。

路明非见过路鸣泽各种花样，倒也不觉得特别惊讶，随手挥开挡在他和路鸣泽之间的雨丝。那些雨丝好像冻结了似的，落地发出细碎的声响，并不融化。

在时间静止的世界里，雨丝连融化的时间都没有，路明非却可以自由行动。

一个圆形的黑影笔直地砸向他的胸口，路明非一把接住，居然是个篮球。

"来玩球啊哥哥。"小恶魔已经双手叉腰站在天台边了，今夜这个男孩竟然穿着一身红色的篮球衣，胸前大大的"11"号。

不知什么时候路明非也换成了球衣，也是"11"号，不过是白色的。

篮球入手的感觉异常的熟悉，好像他曾无数次地触摸过这种玩具，感受它的硬度和质感。他随手转动篮球，竟然轻松地让它在自己的食指尖上旋转。

这种花哨的小技巧他从未学过，他惊讶地看着自己的手。

"来啊！哥哥！球在你手里，我先来防守！"路鸣泽轻盈地跳跃着，步法看起来相当娴熟，是个劲敌。

球在路明非的手掌和地面之间弹跳，路明非忽然动了，一动起来就像流星闪电。各种他从未学习过的篮球技巧在他的脑海中闪现，篮球场就是这么宽这么长，他穿梭其间胜似闲庭信步。

他运球的轨迹诡异妖娆，路鸣泽拦截的路线也变化莫测。他们的每个动作都会挥出数以千计的雨丝，白茫茫的一片，仿佛暴风雪。

路明非三步上篮，最后一步的时候他高高跃起，御风而行似的，然后龙从天降！他狠狠地把篮球灌进框里。

路鸣泽胯下运球勾手投篮，篮球带着高速的旋转，划出优美的弧线进框。

两人的技术不相上下，总是贴在一起攻防，没有任何一方能够甩掉对方发起一次轻松的进攻。

那感觉就像是武侠小说里黄药师和欧阳锋对上，招数绝不狠辣，只是手指一翘脚尖一摆，好像飞花摘叶，但微妙的动作间杀机四射。

比分交替上升，直到路明非终于明白过来他不是来玩球的……首先他根本就不会打篮球，其次他为什么要跟一个处心积虑要自己命的小魔鬼打球？好像大家是什么热血高校里的好兄弟。

"91 比 90，哥哥你赢了我一分哦，我下次扳回来。"小魔鬼已经返回了天台边，夹着篮球回头一笑。

篮球场范围内的雨丝基本被他们清完了，只剩下零零星星的几小片还悬在那里，天空中还残留着他们挥动胳膊和投球的痕迹，像是船在湖中行过，但航迹不消失。

出了点汗之后，心情也放松了，路明非在路鸣泽旁边坐下："你不会是想说我把最后 1/4 的命卖给你，你就帮我解决眼下的麻烦吧？你当我傻啊，解决了麻烦我死了，我还不如带着麻烦全世界逃亡呢。"

"哥哥你这话说的，"路鸣泽显得很委屈，"好像我是什么无脑的保险推销员。我这次来可不是要你命的，而是给你提供一项大大的福利！我们的客户回馈活动又开始啦！"

"免费愿望？好啊，免费愿望我喜欢，那你先告诉我我是不是疯了，还有师兄到底怎么会忽然消失的？你不会也不记得师兄了吧？"路明非看着小魔鬼的侧脸。

运动后路鸣泽满脸都是汗珠，映着灯光熠熠生辉，脸上带着健康的粉色，怎么看怎么是爹疼娘爱的好少年。

"这个不在客户回馈的范围内，得耗掉你 1/4 的命。"

"我靠！这么屁大点事也耗掉 1/4 条命？这不跟请你屠龙一样贵了么？"

"贵有贵的理由，真不是乱收费。"路鸣泽龇牙，"我知道你不会愿意，不过客户回馈大礼包也是很实在的哦！"

"哦？说来听听。"

"帮你把现在的生活维持下去。你可以选择一辈子无忧无虑，就这么一直到老。"路鸣泽的表情忽然变了，异常地郑重，说起话来一字一顿。

路明非心里微微一动。

"诺诺跟你说过，人生里有时候需要在两扇门里选一扇，这扇门开了，那扇门就永远地关闭了，这就好比她答应了恺撒的求婚，就是打开了加图索家的门，卡塞尔学院的门就对她关闭了。"路鸣泽淡淡地说，"不过这话未必全对，关闭的门未必不能重新打开……假如开门的人是魔鬼。事实上过去的那扇门我已经为你重新打开过一次，但你拒绝了。"

"什么意思？"路明非不解。

"那个暑假的晚上，在 Aspasia 餐馆，如果你选择接受陈雯雯的爱情，那你就能退回到过去的生活，"小魔鬼耸耸肩，"拥抱过去的人就等于拥抱过去的生活。"

"可我上了……师兄的车……"路明非回忆那个雨夜，不禁悚然。

是啊，那又是他人生中一次重要的选择。楚子航的车停在餐馆外，餐馆里只有他和陈雯雯，对视的目光中隐隐有些情愫。

如果他选择留下来陪陈雯雯继续吃饭，楚子航就会开车离去。但他走了，陈雯雯在玻璃门内冲他挥手告别，他们之间再度形成了不可逾越的鸿沟。

"不，你是上了阿卜杜拉·阿巴斯会长的车。"路鸣泽坏笑着纠正。

"不要跟我提那个中东人！"路明非没好气地说。

"现在我再提供给你这个机会，还不用消耗你的生命。只要你愿意，你就可以留在这座城市里，过普通人的生活。你们担心的秘党的追捕者永远都不会到来，你可以选择你喜欢的人，陈雯雯、柳淼淼、苏晓楠……要是选了苏晓楠当你女朋友还附赠一辆 2014 年产的宾利欧陆 GTC 敞篷版跑车，苏晓楠现在每天都开那辆车去她家的公司上班。你是仕兰中学的大师兄，万人迷，有海外留学的经历，很容易找到一份体面的工作，找不到也没关系，苏晓楠会很高兴你坐在她的大班椅上，然后她坐在你大腿上……"路鸣泽侃侃而谈。

"喂！那么小就那么咸湿！"路明非一巴掌拍在他后脑勺上。

路鸣泽揉揉头发，笑笑："加点细节好让哥哥你理解那种生活多幸福甜蜜嘛！你还能经常抽空陪叔叔喝点小酒，打点小麻将，说真的那个男人蛮照顾你的，你还能拥有自己的房子、孩子，普通人想要的一切你都能拥有，再不用颠沛流离。是不是很诱惑啊哥哥？你敢说你一点不渴望？"

路明非沉默了很久，再开口时声音有些发涩："你刚才说我有很多选项……但你没说师姐的名字。"

"陈墨瞳？她当然不会包括在内咯，她不属于这个世界，她在另一扇门里。我的能力可以帮你倒回到 18 岁那年，让你再选一次，选择当普通人，但通往卡塞尔学院的那扇门将永远关闭。"小魔鬼淡淡地说，"就当从没认识过那么个师姐吧，反正她也不是你的。不过我可以努努力让芬格尔留下来陪你！当作赠品吧！"

"拜托你还是别努力了！这赠品会吃穷我们家的！"

路鸣泽笑笑，忽然严肃起来："不过，我得老实地跟你说，以我的能力，这也是最后一次机会了。你还能选择最后一次，退回到当初的生活里去。"

"就像生活在梦里一样对么？我明明知道这个世界有什么东西错了，就像梦境那样不真实，但在这个梦里我可以活得很好，甚至一辈子过下去？"路明非轻声说。

"生活在梦里也没什么不好啊。"小魔鬼龇牙一笑，"其实很多人都活在梦里，开心就好。"

"你刚才漏掉了一件关键的事没说，"路明非说，"如果我同意，这个世界上就再也没有楚子航了，对么？"

"当然咯。"小魔鬼点点头，"无论那个楚子航是真实存在过的人还是你的幻觉，他都不会继续存在，他被删除了，永远地删除掉了。"

路明非也点点头，望向远处的光海："是啊，要是有楚子航才是麻烦呢对吧？在这个世界里我才是仕兰中学的一哥，各种女孩倒贴我，我居然连打篮球都无师自通了，'代表仕兰中学参加市青年篮球队'这种事情也很合理了。要忽然蹦出来一个楚子航……陈雯雯和苏晓槠我不知道啊，我记得她们本来是喜欢赵孟华的，可柳淼淼是真心暗恋过师兄的，那时候柳淼淼该喜欢我还是喜欢师兄呢？柳淼淼真的好漂亮的，还很温柔，我可不舍得跟别人分享啊！"

"哥哥你开始上道了！我很欣慰！"小魔鬼鼓掌。

路明非轻轻抚摸着这个"弟弟"的脑袋，他的头发那么柔软，他被摸头的时候就像只猫那么乖。

"可他是我的朋友啊！我们一起出生入死啊！"路明非忽然加力，一把把路鸣泽推下天台。

神奇的事情再度发生，路鸣泽仰面跌落，整个身体已经离开天台，却忽然跟这个世界一样暂停住了。他像是悬浮在那里，满脸委屈地看着路明非："哥哥，好狠的心。兄弟间何必互相伤害。"

"别逗了，你可是魔鬼，从几层楼高掉下去就能杀死魔鬼？要真是那样你这魔鬼也别混了。"路明非冷冷地说，"我只是懒得跟你哔哔！"

路鸣泽摇摇头，笑了："不，我不是魔鬼，我是怪物……我们都是怪物。"

他的暂停状态忽然解除，向着风雨中坠落，但他的笑声回荡在这座寂静的城市里："我们……都是……怪物，有一天……会被……正义的……奥特曼……杀死！"

城市的时间锁定也同时解除，雨重新落了下来，车流穿梭，街头没带伞的人们奔跑，叔叔边跑边喊："路明非你愣着干什么呢？下雨了没看见啊？"

路明非默默地望着下方的黑暗，耳边回荡着魔鬼的诅咒。

DRAGON RAJA

奥丁之渊

第六章

| 苏小妍 |
Xiaoyan.Sue

从睡相就能看出这个女人是何等地没心没肺，虽然不知道她害
了什么病，好歹也是病人，可枕头上放着啃了一半的巧克力，
床头堆满了各种各样的娃娃，睡姿也是十七八岁的少女式。

晚间 11 点，叔叔婶婶家，隔壁洗手间里传来叔叔抱着马桶狂吐的声音，还有婶婶以穿脑魔音发出的抱怨。

下起雨来晚宴就散了，校长和叔叔约了下回再喝，苏晓楠的司机来接她，路明非扶着这位喝醉的大小姐一直送到车上。

苏晓楠是真喝得有点多，小小地哭过，靠在他怀里嘟嘟囔囔地说着什么。陈雯雯本来不愿让苏晓楠这么揩油，可她如今已经是赵孟华的女朋友了，必须去照顾喝醉的赵孟华。

叔叔说都回家了还住什么酒店，明非跟我回家住！

路明非这边还没答应呢，芬格尔说那是必须的，叔叔我扶你！至于诺诺，早都跑没影儿了，路明非也懒得去找她，恺撒都管不住诺诺何况他？

婶婶肯定是知道路明非回来了，却没出席今天的饭局，显然是对他还有心结。开门的时候看见路明非和芬格尔一左一右地扛着叔叔，脸上当即就有点挂不住，甩手想走。

但路明非拥抱了她一下，让她没走成。要搁过去路明非是不可能这么感情外露的，可看着这个中年发福的妇人，一如他记忆里的模样，连那脸嫌弃的表情都跟当年一样，他心里忽然很温暖，就拥抱了婶婶一下。

婶婶一下子就窘了，手足无措，说回家就回家，搞什么洋范儿，还拥抱？站门口干什么？把那死人给我扶进来啊！跟小时候一样，做事没眼色！

就这样他和芬格尔被安排在当年他和路鸣泽两人的卧室里，那台老笔记本还搁在靠窗的桌上，两套被褥收拾得整整齐齐，但显然是很久没人住了。

路明非面对自己当年睡过的床沉默了片刻，没想到婶婶还没把他的铺给撤了。世上最理解婶婶的人真的是叔叔，这女人泼辣又讨厌，自尊又自卑，但跟普通的居家女人一样，心里还是软的。

芬格尔一头栽在路鸣泽的铺上舒舒服服地打了几个滚，就像疲倦的猪找到了一个泥潭："妈的！终于有地方睡了！到处都要查身份证，还真不敢住酒店！"

路明非心说大哥你何止是粗中有细，你简直是职业通缉犯啊，样样想得周全！

"查出什么没有？"路明非在自己的床上坐下。

"没有，没有人记得楚子航，而且他们的记忆都是吻合的。"芬格尔一翻身坐起来，"你是仕兰中学的一哥，你所说的楚子航的一切其实都发生在你自己身上。但我觉得这里面有问题！"

"什么问题？"路明非心里有点小激动，果然芬格尔一出手就查出问题来了。

"以你的禽兽程度，要是中学时代有那么多漂亮女生倒贴你，你能忍住不下手？这太不像你的性格了！"

"滚！"路明非气得冒烟，不过再一想又点点头，"对啊！这不就是问题么？我要是从小就有那么多机会下手，我会遇见师姐就憷了么？"

芬格尔摸摸下巴，沉吟良久："也许是你比较喜欢年长的老女人……"

"滚！"

"别那么冲动，我再想想，我再想想，嗯……我再搜搜民政局的网站。"芬格尔给那台老笔记本接上网线。

看他那架势，这项工作似乎要进行很久，路明非就靠在床边，望着窗户上的雨滴发呆。

这种感觉很像他曾在这间屋子里度过的那些漫长的夏夜，学校里放了假，兜里没有钱，无事可做，就指着在那台旧电脑上消磨时间。可路鸣泽总是找各种各样的理由霸着，路明非就只有等到路鸣泽睡下之后才能玩一会儿《星际争霸》，午夜之后频道里的人渐渐少了，他开着游戏等人加进来，好像独孤求败坐在光秃秃的山峰上弹着他的木剑。

他无意中扫了一眼屏幕，惊讶地发现芬格尔正在聊 QQ，各种丰富的表情图标。

"我去！你在干什么？诺玛在网络范畴内几乎是无所不能的好么？"路明非惊呆了，"她会顺着你经过的网关找到这里来的！"

"No，No，"芬格尔叼着雪茄，潇洒地摇晃手指，"我很清楚诺玛会怎么在网络上追踪我们，所以我绕路到圣基茨和尼维斯联邦的一台服务器上，诺玛会追踪到那里去。"

路明非愣了一下。他之前只知道这厮的计算机技术一流，却不知道强到了这种程度。

"可现在是聊 QQ 的时候么？说起来你一个德国人为什么能熟练地使用这种中文软件？"路明非还是觉得这事儿不对。

"我岂止用 QQ，我手机上还装着微信呢！"芬格尔神色得意。

"说重点！你在跟谁聊天？"路明非伸脖子看屏幕。

芬格尔张开双手挡住："喂喂！我跟我家古巴妹子视频呢！你带着师姐跑路，我

跑路的同时跟妹子视频一下也是人之常情嘛！你说我这一声不吭地离开古巴，总要经常地报个平安嘛！"

路明非一怔，默默地退回自己的铺上，继续望着外面的雨天。

可不是么？芬格尔做得对啊，你可以浪迹天涯，但每到一个地方就会找网络或者电话信号给某个人报平安，就像风筝飞得再高都有抓着风筝线的人。

脑海中没来由地回荡着一首老歌，熊天平的《愚人码头》：

"你在何处漂流，

你在和谁厮守，

我的天涯和梦要你挽救，

我已不能回头。"

心里滚了好多遍这个歌词，几乎张口就能唱出来了，他忽然觉得不对，啊呸！怎么忽然有种老男人的沧桑感了？我逃出来是找师兄的！

那个不知在何处漂流的人是楚子航才对，此时此刻，巨大的谜团笼罩着楚子航，还有说不清道不明的危机。

芬格尔趴在笔记本上睡着了，低低地打着鼾。路明非却一点困意都没有，心里的不安越来越重。

他们来仕兰中学找楚子航留下的痕迹，可以说是一无所获，那么下一站是哪里？时间一个小时一个小时地过去，学院的人总会追查到他们的行踪。

总之不是呼呼大睡的时候，必须做点什么，那么除了仕兰中学，还有什么地方可能找到楚子航留下的蛛丝马迹呢？

他忽然想到了什么，披上风衣准备出门，可捏到门把手的时候又退了回来。这时候婶婶势必还没睡，出门的话必遭盘问。

不过这道门从小就没能挡住他，路明非无声无息地翻出窗户，窗外其实是个很窄的露台，贴着墙走上几步，前面就是那道熟悉的、可供攀爬的墙缝。

当年的他都能沿着这道墙缝出入自由，现在更是游刃有余，他下行的姿势就像贴着墙壁滑动的蝙蝠，只不过可惜了那双好皮鞋，皮面上蹭出好些划痕来。

老城区毕竟不像 CBD 区那么繁华，不到午夜街头已经看不见人了，红绿灯单调地变换着颜色，空荡荡的街上一片沙沙声，透明的水花在薄薄的积水上跳动。

他努力回忆那个地址，记忆有些模糊，不过到了地儿还是能摸到门的。唯一的问题是他没有交通工具，那辆比亚迪的车钥匙在芬格尔那里，早知道就应该摸出来带着。

那么到底是等一小时一班的夜班车还是去街边撬一辆自行车？

路明非挠挠头，几年之后他再度有种丧家之犬流落街头的感觉，古人说由俭入奢易由奢入俭难，诚不我欺，习惯了总有伊莎贝尔开一辆布加迪威龙跟着自己，忽然间学生会主席的光环被摘了，还是衰仔一个。

这时明亮的灯光扫过长街，浑厚的发动机声由远及近，一辆火红色的法拉利轿车碾过积水，缓缓地停在了他面前。

车窗玻璃降下，首先跃入他眼里的是那对银色的四叶草耳坠，然后才是暗红色的长发，梳成长长的马尾，用紫色的流苏带子扎好。

"上车啦帅哥，我载你一程。"诺诺目视前方，漫不经心地说。

路明非呆呆地看着那火红色的法拉利和那红发的女孩，莫名其妙地，脑海里又回荡起了那首歌来：

"你在何处漂流，

你在和谁厮守，

我的天涯和梦要你挽救，

我已不能回头。"

这些年他也坐过不少好车，可如果要他说世界上最好的车是什么，他会下意识地说是法拉利。没什么理由，虽然它没有布加迪威龙跑得快，但好像就只有它跑得赢时光。

时隔多年，你又来接我啦……总在我站在十字路口的时候。

他绕到副驾驶座那边的车门，开门上车，端端正正地坐好，给自己系上安全带。诺诺熟练地发动挂档踩油门，法拉利咆哮着化为红色的闪电，溅起高墙般的水幕，瞬间就消失在长街尽头。

"是原来那辆么？"路明非问。他直视前方，雨刷器荡去车窗上的层层雨水。

"不是，另一辆。"诺诺淡淡地回答。

"哪里搞来的？"

"放心，我也有些靠得住的朋友，消息不会泄露出去的。借来开两天，走的时候丢在停车场就行。"

路明非想是啊，师姐是那么有本事的人，搞辆法拉利来又算得了什么呢？她说的靠得住的朋友是谁呢？他不认识，也不想认识。

"这车真好看。"他随口说。

"好看么？我也喜欢红色的法拉利。"诺诺操纵这辆车高速劈弯，在高架路上拉出红色的长弧。

她开车速度很快却并不惊险，像风推着轻舟行于水上。

"师姐你就是去拿这辆车了？"

"开车在城里转了几圈。我来过这里，对这座城市有记忆。也许城市里有些细节会唤醒'侧写'。"诺诺顿了顿，"但我没想起来太多有价值的东西，只觉得有一点不对，我那次接你，你的神色沮丧得像只被打了屁股的小狗，可在其他人的记忆里，你的人生强悍到没朋友。没理由这么个强悍到没朋友的人，坐到我车里却成了条败狗。"

"嗯，芬格尔也这么说来着。"路明非心说其实也未见得，我如今在学生会里只手遮天，坐在这里还不是一条败狗？

"每个人的记忆都能吻合上，但我能从里面闻出一种很怪异的味道。"诺诺轻声说，"也许……你才是我们中唯一一个清醒的人！"

车拐下高架路，沿着湖滨的小路跑了一段之后，前方出现了白色的建筑群，都是精致的两层小楼，在这种二线城市，那么高档的小区并不多见。

"就是那里么？"诺诺问。

"嗯，如果我没记错的话，师兄家就住在那里。"路明非轻声说。

路明非本不该知道楚子航家住那里。楚子航是个跟人群特别疏离的人，不会邀请同学去他家里玩。

但某一年他继父忽发奇想，要在楚子航生日那天举办生日派对，邀请同学们来家里烤肉。楚子航未能阻止这个计划，只得硬着头皮邀请同学。以他的孤僻程度，跟任何同学都不特别亲近，于是最后他给学校的所有社团发了请柬，希望他们能派个代表出席他的生日派对。

那简直是个爆炸性的新闻，每个社团一张请柬，最后都抢疯了。高中生还没有竞价拍卖的概念，否则不知多少大小姐就把钱包倒空在课桌上了。

陈雯雯作为文学社社长，当仁不让地拿下了请柬。去参见生日派对就得送礼物，陈雯雯想了很久，决定做一本文学社自己的作品集送给楚子航。这活儿当然落在路明非肩上了，结果直到生日派对那天下午，那本全球唯一限量版文集才装订完毕。那天正好是六一儿童节，顶着大太阳，路明非跑去取了新鲜出炉的文集，送到楚子航家。

当时楚家的院子里，各社团的女孩把楚子航围个水泄不通，楚子航面无表情地烤着鸡翅，全无欢喜之意，好像他不是这个派对的主角而是被专门请来烤鸡翅的。

路明非蹦跳着，在院子外面喊陈雯雯的名字。门开了一道细缝，陈雯雯露出半边脸和一缕长发，接过那本书说辛苦了你快回去吧。结果路明非怅然地闻了闻空气里烤鸡翅的香味，连蹭吃的机会都没有。

就这样他算是来过楚子航家。

诺诺把车丢在小区门口，两个人摸着黑进了小区。这种高档小区总是人迹稀疏的，他们在雨后泥泞的花园里深一脚浅一脚地走着，去向小区的楼王，临湖的那栋大别墅。

以楚爸爸——仕兰中学的人都那么称呼楚子航的继父——的实力，即使是在高档小区也要更高一等。

"深更半夜里你想怎么样？敲门说'喂喂叔叔阿姨我想问问你们有没有一个儿子叫楚子航？'"诺诺问。

"先踩踩点儿。"路明非说。他确实没什么计划，只是不甘心就那么睡下什么都不做。

出乎他们的意料，楚家的别墅竟然是灯火通明的，在这片黑色的风雨里，亮得像是个巨大的灯笼。大门开着，好几个阿姨婶子里里外外地忙活，擦玻璃的擦玻璃，擦地面的擦地面。

深更半夜大扫除？路明非远远地看着，有点迟疑，直到看似领头的中年妇女走了出来，吆喝某个婶子不要把脏水往花园里倒。

路明非犹豫着走上前去："佟姨？"

中年妇女愣了一下："您哪位？"

路明非在心里确认了对方的身份。楚子航很少谈及自己的家里事，但路明非多多少少知道一些，比如他家的家政大权其实是握在一个姓佟的苏北保姆手里的。

因为楚爸爸工作太忙，而楚妈妈是根本没有管理家政的能力的，只知道美容、SPA以及跟闺蜜团扫街购物。连家中财务都是保姆掌握的，楚妈妈只管刷卡买鞋子买包包，交煤气费她都不会。

"我是……"路明非犹豫了一下，换了说法，"我马上要搬来这个小区住，晚上来看看房子，跟您打个招呼。"

"哎哟哦，我就是个保姆，你还来跟我打招呼啦。"佟姨疑惑地上下打量路明非。这小区里的房子平均上千万一栋，二十出头的小伙子就说要搬来住？

不过那身价值不菲的衣服立刻就打消了她的疑虑，在楚家服务多年，东西好坏她一眼就能看出来。千金一掷的富二代又不罕见，能穿这身衣服的人总不会是闯空门的小贼。

"您怎么知道我姓佟？"佟姨想了想又问。

"我有个朋友说起过您。"路明非说，"怎么夜里大扫除啊？"

"哎呀，"佟姨小小地犹豫了一下，"我们家太太生病住院去了，先生又要去外地盯一个项目，家里有阵子没人住，打扫干净了把家具拿布罩起来免得落灰。"

"哦，家里没有孩子么？"

"还没有，太太喜欢玩，先生工作又忙，一直给耽误了。"佟姨叹口气，"这家里啊，就缺个孩子了，大房子好车子，没孩子就缺点东西。"

路明非点点头："太太什么时候出院啊？改天我带礼物过来串门，大家以后就是邻居了，有事多照应。"

这谎话说得真是体面，真不像是他说出来的，脸上还带着淡淡的笑意。

"哎哟，这可说不准了，十天半月肯定是不会回来，再说吧，那么年轻就那么客气，好邻居啊。"佟姨说。

"打搅您了。"路明非轻轻鞠躬，转身离去。

他回到车旁的时候，诺诺已经坐在驾驶座上了。她并没有跟路明非一起去见佟姨，而是围绕着别墅观察。

路明非坐进车里："佟姨也不记得楚子航，不过是意料之中的事。"

诺诺一手扶着方向盘，一手递来半片残纸："不想知道他妈妈住的是哪家医院么？"

路明非惊讶地接过那片纸，一眼可见它是某个黄色信封的一部分，应该是在诺诺找到它之前它已经被简单地撕裂了。

一张打印出来的纸条贴在信封上，"圣心仁爱医院"，后面跟着地址。

诺诺发动汽车，法拉利带着耀眼的流光冲入雨幕："他家垃圾箱里找到的，去找他妈妈吧，毕竟是最该记住他的人之一。"

"这么晚了……"

"反正找不到你也睡不着。"诺诺斜了他一眼，眼神干脆利落，像是星光照在清浅的池水里。

定位之后他们才发现那间医院不是在 CBD 的方向，是在郊区，必须走高速公路才能过去。好在法拉利的车速没话说，在寂静无人的高速公路上简直像是要起飞。

"怎么在这么个偏僻的地方？"诺诺看着道路两侧，大片的防风树木在风雨中摇曳，他们已经脱离了城市的范围。

"看信封用纸那么高级，应该是什么私立医院吧？"路明非说，"公立医院都叫'市立第三大肠医院'什么的。"

"什么鬼！"诺诺笑笑。

他们从 68 号出口下了高速公路，按照导航系统的指示开上了一条山间公路。这显然是片新开发的地区，道路平坦开阔，路两侧没有民房，路灯杆都没立起来。

前方隐约出现了白色的建筑物，少数窗口亮着灯。

"应该就是这里了，这地方环境不错，可真够偏的。"诺诺看了一眼导航仪。

果然车灯扫过，白墙上钉着铜质的铭牌，上面用中英双语写着"圣心仁爱医院"。

建筑物是现代风格，几何感的外墙，花园却是古典欧式的感觉，草坪修剪得郁郁葱葱，不知道什么花正值花期，雨中弥漫着一股清冷的香味。

　　要不是那面铭牌，真很难相信这是医院，这里连红十字都没挂，更像是高档度假酒店或者什么超级土豪的乡间别墅。

　　路明非记忆里的住院部都是六到八个人一个大间，病人大声地要烟抽，护士大声说抽烟就滚出去，满眼都是吊水瓶，床头柜上摆着水果和花篮，水果花篮越多就说明这家在外面越有面儿。

　　诺诺把车贴着墙边停下。

　　"我们停在这里干什么？"路明非问。

　　"现在是深更半夜。"诺诺没好气地说，"你还想探视病人啊？医院都有探视时间的好吗？你也没资格探视啊，你跟人有什么关系么？你是她失散多年的儿子么？不过根据你所说你不是继承了那个楚子航的一切还有一堆女朋友么？说你是她儿子也不是完全没有根据。"

　　路明非傻眼了。他一心想要尽快找到跟楚子航有关的线索，却忘了医院跟别墅区不一样，深夜是谢绝一切访客的。

　　"那怎么办？"

　　"能怎么办啊？"诺诺翻翻白眼，"跟看门大爷求求情，扯扯淡，我撒个娇你卖个萌，说我们车坏了，等救援，求进去避个雨！"

　　"对啊！"路明非眼睛一亮。

　　"师弟你的智商随年龄增长呈现下降的趋势……"诺诺继续翻白眼，"行了！下车吧哥哥！"

　　"哥哥？"路明非有点懵，下了车跟在诺诺后面走。

　　"拜托！我现在是个穿校服的少女，你穿着全套萨维尔街定制西装，你管我叫师姐看门大爷能信么？所以现在开始你是我哥哥，开车带我出来郊游，结果车坏了。明白？"

　　"好好。"路明非赶紧点头。

　　"是哥哥就走前面好么？"诺诺抓住他风衣领子把他往前一推，"别那么没精打采的，好像我劫持了你似的！拜托！是你们劫持了我好么？"

　　医院大门有三四米高，黑铁雕花，电磁控制，门上方尖刺林立。门边的岗亭里亮着一盏孤灯，看门大爷趴在小桌上睡着了。

　　路明非清了清嗓子正要敲玻璃窗叫醒大爷，被诺诺制止了。诺诺抓住岗亭的门把手轻轻一拧，门无声无息地开了。这间医院看起来戒备森严，其实到处都是漏洞，大摇大摆就可以出入。

　　诺诺眼珠子转转，从墙上摘下一身保安制服丢给路明非："换上这一身。"

"干什么？"路明非没明白。

"动动脑子！你当自己是什么？萌哒哒的小男孩？拜托！病人再怎么比你大也是个女性好么？你这是要夜闯女病房！"诺诺揪着他的领带，"还穿成这样，太像个色狼了！"

"哦哦！"路明非抱着那身保安制服钻去了某个墙角里，再钻出来的时候完全变了个人。

保安制服的质地和裁剪当然不可能多么讲究，而且它原本的主人大概是某个身高接近一米九的壮汉，穿在路明非身上宽大得像件法袍，显得路明非瘦小而猥琐。

几分钟前他看起来像是出入伦敦富豪俱乐部，抽根雪茄都要上百英镑，侍者帮着点燃还会再付20英镑小费的贵公子，现在他看起来像刚进城不久，包吃包住月薪1800人民币的农民工。

"见鬼！实在是太不合身了！"诺诺上下打量他，无奈地摇摇头，示意他转过身去，帮他整理宽大的腰身，至少得能凑合着看，否则迎面撞上巡夜的医生或者护士就麻烦了。

"穿衣服都不会，我不在的这些日子里你到底怎么混的啊？"诺诺嘟囔。

"伊莎贝尔帮我。"路明非老老实实地回答。

接管学生会之后，他的生活都是伊莎贝尔安排，连穿大衣都是伊莎贝尔抖开大衣站在他背后，他只需双手往后面一伸，然后双肩一抖，大衣就上身了，伊莎贝尔立刻跟上来拍打他的后背，扯扯袖子让褶皱消失。

最初他还蛮不好意思的，但不久之后就习惯了。有伊莎贝尔在他就总是光鲜照人的，没有伊莎贝尔他就迅速跌回到土狗状态。

诺诺沉默了几秒钟，继续帮他整理衣服："有秘书很自豪是吧？很爽是吧？"

路明非被呛住了，不知道怎么接话。

"得学会自己照顾自己啊，没准哪一天身边没有能帮你的人呢。"诺诺把他转过来，帮他整理衣领。

说这话的时候她低着头，长长的刘海垂下来挡住了眼睛，路明非看不见她的表情。

推开厚重的玻璃门，路明非探头进去张望。这间医院跟想象中的"医院"不太一样，看不到抱着棉大衣歪在长椅上或者干脆在走廊里支张简易床的病人。

两侧都是门，门上嵌着门牌号，门牌号下面还有一个空槽，槽里插着一张卡片，卡片上写着病人的名字和所需的饮食和护理标准。

两名漂亮的值班护士趴在电脑前，跟看门大爷一样睡着了，病房里也没有传出任何声音，静得叫人有些惊讶。

"病人名叫苏小妍，"诺诺压低了声音，"信封上有写，你去找吧，我在这里望风。"

"师姐我们不是抢银行，不需要人望风吧？"

"那我要去上洗手间可不可以啊？"诺诺撇嘴，"是你嚷嚷着要来找楚子航的好么？我是你劫来的人质，干我屁事啊？"

路明非没办法，只得拎着警棍沿走廊前行，装出好像是保安巡夜的模样，目光从这个门牌转到那个门牌。

他从一楼一直转到四楼，期间没有遭遇任何人，这间医院简直休闲得像个度假山庄。最后在楼道尽头的一扇门上，他找到了写着"苏小妍"名字的卡片。

诺诺果然心细如发，要不是有她，路明非肯定找不到这里来，佟姨再怎么没有防备心，也不至于把女主人住在哪间医院告诉路明非。

路明非盯着那张卡片看了好几秒种，深呼吸，心里再度升起了小小的希望。他想起来了，楚子航某次不经意地说到过自己母亲的名字，应该就是苏小妍没错。

他搜肠刮肚地想，想楚子航有没有说起过自己的母亲。这是他第一次见楚子航的母亲，一会儿总得有话说。

现在想来楚子航真是有够沉默寡言的——除了八婆起来的时候——路明非只记得他说过母亲年轻时是个舞蹈演员，至今仍是个众口称赞的美人，性格简单得像个小孩，"没什么心肝"，好像天塌下来都有人会帮她顶着。

爱好是买大牌衣服大牌包包大牌鞋，逛街旅行，跟闺蜜团胡闹，酒场女英雄，一喝喝一宿。在黑暗料理界是位宗师，最喜欢的运动是潜水，出人意料地持有最高级别的潜水资格证。

身体素质好到没话说，唯一的弱点是会失眠，所以每晚睡觉前都要喝一杯温热的牛奶……

路明非轻推病房的门，门随手而开。病房里静悄悄的，弥漫着一股薰衣草的香味，想来是睡前熏了助眠的。

病房跟宾馆的标准间差不多，有书桌、床头柜和舒适的双人床，墙上还挂着风景油画，只有墙上用来挂吊水瓶的钩子暗示着这确实是间病房。

淅沥沥的雨打在窗台上，空气略显潮湿。女人躺在床上，盖着一床薄薄的毛毯，伸胳膊撂腿儿，睡得四仰八叉。

路明非轻手轻脚地走近床边，端详这个名叫苏小妍的女人。

从睡相就能看出这个女人是何等没心没肺，虽然不知道她害了什么病，好歹也是病人，可枕头上放着啃了一半的巧克力，床头堆满了各种各样的娃娃，睡姿也是十七八岁的少女式。

空气中还弥漫着些微酒气，却看不到酒瓶，估计是她偷偷藏了酒，睡前喝了几

口。

已经是徐娘半老的年纪了，可即使素面无妆，她仍旧是响当当的美人，一张清秀的鹅蛋脸，化妆之后一准儿倾国倾城。难怪她没心没肝还有人死心塌地地喜欢。

楚妈妈睡得很死，路明非倒是有点犯难。这种情况下把人家叫起来问说你记得你有个儿子名叫楚子航么？估计楚妈妈会大喊救命救命有色狼吧？

可开了那么远的路难道就这样回去？又有点不甘心。

他在床边坐下，继续端详那个女人。记忆里楚子航的相貌是有点阴柔的，应该是更多遗传了妈妈的基因。

他的心情很奇怪，有些平静又有些不安。

平静在于他终于找到了世界上最该记得楚子航的人，苏小妍，这可是生下楚子航的人啊，从楚子航呱呱坠地的一刻开始，就融进了这个女人的人生。大脑若是硬盘，她的硬盘上每个扇区都有楚子航的痕迹才对。

不安在于如果连楚妈妈都不记得楚子航了，他又去哪里找师兄呢？或者说，也许真是他疯了。

积累已久的疲倦终于爆发出来了。那是由心而生的疲倦，累得好像心脏都跳不动了。天地间填满了雨声，他觉得自己坐在天地之间，独自淋着雨。

这时床上的女人睁开了眼，好奇地看着这个穿了一身超大号保安制服的小哥。

他看起来简直龊爆了，别说是苏小妍这种有钱人家的太太，就是老奶奶一觉醒来发现床头坐着这么一尊神，也会下意识地惊呼非礼啊、劫色啊！可他的神情又是那么孤单和安静，便如一位流亡的君主。

这种奇怪的反差让女人很惊讶，加上她原本就心大，竟然完全没有流露出戒备的神情，而是好奇地盯着路明非看。

"哎呦阿姨！"路明非吓了一跳，赶紧打招呼。

"你是这里的保安吗？我没见过你啊。"苏小妍问。

她也该四十出头了，可声音清脆娇嫩，像是二十出头的女孩。

"是是！我是这里的保安！"路明非赶紧回答，"晚上巡夜的人手不够，就叫我们保安顶替医生来病房里看看，您觉得怎么样？"

"我挺好的。"苏小妍坐了起来，忽然瞥见自己丢在枕头旁边的巧克力，不好意思地捡起来收进床头柜的抽屉里，"别告诉医生我又偷吃巧克力好吧？"

路明非愣了一下，忽然记起楚子航曾淡淡地说妈妈是个命好的女人，命好的女人有人为她操心一切。所以她至今还是那么个小女孩的性格吧。

"我不说我不说。"路明非使劲点头。

"我看你刚才坐那儿发呆，怎么啦，有心事啊？有心事说给阿姨听啊。"苏小妍眼睛亮晶晶的，顺手从旁边摸个苹果递给路明非。

路明非把玩着那个苹果，心说这果然是母子吧？八卦的心是一样一样的。

"阿姨，我是有个朋友失踪了。"路明非试探着说。

"怎么会失踪的啦？你有没有报警啊？这个事情你要赶快报警，现在外面坏人可多了，不会是被拉去干传销了吧？"苏小妍带着些许上海口音，神色关切。

"不知道，我在各处找他。"路明非说，"阿姨你有孩子么？"

"还没有，"苏小妍说，"我要是早点生孩子，孩子估计也有你那么大啦。"

路明非心中隐隐地抽痛。不过这也是意料之中的事，要是苏小妍张口说我的孩子叫楚子航，这解谜过程未免太简单了点。

"阿姨我讲我朋友的故事给你听好吗？"路明非盯着苏小妍的眼睛。

"好啊好啊。"苏小妍拽过一个枕头抱在怀里，可能是住在这种单人病房里有点寂寞吧，她竟然很乐意听一个当保安的男孩讲他失踪朋友的故事。

外面的雨越下越大了，雨打在玻璃上噼啪作响，这真是个讲故事的好天气。

路明非舔了舔嘴唇，娓娓地开始讲述，他说他的朋友是个很酷的家伙，上学的时候是班里成绩最好也最拉风的男孩，也许所有女生都对他有过好感，但他沉默地在女孩们的目光里走过，万花丛中过，片叶不沾身。

这个朋友的孤僻性格应该是因为他的家庭，他的亲生父亲是个司机，妈妈是个漂亮的舞蹈演员。司机爸爸浮夸不靠谱，呆萌妈妈也忍不了他，最后带着孩子改嫁给了有钱男人。

从家被拆散的那一天开始他就很少笑了，他当着少爷，却觉得自己寄人篱下。他一天天长大，终于长成了那种好孤独好孤独的死小孩。

他就是这种人，只认极少数的几种幸福，只认少数的朋友，只认一个家——那是他小时候的家，是个厨房和卧室连在一起的蜗居。后来他住了很大的房子，可那再也不是家。

在一场神秘的车祸里他的司机爸爸过世了，那是他这一生最崩塌的瞬间，他讨厌亲爸爸讨厌了很多年，恨他没本事没能维护好那个家，可当他失去那个男人的时候，他才知道自己那么爱他。

那个家由三件东西组成，爸爸妈妈和儿子。家散掉了，可爸爸、妈妈和儿子都还在，好像还有重聚在一起的机会。可当其中一个元素消失的时候，就再也聚不起来了。

从那以后他加倍努力地照顾妈妈，他在某些方面酷得像头犀牛，却记得母亲每天睡前要喝温牛奶。

他大概从未认可过自己的有钱继父是父亲，那么在他的概念里，司机爸爸死后他

就是家里唯一的男人了，他把什么都扛在肩上……

路明非从未试过那么平静地讲故事，既不大惊小怪也不故作深沉，眼前闪动着那些跟楚子航有关的片段。

楚子航推开包间的门，把信用卡放在桌上……楚子航高速倒车回到陈雯雯身边，代他约定了晚餐……楚子航把他推下那列开往死亡的列车……楚子航说如果你有勇气，我就陪你去打断婚车的车轴……

他忽然明白了为何楚子航会特别关照他，管东管西，因为在某种意义上说他是跟路明非一样的死小孩，孤独的液体多得从心里溢出来。

只是路明非挂着贱贱的微笑掩饰，他用冰封般的脸来掩饰。他帮路明非，因为他看到路明非，就像看到小时候的自己。

讲故事的时候路明非一直盯着苏小妍的眼睛，希望看出苏小妍是不是会露出异样的表情，他心里有个声音说阿姨快想起来啊！如果你都想不起他，这个世界上还有谁能记得他？

苏小妍听得很认真，继而有些呆滞，忽然路明非看见晶莹的液体从她的眼睛里溢了出来，滑过姣好的面庞，映着窗外的灯光亮得像是流星。

"阿姨你怎么哭了？"路明非几乎按捺不住心中的喜悦，"你是想起了什么么？"

苏小妍摇摇头，抱紧怀里的枕头："没有，我是觉得你的朋友很可怜，是个乖孩子啊，也不知道我将来的孩子有没有那么乖。"

路明非心里刚刚燃起来的希望慢慢地熄灭了，他的声音变得干涩空洞："阿姨，你真的没有孩子啊？"

苏小妍忽然流露出娇羞和幸福的微笑，这种少女般的表情出现在中年女性脸上原本不合适，但在她脸上就很美。

她轻轻地抚摸着自己隆起的小腹："马上就要有啦，我这不是怀孕了来你们医院检查和安胎吗？"

路明非一下怔住了。原来这是一间私立妇产医院，苏小妍来这里并不是因为生病而是要生孩子。

"我和我先生结婚好多年都没有孩子，也蛮孤独的，最近想想还是要一个，果然就怀上了。这不就来做检查了么？"苏小妍说，"你们这里环境设备都没得说，就是离城里太远了。"

疲惫感再度涌了上来，路明非觉得自己自内而外地开始碎了，苏小妍怀了孩子，这件跟他八竿子打不着的事如同一柄锋利的刀刺进了他的心里，空空地疼痛着，痛得他受不了。

他站起身来："阿姨我不打搅你睡觉啦，下次有空我再来看你。"

"你一定记得去派出所报案啊！"苏小妍说。

"好啊，"路明非努力地笑笑，转身走向门口，走了几步回过头来，"阿姨你今晚喝了牛奶么？"

"喝过啦，"苏小妍笑，"护士热好送过来的。"

"那就好。"路明非轻声说着，出门，反手带门。

他疲倦地靠在病房的门上，脑海中一片空白，累得好像连动手指的力气都没了。

苏小妍怀了孩子，他觉得很难过，因为这个世界上即将有一个新生命取代楚子航了。也许这个世界根本就不需要楚子航，没有他照样有人给苏小妍热牛奶。

路明非推开医院的玻璃大门，诺诺打着一把伞，站在无边的风雨中。

他们久久地对视，不说一句话。也不用说什么了，眼神说明了一切。伞上挂着一道雨帘，雨帘后诺诺歪着头，长发娓娓地垂下。

路明非勉强地笑了笑："走吧，我们再想别的办法。"

"别逞强，你笑得有多难看你自己知道么？"

"应该是……很难看吧。"路明非扭过头，看着几米之外的狂风暴雨，竖起衣领遮挡冷风，"师姐，我有个很无聊的问题，但你能回答我么？"

"无聊的问题就不该问！"诺诺一句就给顶了回来。

路明非吃了一惊，一腔悲情顿时间烟消云散，赶紧闭嘴。

"不过今晚例外，问吧。"诺诺的第二句话180度转弯。

路明非更加吃惊，茫然地盯着诺诺的眼睛。那双漂亮的、深色的眼睛里无悲无喜，路明非觉得自己是在望着一片平静的大湖。

"问吧。"诺诺又说。

"我在想……我在想……如果有一天我被这个世界忘记了，会有人去找我么？"他用尽全身力气才问出了这个问题，每个字吐出来，都像艰难地吐出石头。

他很累很沮丧，觉得自己累得快要瘫倒了，他希望有人能在此刻扶他一把给他点温暖。他这是在向诺诺求援，诺诺如果说我会找你的他就会好受很多。

但这个问题真是太不合适了，站在他对面的诺诺已经是加图索家的新娘了，人生里给她最深刻痕的人只该有一个，那个人叫恺撒·加图索。

如果换作是恺撒来提问，诺诺就可以毫不犹豫地回答说我会找你，走遍天涯海角我都会找你！然后他们拥抱，或许在雨中拥抱，相互温暖。但他路明非何德何能问这个问题呢？

真愚蠢，如果可能的话他想把时间倒回十秒钟前把这个问题给删掉……

"芬格尔那么爱你，他会天涯海角地找你的！"没想到诺诺立刻就答了，声音清

脆有力。

路明非松了一口气，心说不愧是师姐啊，立刻找出了办法来化解这个尴尬的场面。

"如果那个楚子航是真实的，他也会去找你的，你们也很相亲相爱的样子！"诺诺又说。

"没准恺撒也会去找你，他现在看你好像看他的干儿子！"

"哦哦。"路明非点头如捣蒜。

诺诺沉默了几秒钟："如果这些废柴都找不到你，我才会出马，无论你是被忘记在阴沟还是马桶里了，我都会把你找回来。"

路明非惊讶地抬起头，呆呆地望着诺诺。她还穿着那身校服，长袜短裙细羊毛的罩衫，一副邻家乖妹的样子，但随着这句话出口，当年那个背负着光辉出现在路明非面前、天使降临般的女孩再度出场了。

"你是我的马仔，我说过要罩你，我当然罩你。"诺诺一字一顿，"你当我说话是放屁么？"

诺诺丢下伞，上前几步，给了路明非一个强有力的拥抱。雨太大了，伞也不管大事，她的校服湿了大半，却带着发酵般的暖意。

路明非呆呆地闻着她身上的香味，眼泪慢慢地流了下来，此刻他既不喜悦也不悲伤，那颗心妥妥地回到了原位。

"别想太多，这个世界上总有在乎你的人，没准还不止这几个呢！"诺诺拍打着他的后背，"你有朋友的好么？"

路明非偷偷擦去眼泪，尽力用平稳的声音说："师姐，我到现在才觉得你真的回来了……"他反过去抱住诺诺，但不敢用力，只是有个很虚的拥抱动作，把下巴放在她的肩头上。

是啊，诺诺真的回来了，还是以前那个霸道不讲理的红发巫女。这样子他的人生才不像是一出没有女主角的戏啊，连暗恋都没对象，成日里只跟一般男人鬼混。

他本不用在诺诺面前纠结的，诺诺什么都知道，他只要说我很虚弱我想要个拥抱就好了，看诺诺乐意不乐意。

DRAGON RAJA

奥丁之渊

第七章

| 尼伯龙根之门 |

The Door to Nibelungen

这时背后传来了古老庄严的声音，仿佛一扇看不见的门开

了，门的后面，神在王座上说话。

那声音在说："你终于来了。"

回程的路上，某些路段已经被水淹了，诺诺敏捷地操控着法拉利绕过积水区。来的路上还能偶尔看到别的车，现在路上鬼影子都看不到。

诺诺打开收音机调到交通台，广播里正在播报暴雨红色预警。这是暴雨预警的最高级别，短时间内降雨量就会超过 100 毫米，这降雨要是搁在山区，山洪泥石流说来就来。

诺诺转台到音乐台，这个时间段已经没有节目了，音乐台滚动播放着老歌，正放着一首《Silent Emotion》。

那是一部日剧《悠长假期》里的歌，路明非高中时看过，由帅绝人寰的木村拓哉和满脸傻姐姐模样的山口智子出演。

那部剧里有句很有名的台词："人生嘛，难免有失败的时候，四处碰壁走投无路，但就把它当作上天给我们的一次长假吧，好好休息，休息完了我们继续整装出发。"

说起来他们的逃亡也像是一场长长的假期，在这个危险的假期里他不是学生会主席，诺诺也不用每天早起去上新娘课，他们满世界地找一个人。

这么想着心情好了许多，他觉得两人就这么沉默着也有点小尴尬，就张口说："那家妇产科医院……"

诺诺双肩一震，转过头来，瞳孔中跳闪奇怪的光："你说什么？"

"我说那家妇产医院……"路明非不知诺诺为什么用那么奇怪的眼神看他。

"那家医院不是妇产科医院。"诺诺缓缓地说。

"师姐你怎么知道？你就在门口晃了一下。"路明非不解。

"笨蛋！妇产科医院里怎么会没有孩子的哭声呢？孕妇住进来了，24 小时随时可能分娩，怎么会没有大夫护士来来往往呢？刚生下来的小孩想哭就哭，随时会饿了要喂奶，绝不可能那么安静！"诺诺把车停在路边，"手机有信号么？上网搜一下那家圣心仁爱医院！"

路明非赶紧打开手机搜索，几秒钟后他抬起头来，脸色怪异："那是一家……精神病医院！"

诺诺紧握着方向盘，死死地盯着道路前方："我想。我们找到突破口了。"

"苏阿姨……并没有怀孕……她是以为自己怀孕了……她跟我一样……出现了幻觉？"路明非拼了命地思考着。

他隐约感觉到了什么，却很模糊，那个真相像是藏在错乱的毛线球里，他怎么理都理不清。

"我想她是患了精神错乱一类的病，"诺诺缓缓地说，"所以医院会建在那种鸟不拉屎的地方，精神病医院建在闹市区怕有问题，所以那间医院夜里那么安静，病人睡前都吃了安眠药。那个叫苏小妍的女人得了一种奇怪的病，从不久之前开始，她固执地觉得自己怀了孕……你觉得她为什么会得那个病？"

"不知道。"路明非摇头。

"因为她原本有一个儿子，但那个儿子忽然消失了。那是她记忆中最重要的一部分，忽然变成了空白，逻辑上出现了问题。所以她开始臆想，臆想自己就要生一个儿子出来，那是她在脑海中制造出来填补楚子航的位置的！"诺诺目不斜视，瞳孔深邃如古井，这时她侧写能力发挥到最大时会出现的表情，委实有点像女巫入魔，"这种因为楚子航消失而出现的逻辑漏洞其实我们每个人都有，比如在我的记忆里你是个失意的死小孩，但在陈雯雯她们的记忆里你简直就是天王巨星！我们都被某种力量影响了，那种力量能从'逻辑'上强行删除一个人，就像在社会关系网中抠出了一个空洞，断裂的人物关系再自行拼合，拼出来的肯定会扭曲，在普通人那里这个扭曲很小可以被忽略，但在母亲那里，这个扭曲大到无法忽略，于是她生出了臆想。"

她转过头来："那种力量很可能是一个龙王级的言灵，那么我们的敌人，可能是一位新的龙王！"

法拉利再度吼叫起来，调转车头，沿着来路的方向返回，诺诺把油门踩得很深，已经不管在红色暴雨预警的夜里这么开车是不是安全。

"她现在臆想出自己怀了孕，肚子里有个孩子，母性暂时平复，但只要你往深里问，就会发现她的逻辑是混乱的！"诺诺死死地盯着前方的道路，"楚子航就藏在她的记忆深处！"

路明非被加速度压在椅背上，因为过度惊骇而神情呆滞。

他既喜悦又恐惧，喜的当然是这个谜团即将被解开，恐惧的是藏在幕后的巨大黑影。即使释放那个言灵需要支付惊人的代价，不能用来改写世界，但它确实能够改写世界的某个部分。

它能令你至亲的某个人忽然消失，也能赋予你权力和地位，这种权能未免也太过巨大。之前他们曾面对过的龙王，究极能力都极其恐怖，无论"烛龙"还是"湿婆业舞"，都是灭世级别的言灵。但跟这个神秘的能力相比，"烛龙"和"湿婆业舞"根本算不了什么，这种能力像无声的暗流，全无声息地起作用，生杀予夺，都在一念之间。

都在一念之间……都在一念之间？他忽然打了个寒战，这种能力跟小恶魔的能力岂不是有点相似么？都是能够修改世界的作弊能力！

法拉利高速过弯，溅起两米高的水墙，虽然捆着安全带，仍然让路明非觉得自己要给甩出去了。

"师姐，不用开这么快吧？"路明非担心地望着黑沉沉的天空，闪电偶尔照亮鳞片般的乌云，倒像是有条巨龙横亘在天空之上。

暴雨滂沱，枝条在风中狂舞，能见度极低，只有眼前一条道路呈弧线状延伸出去，没入黑暗之中。

"相信我的驾驶技术！"诺诺暴力地换挡，油门刹车交替踩，完全是开赛车的架势，"你不急着去见那个苏阿姨么？只要从她的嘴里问出楚子航的名字，就最终证实了我的猜测，你也不必担心自己是疯了。"

路明非心里微微一动。他当然迫不及待地想赶回去见苏小妍，而诺诺问都没问就知道他的内心想法。

这时后方有光照了过来，光源高速地接近。在这条风雨肆虐的高速公路上，竟然有人开车开得比诺诺还疯。

诺诺微微皱眉，稍微放慢了速度，偏向道路一侧，让那个疯子超车。后方的车来势极猛，几乎是擦着诺诺的法拉利超了过去，如果不是诺诺驾驶技术老道，必定是两车高速擦碰导致失控的恶性交通事故。

"见鬼！"诺诺低吼。

路明非却连声音都发不出来了，因为他在那辆车的尾部看到了两个 M 拼成的标记——那是一辆迈巴赫，迈巴赫 62S，世界上最昂贵的轿车之一。

在楚子航的灵魂黑夜——那个改变了楚子航一生的夜里——他就是和父亲开着一辆迈巴赫轿车，行驶在无尽的暴风雨中。

楚子航给路明非讲过这件事，尽管说得语焉不详，但关键的几个点还是讲到了。那是楚子航藏得最深的秘密，诺诺并不知道，所以直到此刻，诺诺还没有感觉到恐惧。

路明非强忍着惊惧打开导航仪，想要确定眼下他们的位置。他们从调头以来没有遇到过任何岔道，诺诺也就没有考虑"该怎么走"。

"无法定位您的车辆。"导航仪努力了十几秒钟之后，给出了结果。

冷汗"唰"地涌了出来，路明非的衬衣顷刻间就湿透了。连最后的侥幸之心也没有了，他们正行驶在那条神秘的高速公路上，这么多年过去了，那辆幽灵般的迈巴赫轿车仍在狂奔！

"师姐，你在路边停一下车。"路明非轻声说。

诺诺诧异地看了他一眼，还是在道旁停车，等着听他接下来说什么。

路明非撩开风衣，抽出藏在那里的沙漠之鹰递给诺诺："这枪师姐你熟，你拿着。我来开车，我开车的技术还过得去。"

诺诺看了看路明非的眼睛，并没有大惊小怪而是接过沙漠之鹰，快速地检查了弹仓和击簧，下车和路明非交换位置。

法拉利加速飞驰，如离弦之箭。诺诺双枪在手，警觉地望向车窗外的暴风雨。

"我们现在在尼伯龙根里，我们在这里不会遇到任何人类，如果发现什么古怪的东西，放手开枪就好了。"路明非紧盯着前方道路，"师兄当年进过这个尼伯龙根，今晚它又开门了。"

"原来是这样。"诺诺点点头，"那我也告诉你为什么我刚才把车开得很快，从我猜到真相的那一刻开始，我忽然觉得有人就在我们身边，盯着我们。我看不到他们，但能感觉有人把双手搭在我肩上似的。"

路明非尽可能简洁地给诺诺讲楚子航的故事，诺诺面无表情地听着，目视前方，双瞳中仿佛藏着旋涡。

她把精神集中在多年前的那个雨夜里，想要探寻出它的真相。

眼下他们就在这个仅由一条高速公路组成的尼伯龙根中狂奔，黑夜、公路、暴风雨，周边的各种元素都非常适合她在脑海中重现当年的那一幕。

"我感觉到他了，我感觉到……楚子航了！"她轻声说，仿佛巫女感受到鬼神降临在自己身上。

侧写发挥到极致时确实是这样的感受，她觉得自己就是那个 15 岁的男孩，坐在一辆狂奔的迈巴赫轿车里，雨点打在车顶上噼啪作响，好像凝固的铁水，开车的男人紧绷着脸，世界晦暗，道路两侧的树木着魔般摇曳。

如果是楚子航自己来讲这个故事，侧写出来的结果会更加清晰，但经过路明非的转述，细节损失了太多，她能想象出的大部分场景都是模糊的，唯有那个男孩惊惶的表情异常真实。

这一切根本就是个噩梦，无限循环的噩梦。想要走出这个噩梦，他们最好知道楚子航那天夜晚的经历。

但还是太模糊了，在那个暴风雨之夜，在由炼金术制造的扭曲空间里，楚子航到底遭遇了什么？

路明非死死地盯着道路尽头的那点红光，那是迈巴赫的尾灯。

他很清楚在尼伯龙根里是没有"方向"可言的，即使你调头逃离，也很可能重回原地。北京地铁中的尼伯龙根里，就有那么一列循环运转的地铁，宿命般永不停息。

他只能紧跟那辆迈巴赫，当年楚子航是开着它冲出这个尼伯龙根的，它就像飞在

这个噩梦世界里的灵光天使。

但也有可能是地狱的引路人，它在那么近的距离上和法拉利擦身而过，像是某种挑衅，有意识地要吸引路明非和诺诺跟它走。

在他们的视野之内没有任何人，却又像是有数以万计的眼睛在盯着他们，风声雨声之外他们……或者说它们在窃窃私语，那声音像是婴儿的哭泣，又像是嘻嘻哈哈的笑声。

"停车！"诺诺忽然解除了侧写的状态。

路明非狠狠地踩下刹车，法拉利的四轮在地面上划出四道青烟。

"叫你停车没叫你急刹！你差点把我甩出去！"诺诺没好气地说，双手拢起长发，在脑后扎成马尾。

"如果不急刹，我们会撞上去。"路明非抬手指向前方。

诺诺顺着他手指的方向看了出去，缓缓地打了个寒战。

暴雨汇成了铺天盖地的水墙，打在法拉利的顶棚上，感觉铝合金车架都要塌，那辆迈巴赫轿车就横在他们正前方，四门敞开，闪着应急灯，隔着雨幕看去，仿佛微弱的萤火。

若不急刹，刚才就是车毁人亡的结局。

"你知道我刚才为什么叫你停车么？"诺诺低声说，"因为我感觉到八年前的那个夏夜，楚子航的父亲应该也是在这里狠狠地踩下了刹车……他们在这里……遇到了什么？"

"我们怎么办？"路明非问。

"下车咯，就当作一场宴会去赴它。"诺诺解开了安全带。

两人各自推门下车，站在了飘泊大雨中，诺诺手握双枪，路明非两手小太刀。他们背靠着背互为防御，缓慢地接近迈巴赫。

车里空无一人，白色的车身上涂满了黑色的油泥，仿佛泼墨似的，暴雨都洗不掉。

路明非伸手摸了摸车门，根据楚子航所说这辆车是特别定制的，车门上有两个插雨伞的槽，每个槽里都是一柄日本刀。那天夜里楚子航的父亲拔出了其中之一，另一柄就是楚子航后来用的"村雨"。但现在两边车门的槽里都是空的，刀不见了。

为什么是日本刀？日本分部？蛇岐八家？

路明非高速地思考着，蛇岐八家曾经拥有世上最顶尖的炼金大师，他们制作并流传下来的名刀，比如"蜘蛛切"和"童子切"至今都是屠龙武器中的巅峰之作。难道说"村雨"和它的姊妹刀也是出自某个日本炼金刀匠的手？楚子航曾经试图通过追查"村雨"的来历探寻父亲的真实身份，他拜托了源稚生，可惜源稚生未能完成那个嘱托就死了。

太多的信息堆积在路明非的脑袋里，他隐约想到了点什么，却不清晰。

看眼前的情形，他们似乎是在楚子航父子和那"形似神明的东西"碰面之后赶到了现场。

楚子航一直没有跟路明非精准地描述那可怕的敌人，只说他形似神明。

路明非警觉地四顾，周围漆黑一片，除了迈巴赫和法拉利车灯打出的四道光柱，这里没有任何光源，也没有搏斗的痕迹。

诺诺用手指沾了一点那种黑泥凑近鼻端，有股隐隐约约的腥味，再闻又是蜜糖般的甜香。她正在思索的时候忽然感到手指上剧烈的灼痛感，急忙俯身在积水中按了一下洗去黑泥。

再看手指的时候，接触过黑泥的地方皮肤已经发白了。那种黑泥显然带有某种腐蚀性，甚至毒性，如果长时间接触皮肤还不知道是什么后果，好在这里到处都是水。

"血，"诺诺沉吟，"这是某种血液。"

"他们一路碾压着成群的敌人来到这里，然后遭遇了某个敌人，他们没能逃出去，故事到此结束。"诺诺沉吟，"但这一幕为什么会出现在我们面前？就像过去的场景回放。"

"师姐你说……他们没有逃出去？"路明非忽然觉得诺诺这句话是有问题的，诺诺特意强调了"他们"。

迈巴赫上就楚子航父子二人，诺诺的意思是这两个人都没有逃出去？

"是，在你讲的故事里，楚子航开着这辆迈巴赫逃出了尼伯龙根，可现在迈巴赫就在你面前。"诺诺轻声说，"那就意味着，楚子航没有逃出去。"

路明非狠狠地打了个寒战，大脑深处隐隐作痛，太混乱了，一切都太混乱了。

15岁的楚子航没能逃出尼伯龙根，于是路明非在高中时代取代楚子航成为了男神，狮心会会长是阿卜杜拉·阿巴斯，历史从那一刻开始被改写，从此跟楚子航没有关系。

楚子航岂止是消失了，楚子航在15岁那年就死了，已经死了很多年。难道说这些年来跟他相交的一直是个鬼魂？

这时背后传来了古老庄严的声音，仿佛一扇看不见的门开了，门的后面，神在王座上说话。

那声音在说："你终于来了。"

威严恐怖的气息弥漫在天地之间，压迫得他们难以呼吸。他们都曾面对过至高至大的存在——龙王——却未曾感受过如此等级的威压。

路明非感觉到有人握住了自己的手，那是诺诺，她的手跟路明非的手一样冰凉，

但仍有力。她微微用力捏了捏路明非的手，路明非立刻就明白了她的意思，不要被恐惧压倒，越是这种时候就越要有力，握紧枪柄和刀柄，这才是把命握在了自己手中。

他们缓缓地转过身来，神祇立马在无尽的暴风雨中，他的火焰蒸腾着漫天大雨，把无数雨滴化作白雾，白雾被风吹散而后再度凝聚。神明的光焰在白雾中一隐一现，仿佛呼吸。

他的马长着八条马腿，浑身金色鳞片，喉咙中滚动着雷声，喷气的时候鼻孔中吐出闪电。

他自己穿着暗金色的甲胄，披着蓝色的风氅，手握枯枝般的长枪，完全就是壁画中神明的装饰。但他的身体被裹尸布缠得很紧，裹尸布表面写满了血红色的咒符，看起来又像是森罗厉鬼。

他的脸上带着银色的面具，面具的眼孔和嘴孔中喷薄着熔岩色的光芒。

神明的至高至大和厉鬼的至幽至暗融汇在他的身上，让路明非立刻想到了另一个人，那是窃取了白王血统的赫尔佐格！他悬浮在东京的天空中，天使般优雅，魔鬼般狰狞。

"奥丁？"诺诺轻声说。

那位神祇并未报上自己的名字，可他全身上下都写满了奥丁之名。在北欧神话中，这位主神身披蓝色风氅，骑着八足天马"斯莱普尼斯"，手持长枪"昆古尼尔"。

他兼任死神，他的女儿们、那些艳丽英勇的女武神瓦尔基里，会把死去战士的灵魂带回英灵殿，以备末日之战。这解释了他身上浓郁的死亡气息。

在神话中，奥丁是黑龙尼德霍格的敌人，似乎跟龙族有着密切的关系。但秘党从未关注过这位神明，因为根据秘党所知的历史，根本就没有东西能跟尼德霍格对抗。世界上的一切神话都源于龙族历史，而龙族历史中，根本就不该有奥丁这号东西！

"你终于来了。"奥丁又说，他的声音毫无起伏，却仿佛透着故人重逢般的语气。

他并不逼近，但他的威严如利剑般指在路明非和诺诺的眉心，给人的感觉是奥丁只要带马逼上一步，自己就会被利剑穿颅。

"走！"诺诺大吼，忽然抬手，双手沙漠之鹰连发，在雨中爆出巨大的枪焰。

他们全无胜算，多留一秒钟就是跟死神多亲近一秒钟，这就是她的直觉，她的直觉一向很准。

路明非把枪给诺诺的时候已经换上了钢芯弹，这种重型钢芯弹的威力可以把一头成年的非洲象爆头，恺撒驾驭这种超重型枪支和超重型子弹也颇为吃力，但诺诺瞬间就把弹匣打空了。

因为她根本就不瞄准，她只是要制造一片弹幕来挡住奥丁，哪怕只是拖延对方几秒钟。

但奥丁只是伸手在面前轻轻地一抹，一道完全由空气组成的障壁凭空出现，沙漠之鹰射出的子弹遇上那道空气障壁就被挡住了，肉眼可见那些钢芯弹悬停在空中高速旋转，却再也不能钻进去哪怕一厘米。它们一边旋转还一边熔化，化作一团团灰黑色的铁水，看起来那道空气障壁还附带极高的温度。

这是让人心胆俱丧的一幕，但诺诺和路明非已经没有时间心胆俱丧了，他们向着法拉利狂奔，只希望那匹八足天马的速度别比法拉利还快。

但成群的黑影挡住了他们的去路，它们就像是黑暗凝结出来似的，忽然就出现在雨幕中，挥舞着惨白的、枯瘦的、鸟爪般的手。

被那些手摸到的结果很容易猜到，它们扫过法拉利时，铝合金外壳上闪过一串串的火花，留下锋利的爪痕。

诺诺想都没想，更换弹匣，抬枪就射，就像路明非说的，在尼伯龙根里除了他们俩根本就没有活的东西，那么她也不必存着什么人道主义的心。

子弹对这些黑影还是有效的，它们被子弹上所附的巨大动能带着后仰，弹孔中喷射出浓腥的、墨水般的血。

但能将大象爆头的子弹打在它们身上却只是造成后仰或者趔趄这样的效果，它们缓缓地直起身体，再度扑上。它们的脸从黑色的斗篷下露出，戴着清一色的万圣节面具，形如一个个张嘴尖叫的白色骷髅。

诺诺一边退后一边换弹匣，她更换弹匣只需要几秒钟时间，但几秒钟的空隙已经足够那些黑影逼近到她身边了，惨白的手掌纵横挥舞，指尖撕裂空气，组成一张杀人的网，把诺诺困在中间。

弹匣刚刚塞进去，还来不及上膛，又一个黑影从天而降，惨白的五指抓向诺诺的头顶，有点像武侠小说中的"九阴白骨爪"。

诺诺无法闪避无法回击，只能抬起手肘去挡。那些黑影能徒手撕裂法拉利的外壳，当然也可能撕裂她的手臂，但那总比被拧下脑袋好。毕竟是卡塞尔学院前A级学员，她不是一般女孩，不会尖叫，只会咬紧牙关。

黑影抓中了她的手肘，锋利的指尖刺穿了她的皮肤，但下一刻，那只惨白色的手就跟身体分离了，带着黏稠的黑血落在诺诺脚下。

千钧一发之际，一柄短弧刀从旁边递出，刀背架在诺诺的肘部，刀刃向上。黑影自己把手腕送上了刀刃。

路明非进步挥刀，另一柄短弧刀从风衣底下撩起，那个黑影连落地的机会都没有，在空中就被切割。日本分部赠送的礼物果然不同凡响，可能就是炼金术制造的古刀重新做了刀装，切割起黑影来就像用烧过的餐刀切奶酪。

当日在里约热内卢，若不是有这对称手的武器，路明非未必能战胜舞王。他那强

化后的血统也就是 A 级而已，并不比执行部的资深者们强。

黑血混合着雨水淋在路明非的肩上，黑影落在他脚边。

他毫不犹豫地一刀贯下，刺穿了黑影的面具，把它的头颅钉死在地。颅骨非常坚硬，连短弧刀都未能一下子贯穿，路明非跟上一步，在刀柄上狠狠地踩了一脚。

诺诺趁机给枪上膛，跟上去对准黑影的头胸腹连射三枪。子弹打在颅骨上火花四溅，简直像是打在钢筋上，不过胸腹两枪还是打穿了，黑影这才无力地停止了活动。

看着同类被瞬间完爆，黑影们如野兽那样意识到了危险，它们暂停了无序的进攻，在周围逡巡，发出那种婴儿啼哭般的怪声。

"把刀给我！"诺诺大吼，"跟着我！"

沙漠之鹰和短弧刀腾空而起，路明非和诺诺错身而过，交换了武器。诺诺旋转起来，双刀带着明亮的银弧，风车般切入黑影中间，路明非跟在后面，双枪连发，火力压制。

这么分配武器，效率就高多了。虽然在那对短弧刀上下了不少工夫，可路明非真正的长项还是枪械，每一颗子弹都锁定一名黑影的咽喉，弹孔中涌出黑血的同时，黑影后仰，诺诺趁机补刀。

红发巫女修身养性一年多了，暴力程度不减反增，枪这种武器对她来说还是太文明了，只是动动手指头就能造成致命杀伤，这根本不是红发巫女的风格，看她挥刀的架势，要是有把擂鼓瓮金锤或者电锯来用，她会打得更爽。

他们在黑影中打开了一个缺口，缓慢地逼近法拉利，但更多的黑影正在集结。

诺诺和路明非这才明白这些黑影是从哪里来的了，它们倒也不是像鬼魂那样凭空出现，而是从高架路的底下爬上来的。高架路的结构就像桥梁，这些黑影要么是沿着高高的水泥桥墩爬上来的，要么是用那些锋利的爪把自己倒吊在桥底。

这么想的话他们刚才从空荡荡的高架路上开过，没准路面底下吊满了戴着骷髅面具的黑影，恰似路明非小时候常玩的那种、用枯叶裹住自己再吐一根丝从树上垂下来的"吊死鬼"。莫名地骇人。

真正可怕的还是奥丁，黑影们再怎么危险，也不过是嗜血厉鬼这种级别，那立马在光焰中的主儿却是神明级别的存在，他一挥手就能令子弹暂停，在一个呼吸间让子弹熔化，那么他如果发动进攻该是多么可怕的攻势？

奥丁手中握着枪，那枪的形状就像是从某棵古树上随手撅断的枝条，再给它装上极其简陋的枪头，比原始人打野牛用的梭镖好不了多少，却泛着某种可怖的金色光芒。

枯枝表面的光芒如同呼吸那样时涨时落，冉冉上升。

如果说奥丁是死神，那么那支枯枝做成的长枪就像另一个死神，那根枯枝像是活的，却又蕴含着最深刻的"死"之意念。

　　神圣之枪"昆古尼尔"，在神话中，这柄武器由侏儒打造，枪柄是世界树的枝条。这支枪最可怕的一点是它"绝对命中"，它脱手的那一刻，目标就已经死了，这是被命运锁定的。因此这柄枪又被称为"大神宣言"，使用它，等若直接宣布敌人的死亡。

　　如果神话是真实的，那么奥丁根本用不着带那么多小弟来围攻他们，只需要投枪的同时说"把路明非和陈墨瞳一起贯穿"，那么他俩就会像"一箭双雕"中的那两只雕，永远交代在这个尼伯龙根里了。

　　可奥丁只是低头凝视着"昆古尼尔"，因为有面具的存在所以看不到他的表情，单看那动作，倒像是迷惘或者缅怀。

　　"师姐！别往前冲了！我们还有 Plan B！"路明非一边换弹匣一边喊。

　　"Plan B 是什么东西？可以用来吃么？"诺诺双手猛振，抖去粘在刀上的黑血，剧烈地喘着气，仍旧是刀指两侧，缓慢地旋转。

　　早知道就不把车停那么远了，他们杀到这里，距离法拉利还有至少十米。此刻那辆超级跑车上站满了黑影，就像是成群的猫头鹰站在墓碑上。

　　"我们背后还有一辆车，"路明非低声说，"开那辆车走也行！"

　　他把新弹匣拍进枪里，对准法拉利连续射击，诺诺立刻趴下。她看得出路明非这是要引爆油箱。

　　她丝毫都不可惜那辆法拉利，反正车是她借来的，心里只觉得炸得好。黑影们重兵囤聚在法拉利附近，法拉利里剩的那大半箱油要是爆炸，就像把炮仗塞进蚂蚁窝。

　　随着一声轰然巨响，火风、冲击波和各种各样的碎片横扫了整条高速路，法拉利的残骸熊熊燃烧，空气中弥漫着带腥味的甜香。那是黑影的血味，它们的血黏稠如石油，却带着这种特殊的甜味。路明非抽了抽鼻子，觉得这种气味似曾相识。

　　他俩一跃而起，奔向迈巴赫。刚才纯粹是傻了，他们分明离迈巴赫更近，却非要杀向法拉利。法拉利固然很快，但迈巴赫也并不慢。

　　大概是本能地觉得那辆涂满了黑血、乘客又消失的车不吉利吧？可从另一个角度说，在楚子航的故事里，他恰恰是驾驶这辆迈巴赫逃出了尼伯龙根，最凶险的东西没准是最吉利的东西呢？

　　他们刚刚冲到迈巴赫旁，黑影们也已经到了，诺诺一把揪住路明非的衣领把他丢进车里，大吼："发动引擎！"而后狠狠地带上了车门。

　　"师姐！"路明非也大吼。

　　"发动引擎！别磨叽！"诺诺双刀连闪，切西瓜似的，同时长腿连弹，把扑上来的黑影踢飞出去。狂风暴雨中她的身形那么模糊，却像天神下凡。

　　路明非用微微颤抖的手抚摸仪表台，祈祷这玩意儿千万别坏了。车内没有任何损

伤，甚至车座还带着微微的暖意，好像车主从容地把车停在了路边，出去办点什么事儿很快就会回来。

屏幕和车内的装饰光源忽然亮了起来，蒙蒙的蓝光。路明非心中惊喜，行车电脑自行启动，因为迈巴赫检测到有人坐在了驾驶座上。

可仪表台上并未插着钥匙！

"钥匙钥匙钥匙钥匙……"路明非嘴里紧张地嘟囔着，摸手套箱摸车门凹槽摸遮阳板背后。在美国，车主经常会把备用钥匙藏在这类地方。

他蠢了！这车竟然没有钥匙！他原本想的是这车应该是楚子航老爹开进尼伯龙根来的，遭遇到奥丁，停车拔刀，下车玩命……这种时候叔叔您还记得熄火拔钥匙？您难道不该把车钥匙留在车上好让你儿子开着它逃出生天？

可真就没有！他面色惨白地靠在座椅靠背上，心说完了完了毁了毁了，把我自己坑了不说把师姐也坑了。

"请声控启动引擎。"行车电脑终于憋不住说话了，好听的女声。

路明非忽然悟了，我去都什么时代了，迈巴赫这种级别的轿车还要你插钥匙进去拧？这车是声控的啊！

这个细节楚子航说起过，楚爸爸曾得意地说世界上只有三个人的声音能启动这台车，一个当然是楚爸爸自己，另一个是这台车的拥有者，老板，虽然老板可能连方向盘都没有摸过，第三个人是楚子航。

那个司机偷偷地把自己儿子的声纹也录入了迈巴赫的行车电脑，本意大概是逗儿子开心，顺便让他用这台超豪华车来学习驾驶，最终却靠这台车救了儿子的命。

路明非急得抓耳挠腮，模仿楚子航的口音说："Start Engine！"

行车电脑没有回应。

"Start Engine？"路明非换了个腔调，依旧是模仿楚子航那冷冰冰的英语。

按说楚子航的口音还是比较好模仿的，他不像恺撒，恺撒的语调多变，富于感染力，楚子航说什么都像是说"你已经死了！"

行车电脑还是没有回应。

这时诺诺的背重重地撞在车门上，那是某个黑影顶着刀锋撞中了她。这姐无愧"暴力师姐"之名，后背一弹再度扑出，把右手短弧刀从那个黑影的嘴里刺了进去，推着它突进了三四米，这才一脚踹在它的小腹把黑影踢飞出去，顺手拔出刀来。

她嘴里紧咬着一束红发，不发出任何声音，但车窗玻璃上，瀑布般往下流的雨水中，忽然多出了一抹红，红得惊心动魄。

那是血，诺诺的血，那些黑影的血是黑色的，诺诺受伤了，伤重伤轻路明非不知道，但她仍守在车外不进来，这是要给路明非争取时间发动汽车。

"Start Engine？Start Engine？Start Engine！"路明非尝试各种"像楚子航"的语调，满头都是冷汗。

诺诺的背再度撞在了车窗上，她的校服裂了一个大口子，让路明非看见了一线春光……她穿着仕兰中学的校服而不是卡塞尔学院的校服，这种春季校服本就轻薄，不适合穿着夜战非人生物。

"师姐！"路明非惊呼。

"搞定那台车！别乱看！乱看不该看的东西会长针眼！"诺诺大吼。

她当然知道路明非能看到什么，她的校服并不是被挣裂的，而是被一个黑影的利爪撕裂的，从衣领一直裂到下摆，只剩少数地方还连着。此刻她动作略大一些路明非就能看清她的内衣颜色，肩带和背带全部露在外面。

但她根本没法遮挡，她的全部注意力都在正前方，黑影们涌动如潮，无数惨白的手掌在夜幕中挥动，如果不是见过这些手掌撕裂铝合金，还以为是天皇巨星演唱会，粉丝们一起舞动起来。

可路明非还是透过车窗玻璃看到了很多很多，远比内衣颜色来得重要的东西，鲜红色沿着车窗往下流淌，那道巨大的伤口差点就割裂了诺诺的脊椎骨！

雨不断地打在那光滑美好的背脊上，把鲜血洗去，她高速地旋转着，斩出泼墨般的黑血。

"Start Engine！Start Engine！Start Engine！"路明非急眼了，声音扭曲而嘶哑。

"你他妈的倒是Start Engine啊！"他狂躁地捶在方向盘上，这时候已经顾不上模仿楚子航的口音了，甚至也不是在卡塞尔学院练出来的美式英语，而是他高中时代的那口中式英语。

当时在仕兰中学里，大家都流行请外教纠正口音，英语课上被叫起来朗读课文，都是舌灿莲花，有人是标准美音，有人是牛津腔。偶尔叫到路明非，他念完了，老师笑笑说，听出一股东北味儿来，全班哄堂大笑。

此刻他操的就是这种东北味儿的英语，声音撕裂而激动，感觉是什么东北老爷们急了要跟人动手。

迈巴赫微微震动，排气管传出经过调教的浑厚声浪，引擎启动，速度表、转速表亮了起来，这台沉默的机械忽然醒来，如同骏马绷紧了浑身的肌肉，等待主人的命令。

"我靠！"路明非惊喜坏了，心说难道楚子航当年也是操一口东北味儿的中式英语？

"师姐上车！"他大吼着握紧方向盘。

诺诺迅速地从缠斗中脱离，根本不开车门而是轻盈地侧翻，登上车顶，大吼："碾

过去！"

路明非一脚把油门踩到底，迈巴赫发出沉雄的吼叫，转速表瞬间进入红线区，12缸引擎爆发出惊人的动力，车轮在路面上擦出滚滚的白烟。半秒钟后，这台数吨重的轿车如箭离弦，冲进了黑影群中。

路明非也不知道车头前面顶着多少黑影，五十或者一百？部分黑影贴在挡风玻璃上，满眼都是它们惨白色的手掌。

迈巴赫冲出十几米又猛地刹车往后倒，几秒钟之后又一次往前冲，这台暴力机械被路明非用成了绞肉机。他听见了密集的骨骼断裂声，那些黑影终究不是幻影而是某种人形的生物，是有血有肉的。

但路明非不管，他一次又一次地冲和碾，直到最后迈巴赫撞飞了法拉利的残骸，沿着来路飞驰而去。

黑影们追逐了一段，停下了脚步。它们佝偻着背，站在高架路的尽头，望着迈巴赫远去，仿佛地狱中的死者望着它们想要逃亡的同类。

奥丁仍在凝视手中的长枪，自始至终他根本没有发起过任何进攻，甚至没有对那些黑影下达命令，放任路明非和诺诺逃走。

也许神是不屑于挽留人类的，因为人类无论怎么挣扎，归根到底还是神手中的棋子。

路明非打开天窗，诺诺翻身落在副驾驶座上。

"干得不错啊笨蛋，现在有点像个 S 级了。"她轻声说，"好好开车，不要瞎看，看了不该看的东西会长针眼！"

她说不瞎看路明非就不瞎看，他直直地盯着前方的道路，车灯把前方十几米的空间照得雪亮，除此之外只有一片黑暗。迈巴赫在 S 形的道路上狂奔，满世界都是风声、雨声和树木摇曳的声音。

诺诺强撑着解开校服，她不但受伤，而且身上溅满了那种腐蚀性的黑血，她落下来之后也没有关闭天窗，任凭暴雨淋进来洗刷身体，黑血被洗净之后，她才从裙子的衬里上撕下布条来，把最重的一处伤口包扎了。

一个黑影的利爪贯穿了她的颈部，差点切断大动脉，好在她及时地削断了那枚爪，此刻这枚爪被她攥在手中，锋利、弯曲、坚韧，形状像是兽爪，但质感又像是人类的指甲。

"到底是什么东西？"她关闭了天窗，把这枚古怪的东西丢到仪表台上，接过路明非递来的上衣，重新裹住身体。

他俩都无法断定那些黑影的属性，它们像是妖魔，像是黑夜凝聚出来的怪物，但刀砍上去确实有骨骼和肌肉，像是某种活物。它们嗜血、暴戾，似乎感觉不到疼痛，又有一定的组织性。

"死侍么？"路明非低声问。

在尼伯龙根里遇上死侍，似乎理所当然，死侍倒也符合这些特性，只不过死侍几乎没有神智，只有动物性本能，不该那么有组织性。

"不知道，总不会是神话里奥丁收集的英灵吧？"诺诺看向后视镜里，"奥丁竟然没有追来。"

这时已经看不到奥丁身上的光焰了，又只剩下高速路、暴风雨和他们俩。那位奥丁也真是神叨叨的人物，摆个关底大Boss的姿态出场，可从头至尾不发一招，唯一说过的一句话是"你终于来了。"

"他是不是说了'你终于来了'？"诺诺问。

"我没听清，可能是这句话吧？他说话就像打雷，轰隆隆的。"路明非说。

其实他听清了，奥丁确实是说"你终于来了"，还重复了一遍，比这句话更可怕的是那故人重逢般的语气。

路明非不敢承认是因为他没来由地恐惧，那么多年了，他兜兜转转回到了家乡，跟楚子航一样驶上了这条神秘的高速路，遭遇了奥丁。奥丁那话的意思，似乎是这么多年来一直在等自己。

回想从小魔鬼出现到如今，太多诡异的事情发生在自己身上了，讲出来都没人会信。在外界看来卡塞尔学院里都是怪物，而他是怪物中的怪物，他是隐藏的世界之王，只是要发动那个"王之能力"就得跟魔鬼交易，交易四次之后他就得死。

他恐惧这个怪物般的自己，某种程度上说，他比那个随时会龙化、失控、摧毁半个东京城的黑道小公主还要危险。如今又蹦出这个神叨叨的奥丁来，说着类似"我等你等得好辛苦"的话。

见鬼他真的没有那种神明级别的朋友！也不希望有这种朋友！他这辈子的愿望也就是有点钱有点小牛逼追上边上这个红头发的妞儿，然后混吃等死而已！拜托各位神明级别的大哥不要来找小弟的茬子了！

"我们还在尼伯龙根里。"诺诺说，"不离开这里我们就不会真正安全。"

"这条路不是没有尽头的。"路明非低声说，"我们一直往前开，应该能开出去。"

"你怎么知道？"诺诺一怔。

"刚才我们遇见奥丁的地方，"路明非咽了一口吐沫，"我在奥丁那匹马的旁边看到了界碑，换句话说那里是这座城市的边界，也就是说这条路可能是有头的，其中一头是城市边界，我们现在正去往另外一头。"

"另一头也许就是出口？"

"开过去看看就知道。"

"那专心开车吧，开快点儿……我需要一个医生，要是能离开这里，记得带我去找医生……"诺诺无力地后仰，被她裹紧的衣襟敞开，露出腹部那个血淋淋的伤口。

她昏死过去了，苍白得像个绢人，眉宇间却又泛着病态般的嫣红，湿透的红发粘在面颊上。

路明非猛踩油门，迈巴赫发出高亢的吼叫，一路狂奔。路明非伸手按着诺诺的小腹，想要尽可能地延缓失血。温热的血像水那样漫过他的手指，那是生命在流逝。

"不要死不要死不要死……"他念咒似地叨叨着，希望能有用。

出血根本不停，大概是路明非精神不够集中，咒语也就不灵光了。伤口太深了，可能伤及了内脏，不过只要有个稍微靠得住的外科大夫加足够的血浆就能解决问题。

尼伯龙根里当然是不会有诊所的，他必须离开这个鬼地方，离开这个鬼地方诺诺才有救，他用沾着诺诺鲜血的手上子弹，手指微微哆嗦。

快点！快点！再快点啊他妈的！你不是迈巴赫么？不是世界上最快的轿车么？你不是卖1000万人民币么？你跑得这么慢对得起我么？你他妈要是婚车，别说车轴我给你打断了，四个轮胎加备胎我全都给你打炸！

他越是紧张就越容易在心里骂脏话，好像骂几句脏话他就是"炎之龙斩者"那样无所畏惧的汉子了，可他心里真是怕极了……怕极了……

前方出现微弱的白光，忽然间有巨大的路标牌从上方闪过，"前方还有1km抵达高速路出口，请减速慢行。"

路明非心里松了口气，果然这个尼伯龙根是有边界的，就像楚子航说的那样，他当时是一路往前开，不知何时就冲出了尼伯龙根。

减速慢行个屁！现在他的师姐重伤失血，而他又开着一辆迈巴赫，现在的他神挡杀神佛挡杀佛，撞断收费站的横杆又算什么？

迈巴赫带着两道一人高的水墙，撞断了前方的横杆，从两个收费岗亭中穿过。那一刻路明非往收费岗亭中看了一眼，原本雀跃的情绪一下子跌到谷底，心脏里的血仿佛都冻结了。

收费岗亭里，人影冲他挥着手，那人影黑如泼墨，挥手的动作像是告别。

迈巴赫行驶在空无一人的城市里，准确地说，这座城市的CBD区里。

暴雨倾盆，天幕像是铁铸的，盖在摩天大楼的顶上。玻璃幕墙映出灯火通明，路灯辉煌仿佛迎宾大道，红绿灯单调地变换着，迈巴赫像只奔行在迷宫中的野兽。

他离开了高架路，但没能逃离尼伯龙根，这个尼伯龙根好像覆盖了整座城市！

一座城市那么大的尼伯龙根么？路明非浑身都是冷汗。

　　他不敢停车，不知道停车之后会发生什么，好像只有这辆迈巴赫才是保命符，这辆……楚子航穿越时空留下的车。

　　他驶过了世贸金融中心、炎黄博物馆、城市天顶花园和丽晶酒店——当初就是在这里他第一次见到的诺诺，在旋转餐厅的女厕所里——每座建筑都是他熟悉的，他这种长在老城区的孩子对浮华世界曾经是那么地向往，CBD 区每起一座大厦他们都会如数家珍，好像这样他们就更洋气，可现在每座建筑都显得那么扭曲，就像是随时会倒下的多米诺骨牌。

　　他猛踩刹车，迈巴赫带着尖厉的啸声站住了，前方的大厦呈辉煌的金色，那是时钟大厦，CBD 区的最高楼，名副其实的地标性建筑。

　　其实它有个很拗口的、好像叫什么"洛克菲勒时代贸易广场"的名字，但本地人都叫它时钟大厦，因为那座大楼的顶部是一座金色的巨钟。

　　路明非小时候，邮局大楼的楼顶也有那么一座时钟，全城人都根据它来对表，好像它主宰着这座城市的时间表。后来邮局大楼拆了，CBD 区建起来了，时钟大厦建起来了，大家转而去看那座金色的巨钟来算时间。

　　古罗马式的表盘上，雕花的铁指针缓慢地旋转，每到准点就会报时，表盘上方是一个直升机起降平台，时钟大厦是这座城市里第一座可以容直升机起降的大厦，当时学院派来接他的飞机就是从那里起飞的。

　　而现在，神一般的身影正站在那座平台上，他的身下，八条腿的骏马喷吐着雷霆闪电。

　　奥丁！他立马在时钟大厦的顶部，握着神枪"昆古尼尔"，遥望远方，就像一座古罗马英雄的雕塑。

　　路明非惊得心脏几乎停跳，只觉得下一刻奥丁就会纵马而出，划着抛物线落在自己面前，不过奥丁并没有动，他只是遥望着远方。

　　路明非挂上倒档，迈巴赫倒退出几十米，再蛮横地调头，远离了时钟大厦。奥丁依然不动，他平稳地呼吸着，笼罩他的火焰随着呼吸慢慢地涨落。

　　路明非搞不明白奥丁想干什么，在他的感觉里那尊神纯粹就是个神经病，说着神神叨叨的话，做着神神经经的事，虽然不知道他到底有多大威力，但是感觉只要他出手，那么他们根本就是死路一条。

　　可奥丁偏偏不出手，只摆 Pose。

　　他不动路明非动，路明非对 CBD 的道路还是很熟悉的，CBD 区原本就在城市的边缘，只要一路往北，很快就能驶出这座城市。

　　路明非还记得奥丁第一次出现的位置，也是这座城市的边缘，路边有一块界碑。有种感觉奥丁是在镇守这座城市的边界，不许人离开，但离开的道路并不止一条……

也许城市的边界就是尼伯龙根的边界?

一路上再也没有停车,出乎路明非的预料,根本没人来阻拦他。道路还是原先的道路,路牌指示也清清楚楚,一直往前开就是城市边界了。

后视镜里,金色的时钟大厦还是那么地醒目,就像是一座闪着金光的、通天彻地的佛塔,奥丁立马在最高处,举着一根弯曲的枪。

他开了不知道多远,有种感觉他已经跑了几十公里,可背后的时钟大厦看起来还是那么远,好像整个 CBD 区连同那些摩天大楼追着他们在跑。

他隐约听见了水声,忽然惊喜起来。这座城市和邻近的城市之间的分界线是一条河,中学时路明非还去那条河边春游过,河上有座铁桥,越过铁桥他们也许就离开了尼伯龙根。

不知道怎么收音机被打开了,刺耳的干扰声中夹杂着扭曲的人声:"这里是……交通频……提醒……安全行驶……"

路明非更加振奋,尼伯龙根和外界基本不通消息,外界的电磁波也被隔绝,但现在他收到了广播信号,应该是他们接近了尼伯龙根的边缘。

道路尽头果然出现了一座黑色的铁桥,巨大的弓形桥拱,无数的钢绳拉起桥面。没错!就是那座桥,界碑就在桥对面,路明非把油门踩到底,迈巴赫那高亢的引擎声也带上了一丝欢快。

就在此刻,背后传来悠扬的钟声,时钟大厦上的巨钟开始报时,午夜十二点,时针和分针已经重合,秒钟嚓嚓地移动过去,每动一下,就是一声钟声。

奥丁缓缓地抬起眼睛,金色的眼睛,眼底仿佛流动着熔岩,八足骏马挺胸人立而起,这八只脚的怪物站起来的时候,画面既荒诞又恐怖。

奥丁的手臂缓缓地打开,就像一张硬弓被拉开,他终于要投掷出那支恐怖的长枪了!

那件即使在神话中也被认为是犯规作弊的超级武器,在投出之前,结局已经被注定,它所指向的敌人胸膛注定被洞穿,那与其说是一支枪,不如说是命运的连接线!

路明非也看到了,他当然清楚奥丁在瞄准谁,说来也奇怪,刚才他开车经过 CBD 区的时候,奥丁眺望的正是这个方向……他在眺望这座铁桥,好像早就知道路明非会往那边开!

迈巴赫还有几米就开上那座铁桥了,铁桥并不长,百来米而已,以迈巴赫的速度,一眨眼的工夫。除非"昆古尼尔"是道光,否则它还在路上呢,路明非就脱离这个鬼地方了。

钟声还未结束,奥丁出手,"昆古尼尔"在天空中划出巨大的抛物线。如此一支恐怖的武器,飞行起来却是寂静无声的,像是雨夜中迷路的鸟儿。

　　它经过的轨迹上，树木迅速地枯朽凋零，"死亡"仿佛一道旨意，随着那支枪下达和蔓延。

　　迈巴赫已经驶上了桥面，车灯已经照亮了桥对面的界碑，昆古尼尔的速度显然不够追上它了……这时后面传来巨大的爆响，迈巴赫的车身倾侧，方向盘固执地转向左侧，根本不受路明非的控制。

　　关键的时刻，这辆车爆胎了，它失控滑行了十几米后翻滚起来。天旋地转，路明非惊叫喊："不！"

　　时间的流逝好像变慢了，他能够清楚感受到每一圈翻滚和每一次撞击，同时他也能看清那支死神般的枪，它带着完美的抛物线到来，把挡风玻璃炸成一片玻璃碎末。

　　碎末还在飞散，长枪已经突出出来，刺向了诺诺的胸口，枪尖还没到，锐气已经炸开了校服……"不！不！不！"路明非咆哮。

　　他能清楚地感觉到那支枪上携带的死亡气息，那种气息沾染到都能致命，何况枪马上就要洞穿诺诺的心脏，何况诺诺本身已经是重伤的状态……他竭尽全力想要扑过去抱住诺诺，但被巨大的惯性狠狠地压在座椅上，动弹不得。

　　果然是"昆古尼尔"，那是命运的连接线，被它连中的人只有死亡。

　　难怪奥丁根本不出手，因为他已经提前看到了命运，命运的汇聚点就在这座桥上，就在这里他要把诺诺杀死。

　　钟声敲响了 11 次，秒针即将和时针分针重合，死亡时间被锁定在午夜 12 点，路明非眼睁睁地看着诺诺被洞穿，她现在还是活着的，苍白的小脸，暗红色的长发粘在面颊上，她昏迷着，但仍旧活着，而下一刻，她就要死去。

　　"路鸣泽！路鸣泽！！路鸣泽！！！"路明非大吼，眼泪不受控制地涌了出来，飞溅，和洒进来的雨水混在一起。

　　"在呢在呢在呢。"不胜其扰却又无可奈何的声音从车后座上传来。

　　这一刻时间完全凝固，迈巴赫不再翻滚，飞溅的玻璃碎渣悬浮在空中，象征死亡的长枪停止突进，雨丝和泪水忽然变得很容易区分出来了，这些都是因为那个人的意志……路鸣泽！

　　"啊！啊！啊！啊！"路明非大口地喘息着，惊魂未定，小魔鬼终于回应了他的呼唤。确实就像路鸣泽自己说的那样，在路明非最需要他的时候，他倒是从未缺席。

　　"行啦行啦！如果不是时间已经被我冻结，你哪有时间喊我那么多声？"路鸣泽轻声地说着，把一束白色的玫瑰花放在诺诺的腿上。

　　这家伙穿着黑色的西装，系着白色的领带，像是来参加葬礼的……路明非忽然想起来了，在那场 15 岁少年的葬礼上，小魔鬼穿的也是这样一身。

　　还有白色的玫瑰花，他每次带着白花出现，都有人要死，路明非还记得他抛洒漫

天花瓣，盖住了夏弥那赤裸而素白的身体。

"混蛋！师姐还没死！"路明非大怒，"别摆那副嘴脸给我看！"

"不，她已经死了，'昆古尼尔'是一支很奇怪的枪，你应该听过它的传说，在它出手之前，被它锁定的目标已经死了，"路鸣泽轻声说，"这是命运锁定。"

"扯淡的命运锁定！师姐还活着！师姐还活着！别跟我说晦气的话！"路明非挣扎着解开安全带，想要爬去副驾驶座上把那根长枪踹飞。

"昆古尼尔"确实恐怖，但是小魔鬼也恐怖，"昆古尼尔"是作弊的武器，小魔鬼也是作弊者，作弊对作弊，谁赢就难说了。

那股死亡气息令路明非不敢直接伸手去触碰"昆古尼尔"，他拔出短弧刀，狠狠地砍向"昆古尼尔"的枪柄，这支枪的柄似乎是木头的，应该是一刀两断的结果。

可刀刃和枪柄碰撞的时候发出了金铁撞击的轰鸣声，路明非的手腕都挫伤了，"昆古尼尔"却纹丝不动，依旧指向诺诺的心口。

路明非傻了，改为抬脚去踹，但还是无法撼动那支枪，它分明只是毫无依凭地悬浮在那里，却像是用看不见的钢铁支架固定住了，路明非豁出吃奶的劲儿都没法挪动它哪怕一厘米。

这倒难不住路明非，"昆古尼尔"牛逼没关系，挪不动没关系，他就挪动师姐好咯，他小心翼翼地抱住诺诺的肩膀，想要搬动她。

诺诺像是有几吨重，路明非累得直冒汗，此刻的诺诺看起来那么苍白，简直是个纸片人，可路明非却根本挪不动她，她就准确地躺在那个位置，那个将会被"昆古尼尔"贯穿心脏的位置。

"来帮忙啊！"路明非急了，冲小魔鬼大吼。

"哥哥，别傻了，把它们锁在一起的，是命运啊。"路鸣泽轻轻地叹口气。

路明非忽然看清楚了，那些白色的、细微的丝线……"昆古尼尔"和诺诺之间连着无数的丝线，那些丝线泛着钻石般的光泽，它们细得就像蜘蛛丝，可坚韧无比，那柄短弧刀连这些丝线都砍不开。

"那些就是，命运的丝线，'昆古尼尔'在被投出之前，命运已经把枪头和诺诺的心脏连在了一起。"路鸣泽说，"即使是奥丁本人，也无法改变注定的结果。"

"狗屁！"路明非气得牙根痒痒，想咬人，恨不得手边有个羊肉串啃啃，"改变不了你跳出来干什么？你不是很强么？这点小忙都不帮？"

"哥哥你愿意拿1/4出来跟我换么？"

路明非沉默了，他只剩最后的1/4了，要是再拿出去换了，就等于拿自己的命换了师姐的命。

师姐是很好没错，腰细腿长够义气，要是说情话不用负责任，路明非应该也可以像小说里的主角那样拍着胸口说："师姐！我豁了这条命不要，也要护你周全！"

可跟小魔鬼说话不一样，无数经验证明在小魔鬼面前小事可以扯淡，大事不能含糊，口风一定要紧，否则真的会生效，生效了他就死了。

如果这是他的妹子，没准也就拼了，他路明非倒也不是贪生怕死之徒，可这是人家的未婚妻，他玩命玩得好像有点不值，也许未来的人生里还有某个真正属于他的女孩在等他呢，他疲惫地走到那里，看她一眼，就会爱上她，从此平安喜乐再无纠结。

如果在这里就把命拼掉了，对得起未来等他的那个妹子么？他呆呆地坐在那里，脑洞大开浮想联翩……

小魔鬼轻轻地笑了笑说："我逗你的啦！没用的。"

"没用的？什么没用的？"路明非一愣。

"你给我1/4的命，我也没法救她，因为结果已经注定了，'昆古尼尔'就是那么奇怪的东西。"路鸣泽说，"从某种意义上说诺诺已经死了，你现在看到的她活着的状态……生命的残影。"

"说什么鬼话？"路明非原本还在犹犹豫豫，一下子又急眼了，"那你跑出来干什么？要你何用？"

前面三次都成功之后，他心里把自己的命看得比天都大，绝对相信它能逆转乾坤，可忽然间小魔鬼说卖命也不管用了，有种怀揣着宝不知到何处去献的恐慌。

他心说小魔鬼也就是傲娇吧？分明就是傲娇吧？他是那么地想要自己的命，能力又接近于无限，肯定能救诺诺的，下一刻他没准就会嬉皮笑脸地说，"不过看在哥哥你的面子上，我还是决定勉为其难地收下那1/4，帮你摆平这件事！"

可小魔鬼不笑，不知什么时候他已经站在车外的暴风雨中了，隔着车窗看着路明非，神色郑重又悲戚。

"对于不能改变的结果，能做的只是缅怀。"路鸣泽说，"不好好看看她么？最后的瞬间，多么美。"

路明非转过头，呆呆地看着诺诺，这时候他才觉察到那画面真是很美的，像是一幅大师之作，昏迷的女孩，宿命的矛枪，玻璃粉碎如雪，红发被气流吹开，衣衫破碎，苍白的皮肤下，暗青色的血管跳动，就像是在神罚下惊恐不安的群蛇。

所有的元素都暗示着同一件事，那就是死亡。死亡到来的那一刻，仿佛一场盛大的美。

路明非的眼泪无声地流了下来，只有在时间静止这种匪夷所思的状态下你才能那么平静地接受甚至说是欣赏死亡，要是这件事以迅雷不及掩耳的速度在他面前发生，他必定是怒吼或者惊叫。

这种状态下他能格外清楚地意识到死亡的强大，那种力量不以任何人的意志为转

移，就像黑夜静静地替换白天那样。

他回过神来，路鸣泽已经走远了。背影留在后视镜里，他哼着一首孤单的歌，双手叉在裤子口袋里。路明非大声地喊他，可他不回头也不答应。

被冻结的时间开始融化了，路明非感觉到风开始流动，悬浮的雨滴微微震颤，再没有什么能够阻止那命运的发生了，"昆古尼尔"一毫米一毫米地推进，诺诺的皮肤炸裂，溢出丝线般的鲜血……她自己对此毫无知觉，昏迷着蹙着修长的眉。

路明非默默地看着她，抚摸她的面颊，他有点想要吻一下诺诺，趁她还活着，反正诺诺不会知道，可是那种不会被察觉的吻跟吻一个死人有什么区别呢？透着一股猥琐，所以路明非只是抚摸她的脸。

时间冻结彻底终结，仿佛玻璃崩碎时"啪"的一声，路明非扑了出去，再也不顾"昆古尼尔"上凝结了多少死亡的意志，他狠狠地抓住那支枪，同时想用肩膀把诺诺撞出去。

但他什么都没法改变，巨大的惯性带着他的双手，倒像是他抓着枪刺进了诺诺的心口，他狂吼说不不不不……世界漆黑一片，温热的液体像泉水那样浸没他的双手。

雨哗哗地下着，世界漆黑一片，路明非从方向盘上抬起头来。

他在一辆车里醒来，车停在高速路边。

不是迈巴赫，而是法拉利，有人在外面使劲地敲着车窗。居然是芬格尔，那家伙披了一件雨衣，塑料兜帽上往下哗哗流着水，侧方不远处停着那辆比亚迪，打着双闪。

路明非茫然地看着他，还没能从前后两个差异巨大的场景中清醒过来，车窗就降了下来。

"你怎么来了？"诺诺大声问，是她降下了车窗，探身到路明非这边，跟芬格尔说话。

"楚子航那事儿，我找到了些有意思的线索！"芬格尔一脸得意洋洋，"可你们都不在，我就出来找你们了。"

"太扯了吧？你不是尾随我们吧？你开车随便乱转就能找到我们？"诺诺显然是不信。

"嘿嘿！嘿嘿！"芬格尔干笑两声，"师妹你别怪我对你没信心，你毕竟是我绑架来的，我怕你跑了啊，所以我在你的校服裙里塞了个 GPS 定位器……"

诺诺一惊，赶紧摸自己的裙子，果然在裙边的某个位置摸到胶囊大的、硬硬的东西。她撕开缝线，从里面抠出一粒银色的胶囊状物，果然是个 GPS 定位器……诺诺愤怒地用那个定位器去砸芬格尔的脸……

可定位器还没出手她就被路明非抓住了！路明非一把把她摁在座位上，抓起校服就看她的小腹……

他完全懵了，难道说刚才的一切都只是一场梦？可梦里的一切太真实了，每个细节都历历在目，那场盛大的、美丽的死亡，那浸没他双手的、温热的血，他的心如坠地狱……

都是自己臆想出来的？或者说现在眼前的一切才是自己臆想出来的？梦境和现实的混淆令他惊慌失措，他是想检查诺诺的腹部有没有那个巨大的伤口。

诺诺一时间懵了，被他在小腹上戳了好几下，回过神来之后，她抓起沙漠之鹰，用枪柄敲晕了这个色狼。

DRAGON RAJA

奥丁之渊

第八章

| 奥丁的阴影 |

The Shadow of Odin

这一刻噩梦和现实连通，八足天马喷吐着雷霆闪电，奥丁的
身体弯曲如硬弓，下一刻他就要射出那支枪……那支枪一旦
射出就必然命中，那支枪上带着死亡的命运！

"太冲动啦！冲动是魔鬼啊！"路明非再度醒来的时候，芬格尔正坐在床边，感慨地自拍大腿。

窗外还是阴阴的，屋里开着灯，路明非认出这是叔叔家，他正躺在自己的床上。

头很痛，记忆有点模糊，好像是一个梦境套着另一个梦境，前面的梦境里他看着诺诺被"昆古尼尔"刺穿了心脏，后面的梦境里他居然胆大到掀开衣服去摸诺诺的小腹……仔细想来后面那个梦还要更可怕一些！

"年轻人，对女性有憧憬是好事，掀开衣服就摸就不对啦！有空还是要跟我去去古巴！在南美妹子的海洋里体验一下生活，下次不要那么冲动啦！"芬格尔耐心地往他脑袋上搁凉毛巾。

路明非惊了，下意识地一模脑袋，脑袋上老大一个包，摸上去痛得想要流眼泪……痛是当然的，沙漠之鹰砸出来的包，怎么会不痛呢？

哇嚓嘞！原来后面那个更可怕的梦……是真的！

他一个翻身坐起，诺诺已经换了身衣服，面如严霜，眼神凶凶的，坐在窗前的椅子上，自梳长发。

"哎哟哎哟！我头疼我头疼！我什么都记不起来了！怎么办我这是失忆了么？"路明非哀号几声想要躺回去。

"晚啦！失忆这招不好用啦！其实你昨晚中途醒过来了一次，昏昏沉沉要水喝，忽然看见诺诺，扑上去跟人说你没事真好。"芬格尔叹息，"结果被一脚踹回床上去了，这下子你才睡踏实了，一觉睡到中午。"

"什么？中午了？"路明非不敢相信，从窗外的明暗程度来看，更像是凌晨或者阴天傍晚。

"暴风雨嘛，说这一带被热带气旋影响，会连续有很多天下暴雨。"芬格尔深沉地说，"转移话题聊天气虽然也是个巧妙的办法，但还是不能抹掉你昨晚的禽兽行为啊！"

"到底……到底怎么回事？我真有点记不清楚了！"路明非惨叫。

"能是什么样的问题？事到如今你还要掩盖自己的问题么？"芬格尔忽然严肃起

来，就像仕兰中学那位总戴着一副黑框眼镜的女教导主任，"犯了错误就要勇敢地承认错误！知错才能后改！说说你是怎么忽然对师姐动了不纯洁的想法？"

跟这个脱线的家伙讲不清楚，路明非跳楼的心都有了⋯⋯这时候诺诺一步上前，一把揪住他的领口："说！昨晚到底是怎么回事？"

被那双漂亮的、暗色的、小老虎一般凶猛的眼睛压制，路明非立刻就屁了，下意识地说我错了我错了⋯⋯

"我没问你那件事！"诺诺低吼，"我是问你昨晚到底怎么回事？你跟我交换座位说要开车，然后立刻就趴在方向盘上睡着了，怎么都叫不醒，芬格尔赶来你才醒⋯⋯醒来就撩我衣服，你没这种胆子！说！到底怎么回事？"

路明非心里那个感激涕零，心说师姐你真懂我知道我没有那个胆子⋯⋯

情况基本上清楚了，他们去那所医院找到了楚子航的母亲苏小妍，苏小妍自认为自己是去备孕的，但其实那是一间私立精神病院，他们返回去找苏小妍的时候，在半路上遇见了一辆迈巴赫，路明非以为那辆迈巴赫是楚子航和他父亲当年驾驶的那辆迈巴赫，而他们正行驶在尼伯龙根里，就要求和诺诺交换座位，自己驾车去追迈巴赫。

之后在他的感觉里，他追上了迈巴赫，遭遇了神秘的奥丁和黑影仆从们，他们逃脱，但在午夜 12 点的时候奥丁向着诺诺投出了他那支宿命的长枪。

而在诺诺看来，交换了座位以后他一头栽在方向盘上睡着了，一直睡到芬格尔来找他们。

他做了一个非常可怕的梦，那个梦里诺诺就要死了，这世上没人能救她，连路鸣泽都做不到。

"我做了一个很可怕的梦⋯⋯"路明非深吸了一口气。

"说下去！"诺诺的眼中炸出寒芒。

这时路明非忽然意识到屋里还有第四个人，一个穿黑色礼服的男孩，他微笑着站在诺诺背后，双手按在诺诺的肩膀上，用只有路明非能听得到的声音说："哥哥，宿命这种事，往往说出来就会变成真的哦。"

路明非狠狠地打了个哆嗦，那真的是一场梦么？为什么小魔鬼也知道那个梦？到底什么是真的什么是假的？他的世界乱得一塌糊涂。

但他真就说不下去了，他不由得相信了小魔鬼说的话，宿命这种事，说出来就会变成真的，他不能说出那个恐怖的梦，说出来就会变成事实。

"然后脑子不知怎么就乱了，惊醒之后行为错乱，师姐你原谅我⋯⋯"路明非只好哭丧着脸说。

屋子里静了几秒钟，诺诺铁青着脸，一屁股坐回椅子上去了，芬格尔继续自拍大腿："太冲动啦！冲动是魔鬼啊！"

"我们……我们聊点别的行么……"路明非战战兢兢地说,"芬格尔你说你……找到师兄的线索了?"

"费了点周折,"芬格尔陡然牛气起来,"不过终于让我找到了突破点!"

"什么突破点?"诺诺皱眉。

"我睡着睡着忽然想起校长在跟我喝酒的时候无意中说了一句话,他说仕兰中学真的没有像路明非那么优秀的学生了,要是当初那个姓鹿的男孩不出事,没准还能跟路明非竞争一下。"芬格尔缓缓地说,"姓鹿的男孩!"

路明非想了想:"这个姓很少见,我不记得我们学校里有姓鹿的。"

"没错!你不记得那个姓鹿的家伙,因为他在15岁那年出了交通事故,死在了一条高速公路上。"芬格尔说,"他当时是校篮球队的中锋,成绩也很好,如果是这种人升入高中部,确实能跟你竞争一下。"

路明非心说能跟我竞争的人多去了,我要不是那么多年一直厌到如今,又怎么会被你们俩收拾得服服帖帖的?

"我就黑了仕兰中学的校网,去查这个鹿姓男生的资料和评语,虽然学校的资料库不会记载他的全部信息,但从老师的评语里,隐约可以看出这个男生是跟生母和继父一起生活的,他的父母在他很小的时候就离了婚,而他的父亲是本地的一位大企业主。"芬格尔说,"这像不像路明非记得的那个楚子航?"

"确实很相似,但他没有活到高中毕业,而路明非记得的楚子航从仕兰中学毕业之后就去了卡塞尔学院,还当上了狮心会会长。"诺诺说。

"暂时只有这些,"芬格尔舔舔嘴唇,"不过我有种感觉,我们能从这条情报里挖出很多东西!"

路明非还没来得及说话,就听隔墙传来婶婶的穿脑魔音:"芬格尔啊,忙吧?来帮我拌饺子馅好吧?中午我们吃荠菜馅儿饺子!"

路明非愣住了,这不是他的活儿么?怎么婶婶却叫芬格尔帮忙?中年妇女的声音那亲切那慈祥,简直是在叫自己乖乖的亲儿子。

"来啦!婶婶我来啦!看我给您露一手!"芬格尔报以活泼可爱的回答,说完这个家伙就挽起袖子出门去了,俨然是婶婶一直寄养在德国的亲儿子。

走到门口他又转身冲路明非使了个眼色:"学着点!男人嘴不甜,怎么会有幸福的童年?"

屋子里只剩下路明非和诺诺了,两人面面相觑,却又有点尴尬。长久的沉默之后,诺诺皱起了眉头:"你做的那个梦……就那么可怕?"

"没什么,只是我自己吓自己。"路明非低下头,轻声说。

"休息会儿吧。"诺诺没再多说什么。她抱着一床毯子蜷缩在对面那张床的床角,很快就睡熟了，想来她也是一直折腾到现在都没有睡。

路明非闭了很久的眼睛，再悄悄地睁开，远远地看着那女孩的睡态，她的神情疲惫而头发凌乱，弯曲的细丝贴在脸颊上，修长的脖子上有青色的静脉凸起……一切都像极了那场梦，死亡降临的那一刻，她也是这么静静地睡着。

唯一的区别是这一睡过去路明非能把她唤醒，而那一睡过去，她就再也醒不来了。

"哥哥，宿命这种事，往往说出来就会变成真的哦。"小魔鬼已经走了，可那句话还回荡在路明非的心里，如同幽灵。

风雨之夜，市立图书馆。

这是一座颇有年代的苏式建筑，红砖外墙，白色屋顶，巨大的立柱，屋顶上还装饰着金色的五角星。

当年它是这座城市里的招牌建筑，叔叔说他们小时候春游就去市立图书馆，在图书馆里坐坐，就觉得自己在知识的海洋里游了个泳。如今它已经很过气了，馆藏图书也很久不更新，只有一批以前做党政工作的老干部喜欢泡在里面看免费报纸。

这几天雨下得太猛，管理员大妈们干脆锁了门歇工回家了，门上贴着"临时闭馆通知"。

"三更半夜的，你带我们来图书馆干什么？"路明非不解地问。

"当然是来找楚子航！"芬格尔用万能钥匙在锁孔里捣鼓着，啪嗒一声锁舌弹开，包裹黄铜的大门吱呀吱呀地开了。

他们脱掉雨衣——这些天连续暴雨，打伞都不好用了，大家出门都用雨衣把自己裹起来——踏入巨大而陈旧的阅览室，桌椅看起来是六七十年代传下来的，两侧的书架上站着封皮严重磨损的精装书，空气里有股淡淡的霉味儿。

正前方是面巨大的镜子，高有四五米，镜子周围装饰着金色的藤蔓花纹，透出一股皇家气派，镜子两侧是盘旋进入书库的螺旋楼梯。

沿着螺旋楼梯，他们向下进入地下书库。地下书库里的霉味更重，芬格尔高举手机照亮，找到了灯绳，拉亮了白炽灯。老灯泡嘶嘶作响，不像灯泡倒像是燃烧的火炬。

"这里全都是报纸，楚子航给埋报纸堆里了？"诺诺环顾四周。

这间书库里堆满了报纸，成捆的、发黄的报纸，用非常粗放的方式捆在一起，随便丢弃在角落里，很多已经生出了霉菌。

书架上也都是报纸，保存得稍微精心一些，每个月或者每个季度的报纸按顺序钉成一本册子，裹上白色的封面，像是一本本的线装书。

"别看是间破旧的图书馆，可这里存着这座城市的历史。"芬格尔得意洋洋地说，"包括那些被隐藏起来不愿公之于众的历史！"

"为什么这么说？"诺诺修长的手指轻轻扫过那些白封册子的书背，书背上印着日期，从新中国成立前直到今天，排列得整整齐齐。

想必这间破败的老图书馆里有一个或者几个非常敬业的老馆员，几十年如一日地买报纸，装订成册，即使并无什么人来这间书库里查阅。

"你们没想过这个城市本身就很有问题么？"芬格尔说，"它在中国也就是一座二线城市，但如果我们采信路明非的说法，确实有过楚子航那么个人，那么它出了一名S级学员和一名超A级学员，还有一个高架路构成的尼伯龙根，那里面有个自称奥丁能力堪比龙王的怪物。楚子航的父亲，当然这还是首先假设楚子航确实存在，应该是一名S级甚至超S级的混血种，而他的日常工作是给某位老板开车。超S级当然没必要给人当司机养活自己，那么唯一的解释是……"

"他在隐匿自己的身份。"诺诺说。

"是的，他看起来是个碌碌无为的中年司机，但实际上是个顶级屠龙者。他待在这个鸟不拉屎的地方……路明非我没有看不起你老家的意思……应该是在'守望'什么。但他意外地喜欢上了楚子航的母亲，生下了超A级混血种的儿子。但他终于有一天还是被仇家找上门来，仇家很可能是来问他索要一件什么东西，或者什么秘密，但楚子航的老爹没同意，跟仇家玩命，自爆了，只把儿子送出了尼伯龙根。"芬格尔耸耸肩，"那么在我看来疑问最大的……是这座城市本身！"

路明非愣了几秒钟，狠狠地打了个哆嗦。他想起了梦中的尼伯龙根，在那场梦里，尼伯龙根远远不止一条高架路的范围，而是整座城市。

难道说这座城市里真的有那样一个尼伯龙根么？那么它当然是值得、而且必须被守望的，被最精英的屠龙者守望。

北京尼伯龙根的范围也不小，但毕竟还是限于地铁隧道，没有侵蚀地面空间。那样的尼伯龙根里藏着大地与山之王，要是他老家的尼伯龙根里没有藏着一位龙王，似乎说不过去。

难道说他从小到大都生活在尼伯龙根旁边？某个极至危险的庞然大物随时都会醒来……也许它已经苏醒了，奥丁身上那种介乎神圣和恶魔之间的气息，岂不像极了白王赫尔佐格？

"这座城市很奇怪，有各种各样的都市怪谈，神秘的零号高架路并不止楚子航见过，也有人说在暴风雨的夜晚，看到海市蜃楼般的高架路，像条巨龙似的冲入浓雾中，但他们找不到高架路的入口。"芬格尔说，"还有这座城市每隔几年就有暴风雨，莫名其妙的暴风雨，周围一片都是晴天，积雨云就扎堆在这儿下雨。"

"元素乱流，"路明非说，"在出现元素乱流的情况下，大气甚至地壳都会变得莫名其妙，有可能连续几个月下暴雨，也可能火山群集体爆发。"

　　世界由五种核心元素组成，通常情况下这些元素的分布是平衡的，但在被剧烈扰动的情况下，会产生正常人肉眼不可见的元素乱流，而元素乱流引发的大气现象，比如大气放电、极光、暴风雨、剧烈的气温变化，则是谁都能觉察到的。

　　这些在卡塞尔学院的课本中都有写，但是最直接的感受还是来自那场几乎淹没东京城的暴风雨，白王赫尔佐格的诞生完全打破了空间中的元素平衡，引发了末日般的灾难。

　　难道说他的老家一直就位于一场元素风暴的风暴眼里？

　　"以前当地的报纸经常报道这类消息，还扯上了风水学和神秘学，比如说这座城市奠基的时候在城墙角下挖出了一条泥塑巨龙的尾部，谁也不知道它的身体有多大，当时负责奠基的官员就赶紧把泥龙给埋上了，说那可是条真龙啊，只是还在睡着，不能惊醒它，惊醒了它别说筑城了，整座城的人都得死。"芬格尔说。

　　路明非点点头："我也听说过，老人说我们这里有些地方搞基建不能打桩，打桩机往下一砸，桩就断了，因为下面刚好打到那条泥龙的身体了，龙不高兴，就把桩震断了。还有些搞地产的老板找过风水大师来看，大师说打不下去桩的地方就要杀一头牛把牛血灌下去，地下的龙吃了牛血就会把身体挪开一点，桩就能打下去了。"

　　"什么乱七八糟的。"诺诺说。

　　"这种民间传说，官方本来也不管，"芬格尔说，"可是几年前出了一件大事，就是那名姓鹿的学生和他的父亲在暴风雨中出了车祸，那场车祸十分怪异，出事的车辆就是一辆迈巴赫。它在一片废弃的农田中被发现，出事地点距离最近的公路有差不多四公里远，车头向下，扎进被雨水泡软了的水田里。当晚暴风雨严重到连救援车都无法出动的地步，怎么把一辆报废的迈巴赫轿车送到水田里去扎着呢？而且前后左右都没有车辙，那辆车好像是从天上掉下来扎进水田的。这时候各种大小报纸就活跃起来了，说什么的都有，有人说那辆车是掉到时空隧道里去了，也有人说那辆车是被'五鬼搬运'到那里去的，一时间有点人心惶惶。市委宣传部觉得这事情要搞大，把各家报纸的主编都叫去通报批评，不准再报道那起事故了，公安局也找不出合理解释，就作为疑案封存处理了，我们想要知道当初那件事的前因后果，就只有靠这些老报纸。"

　　"但那名出事的学生姓鹿。我们要找的是楚子航。"诺诺说。

　　"两个人很像，不是么？"芬格尔抱起大叠大叠的合订本丢在满是灰尘的桌子上，"也许是路明非听说过那名姓鹿的学生的遭遇，记忆错位，把那记成了发生在楚子航身上的事。总之先把那个姓鹿的学生从报纸里找出来再说。"

　　诺诺也不多问什么了，三个人就着唯一的一盏白炽灯，摊开那些报纸合订本，按照日期搜寻。

　　翻看旧报纸让路明非记起以前的好多事，比如仕兰中学和挪威某所贵族中学结成

友好学校，还有仕兰中学军乐团参加省中学生运动会开幕式演出什么的……泛黄发脆的报纸在手指间哗啦啦地流过，好像时间也哗啦啦地流过。

"找到了。"诺诺说着把那张报纸推向路明非和芬格尔。

头版头条的标题是《雨夜恶性交通事故，车辆残骸被神秘搬运》。报道很有趣，记者讲得绘声绘色，好像出事的时候他就坐在那辆迈巴赫里。本地素来盛行小报文化，家长里短的事情经过添油加醋能说得堪比日俄战争般激烈，何况是这种神秘事件。

"我这里也找到一个版本。"芬格尔说。

芬格尔找到的版本就更八卦了，还附有对仕兰中学校长的采访和失踪者的身份披露，那名学生名叫鹿芒，仕兰中学初中三年级学生，成绩优秀，还是篮球特长生。

路明非越读越惊悚，因为芬格尔找到的版本里配了一张事故现场的图片，那辆伤痕累累的迈巴赫岂不就是他在梦中见到的那辆？这种顶级豪华轿车在全世界范围内都是有限的，加上特别定制的颜色，基本不可能找到一模一样的第二辆。

他的头隐隐作痛，恐惧在心里不断地涨潮。这个姓鹿的学生怎么会经历类似楚子航的事？太像了，实在太像了！

"鹿芒这个名字听着熟么？"诺诺盯着路明非的眼睛。

路明非想了很久，摇了摇头，他完全没有听过这个名字，鹿本身就是个很罕见的姓氏，何况这家伙还叫"路盲"，他要真有这样一个同学，不可能不记得。

越来越多的相关新闻被找了出来，那段时间大大小小的报纸都在讨论那场车祸，有专家信誓旦旦地说这是一种科学暂时不能解释的自然现象，比如暴风雨中出现了微型虫洞，迈巴赫是穿越虫洞掉到农田里去的。

还有专家则推测这辆迈巴赫是被外星人的飞碟捕获了，飞碟本来要带着它去外太空的，可也许是因为暴风雨，就把它扔在农田里了。

关于鹿芒的信息也越来越多了，就像芬格尔从校长那里听说的，他的父母很早就离婚了，他被判给了母亲，母亲改嫁了有钱的继父，继父是本地的大企业家鹿天铭。

鹿天铭也接受了媒体采访，表示这件事令他们全家都非常伤痛，鹿芒就像他的亲生儿子一样，他希望公安机关能够查明事情真相，给家属一个交代。

用电线吊着的白炽灯摇摇晃晃，报纸上光影凌乱，无人说话，每个人都在思索。

这个鹿芒出现得太奇怪了，感觉楚子航上高中以后的事情都发生在路明非身上了，初三以前的事情都发生在这个鹿芒身上了。

难道说路明非真的是记忆错乱，把自己的部分经历和鹿芒的部分经历拼了起来，拼出了一个名叫楚子航的人？

"鹿天铭……鹿芒……楚子航……苏小妍……"诺诺轻声地念着这些名字，瞳孔中一片空白。

她在"侧写"，各种各样的线索在她脑海里拼接，试图拼出原本的真相。但太混乱了，就像一个幽深的旋涡，要把她的心神全都吸进去。她也头痛起来，轻轻地按住太阳穴……

这时候路明非抬起头来，幽幽地说了一句话："那个鹿芒……他原本一定不姓鹿……对不对？"

诺诺一惊，原本错乱的头绪忽然都接上了，就像一个最关键的零件被塞进了正确的位置，卡死的机械立刻流畅地运转起来。

是啊！他的继父叫鹿天铭，而鹿是个很稀罕的姓氏，也就是说鹿芒在母亲改嫁之后改跟继父姓了，那么他原本的姓氏是什么呢？难道是楚？

根据路明非的记忆，楚子航是在初三那年第一次遭遇奥丁，失去了生父，这是他一生中最痛悔的懦弱，在这种情况下，他是不是会改回原本的名字呢？

换而言之，鹿芒和楚子航是同一个人，他在初三以前叫鹿芒，之后改名为楚子航。

路明非真正认识楚子航是在高中阶段，所以只知道他叫楚子航，却不知道他还有鹿芒这个别名。高中阶段的楚子航凭着一张面瘫脸赢得了各路女孩的芳心，他原本还没那么面瘫，但在生父死后，他那些负责笑的神经好像就沉睡了。

只是根据这些新闻，鹿芒死在了那场车祸里，也就没有机会变成楚子航了，来不及大放光彩。而路明非却因为楚子航的缺位而崭露头角，一举成为仕兰中学的男神。

路明非呆呆地坐着，眼神呆滞，诺诺想明白的时候他也想明白了，难道说这些年来他一直认识的是一个死人？一个从那场事故中逃出来的、不死心的灵魂？

一个……孤魂野鬼！

他又记起了路鸣泽带他参加的那场葬礼，那具棺材里装着 15 岁的少年，那个少年的名字是鹿芒，或者……楚子航！

巨大的雨点打在屋顶上，传到地下书库里只剩下细碎的沙沙声，沙沙沙沙，沙沙沙沙，仿佛数以亿计的沙子落下，要将全世界都掩埋。

世界好像在若干年前分裂成了平行的两个，一个世界里有楚子航，超 A 级屠龙者楚子航，另一个世界里只有死去的鹿芒，其他人挤占了楚子航原本的空间。世界继续熙熙攘攘，少了谁地球都会照转。

路明非一直生活在前一个世界，但现在他莫名其妙地掉进了后一个世界，抑或楚子航根本就是他的幻觉，世界不曾分裂，是他精神分裂，就像那部电影里疯掉的母亲那样。

他忍不住颤抖起来，觉得这个世界再无一个温暖安全处，好像他自己才是那个从事故中逃出来的孤魂野鬼。

"你们谁知道薛定谔的猫？"诺诺忽然问。

"那只半死半活的猫？"芬格尔说。

诺诺点点头："'薛定谔的猫'是个量子力学领域的悖论，1935 年由奥地利物理学家薛定谔提出的。说把一只猫放进一个小箱子里，箱子里有个装置可以放出毒气把猫毒死。而这个小装置是用一个会衰变的放射性原子核控制的，在未来的一个半衰期内，它要是衰变，就释放毒气毒死猫，要是不衰变，就不会释放毒气，那么猫当然活着。在量子力学领域，我们没法确定一个原子核会不会衰变，只能说它衰变的可能性是 50%，这是一个概率。"

"所以猫有 50% 的机会会死？"路明非没听懂。

"没那么简单。在量子力学领域，没有什么状态是确定的，那个原子核其实有两种状态，衰变的，和不衰变的，这两种状态以波函数的方式叠加。"诺诺说，"这就是所谓的波粒二象性，在微观世界里，物质也是一种波。"

"没懂。"路明非老老实实地承认。

"不必懂，总之，按照量子力学的理论，箱子里的猫也存在两种状态，死的和活的，以波函数的方式叠加起来。"诺诺说，"除非有个观察者打开箱子看了一眼，那一刻波函数坍塌，猫要么活着，要么死了。"

"你的意思是……楚子航可能也存在两种状态，一种活着，一种死了？路明非认识的是那个活下来的楚子航，而我们观察到的是楚子航已经死掉的世界？这也未免太玄妙了吧？"芬格尔皱着眉头，表现得好像自己在思考。

"我说了薛定谔的猫是个悖论，在正常人的理解范围内，箱子里的猫要么活着要么死了，不可能是半死半活的，但在量子力学的范畴内，它就是半死半活的，你说得不错，很玄妙。所以有种更加神奇的理论说，世界也是多种状态叠加的，也许在楚子航 15 岁那年的雨夜，世界分裂出了两种可能性，一种是楚子航从尼伯龙根中逃出来的结果，一种是楚子航死在尼伯龙根中的结果。路明非看到的是前一个世界，我们看到的是后一个世界。"诺诺幽幽地说。

所有人都沉默了，这种推论实在是太恐怖了，远比某种强大到可以给所有人洗脑的言灵来得恐怖。

如果存在着楚子航没能从尼伯龙根中逃出来的世界，那么是否也存在着黑王没有被杀的世界？在世界的某个可能性中，龙族依然是绝对的统治者，黑色的巨龙在北方的王座上仰天咆哮，人类恐惧地下跪？

"想不通的事情先不要想，好歹我们找到了一些线索。"最后还是芬格尔打破了沉默，"这个没有楚子航的世界也不错对不对？师弟你在这个世界里呼风唤雨，整个仕兰中学都是你的后宫！说起来今天白天苏晓樯还来家里找你，找不到你就帮你婶婶煲汤呢。"

"苏晓楠为什么要来我们家下厨？"路明非吃了一惊，实在想不出小天女"洗手作羹汤"的场面，不知为何，感觉好恐怖好恐怖。

"好像是你叔叔对外说你这次回来是要考察国内的发展机会，没准毕业后要回国工作，"芬格尔耸耸肩，"已经有不少你的老相好，啊不，老同学来跟我打听你是不是有女朋友啦。听说那头最健壮的野猪又来附近的林子里晃悠了，女英雄们都骑着马带着猎枪出来啦！"

"我靠！你怎么回答的？"路明非说，"你别给我惹麻烦啊！"

"我们那么亲的关系我能害你么？我说女孩们啊，收收心吧？你们想想路师兄这样英俊潇洒、心怀世界的男人，在美国也是很受欢迎的哇！他虽然还没有女朋友，可在我们学院也有很多的追求者。"芬格尔演得活灵活现，好像他对面就坐着苏晓楠和柳淼淼，"比如那个非要跟着他回国看看的陈师姐，都是你们的竞争对手啊！追了好久了哇！"

"屁！"诺诺大怒，"你这是活腻味了么？从来只有别人追我！我什么时候追过别人？"

路明非心说师姐你有自尊心当然是好事，但是这件事的关键并不在于是不是伤自尊好么？

"拿你当个盾牌给路明非挡挡嘛。"芬格尔耸耸肩，"又不会掉块肉。可你这盾牌都不好用呢。"

"怎么说？"诺诺一愣。

"哟，师姐啊，那不是个老女人嘛！"芬格尔忽然拗出一个造型，前凸后翘 S 形，声音娇嗲又不失凌厉，活脱脱一个苏晓楠。

"我靠！"诺诺简直怒发冲冠了，可半秒钟之后她就蔫了，郁闷地吐出"尼玛"两字。

无论在卡塞尔学院还是金色鸢尾花岛，她都是公主……野喳喳的公主也还是公主，被很多人暗恋或者明恋，她都懒得理。可在这座二线城市里，她陈墨瞳竟然成了被人看不起的……老女人！

凭什么啊！她也就比路明非高一年级而已，如果她现在还在卡塞尔学院的话，也就是只比苏晓楠柳淼淼她们大一岁，大一岁怎么就是老女人了？姐姐我还风华正茂呢！姐姐我还……

可她忽然觉得灰头土脸，觉得自己真的是老了。什么是老？不是说你跑不动跳不动吃不动大餐了，也不是说你皮肤松弛关节疼痛了，而是你已经功成身退封金挂印告别江湖了……

她可不就是要告别江湖了么？所有侠女嫁了人都得告别江湖，黄蓉赵敏任盈盈概

不例外，江湖永远属于不知天高地厚的小妖女，她们初来乍到无所畏惧，对着老侠女的背影发出轻蔑的冷笑。

"走走走！回去再说。"诺诺挥挥手。

路明非和芬格尔对视一眼，路明非抓起最重要的几本报纸合订本，芬格尔拉灭了电灯。

他们走在那间巨大而陈旧的阅览室里，没人说话，今晚的发现实在是太恐怖了，不是吓得你跌一跟头的那种恐怖，而是从心底最深处往外幽幽冒着寒气的恐怖。

风吹着图书馆的大门，当当作响，雨把门口一大片都打湿了，白色的窗帘有灵性似的扭摆，像是穿着白纱裙的女人们在跳舞。路明非没来由地有些不安，好像有什么人居高临下地看着他们，看着他们这些被命运丝线死死拴住的……凡俗！

他在某个地毯的隆起处打了个磕绊，报纸散落一地，俯身去捡的时候，看见了背后的那面大镜子。

巨大的镜子，简直像是通天彻地，镜中涌动着雷霆和金色火焰，骑着八足骏马的男人矗立在镜中，镜中倒映出的景象不是这间阅览室，而是风雨中的高架路。

奥丁！他高举着命运之枪"昆古尼尔"，策马缓步地踏出镜子！

诺诺和芬格尔都没有注意到背后的异象，只有路明非看见了，这一刻噩梦和现实连通，八足天马喷吐着雷霆闪电，奥丁的身体弯曲如硬弓，下一刻他就要掷出那支枪……那支枪一旦射出就必然命中，那支枪上带着死亡的命运！

路明非想要尖叫，可是发不出声音，他确信那支枪锁定的是诺诺，在他的梦境中，在此刻的镜子里，奥丁想做的是同一件事！

镜子的表面如水波那样颤动，金光破碎，火焰喷射，梦中的恶魔就要通过镜子跨越现实和虚幻的边界，而他只能呆呆地站在那里看着，束手无策。

他发出尖厉的嘶叫，发疯似的扑向诺诺，把她压在身下，尽管他知道这根本没用，"昆古尼尔"——那件武器根本不是靠精准的轨迹来命中的，把它和标靶连在一起的，是命运的丝线。

诺诺惊叫着想要推开他，可这一次路明非紧紧地抱着她，令她连挣扎的力气都没有，不知何时这个衰仔变得那么强壮了，她被路明非抱着，像是被狮子摁住的鹿。

芬格尔也在惊叫，他说："冲动是魔鬼啊师弟！勇气虽然可嘉！可好歹等我们到家，那里至少还有张床……"

路明非什么都不管什么都不顾，他只知道紧紧地抱住诺诺，把自己的后背冲着奥丁的枪尖……来吧奥丁！射杀这个女孩前他妈的就把我也射穿好了！他虽然无法改变命运，但至少能嘲笑它！

这一刻，外面的风雨声变得那么清晰，狂风暴雨雷霆闪电，诺诺的惊呼、芬格尔的惊叫都扭曲了，他闭上了眼睛，唯一清晰的感触是诺诺头发里的气息……这让他想起那一年在三峡水库里，当时他也是这样紧紧地抱住了昏迷的诺诺，她的头发如海藻般在水中飘动，发间好像也是这样的香气。

真搞笑，这个时候他居然还有这种绮念，想着女孩发间的香气，其实他就要死啦，他的女孩也要死了。而且在水中他怎么能闻到诺诺的发香呢？只是自欺欺人的幻觉。

"昆古尼尔"突出了镜面，奥丁即将破镜而出，这时候时间停顿，风雨也停顿，寂静得仿佛太古洪荒。

消瘦的身影站在了镜子和路明非之间，隔断了那支枪的飞行轨道，他脸上的神情是那么地不屑，完全不像是他那个年纪的孩子应有的表情。

他说："滚！"

那是路明非最大的盟友和敌人，永远无法摆脱的跟屁虫，号称最爱哥哥的弟弟，却又是他生命的吞噬者，魔鬼——路鸣泽！

路鸣泽抓起一本厚厚的精装本，用力丢了出去。精装本翻滚着砸在镜子上，镜面粉碎，镜中的奥丁也粉碎，他发出不甘的号叫，世界在号叫声中颤抖，但终归寂寥，只剩下一地碎片。

"挑战我的话，让正主来，你算个屁！"路鸣泽淡淡地说着，拍了拍手。

路明非呆呆地看着这个忽如其来的救兵，注意到他用来投掷精装本的那只手上满是裂纹，鲜血淋漓。可路鸣泽还是面无表情地拍着手，全不顾鲜血四溢。

"哥哥，快跑，"他转过身来，看着路明非，微笑，"我不是每次都能救你的。"

他转身出门，手上的血流了一路，他就这么扬长而去，在背后关上了门。

时间流恢复正常，风雨继续，窗外雷霆电闪，路明非抱着诺诺把她压倒在地，芬格尔扑上前来，但那架势感觉不是要拉开路明非，而是要帮着把诺诺摁住……那面巨大的镜子忽然碎裂，一地玻璃渣，后面是一面朴素的砖墙。

"冲动是魔鬼啊！师弟你是不是要继续？你们要继续我就回避一下……"芬格尔认真地说。

诺诺愤怒地盯着路明非，路明非一跃而起，跌跌撞撞地狂奔出去。

诺诺原本怒气爆表，此刻却愣住了，呆呆地看着路明非的背影，他跑得那么惊恐和绝望，像是从地狱里逃脱的亡魂。

卡塞尔学院，冰窖，副校长被捆在一张躺椅上，捆住他的是青铜的锁链。

身穿白色西装、系着蓝色领巾的年轻人站在他面前，偌大的空间里只有他们两个人，四目相对。

"你看起来越来越像你家的混蛋老爹了。"副校长说,"他也总穿白西装,但你比他酷。你好啊,新任校董,恺撒·加图索先生。"

"像他是我的耻辱。"恺撒走到那张钢铁躺椅的旁边,"你好,弗拉梅尔导师。"

"真想喝口酒啊。"副校长说。

"想到了。"恺撒掏出白银酒壶,把壶口凑到副校长唇边,酒壶里溢出陈年威士忌的香气,副校长迫不及待地吞了一大口,感受着酒液流过舌头和喉咙的热烈感,舒服地哼哼两声。

"我猜猜,35 年陈的 Port Ellen?"副校长咂摸着酒味儿。

"不,30 年陈的 Talisker。"恺撒淡淡地说,"好几天不喝酒了,您的味觉有点退化。"

"妈的居然连这都喝不出来了,说起来我还去过那个酒庄呢,躺在 Skye 岛的天空下,看着满天的极光,我在那个岛上结交过一个漂亮的苏格兰姑娘,可她老爹反对我俩在一起。"副校长叹了口气。

"您活了多少年了? 80 年? 100 年? 150 年?"恺撒说,"还是别祸害苏格兰姑娘了,酒的话倒是管够,我会让校董会定期给您送酒的,就是不能解开这条锁链。"

"是啊,炼金锁链'龙之束缚者',自带炼金矩阵,血统越强的人越会被它束缚,说起来这条锁链还是我从苏美尔王朝的古墓里挖出来的呢,真是作茧自缚啊。"副校长又叹了口气。

"没办法,以您的血统,加上极致的炼金术,想要把您留在卡塞尔学院,总得用点强制手段。"恺撒再度把酒壶凑到他唇边,喂了他一大口。

"有问题就问,看你带好酒来看我的分上,我只要知道的,都可以告诉你。"副校长说,"你这种混蛋小子,肯定不是纯为给我送酒来的。"

恺撒点了点头:"您不是不通事理的人,我知道芬格尔是您看重的人,但您不会只为了芬格尔就违背秘党的宗旨,谁都清楚龙王复苏会带来的灾难,您还不至于对人类的死活完全不关心。那么,是什么促使您帮助芬格尔,或者说,帮助路明非?难道您也相信世界上真有楚子航这个人,是我们都疯了,而路明非是唯一清醒的人么?"

"那你可错了,我就是那种今朝有酒今朝醉的人,人类的福祉和世界的未来干我屁事?"副校长哼哼,"要不是人类中有我喜欢的姑娘……"

"以您的性格应该去世界的各个角落,不被束缚吧?可您还是在卡塞尔学院待了那么多年,不会是因为您的儿子吧?"

"我可不担心我儿子,他是个聪明人,知道怎么保全自己。"副校长叹了口气,他今天叹气的次数加起来可能比前半辈子叹气的次数都多,"是为了昂热那个笨蛋,没有老子给他护法,他真会死的吧?他还活着么?"

"生命体征还算稳定，但一时半刻还醒不过来，也许一辈子都醒不过来。"

"你也相信是路明非给了他那致命的一刀？"

"作为恺撒·加图索，我不相信，但是作为校董，我不得不承认这是最大的可能性。"恺撒说，"我现在是校董了，代表加图索家，世界和人类对您来说不算什么，但我要尽我的责任。"

"你跟我当初想的不一样。"副校长翻着白眼，看着恺撒。

"当初您觉得我是什么人？"

"我觉得你会和那个名叫陈墨瞳的学生去环游世界，乘着一艘挂白帆的船漂在大海上，管他外面是世界末日还是歌舞升平。说真的那是个很好的女孩，你应该更珍惜她的。"副校长说，"可你最终还是成了加图索家的代言人，尽你的家族义务。"

"我不是为了加图索家做这些事的，我是个秘党成员，我为了秘党的使命。"恺撒淡淡地说。

"守护这个世界？严防龙族复苏？"副校长咧嘴，"或者，为了你自己的骄傲。"

恺撒沉默了很久："为了我自己的骄傲吧。我为了那个东西而活着，为了公平、正义和我认可的那些原则，为了那些东西，我可以去死。如果不坚持这些，恺撒·加图索也就不是恺撒·加图索了，我也不配跟我喜欢的女孩在一起。"

"你这种笨蛋从古到今都特别多。"副校长说，"好吧，我回答你的问题，为了你带来的好酒……和你的骄傲。"

"您记得楚子航这个人么？"

"完全不记得。"

"是否会有一种言灵，它能改变我们所有人的记忆，把原本存在的人抹掉？"

"最高阶的几种言灵，人类至今对它们所知甚少，言灵周期表是人类基于自己对言灵的理解而建立的表格，一定有某些言灵是在周期表之外的，还有言灵是在周期表之上的。"

"周期表之上的？"

"我们目前所知的序列号最高的言灵，是121位的'神谕'，那是专属于白王的言灵。112位之上的言灵，我们就称为'神级言灵'了，意思是它造成的效果可以看作神迹。神级言灵中你们所知的，譬如'归墟''烛龙''湿婆业舞''莱茵'，都是拥有巨大破坏力的言灵，可以毁灭一座城市，甚至造成通古斯大爆炸那样的灾难。但121位以上呢？言灵是到121位为止么？不，在这些言灵中还没有黑王的专属言灵，对么？"副校长不屑地说，"因为黑王在人类开始记载历史之前就陨落了，所以人类对黑王的言灵一无所知，人类是过于自负的物种，总觉得自己了解的东西就是全世界，可事实上人类了解的只是世界的一角。某些言灵，人类至今为止未曾知晓。"

"这种超高阶言灵中包括了能够改变人类记忆的某种言灵？"

"远比你想的更加可怕，你以为龙王只能改变未来么？不，"副校长的声音很低，好像在讲述世界终极的秘密，"它们甚至能改变过去！"

恺撒怔住了，几秒钟之后他悄悄地打了个寒战。

能够改变过去的力量么？那已经超越了科学的范畴，进入了神学的领域，如果世上真的存在那种力量，人类根本连挣扎的余地都没有！他们曾把龙类当作拥有巨大力量的生物，但那种东西在神话中……其实是神！

"别相信自己的眼睛，别否定可能性，别以为你在猎杀一种超级生物，龙，可能此时此刻就看着你，就在你身边！"说完这句话，副校长闭上了眼睛，"真是好酒，让人送个 20 瓶来吧。"

"谢谢您，弗拉梅尔导师，您的话我会认真思考，酒一会儿就送来。"恺撒站起身来，微微躬身，离开了冰窖。黑暗的空间里，只剩下弗拉梅尔导师缓慢的呼吸声。

DRAGON RAJA

奥丁之渊

第九章

| 无限循环之梦 |

Dream of Unended Circulation

"到底谁是大Boss呢？"路明非很轻很轻地问。

小魔鬼似乎没有听见，所以也就没有回答。

整个世界微微颤动起来，悬浮的雨滴摇摇欲坠，长发的发梢轻轻摆动，枪火缓慢地膨胀，死寂中传来悠长而沉雄的马嘶声。

　　路明非慢慢地睁开了眼睛，周围是一片柔和的、白中带点微蓝的光，眼前的景物由模糊到清晰，这是一间大约只有 10 平方米大的小屋，没有窗户，一侧是一面大玻璃镜子。

　　屋里的陈设很简单，一张朴素的木桌，两张木椅子。路明非坐在一张木椅子上，对面的木椅子上坐着身穿短袖衬衫、戴着细边框眼镜的陌生中年男子。

　　"你醒啦？感觉怎么样？"男子亲切地说。

　　路明非挠挠头，努力想自己为什么会忽然在这间小屋里醒来，他最后的记忆是他跑出那间老图书馆，狂奔在风雨中。

　　这座他应该称作"故乡"的城市在他眼里变得那么孤单和恐怖，这里的每个人看起来都是陌生人，连他自己都是陌生人。唯独奥丁是真实的存在，它好像就立马在风雨中的某处，对着择路而逃的路明非发出冷笑。

　　再然后的记忆就模糊了，好像自己忽然就倒在了积水里，呼吸的时候雨水呛进肺里，然后他就彻底晕了过去。眼下神志虽然恢复了，可头还是很痛，痛得像要裂开。

　　"你跑着跑着摔倒了，有点脑震荡，你的家人就送你来这里，让我们帮忙检查一下。"男子接着问，"你感觉怎么样？"

　　路明非松了口气，原来只是摔倒了而已。脑震荡算屁，如今他见多识广，就算一觉醒来发现自己穿越到了改革开放前他都不紧张，扭头就去找当时还在混初中的叔叔，叮嘱他将来有点钱别投股市早买房。

　　叔叔要不是在股市上亏了个底儿掉，路家的房子就是三室一厅不是两室一厅，婶婶也不至于那么大怨气，路明非和路鸣泽也不至于挤一间小卧室。要是拥有一间独立卧室，路明非的中学时代也会幸福一点，至少他有地方藏那些盗版小漫画。

　　"我没什么事情，麻烦你们啦。"路明非说着就想走。

　　"还是做点简单的检查吧，要是脑震荡的话没准会有后遗症哦。"中年男子打开文件夹，"我问你几个问题，你放松回答就好，你记得自己的名字和身份么？"

　　"路明非，在美国卡塞尔学院上大学，本地人，从仕兰高中毕业。"路明非说，"您是大夫么？我跟您保证，我真没事儿。"

"看起来真的没事，"大夫笑了笑，"那就帮我个小忙把检查做完嘛，反正就是回答几个问题的事儿，不耽误你多大工夫。你有过神秘主义的体验么？比如……见鬼什么的。"

路明非一愣，心说脑震荡检查还有这种问题，不过还是老老实实地回答了："有过……吧？"

对他来说神秘主义体验什么的根本就是家常便饭，上课听的是神秘主义的课，下课执行的是神秘主义的任务，执行任务走错门会误入尼伯龙根，至于见鬼，路鸣泽不就是个鬼么？魔鬼也算鬼的一种……吧？

"哦，见过鬼……"大夫点点头，"那你有过分不清梦境和现实的情况么？"

"那得看我睡得是不是够死，睡得很死的话，刚醒过来的时候是有点搞不清楚状况。"

"你喝酒么？我的意思是……喝醉？酗酒？"

"得看要不要钱，收钱的话可酗不起，吃自助餐有时候可以喝到爽。"

"你失眠么？使用安眠药么？"

"睡前喝点酒就当安眠药了。"路明非挠挠头，"不过我跟你讲真，不喝酒我也是沾枕头就着。"

"嗯……酒精依赖……"大夫沉吟了片刻，"你会不会没有原因的心悸、紧张或者虚汗？"

"没有原因的心悸、紧张和虚汗我是没有，不过有原因的那是经常有。"

"什么样的原因呢？"大夫眼睛一亮，"尝试跟我倾吐一下？"

"跑1500米的时候！"路明非真诚地回答，"那何止是心悸紧张啊！心脏都要跳到喉咙口了我！整个人汗得透透的，不过这应该不算是虚汗吧？对！都是实汗！"

大夫的眼神略有些呆滞，不过听完了还是微微点头，在文件夹里写了些什么。

"那你有没有幻想自己跟自己说话？"大夫问这个问题的时候眼神闪烁，"比如自己身体里住着一个男孩和一个女孩，男孩和女孩互相说话，诸如此类。"

路明非愣住了，他觉得这个问题有点不对，这怎么会是检查脑震荡用的问题呢？这个问题等同于直接问他说，你是不是精神分裂啊？他在卡塞尔学院也涉猎过这方面的课程。

"没搞错吧？你们……你们以为我神经病？"路明非哭笑不得，"别逗了，我就是摔了一跤晕过去了，还能摔成神经病嘛？"

"别紧张别紧张，常规检查，常规检查而已，检查出好结果不就好了么？"大夫笑得有点尴尬。

"你不相信我？"路明非有点生气了，原来刚才自己一直被当作一名潜在神经病

被提问。

"我也不是不相信你，你要放松，遵从自己的内心，放松地回答问题。"大夫说。

"我怎么放松？我被人当作神经病了我还放松？"路明非大声说，"你干脆直接地问我最高难度的问题好了，看你能不能考住我！"

"什么最高难度的问题？"大夫一愣。

路明非也被问住了，他再闲也不会在精神病这门科学上下工夫做研究，刚才只是努力想证明自己正常而已，他哪知道什么最高难度的问题。

"你觉得什么样的问题才是最高难度的问题呢？"大夫的眼镜忽然掠过两道反光，就像动画中的柯南君猜出了杀人凶手，"什么问题一下子能帮我们分辨出正常人和精神病人呢？"

"我……"路明非这回真傻眼了，他觉得自己被大夫反将了一军，被逼到了角落里。

"放松……放松……随便说说，就当聊天嘛，把我看作你的好朋友嘛。"大夫说话的语气活像骗小鸡的黄鼠狼。

"你就……你就在墙上画个门什么的，问我说我怎么才能离开这间屋子！"路明非情急生智，想起以前看的《精神病院笑话集》。

"对啊，这是个好问题啊，如果我在墙上画一扇门，你怎么才能离开这间屋子呢？"大夫身体前倾，语气无限温柔，"你想回家对不对？走出这扇门你就回家啦，没有人会阻拦你的。"

路明非给气得不行："你还真当我神经病啊？我要是神经病我就会去撬门，我要是更厉害的神经病还会以为自己有钥匙！可我丝毫都不神经病所以你就算给我画出一扇门来老子也坐在这里不动！"

"哦！原来正常人会坐在那里纹丝不动啊！"大夫频频点头，"那还有什么更厉害的问题呢？"

"你……你还可以带我去看一浴缸水，发我一把小勺子，让我把浴缸排空！"路明非的声音不由自主地高了起来。

"好问题啊！"大夫的眼镜片上光芒连闪，"要是你的话，你会怎么做呢？"

"我要是神经病我就会舀水咯！可我是个正常人，所以我知道把下面的塞子拔了就行了！"路明非大声说。

那面镜子，或者说单向透视玻璃的背面，站着诺诺、芬格尔和一位白发苍苍的老专家。路明非的一举一动、说的每句话，他们都听和看得清清楚楚，但路明非却不知道自己正被观察。

中年大夫刚刚开始问问题的时候，他甚至还照着镜子挤了一个粉刺。

这里是市立第三医院，一家以精神科为主的医院，几个小时之前，芬格尔扛着昏迷的路明非来到这里。

截至今夜之前他们从未想过要把路明非丢到精神病医院来，即使他做了种种超出常人理解的事，但今晚路明非把她扑倒的那一刻，诺诺都被吓到了。

他的瞳孔里满满的都是恐惧，好像看见了地狱之门洞开，他用尽全力抱着诺诺，像是怕失去她，又像是想要碾碎她，直到现在诺诺的肋骨还在疼痛。

芬格尔说当时他也懵掉了，虽然他满嘴说着烂话，但其实是不知道怎么应付当时的情况。

接下来就是哗啦一声，那面大镜子碎成了一地玻璃渣，路明非像是见鬼似的跳了起来，冲进了外面的暴风雨。他们追上去的时候，路明非正在躲避什么似的狂奔，芬格尔摘下脚上的皮鞋——暴雨冲刷下路上连石头都看不见，这是他唯一能找到的武器——投掷出去砸晕了路明非。接下来他们就开着那辆法拉利，带着路明非来到了这所医院。

老专家的学生，小屋里那位正在问问题的中年大夫对路明非的病情非常感兴趣，打电话把老师从被窝里请出来出急诊。

从网上可以查到这位老专家的履历，中国精神病研究和防治协会的理事，堪称本地最有经验的精神科大夫。老专家大声地叹了口气："可怜的孩子啊！你们要是早点送他来……赶快给他办住院观察的手续吧！说起来你们两位跟他的关系是？"

"我跟病人同居过。"芬格尔认真地说，"至于这位陈小姐，从原则上说跟病人没什么关系，但实际上可以说是他的监护人。"

老专家呆呆地看着这位长着一张地道的外国脸说着一口地道的中国话的奇葩男子，思考着要不要把他也送进诊室去询问一遍。

"别理他，我们是同学。"诺诺皱着眉头侧踹芬格尔的膝盖，"大夫，你觉得路明非的精神有问题？"

"唉，可怜的孩子，你们要是早点送他来……"老专家又一次唉声叹气。

"早点送他来能怎么样？"诺诺追问。

老专家愣了一下，抓抓头继续哀声叹气："病入膏肓啊！早点送来也没什么用啊！"

诺诺一下子急了，一把抓住老专家的手腕，下意识地加力，痛得老专家直龇牙。老专家连连摆手，就差说女英雄饶命了。

"说！"诺诺略略撤劲，"那家伙到底怎么了？"

"你看啊你看啊，这个症状呢，是很明显的。"老专家说，"我的学生刚才问他的几个问题，都是有目的地探寻他的心理状况。首先他的生活很不健康，暴饮暴食，缺

乏人生目标，酒精依赖，这种病人是最容易出现精神方面的问题的……"

"专家您这么说可就不对了，他的酒多半都是跟我一起喝的，他要是酒精依赖，我岂不也是了么？莫非你觉得我也有病？"芬格尔严肃地问。

老专家瞅了他一眼，嘴里温和地说每个人这方面的情况都不一样，心里说我看你的病情更严重……他继续跟诺诺说话："他对神秘主义经验这种话题毫无兴趣，而且以很平静的方式表示自己见过鬼，这说明什么？说明他的精神世界里经常出现幻象啊！这是典型的精神分裂的症状啊！"

"精神分裂么？"诺诺沉吟。

"这是一种病因未明的重性精神病，在青少年身上很常见，慢性急性发作都有，临床上往往表现为症状各异的综合征，涉及感知觉、思维、情感和行为等多方面的障碍。你看他意识清楚，智能也算基本正常，但其实他的认知功能已经出问题了，他看到的世界、理解的世界跟你看到的都不一样！"老专家语重心长地说，"用通俗点的话说，他发疯啦！"

"仅凭他说他见过鬼就说他精神分裂？"诺诺紧皱眉头，"太武断了吧？"

"对啊对啊！你看他自己后来提的几个问题都很好嘛！神经病能找出这么聪明的解决办法么？"芬格尔也说，"他没有用勺子舀水而是想到把塞子拔了！说实话连我都没有想到！"

诺诺一愣："那你想到什么了？"

"我想我怎么也得要个大勺子或者一个水桶来舀水吧？小勺子舀起来不是累死我了么……"

"如果有多余的床位把这家伙也安排进你们医院吧！"诺诺一把推开芬格尔，盯着老专家的眼睛，"继续说刚才的话题，你怎么能让我相信那家伙确实是疯了？"

老专家叹了口气："你们都是好朋友，当然是不愿意相信的，但在我们专业研究精神病的人眼里，情况已经很明白了。你们注意到他最后自己提问题自己解答那一段了么？这就是典型的发病症状。他努力地想证明自己是个正常人，可正常人根本没有必要证明自己，正常人觉得自己就是正常的，正常人不需要自证。只有病人，他们心里知道自己犯了病，却又不愿意承认，所以才不断地寻找证明自己的方式。"

诺诺怔住了，隔着那块单面玻璃，路明非还在跟那位中年医生嚷嚷着什么，他的神色看起来有点惊惶，声音想必是有点高，医生吓得略略后仰，生怕这个男孩忽然施以暴力。

他一边说着一边沿着小屋的对角线走来走去，像是被困在笼中的兽。他有时挥舞手臂有时挠头，偶尔他坐回椅子上，不到几秒钟又站起身来。

是的，他竭力想证明什么，可他无法证明。病人都没法自证，他们非常认真非常努力，说着自己以为正常的各种话，在别人看来却是那么地可怜。

之前诺诺和芬格尔一直往好处想，宁愿相信是自己被某个神奇的言灵蒙蔽了，甚至想世界是不是出现了两种可能性……其实最可能的那种答案早已放在他们面前了，那就是路明非疯掉了。

在路明非醒来之前的这几个小时里他们已经入手了更多的资料，苏小妍不是刚刚犯病的，她犯病好几年了，几年前她的儿子鹿芒，小名楚子航的男孩，在车祸中失踪了，从那天开始她就犯病了，总幻想自己怀孕要生孩子。

这世上确实是有楚子航的，但楚子航在 15 岁之前就失踪或者死掉了，那个默默陪伴路明非成长的超 A 级屠龙者楚子航根本就是他的幻觉。

"他怎么会得这种病的？"芬格尔问。

"除掉器质性病变之外，最大的可能还是他在童年时受过什么巨大的刺激。"老专家说。

"什么样的巨大刺激能搞到他幻想出一个帮助他的人来？"芬格尔问。

"这个……"老专家欲言又止，"比如童年时受过性侵犯之类的……"

"想不到师弟还有这样不可为外人道的悲惨往事！"芬格尔悲痛地说，"妈的我若不能把性侵师弟的罪犯擒拿归案化学阉割，我芬格尔誓不为人啊！"

"滚！"诺诺又是一记侧踹，"不要过度解读，专家的意思是诸如此类的精神刺激！谁会性侵犯他？"

"这种病根据您的经验能治好么？"诺诺转向专家。

"很困难，"老专家叹了口气，"这种病首先很难找到病因，其次也没有什么特效药，病程一般都会迁延，反复发作，越来越重，越来越恶化，部分患者最终出现衰退和……精神残疾。"

"不过你们也别担心，这只是我凭自己的经验作判断，确诊还要留院观察。"

"留院观察吧。"诺诺低声说，"有情况请随时告诉我们。"

"可是住院观察需要家属签字，你们不是他的同学么？不太方便代替家属，你们有他家属的联系方式么？"老专家问。

"我签。"诺诺面无表情地说。

"你？"老专家一愣，心说你还真是他的监护人啊？

"他是我小弟，"诺诺吸了一口气，"那我就算他的姐姐好了！"

这时候路明非正在小屋里咆哮呢，他咆哮说你们别想把我拘在这里！等我师兄和师姐来了，你们就完蛋了！我给你说我师姐脾气可不好！我他妈的还有事情要做，我不能留在一个傻逼精神病院里！

诺诺在住院单上刷刷地签字，然后转身离去，鞋跟敲打着大理石地面发出清脆而

寂静的声音。

"哈哈！我说大侄子，看你那么帅，怎么也被捆上啦？"

"滚一边儿去！我看这位小兄弟天庭饱满地角方圆，龙额凤目神机内蕴，那是帝王之相啊！怎么能叫大侄子？该叫领导！"

"你完啦！他们会给你上刑啊！辣椒水呼呼地给你往下灌，老虎凳捆上给你滴蜡！你不交出密电码他们是不会饶了你的！不过坚持下来，英特纳雄奈尔一定会实现啊！"

三条黑影围绕在病床边，像是死神们围绕着将死的人窃窃私语。

路明非僵硬地躺在病床上，穿着一件帆布质地的拘束衣，全世界的暴力型神经病都穿这种拘束衣，外面用宽厚的皮带一圈圈捆好，穿上之后全身上下能动的关节就只剩手指了。

按说第一次穿这东西的人都会有种强烈的恐惧感，会拼命地挣扎，可路明非倒还适应，还有心情跟小护士哀求，他说姐姐你们拘禁我也就算了，能不能给我换个病房，我好怕这三个老神经病啊！

苹果脸的小护士一边给他静脉推送镇静剂一边说我看你状态蛮正常啊，嘴巴还蛮甜的，怎么说你有病呢？不过你们这种有病的人往往外表上都看不出来，嗯！我要多加小心不能给你蒙骗了！

路明非哭丧着脸说你看我现在这个模样还怎么骗你，我当初有手有脚都骗不到个女孩给我当女朋友，我现在能动的只剩脸部肌肉和手指啦。

一听这话那三条黑影又来劲了，黑影甲说："大侄子你可别这么说，我们男人混世就靠一张脸，没手没脚是根人棍都不算啥！"

黑影乙说："我看小兄弟你面带桃花，如今你对女人那是手到擒来，万万不可妄自菲薄，如果你需要，我也可以帮你把皇后娘娘抓住啊！"

黑影丙说："千万要小心啦！他们这是在给你用美人计啊！国民党反动派老是这样，派美女蛇给你打针啊！"

"睡觉时间到！不睡的一律拖出去打针！"小护士不耐烦地大吼一声，抓起一张报纸卷成筒，像挥舞一根齐眉短棍那样挥舞它，给每个老家伙的脑袋上来了那么一下，然后潇洒地收棍夹在腋下，最后把注射器推到底部，一针镇静剂全部推进了路明非的身体里。

黑影们抱头四散，哇哇叫着回到自己的床上去了，各自捂好被子。病房里忽然就安静下来了，窗外树影摇曳，老中青三代神经病们平静地酣睡着，像是幼儿园里午睡的小孩子。

这些就是路明非的病友。

黑影甲，那个穿着白色跨栏背心摇着芭蕉扇的胖大叔是老城区里蹬三轮车的，妻子早亡，辛辛苦苦带大了唯一的儿子，可儿子娶了媳妇之后就把他从家里赶出来了，大叔因此患病，儿子也不管他，还是街道办事处把他送到了这所医院里来。

黑影乙面容清隽，三绺长须，一举一动中都透着仙风道骨之气。原本是个算命先生，流落街头很多年，苦心研究麻衣神相，渐渐地入魔了，看谁都像是九五至尊或者皇后娘娘。他在医院里外号"半仙"，总是管小护士叫皇后娘娘。

黑影丙则是老年痴呆症，整天臆想自己活在1949年的渣滓洞，身为一名铁铮铮的地下党，正被国民党反动派日夜拷打，他管老专家叫少将，管值班医生叫中校，管小护士叫美女蛇……他自称党员，大家也都叫他党员。

"这间病房是我们这里环境最好的病房啦，要不是看你嘴甜还不让你住这里呢。"小护士撇撇嘴，"你看他们多和谐。"

路明非觉得自己是只误入狼群的小白兔，就像他刚进卡塞尔学院的时候。卡塞尔学院里还是一帮伪·神经病，这些可是真·神经病啊！

"很和谐啊！半仙觉得党员是九五至尊，天天拍马屁，党员觉得三轮叔是他要舍命保护的人民群众，三轮叔觉得半仙最好了，因为半仙吃得很少，一大半的病号饭都留给三轮叔了。"小护士说，"你在这里可要乖乖的，别刺激到他们。"

"哪里轮到我刺激他们？他们刺激我还差不多！"路明非觉得眼皮越来越重，"妈的，我真服了国内的医院，我看起来怎么会是神经病呢？护士姐姐你帮我留心啊，要是师姐来救我一定要把我叫醒……她知道我不是神经病……"

他慢慢地闭上了眼睛，小护士惋惜地看着他，拉开被子给他盖上，心说其实你师姐早都来过啦，是她在你的住院单上签了字，也是她叮嘱我们要给你穿上拘束衣，免得你乱跑。可你还巴望着她来救你呢，这间病房里的谁不巴望着外面的人来救他呢？三轮叔巴望着他的儿子，党员巴望着解放军，半仙巴望着他的九五至尊，可他们已经在这里住了很久啦，最后谁都没有来。

她转身出门，关上了灯。

路明非缓缓地睁开眼睛。

他醒在一场无边的暴雨中，双手提着沙漠之鹰，诺诺静静地站在他背后，双刀划出大片的黑血。雨滴静静地悬浮在天空中，奥丁站在高架路的尽头，八足天马喷出的雷霆化为细碎的电屑。

这是一幅雨夜恶战的静物画，画中只有两个人能够自由行动，路明非，还有打着伞的小魔鬼。

小魔鬼漫步在静止的人群中，就像穿越雕塑群，最终站在了路明非面前。

路明非狠狠地打了个寒战，他居然再度回到了这场梦里，这场诺诺被"昆古尼尔"洞穿的噩梦！

"你又玩我？"路明非有点紧张地盯着小魔鬼，他可不想回到这场该死的梦里来。

"看你说的，我是帮你 Load 了进度。"小魔鬼的声音很委屈，唇边却带着一丝笑意，"你以前不也经常干这种事么？游戏里的 Save/Load 大法，回到悲剧还未发生之前，再打一次！"

Load 进度？梦境也能 Load 么？就像游戏中做了错误的选择，还会有机会让你重来一次？路明非呆呆地看着这片暴雨的世界，觉得真是太荒诞了，跟这个荒诞的世界比起来，三轮叔、半仙和党员都是正常人了。

"还记得那个叫《天地劫》的游戏么？"路鸣泽说。

路明非点了点头。他当然记得那个游戏，当年他在上面花过足足两个月的工夫，钻研攻略，日夜不休。

那款游戏有个很吸引人的故事，说一位背剑的少侠和一个使双刀的小侠女闯荡江湖斩妖除魔，而世间最恐怖的妖魔是即将复活的蚩尤，他们的终极目标是斩杀蚩尤。

如果你按照正常的流程游戏，游戏就只有三十关，在第三十关的时候，少侠会发现蚩尤其实寄宿在小侠女的身体里，蚩尤复活，小侠女的人性被吞噬，你唯有用尽你在前面二十九关学会的各种凶狠技能杀了你最爱的女孩。

悲剧结局就此达成，很轻松，顺着剧情线走就好了。

想要大团圆的结局就很艰难了，你必须沿路触发各种剧情，走最艰难的路线，收集所有神秘道具，最后便能合成出名为"七色璎珞"的神秘道具。

这样你便能在第三十关的时候收集女孩散落的魂魄复活她，故事会延长到三十四关，最终少侠和侠女斩杀了蚩尤本体，双宿双飞去了。

可虽然有大团圆结局，可难度极高，走错一步，或者某一次你没有打出"会心一击"，你就跟大团圆结局擦肩而过了。所以必须每走一步就 Save 一次，打错就赶紧 Load 进度。

最终路明非凭着游戏方面的天赋异禀和坚忍卓绝达成了大团圆结局，看着过场动画中少侠和侠女月下携手，路明非觉得又欣慰又空虚，欣慰的是好歹把这丫头救回来了，空虚的是人家花前月下干他屁事他那么上心，连累他平面几何只考了 38 分。

可他就是那种讨厌悲剧的人啊，即使 Save/Load 了上千次，还是觉得值了。

"那个游戏的设计师很有意思，"路鸣泽说，"他其实在跟玩家们讲一个道理，说人世间 99% 的故事都是悲剧结局，大团圆只是 1%。那个故事的真实结局就是小侠女变成了蚩尤，死在最爱她的人手里，后面的四关只是幻梦。"

"你到底想说什么？"路明非抬起头来，盯着路鸣泽的眼睛。

"'昆古尼尔'是支射出去就一定命中的枪，它已经射出去了，对准你师姐，连我也没办法影响那支枪。想要救她你就得强行扭转因果，在不可能中寻找一线可能。"路鸣泽说，"好在我的能力跟游戏有关，而 Save/Load 大法是游戏中最大的法宝之一，我可以帮你不断地回到这里，看你能否救你的漂亮师姐。补充说明，这项服务是免费的。"

"你胡扯什么？这只是个梦而已！梦醒了就一切算完！"路明非大吼，"什么命运？什么因果？都是瞎扯淡！梦就是梦！梦里死掉的人在现实里照样活蹦乱跳！"

"哥哥，"路鸣泽不为所动，"你着急了，因为你心里已经信了我的话。"

"你说……那支枪其实已经射出去了。"路明非忽然静了下来，声音冷得连他自己都觉得陌生。

路鸣泽点了点头："是的，'昆古尼尔'只要锁定一个人，就可以取那个人的命，即使是在梦境中锁定了。"

路明非浑身颤抖，某些一直以来被他忽略的细节忽然清晰起来。第一次在梦境中见到奥丁的时候，奥丁只重复地说同一句话，他说："你终于来了。"

当时路明非以为那是对他说的，其实他错了，奥丁等待的人……是诺诺！

"你做错事情啦，哥哥，你不该去金色鸢尾花岛找她，把她拽进你的麻烦中来。原本她可以平平安安地结婚生子，成为贵夫人，现在你拉着她的手来到奥丁面前，就像献祭羔羊。"路鸣泽轻声说。

"怎么……怎么会这样？"路明非的脸色惨白。

他觉得自己在僵硬在碎裂，就像一具淋着雨的石膏像。

"命运的线索正在汇聚，故事的结局正在浮现。但这个结局不是你所喜欢的，就像你不喜欢那个少侠和小侠女抱憾终身的故事，你还想改写它吗？"路鸣泽说。

"命运……么？"路明非轻声说着，回望那凝滞的战斗场面。

红色的长发在雨中舞动，雨滴在刀锋上碎裂，那张漂亮倔强的脸上带着一丝凶猛狰狞，诺诺像是一只下山的母老虎。

可如果命运已经注定呢？就像布加迪威龙跑得再快也跑不过时光。无论你咆哮或嘶吼，血战百番，最终还是会被命运的丝线牵引，死在这场无边的暴风雨里。

他轻轻地抚摸诺诺的面颊，用手指帮她梳理凌乱的长发。

在现实中他根本别想有这份胆量，可在这场梦境里，她是将要死去的可怜女孩，他是唯一能救她的英雄。他有权对她做很多很多的事，可他却只想趁机好好地凝视她的眼睛，在现实中，诺诺一翻白眼他就会慌张地挪开视线。

"你没骗我？"路明非轻声问。他仍旧凝视着诺诺的眼睛，但问题是给路鸣泽的。

"我什么时候骗过你啊？"路鸣泽说，"这个世界上最舍不得骗你的人可不是你正揩油的那个女孩，而是我啊。"

"那个尼伯龙根，有整座城市那么大，对么？"路明非又问。

"没错，你们猜到了真相。"路鸣泽说，"你们把自己置身于巨大的尼伯龙根的中央。"

"奥丁，到底是什么东西？"

"你可以把它理解为一个亡魂吧。一个被困于尼伯龙根之中的亡魂，它无限强大，但是出于某种特殊的原因，它不能离开这个尼伯龙根。所以如果它没能通过你的梦境锁定诺诺，那诺诺一生都不会有事，可惜，已经来不及解除锁定了。"

"如果师姐永远不进尼伯龙根，奥丁是不是就杀不了她了？"

"原本是有机会的，但奥丁正在解除封印它的那股力量，它就要能进入现实世界了。"

"那时候在图书馆里……奥丁是想借助镜面进入现实世界！"路明非忽然明白了。

尼伯龙根是基于炼金术的造物，是扭曲的现实世界，要想进入或者离开尼伯龙根必须通过某种界面，水是很合适的界面，镜面也是出色的界面。

历史上不乏把魔鬼封入镜面或者魔鬼用镜面作为介质来攻击人类的记载，那些事实上都是尼伯龙根和现实世界通过镜面达成了某种"沟通"。

"是的，只有你做出了正确的反应，如果你不试图阻止，诺诺就会被剥夺生命，可他们却以为你是疯子。"路鸣泽笑笑。

"我该怎么办？别废话了，"路明非打断了他，"告诉我，我该怎么办！"

"很简单，在这场梦境里，带着你师姐逃离这座城市就好啦。"路鸣泽轻描淡写地说，"尼伯龙根和现实是不同的世界，'昆古尼尔'能够锁定的范围也仅限于尼伯龙根内部，你只要逃出这座城市，'昆古尼尔'就会失去目标。而那支枪虽然拥有类似'逆转因果'这种神话级的力量，却同时有个致命的弱点，那就是它无法锁定同一个目标两次。你想想看，那原本是一支锁定了谁谁就必须死的枪，没有人能死两次，所以，'昆古尼尔'没有两次锁定同一个人的功能。就像某些神话中说的，如果有人能骗过死神一次，那么他就从死神的名单上消失了，死神将再也无法剥夺他的生命，他就此成为永生不死的人。"

"让'昆古尼尔'射出，却又不让它命中，对么？"

"不愧是我的哥哥，立刻就明白了这游戏的本质，我们不妨称之为'欺骗死神'。"路鸣泽微笑，"但要抓紧时间哦，如果你不能在梦境中改变故事的结局，一旦奥丁进入现实世界，就什么都来不及了。当它在现实中投出那支枪的时候，诺诺将再无逃生之地。"

"奥丁的能力……难道是梦境？它是龙王么？"路明非恍然大悟。

"不，梦境这种高大上的能力怎么是奥丁能拥有的？"路鸣泽诡秘地微笑，"我的能力才是梦境！"

路明非还想问什么，但整个世界微微颤动起来，好像即将从梦中醒来。悬浮的雨滴摇摇欲坠，长发的发梢轻轻摆动，枪火缓慢地膨胀，死寂中传来悠长而沉雄的马嘶声。

"游戏关卡'昆古尼尔之光'，第 1 次 Load，哥哥，努力奋斗啊，当个命运的贼，从死神的手里，把你心爱的女孩……偷出来！"路鸣泽的声音渐渐模糊在雨中。

战场再度降临！

游戏关卡"昆古尼尔之光"，第 1 次 Load，黑夜，暴风雨，高架路。

诺诺旋转起来，风车般切入黑影中间……

路明非跟在后面，双枪连发……

奥丁提枪立马在远处，"昆古尼尔"上，金色光芒涨落……

剧情开始于他们冲向法拉利的时候，那时候路明非还未启用 Plan B，也就是放弃法拉利驾驶迈巴赫逃走。但是法拉利很远，而且车上站满了黑影，就像是成群的猫头鹰站在墓碑上。

"跟着我！保持射击！"诺诺大吼。

路明非心说妞儿你懂个屁啊！你再往前冲几步就会有了特别危险的黑影跳出来，一爪子划破你的校服，春光乍泄很好看。但再怎么好看……我都不能允许这种事情发生啊！

路明非大吼一声，加速起跳，竟然从诺诺的头顶上跳了过去，空中连发两枪，点了两个黑影的脑袋，落地膝盖压垮了另外两个黑影，那是某种源自泰拳的近身格斗术，落地时路明非又是两枪，两颗子弹送进黑影的脑颅里。

虽然没有造成脑颅爆炸开花的惊艳效果，但那种极致凌厉的攻击方式还是把诺诺惊到了，呆呆地看着这个忽然神勇起来的师弟。

就在这时那个危险的黑影从侧方杀出，利爪划出惨白的弧线，那原本是致命的攻击，恰好能把诺诺的胸口撕裂，她及时反应，后退同时含胸，才没被开膛破肚……但这一次黑影扑空了，因为路明非一把推开诺诺，用风衣的衣摆包住了黑影的脑袋。

沙漠之鹰隔着风衣顶在黑影的脑袋上，"铛铛铛"连射三枪，诺诺还愣在那儿呢，诺明非已经把双枪都丢了过去，大吼说把刀给我！

诺诺木愣愣地丢出短弧刀，路明非接过刀，反手扎进黑影的脑颅里。颅骨硬得匪

夷所思，刀锋没入 1/3 就推不动了，但路明非跟着膝盖一顶刀柄，整个刀身贯穿而过！

他脚踩着黑影的肩膀拔出利刃，想要摘下那张骷髅面具看看面具下到底是张什么样的脸，却惊讶地发现那张面具不是戴上去的，而是和颅骨融为一体，也不知道是烧红了扣在黑影的脸上，还是从颅骨中长出来的奇怪面孔。

这种噩梦中的怪物原本很恐怖，不过越恐怖路明非反而觉得越放心，不是人类他就可以大开杀戒了……让它们知道卡塞尔学院历任学生会主席都不是好惹的！

他两枪打炸一个黑影的双膝，双枪合在一手，抓着那个黑影的胸口把它丢了出去，砸翻了一大排黑影。

"可以啊师弟！"诺诺有点不知道说什么好了。

路明非懒得回答，心说其实我一直都很可以，我强化训练一年了我，死去活来扒层皮才有今天的本事，我就是在你面前不由自主地犯尿，此外你大姐头的气概也太足了，分明一年没抡刀了，遇事就想挡在我面前，好像我还是当初的那个笨蛋。

他卸掉空弹匣，双枪往后腰一插，两枚填满子弹的新弹匣插入枪中，双枪连射，把法拉利轰上了天，同时拉了十几个黑影陪葬。

"你把我们的车炸掉了！"诺诺惊呼。

"不是说执行 Plan B 么？"路明非愣了一下。

"什么是 Plan B ？"诺诺瞪大了眼睛。

"哦，"路明非用抓着枪的手挠挠头，"还没来得及跟你讲。"

原来剧情开始的时候他还没说 Plan B 的事儿，就跟当初玩恋爱养成游戏的时候，你的任务是在漫长的暑假里泡到校花，你必须触发校花说"好想学潜水可是不敢"的剧情，才能在后面的游戏中带她去海边同时看到她穿泳装的样子。

"好吧，我们现在执行 Plan B，用那辆迈巴赫离开……"路明非只得补上这个剧情。

可就在这个时候惨白色的爪影从诺诺背后的黑暗中出现，一个匍匐着逼近的黑影忽然暴起，发起了致命的攻击。路明非想要救但已经来不及了，眼睁睁地看着诺诺飞扬的长发被利爪切断，下一刻就是诺诺的后颈被割开……

"不！"他愤怒地吼叫起来。

时间停滞，暴雨中断，喧嚣归于死寂，路鸣泽的身影缓缓地从雨中浮现，他仍旧打着那柄漆黑的伞，黑色小夜礼服整整齐齐。

静物画，盈空的长发被割断，利爪撕裂了诺诺的后肩，素白的肌肤上爆出了血珠，直到此刻诺诺都没有觉察自己被偷袭了，因为路明非的神勇表现令她走神了。

"哥哥，要冷静，要找出最佳的解决方案，修改命运可不是靠蛮力就行的。"路鸣泽叹了口气，"歇会儿第 2 次 Load。"

路明非猛地睁开眼睛，还是那间安静的病房，窗外下着雨，三轮叔、半仙和党员的鼾声此起彼伏。

　　又是一场梦，又一次他亲眼看着诺诺死了，原来能够杀死她的不只是"昆古尼尔"，那场梦境中的任何东西都能要她的命，而他双拳难敌四手。

　　别说他现在的真实水准也就是个 A 级，就算他真的是 S 级，又能带着她杀出重围么？那个尼伯龙根是诺诺的死地，很多年前，楚子航也在那里死了，那时候他还叫鹿芒……至少图书馆里的旧报纸是这么说的。

　　他惊悸着，胡思乱想着，想起小时候看《封神演义》。

　　《封神演义》里有个神一般的男人叫闻仲，闻仲保着商朝，抵挡姜子牙带领的、闪闪发亮的正义之师。闻仲知道纣王是个坏人，但闻仲忠君爱国，就是昏君也要保。有闻仲在，正义之师怎么都不能推进，看得读者干着急。

　　最后闻仲兵败，到了一个叫"绝龙岭"的地方，闻仲忽然警悟说这是我的死地啊，我学艺的时候，老师说我平生行军打仗逢不得"绝"字，现在我到了绝龙岭，这是我的死地。但闻仲还是勇敢地战斗，死在了绝龙岭。路明非原本对那个愚忠的老男人没有什么好感，可闻仲说这是我的死地时，小路明非的心里微微一怔，隐约明白了所谓"命运"原来是这么一回事。

　　那是一张任你英雄豪杰也挣脱不了的铁网，你所有的奋勇，都只能称作"挣扎"。

　　那个尼伯龙根是诺诺的"绝龙岭"么？

　　他又想哈哈哈哈别逗了，只是我神经病做噩梦而已，梦境还能 Load，鬼才信嘞！梦中的小魔鬼也许根本就不是小魔鬼本人，就算小魔鬼真的出现在他的梦境里，也可能是逗他玩的，小魔鬼耍他不止一次两次了。

　　这时枕边被一片蓝光照亮，那是他的手机，小护士倒是好心好意，没有没收他的手机。那是路鸣泽送的 iPhone，屏幕无声无息地亮了起来。

　　穿着拘束衣他没法伸手，就像蚕一样蠕动几下，扭头去看手机。

　　一个提示框跳了出来："亲，你第 2 次未能通过关卡'昆古尼尔之光'，再接再励别放弃哦！"

　　路明非呆住了，狠狠地咬自己的舌尖，生痛，而且有股子清晰的血味。这不是梦境，是百分百的现实。

　　路鸣泽真的 Load 了他的梦境，那个噩梦被转化为某种类似游戏的东西，而那个东西……是能影响现实的！如果他不能在梦境里救出诺诺，没准诺诺真的会死！

　　妈的妈的妈的妈的！真有这么见鬼的游戏么？上来就是专家模式①，打不通女主角就要挂，要不是能用 Save/Load 大法，就算是昂热来玩也照样没法通关！

①专家模式，或者说 Hardcore 模式，在很多游戏中这个模式是不能复活以及不能读档的，就像真正的人生一样，战死就真战死了，道具级别全部归零。

不过要是换了昂热，救不救诺诺根本不是重点，校长一准是舞着日本刀就奔奥丁去了。

"冷静冷静冷静！"路明非在心里大喊。

诡异的事情他遇见过不少，但是像这么诡异的还是第一次碰上，不过俗话说车到山前必有路，活人还能让尿憋死？好在是玩游戏，而游戏是他最擅长的项目，在游戏这个领域，他是货真价实的 S 级。

游戏高手都是从无数失败中走过来的，路明非当年玩星际争霸也是经历了从菜鸟到高手的漫漫征途，好在能 Load，不是专家模式，能 Load 的游戏难度再变态也不怕，哪怕通关之路是茫茫大山中的羊肠小道，路明非也能找出来！

想想第 1 次 Load 是怎么失败的……应该还是太鲁莽了，上来就玩命强攻，忽略了对诺诺的保护，下次应该守在诺诺身边寸步不离才是！

对！寸步不离！就这么定了！

他赶紧闭上眼睛，调整呼吸，准备第 2 次 Load……可他偏就睡不着了……安眠药的药效过去了……

"路鸣泽！路鸣泽！路鸣泽你个混蛋！想个办法让我睡着啊！"路明非气得大吼。

"圣上您这是想要哪位妃子侍寝啊？"黑暗中响起个尖细的声音。

路明非一愣，那可不是路鸣泽的声音，而是半仙，敢情他这通折腾把半仙给闹醒了，半仙正躺在自己的床上，滴溜溜转着眼珠看他。

"什么圣上？什么侍寝？"路明非没听懂。

"您一进这间病房我就看出来了，您的面相尊贵啊！绝对的九五之尊之相，虽然还未登基，但是提早叫您一声'圣上'呐！"半仙认真地说，"圣上晚上睡不着，大呼要人想个办法帮您睡着，那可不是叫妃子侍寝么？"

路明非心说晦气！我跟他说个什么劲儿啊，都忘了这里是精神病院了。

"别喊了，敌人是残酷和狡诈的，你喊破喉咙他们也不会同情你！地下党人要经得起考验！"党员也醒了，神情毅然地望着屋顶，好像他正被捆在刑架上，"你的领导是谁？等中国解放了，我们自由了，我要去跟他谈谈你这个意志不坚定的问题！"

"你们都别瞎扯！我看大侄子这是要起床撒尿！"三轮叔说，"大侄子你说是不是？"

路明非给这帮神经病气得说不出话来，这时候小护士气势汹汹地推门进来，大喝一声吵什么吵？不睡觉的都拖出去打针！

这下子半仙、党员、三轮叔全老实了，只有路明非激动地看着小护士，说我要打针我要打针……他是真心要打针，他知道入睡前挨的那针是催眠针，那可不同于家里用的安眠药，一针下去分分钟见效，立马让他第 2 次 Load。

小护士狐疑地看着这个新来的神经病，心说主任果然说对了，这新来的家伙看起来正常，其实很难搞啊！打针都吓不到他。

"你要打针？你没病吧？"小护士说。

"我当然没病……"话一出口路明非就意识到自己说错了，自己躺在精神病院的床上，穿着拘束衣，说没病谁信呢？

"我有病我有病，"他临时改口，"我病得很重，需要立刻打针！"

"什么病情？"小护士更加警觉。

路明非愣了一下，只能临时编："我觉得我脑子里有两个人在吵架！"

小护士心说主任果然英明，一眼就看透了病情，脑子里有两个人在吵架，这还不精神分裂么？

"什么样的两个人？"小护士追问。

"一个是意大利豪门的贵公子，他在我脑子里大喊说，'世界上不该有任何牢笼能困住一个真正的男人，只有一样例外，那就是你喜欢的姑娘！'还有一个是面瘫的中国酷哥，话很少，说来说去就是那几句，比如什么'如果一件事你不相信自己能做到，那你真的做不到！因为如果连希望都丢掉了，你又怎么能做到？'还有，'每个人都可以把自己的命握在自己手里，只要你相信你能做到！'他们俩玩命地吵，吵得我睡不着，护士姐姐我难受死了我要求打针！"路明非哭丧着脸，楚楚可怜。

小护士深深地震惊了，同情地点点头："你稍微等一下我去准备针剂，打了这针你就能睡个好觉了！"

她心说这个新来的病人真是不容易，他哪里是一个神经病啊，他脑袋里还住着另外两个神经病呢！

针剂缓缓地进入路明非的身体，眼皮越来越重，小护士的面容隐没在越来越浓的黑暗中，他如释重负地呼了一口气："谢谢……"

游戏关卡"昆古尼尔之光"，第 2 次 Load，黑夜，暴风雨，高架路。

时间仍在停滞状态，好像是什么电影片场，一会儿路鸣泽叫声"Action"，演员们就合力上演一场雨夜搏杀的好戏。

路鸣泽就像是这幕戏的导演。

此刻导演正提着一桶白色油漆，在黑影的面具上涂画。

"你干什么呢还不开始？"路明非抖动着手腕，原地蹦蹦跳跳。一会儿他得上蹿下跳，挥刀又开枪，活动开了会好点。

"帮你忙咯。"路鸣泽把这个黑影的面具涂成个京剧脸谱，把那个黑影的面具涂

成个日本大名，"哥哥你要研究战略战术，你的第一步是杀出这些黑影的包围，那你就该记住每个黑影的位置，再筛选出它们中最危险的那几个，严防死守。这些黑影的战斗力也是有差别的，你已经感觉到了对不对？就好比游戏里的小Boss，经常都是能打赢大Boss但阴沟翻船死在小Boss手里了。"

"你画的这几个是？"路明非有点明白了。

"小Boss们啊，我在帮你把小Boss们标出来！"路鸣泽叹口气，"看我对你多好，你还推我下楼，心都碎了！"

"你当年也推过我下楼好么？"路明非嘴里硬，可心里蛮佩服小魔鬼的。

他也是关心则乱，居然忘记了游戏的真谛，技术再怎么过硬也比不上情报准确，这就好比星际争霸开局的时候大家都会派农民或者小狗出去探路，谁先探到对方的基地谁的胜算就高出至少两成。

这个游戏很难，如今想来当时他们能够冲出重围算是很走运的，这些黑影并不好对付，稍不注意就会游戏结束。他必须掌握完整的情报，优化每个步骤。

他跟着路鸣泽在黑影之间行走，默记那些小Boss的位置。有趣的事情出现了，当他认真观察那些小Boss的时候，绿色的数据浮起在它们的肩头，包括了攻击、防御、敏捷和某些他看不太懂的特殊技能。

"这也可以？"路明非惊叹。

"你是说主角视野吧？小意思啦，算是我帮你的小忙，"路鸣泽轻描淡写地说，"不过打起来你根本来不及看数据，还是开始前多记记，打的时候主要靠感觉。"

"这里每个人都有数据？"

"当然咯，游戏不就是这样么，只要是出现的单位，都会有自己的数据，"路鸣泽说，"对那些数据很高的目标，你就要多加小心，我把它们都给你标记出来了。"

"攻击力600算高么？"路明非读着某个小Boss的数据，看起来它比其他小Boss更厉害一些。

"还行吧，普通人类强者的攻击力差不多是100，600意味着它的攻击力是人类强者的6倍。"

"人类强者这个词听起来真搞鬼。"路明非说，"什么算普通人类强者？"

"太极宗师杨露禅大概算是100吧。"

"我靠！这个小Boss的攻击力等于6个杨露禅？"路明非吃了一惊。

"没错！所以这种小Boss你一定要严防死守，它但凡靠近你就要集中所有火力冲它开火，千万避免和这类目标近身战。上次就是这家伙背后偷袭你师姐。"路鸣泽说，"再看看你师姐的数据。"

路明非靠近诺诺，立刻有成排的绿色数字从诺诺的肩上浮起，"身高：170cm；

体重：49kg；三围：B34-W24-H34；喜欢的颜色：对外自称喜欢正红但其实收藏很多粉红色的小配饰……"

"这什么乱七八糟的！"路明非看傻眼了。

"不同的单位数据不同，你师姐在这个游戏里本质上是宠物，养眼最重要！"路鸣泽振振有词，"如果什么精灵狼的战斗力是10000而旗袍美人的战斗力是8000，你是愿意带着精灵狼呢？还是愿意带着旗袍美人呢？"

路明非扶额沉默了片刻，转身走向奥丁。奥丁被笼罩在恐怖的光焰中，那些光焰在时间停滞的状态也是那样地刺眼，他无法过度靠近，但仍能看见奥丁肩头也浮着一排数字：

"攻击：？

防御：？

敏捷：？

……"

"怎么全都是问号？"路明非吸了一口冷气。

"哥哥你这不是明知故问么？在游戏领域你可是行家。当目标的级别远远高于你的时候，你就读不出它的数据了，"路鸣泽淡淡地说，"还是别试图挑战奥丁啦，那可是大Boss。"

"好奇而已，我只是被关在精神病院了，可没真疯，你以为我是校长么？"路明非耸耸肩。

"准备开始准备开始！祝你好运啊哥哥！"路鸣泽洒脱地挥挥手，转身离去。

路明非默默地凝视着小魔鬼的背影，小魔鬼的肩膀上，同样浮起一排绿色的数字：

"攻击：？

防御：？

敏捷：？

……"

"到底谁是大Boss呢？"路明非很轻很轻地问。

小魔鬼似乎没有听见，所以也就没有回答。

整个世界微微颤动起来，悬浮的雨滴摇摇欲坠，长发的发梢轻轻摆动，枪火缓慢地膨胀，死寂中传来悠长而沉雄的马嘶声。

DRAGON RAJA

奥丁之渊

第十章

| 楚天骄 |
Tianjiao.Chu

乙炔灯的微光中，穿着黑色风衣的男人不急不缓地吃着一份卤大肠，沉重的箱子就搁在他的脚边。

　　"我说师妹，也不必那么沮丧，小路疯了也好，小路疯了就说明我们都很正常，我们只要关心爱护小路就行了。"芬格尔语重心长地说，像那种上了年纪的教导主任。

　　叔叔家的小卧室里，芬格尔和诺诺对坐，桌子上摆满了啤酒。两个人都把脚翘在桌面上，不小心就会踢到那些空啤酒罐。

　　窗外下着雨，天空是铁灰色的，街上积水深的地方可没膝盖，积水上漂着落叶。

　　厨房里传来叮叮咚咚的声音，那是婶婶在剁饺子馅儿。客厅里传来铿锵有力的对白，那是叔叔在追某部抗日神剧。

　　眼下路明非是回不了家了，诺诺和芬格尔给出的理由是学院忽然派路明非去上海面试一个很有潜力的申请者，要过几天才能回来。

　　叔叔说明非不错嘛！三年级就在学校里当面试官啦！婶婶则抱怨了几句说要走也不提早说，今天的菜都买好了，这不是又得浪费么？芬格尔乖巧地笑着说婶婶没事我正在长身体，明非那份我都帮他吃了！婶婶就很愉悦地决定了要包荠菜饺子给芬格尔吃。

　　诺诺买了两件啤酒回来，关起门和芬格尔对饮，倒像是当年芬格尔和路明非在宿舍里喝劣质红酒的模样，只是桌子对面换成了诺诺。

　　事到如今他们不得不承认路明非是有些问题的，他疑神疑鬼，随时随地会扑倒诺诺，神情惊恐，好像被什么恶鬼追踪，再加上老专家的诊断，精神分裂无疑。

　　他们被一个精神分裂患者忽悠着，满世界地找楚子航，但真正的楚子航或者说鹿芒已经死了好些年，那个超A级屠龙者楚子航只是路明非的幻想。

　　也不好对学院交代，难道说我们被一个精神分裂的家伙骗了？

　　"顶多我们写份检讨，你回家跟恺撒道个歉，我让执行部把我也埋烟草地里。"芬格尔又说，"他们还能杀了我们不成？校长又不是我俩捅的。"

　　诺诺只是喝酒，不说话，越喝脸色越白，像个独自发狠的女杀手。

　　"既然确认小路发了疯，剩下的问题就是校长到底是不是他捅的，龙骨是不是他偷的。"芬格尔继续絮叨，"你说他会不会是装疯骗我们？其实心里很清醒？也许他根本就是龙王派来的奸细！"

"奸细为什么要带着我们满世界疯跑？"诺诺抬起眼帘，冷冷地看了芬格尔一眼，"如果是他偷了龙骨，就该人间蒸发！"

"没准小路是想人财两得呢？"

"人财两得？"诺诺一愣。

"师妹你居然没有觉察？"芬格尔痛心疾首地说，"小路这个人啊，内心里卑鄙淫贱得很啊！私下里一直很觊觎师妹你的美貌！我劝过他好些次我说你这癞蛤蟆还想吃天鹅肉？你也不想想师姐是谁的人？加图索家，那可是屠龙世家，高高在上的贵族，世界的拯救者啊！你竟然敢觊觎加图索家的新娘子？可这小子一直都贼心不死，蠢蠢欲动！是我这个师兄没起好带头作用！"

诺诺怔怔地看着这个神经病，不知道他葫芦里卖什么药。

"他这是想拐跑你！在逃命的旅途中让你对他产生好感！"芬格尔深沉地说，"这就是他的贪婪和可怕之处！"

"滚！打昏拐带我的人不是你么，兄台？"

"我那是被坏人蛊惑，现在已经改邪归正。"

诺诺闷头喝酒，不再说话。

抗日神剧的那铿锵有力的对白忽然换成了女播音员严肃的声音，"近日来本市连降暴雨，给市民们的出行带来了很多困扰，导致了部分市民的恐慌情绪，一些商场超市的食物和饮用水被抢购一空。市政府今天早晨发出特别公告，公告指出，从地理水文状况分析，本市不存在水灾的可能性，请各位市民保持冷静。目前经过本市的高速公路有一半已经关闭，但进出通道依旧通畅，市政府将全力保障食物和商品供给。从今日起，学校、厂矿、企事业单位开始放假，各级机关全员待命，解决暴雨可能给市民带来的生活问题。"

"老婆！我们单位估计要放假啦！你们单位放不放啊？"叔叔的声音听起来喜气洋洋。

"你放不放假有什么区别？上班你也是摸鱼！我这辈子嫁了你真是倒了霉了！一点出息没有！"婶婶气哼哼地说着，刀在砧板上砰砰作响。

"我还是觉得有什么地方不对。"诺诺打破沉默。

"什么不对？"芬格尔又打开一罐啤酒。如今他也是有薪水的人了，可是碰到不要钱的酒还是会不由自主地放开肚子喝。

"看看这个家，再看看这间卧室，想想客厅里和厨房里的人，还有桌上那台旧电脑……这个房间满是孤独的味道。"诺诺直直地盯着芬格尔，"住在这间房里的男孩，不该是仕兰中学的男神，他应该和这个房间一样孤独。"

"师弟岂不就是这样外表光鲜、内心孤独的闷骚汉子？"芬格尔耸耸肩。

"有些事情我记不清楚了，但我记得第一眼见到他的时候，"诺诺使劲按着自己的额头，"他坐在地下，背靠着一扇门……那是在一间女厕所里，他误入了女厕所。"

"师妹你为什么忽然回忆第一次见小路的囧事？"

"不，我回忆的是他当时的脸。"诺诺轻声说，"别的我都记不清了，但我很确定那时候他在哭，不知道为什么哭，总之哭得像个傻子……我觉得我看见了一只被踢出家门的小狗。"

"捡到一条小野狗，但家里没有狗粮，就连夜去给它买狗粮……那种感觉？"芬格尔耸耸肩，"师妹你真有爱心。"

"你也对他不错。"

"我跟那条小野狗认识是在芝加哥火车站，他没剩几毛钱了，还帮我买可乐。"芬格尔难得地没开玩笑，且语气沧桑，"男人就是这样，没酒喝的时候喝了人家一杯酒，将来没准要拿命来还！"

"真中二啊。"诺诺点点头，"可是说得蛮好。"

"炎之龙斩者的台词，他在第十六章节说的，此处应有掌声。"

"我从没问过他那次是为什么哭，可那小野狗一样的家伙绝不是苏晓楠、陈雯雯她们以为的那个路明非师兄！这里面逻辑不通！这里面有些东西无法解释！好像一切都乱掉了！"诺诺说。

芬格尔沉默了好一会儿，叹了口气："师妹，你就是不想承认小路疯了，对吧？即使你亲眼看见他失控的样子，你还是不愿相信他是疯掉了。你在找理由说服自己说，小路没疯，这里面有内情。"

诺诺仰头灌下大半罐啤酒，用力把空罐子顿在桌上："那我该承认什么？承认那家伙真的疯了？把他押送回学院受审？他们会向对待罪犯，不，对待死侍那样对待他！他会死的！"

她的神情憔悴，声音嘶哑，眼球表面布满血丝。她整夜未睡，从医院回来一直在喝啤酒。

"见鬼！那家伙总是能把事情搞得一团糟！"诺诺抓起一罐新的啤酒打开。

她的手腕被芬格尔摁住了，否则整罐啤酒都会被她一口喝干。

"听着师妹，不能再这么下去了，在这么下去你和我也会受牵连。"芬格尔的眼神认真，"秘党那帮疯子，他们认真起来是很可怕的，我们不可能一直这么逃下去。"

"你真想……把那家伙送回去？"诺诺呆住了。

"听着师妹，我们已经仁至义尽了好么？现在回去抱你未婚夫的大腿还来得及，他现在是校董了，不像我们这种小喽啰，看在你的面子上他会照顾路明非的，顶多也就是把他吊起来打，不会强制洗脑逼供什么的。"芬格尔好像很有把握，"放心吧，小路是个贱命，跟我一样，死不了的！我们要是继续这样逃下去才有麻烦，试问有哪个未婚夫愿意自己的未婚妻为了帮另外的男人满世界奔跑呢？即使那个男人也勉强算他的兄弟吧。"

"你……"诺诺说不出话来了，呆呆地望着芬格尔。

那本该是最挺路明非的人啊！电影里不都是这么演的么？在全世界都背叛你的时候，偏偏是那个平时你都看不上的废柴还跟你做好兄弟……怎么现在连废柴都要反水？

"是时候了，我们回去吧。"芬格尔叹了口气，"我去把机票给订上，下那么大雨，好歹机场还在正常运转。"

"你让我……把路明非带回去交给恺撒？"诺诺不敢相信自己的耳朵。

"不是交给恺撒，是交给校董会啦，只是拜托你未婚夫稍微照顾他一点。"芬格尔说，"这样对每个人都好，有人会照顾小路，恺撒也会很高兴，未婚妻帮他把秘党的头号敌人捆回来了，这他妈的难道不是爱情的证明？放心，我绝对咬死了说是我绑架你的，作为报答，你只要给我求情就好啦。你去当你的贵夫人，我回古巴跟我的古巴妞团聚，这场闹剧到此为止啦。"

"放开你的手！你让我恶心！"诺诺怒吼。

"有槽你就吐，恶心你就吐。"芬格尔松开手，"你当这世界真是中二小说啊？你牛逼你改变世界啊？别逗了，那只是我写给炎之龙斩者的台词而已。"芬格尔慵懒地挥挥手，"幼稚！不过谁没幼稚过呢？"

诺诺愣愣地看着芬格尔，那种感觉很奇怪，因为芬格尔说出了本该由她来说的话。

本该是她说这件事到此为止，我们跟学院联系吧，路明非确实是精神上有问题，但我会拜托恺撒照顾他的……然后芬格尔哭着说不要啊不要啊师妹你怎么能那么绝情呢？小路回去会死的啊！然后诺诺说别幼稚了！拖下去对谁都没好处！

其实她也想过是不是要跟恺撒联系，她已经累了，那种累是从骨头深处沁出来的，他们茫然地寻找着一个不存在的人，一个原本死在15岁那年的鬼魂，世上还有什么目标比这更愚蠢的么？

她应该早点跟恺撒说的，她的未婚夫可是加图索家的继承人，代理校董，恺撒可以解决很多很多的问题，她可以是傲娇的小公主，就算她把天捅出一个洞来也不要紧，恺撒会帮她补上……

可她的台词被芬格尔说出来了，她忽然觉得那么恶心那么下贱，贱到不能忍！她能想到她捡来的小野狗被捆在学院的铁床上，他的眼神惊恐，全世界对他大呼小叫！

她忽然觉得不能忍！死都不能忍！

"你要放弃是你的事！"她霍然起身，像只炸毛的小猫那样面目狰狞，"我会接着查下去！就算他是只小狗也是我的狗！是我从女厕所捡回来的！你敢跟学院联系……我会要你好看！"

她翻出窗户，沿着路明非出入这间卧室的"秘密小道"消失在雨幕中。她离开的时候是那么惶急，看背影恰似那晚逃离图书馆的路明非。

"知道那是你的狗就好咯，"芬格尔慢悠悠地打开一罐啤酒，一饮而尽，"我不知道你什么脾气，总之谁要是敢动我的狗，我就会把我手边的一切冲那家伙砸出去，无论那是烟灰缸还是汽车！"

"芬格尔，家里没有葱姜啦，出门去买点葱姜！"婶婶的穿脑魔音透墙抵达。

"好嘞！我这就去！"芬格尔欢快地回答，好像一只打鸣儿的小公鸡。

游戏关卡"昆古尼尔之光"，第 46 次 Load……任务失败。

路明非缓缓地跪下，冒着硝烟的沙漠之鹰枪口点在高架路的路面上。他的正前方，法拉利爆炸，诺诺没能来得及从爆炸范围内逃离，涌动的火焰和车身残骸正翻滚着逼近她的后背，但时间停滞了，这一幕被锁死在了诺诺死亡的前一刻。

现实里的时间已经过去了三天，这三天里在强效安眠药的作用下他反复地做梦和作战，22 次受重伤，其中包括 12 次骨折、7 次贯穿伤和 1 次被断指，失血总量应该不少于 50000cc。

刚开始受伤他还痛得吱哇乱叫，看见自己狂喷血也会惊慌失措，后来习惯了好像也没那么痛了，某次被利爪刺穿了肺部他还感慨地骂了一声妈的又玩砸了，然后狠狠地搂住那个偷袭的黑影，一枪崩掉了它的脑袋！

诺诺更惨，死了又死。

开始时她每死一次路明非都揪心般的难受，后来渐渐地习惯了，也就没什么感觉了，心好像是木头做的。

有一次诺诺不小心打穿了迈巴赫的油箱，把他们唯一的逃生工具给废了。路明非气不打一处来，冲到诺诺面前跟她嚷嚷说师姐你在那个什么淑女学院待得退步了！连个小怪你都搞不定！这一把我们原本打得不错，现在又得从头来过了！

诺诺呆呆地看着这个忽然霸气起来的小弟，搞不懂这家伙是吃了熊心豹子胆还是怎么回事居然敢批评自己……不过路明非很快就闭嘴了，因为背后的黑影一爪把他和诺诺一起贯穿了。

第 45 次 Load 的结局也很糟糕，他和诺诺上了迈巴赫，但没能把车开走，黑影们把整辆车抬了起来，任凭发动机怎么吼叫，轮胎怎么疯转，一点用都没有。

其他的黑影疯狂地撕扯着铝合金车身，玻璃破碎，渣子飞溅，仿佛世界末日，他们待在最后的藏身小屋里，而这个小屋正分崩离析。

他表情木然而诺诺表情惊恐，他们呆坐在车里等待结局，直到时间停滞，他们都没有相互说过哪怕一句话。

"哥哥，你累了。"路鸣泽静静地站在他面前，打着一柄漆黑的伞，"休息一会儿吧。"

"别废话！快重置！重置完我就不累了！"路明非挥舞着沙漠之鹰。

"重置之后你的体能会恢复，但心还是会累，"路鸣泽说，"重复46次了，还是没打出完美结局，任谁的心都会累，甚至怀疑完美结局根本就不存在。"

"是你跟我说有完美结局的！所以我才这么玩命地反复玩！"路明非大怒，强撑着站了起来，"你可别蒙我！"

"我没说，哥哥你记错了。"路鸣泽耸耸肩，"我的原话是如果你不喜欢这个结局，要不要试着改变它呢？游戏是我的特殊能力，我所能做的就是无限次地帮你重置，但我也不知道有没有完美结局。《天地劫》有隐藏的完美结局，是因为它有个变态但是还算善良的设计师，设计命运的人可未必那么善良啊。可你太在乎你师姐了，所以你一厢情愿地相信会有完美结局存在。"

路明非一把揪住小魔鬼的衣领："别跟我废话！完美结局到底存不存在？"他原本就心累得不行，这下子更是急火攻心。

路鸣泽叹口气："我只知道历史上确实是有人能从'昆古尼尔'下逃脱，至于怎么逃脱，那就得看看哥哥你的本事了。"

路明非没好气地推开他，颓然坐倒在地，然后干脆躺在了雨里，呼哧呼哧喘气。衣服脏了湿了在梦境里根本不算事儿，反正重置了全都会回复原状。

他身上还有好些伤口呢，有一道深可见骨，他连包扎都懒得弄，重置后伤口也会消失，留下的只是疼痛的记忆。

路鸣泽在他旁边蹲下，举着伞为他挡雨："还来不来？看你这么辛苦我都不忍心了。让陈墨瞳死掉好了，反正她也是加图索家的人，人家的新娘子，咱哥俩玩什么命啊？"

"滚！当然是继续来！我什么时候在打游戏这件事上颓过？我玩的什么游戏不是完美结局？"路明非没好气地说。

"何苦呢？师姐对你真有这么重要么？"

"你不是很懂我么？你居然会不知道？不知道就猜猜看啊。"路明非皱皱眉，伤口疼得简直要人命。

"你有没有听过那句话，说其实这个世界上有20000个女孩是你会一见钟情的，只是很多人的一生中连她们中的一个都遇不到。"小魔鬼似乎很有闲心，准备和他聊

聊人生。

"听说过，那本名叫《上海堡垒》的书里说的，鬼知道是不是真的。"路明非也愿意跟他扯几句，在下一场战斗开启前，在静止的时空中休息一会儿也好。

"陈墨瞳应该算是那 20000 个女孩中的一个吧？可还有其他的 19999 个呢，她们分布在这个世界的各个角落，等着你去找她们呢。比如小怪兽，她原本也是那 20000 个人中的一个，可你却没有真正动心。"小魔鬼叹了口气，"她为你买了 10 万张花票，想要留你在她的生活里，说真的连我都想为她哭一哭呢，可在你心里，她还是没法跟陈墨瞳相比，哥哥你可真是个狠心的人啊。只是因为你认识陈墨瞳认识得更早么？那你认识陈雯雯还要更早啊，你却已经放下了陈雯雯。也许有一天你连陈墨瞳也会放下，遇见剩下的 19998 女孩中的某一个，然后一见钟情。"

"你懂个屁。"路明非懒得跟他说，或者说他不想提及绘梨衣这个名字，那个名字让他觉得疼痛，那份疼痛是他心里的一个硬结。

"哥哥你最近的语言风格可真是越来越暴躁了，"路鸣泽轻声说，"你很忧虑。"

"我能不忧虑么？我已经玩这个该死的游戏玩了足足 46 次，连一次都没有成功过。而且我每次进入游戏的时候师姐都会傻呵呵地说'跟着我'，然后自己往敌群里猛冲，"路明非喃喃地说，"我从没想过有一天她在我眼里也会是个笨蛋！"

"你的忧虑是从你跟师姐重逢的那天开始的，不是因为这个游戏。据说世界上有两种女人是让你爱的，一种是让你最快乐的，一种是让你最困扰的。"

"哪里看的心灵鸡汤？"

"微博。"

"你还上微博呢？"路明非的心情很差，但还是意外地笑了出来。

"嗯，我还是个微博红人呢，好多女孩崇拜我说愿意为我生猴子。"路鸣泽说，"我没事干的时候就写点心灵鸡汤啥的，比如'这世上总有一些人你不得不离开，像河流总会离开山涧奔向大海'，再比如'我觉得我已经很努力了，可世界还是那么孤单'。"

"听起来还蛮有味道的，想不到你也有那么多人生感悟。"路明非咀嚼着那些话，"说起来你真是魔鬼么？你既没有一身硫磺味也没有长着角。"

"其实都是我伪造出来的情绪，然后我看着那些小女孩在我的微博下哭哭笑笑地留言，就能更多地理解人类。"

"你真是个多愁善感的魔鬼。"

"不不，我一点都不多愁善感，我只是想了解你对你师姐到底是种什么样的感情。"

"你找到答案了么？"

"错误的感情。"

"废话！"

"我写过一篇晚安故事，用你和你师姐作为原型人物，可红了，上了那天的热搜榜。可你猜怎么着，好些女孩都讨厌那个故事里的女主角。"

"见鬼！你可别乱来啊！给老大或者师姐看到，我就完了！"路明非惊得坐起。

"别傻了，你师姐的能力是侧写，她怎么会看不懂你的心呢？"路鸣泽幽幽地说，"她只是不愿意揭穿你让你尴尬。"

路明非沉默了好一会儿："是啊，我其实是知道的。"

"那些女孩不喜欢你师姐，因为觉得你师姐在感情上太不干净利落了，她既然不喜欢你，就应该干净利落地拒绝你，灭了你这条心，放你一条生路。要是她对你说路明非我俩没戏，你别老纠缠我了，你会死心么？"

这一次路明非沉默得更久，而后沉沉地点头："也许反而会觉得轻松吧，就像被宣判了死刑一样，默默地等死，死前吃顿红烧肉。"

"所以你师姐可说不上什么完美的女孩，她在处理感情问题方面是个笨蛋。既然她没法给你带来快乐，那就不该来困扰你。她自以为很仗义很照顾你，其实却是你的负担。如果陈墨瞳不曾出现在你的生命里，那你今天还活得没心没肺。陈雯雯给你带来的阴影远没有陈墨瞳给你带来的阴影大，陈雯雯只是一个小湖，你沉在里面自己能游上岸来，陈墨瞳却是一个漩涡，你掉进去了，就被吸进海底。"

"你今天废话特别多，你知不知道？我已经在海底了！你要我怎么办？我游不上来！"路明非又烦躁起来。路鸣泽说得对，自从他和诺诺重逢，脾气是变得急躁了。

"你自己游不上来，可以找人帮你嘛。比如小怪兽，那其实也是个威风凛凛的女孩哦，她能劈波斩浪去救你，只要你说你在哪里，你被困住了。"路鸣泽说，"可你从不呼救，你就安安静静地呆在漩涡里。"

"别废话别废话别废话……"路明非轻声说，气焰一下子低落了，越发觉得疲惫。

"你觉得对不起小怪兽。"

"嗯。"

"但如果倒回去让你选择，你还是会屁颠屁颠地跟在师姐后面？"

"嗯。"

"哥哥你这是不是犯贱？"

"是。"

"明知道是犯贱你还再接再厉？"

这一次路鸣泽沉默了很久很久："你不会懂的，师姐出现之前，我的世界是黑的，看不到光，我的身边都是黑影，他们都比我高，他们遮挡着我，让我看不见光。我就要在黑暗里过一辈子了，那时候师姐来的，她就是光。光照在我脸上，刺得我眼睛都

要瞎了……"

"所以就喜欢上了光？可以后你还会有第二束第三束光啊，小怪兽不也是光么？还不刺眼，很温暖，像蜡烛。"

"你看过一个叫《最游记》的漫画么？"

"巧了，还真看过。"

"漫画开始的时候，孙悟空一个人待在水帘洞里，他不知道自己在等谁，也不知道等了多久，唐三藏走进水帘洞说，是你呼唤我么？孙悟空说我没有呼唤谁啊。唐三藏沉默了很久说，那你跟我走吧。然后他拉了孙悟空的手，孙悟空就跟他走了。在那个故事里，唐三藏是个使左轮枪的大帅哥而孙悟空是个傻猴子。这个世界上有很多种猴子，有的猴子被唐三藏从水帘洞里领出来之后，就变成聪明猴子了，翻着跟头就跑掉了，而有的猴子就只会跟着唐三藏走。我就是后面那种猴子，我在水帘洞里待得太久了，待傻了。"路明非说到这里忽然觉得自己很啰唆，摆了摆手说，"行了行了，说多少你都是不会懂的，你一个上微博研究人性的魔鬼你懂什么？"

"还真巧，你说的这些我都懂，"路鸣泽微笑，他的眼睛仿佛蒙上一层薄薄的雾气，"因为我也曾在水帘洞里，待了很多很多年……"

"水帘洞？"路明非一愣。

"泛指那种被所有人遗忘的角落吧，静得只能自己跟自己说话。"路鸣泽轻声说，"这个世界上的傻猴子，并不止你一只。傻猴子就该走傻猴子的路啊，跟着前面那人的背影，管别人说什么呢。"

路明非心里微微一动，就像风吹过灌木，叶底露出藏着的繁花。

路鸣泽大力拍拍路明非的肩膀："怎么样？休息好了么？准备上了！第47次Load？"

"上就上！打游戏这件事上我输给过谁？我玩的游戏哪个不是完美结局？"路明非一跃而起，伤口破裂，鲜血横流。

他痛得眼泪都要流出来了，不过还是象征性地豪笑三声，反正疼不了几秒钟，难得有这么个英雄主义的机会。

"不愧是我哥哥！拉风！不过实在撑不下去了就召唤我哦。"路鸣泽狗腿地帮他整理风衣和衬衫的领子，"我可垂涎你最后的1/4条生命呢！放心，绝对值得，在游戏领域奥丁可玩不过我，我是金手指啊！"

"你不是说这次卖命也没用么？"

"对'昆古尼尔'我确实没办法，不过我可以帮你爆掉奥丁啊。"小魔鬼微笑着说，"这世上只有我和哥哥是一党，凡我们恨的都该死，一个都不能活在这个世界上！"

"你这家伙，跟我说这么多是想鼓励我么？"路明非拍拍他的脑袋，"总劝我放弃师姐，又老给我制造机会。"

"我才不在乎陈墨瞳呢，我们魔鬼不喜欢那种文艺疯丫头，我们喜欢大胸细腰长腿的，还得够风骚！"路鸣泽耸耸肩，"我是不想你输给奥丁，奥丁算个屁！它就是个傻逼！我哥哥怎么能输给那种货色？"

路鸣泽打了个响指，一切都在眼前淡去，只剩下绝对的黑暗，黑暗中仿佛有古老的野兽嘶吼。

游戏关卡"昆古尼尔之光"，第 47 次 Load，黑夜，暴风雨，高架路。

路明非的伤势瞬间恢复，力量灌注全身，小魔鬼打着黑伞冲他微笑，伸出大拇指比了个祝你好运的手势，转身就要隐没在风雨中。

"谢啦。"路明非说。

这是句真诚的道谢，刚才那次任务失败后路鸣泽陪他聊天让他感觉放松很多，既然你已经清楚地认识到自己是只傻猴子，那就走傻猴子的路。

"不谢！随时准备着当你的走狗，我亲爱的哥哥！"路鸣泽潇洒地挥挥手，"记得帮我猛揍奥丁啊！"

"喂喂！既然那么仗义能不能再帮一个小忙？"路明非鬼头鬼脑地跟在路鸣泽背后。

"什么小忙？"路鸣泽脸色一变往后一缩，"小忙可以大忙免谈！我不能总是搞友情赠送啊！我的营业额可怎么办？"

"你刚才说，在游戏领域你就是金手指，"路明非直勾勾地盯着小魔鬼，"既然是金手指，给我改点重武器出来行不行？妈的光凭沙漠之鹰和短刀打那么多怪有点难。"

"哥哥我们不是靠实力取胜的硬派玩家么？金手指那种邪道功夫会有损你在游戏界的地位啊！"路鸣泽哭丧着脸。

"可是任何正常的游戏也不会让一个刚出新手村不久的家伙去打神级怪物对不对？何况还带着一个不要命猛冲的师姐，那纯粹就是个包袱啊！"路明非抓着他的胳膊不松手，"你也希望我赢过奥丁对不对？帮点小忙，给点重武器，我会好好干的！"

"哥哥你就是个癞皮狗……魔鬼都给你缠死！好吧，就这一次下不为例……你想要什么重武器？"

路明非挠挠头："豹式坦克或者阿帕奇武装直升机可以么？"

路鸣泽捂脸："原来只是要豹式坦克和阿帕奇直升机这种小玩意啊，我还以为你想要 EVA 和高达呢！"

"我噻！"路明非惊喜，"幻想中的兵器也能改出来？太棒了！不过 EVA 和高达我不会驾驶，你变出来也没用，还是豹式坦克和阿帕奇吧！如果还能配置些队友的话

就更好了，《Fate》里的吉尔伽美什怎么样？他的'神之锁'不是对神明类的对手有封印效果么？"

"滚蛋！你想得美！你怎么不问我要超人、钢铁侠和绿巨人呢？"路鸣泽无奈地伸手往雨中一抓，一件沉重的金属武器出现在他手里，"就一支德国造'长矛'火箭筒，要就要不要拉倒！"

"那再加一箱子火箭弹！就一发我玩什么啊？"路明非抓着火箭筒的背带，继续讨价还价。

路鸣泽无奈地伸出双手，整整一箱 24 枚火箭弹凭空出现在他手中："哥哥你可真是传说中的穷亲戚啊，上门就连吃带拿……"

"别那么小气好么？从豹式坦克缩水到火箭筒我还没有抱怨呢。"路明非满意地拍拍火箭筒，"这件武器之后能保留么？"

他原本也不信小魔鬼真会给他豹式坦克之类的重型装备，不过漫天要价落地还钱而已，他要是要求一门迫击炮，没准到手的就只是一支 96 式冲锋枪了，小魔鬼可是个奸商。长矛火箭筒他玩过，大杀器，对付成群的敌人超一流。

"能能能。"小魔鬼唉声叹气，"以后每次场景重置你都会扛着这支火箭筒。"

路明非还想多扯几句，世界微微颤动起来，悬浮的雨滴摇摇欲坠，长发的发梢轻轻摆动，枪火缓慢地膨胀，死寂中传来悠长而沉雄的马嘶声。

战场轰然开启，诺诺旋转起来，风车般切入黑影中间……

奥丁提枪立马在远处，"昆古尼尔"上，金色光芒涨落……

"跟着我！保持射击！"诺诺扭头大吼，接着她惊呆了，"你从哪里摸出来的火箭筒啊兄台！"

"这个……说来话长！"路明非踩在一箱火箭弹上，向着四面八方射出道道火流，黑影们被爆炸的气流冲散。

打着一柄大伞，蹚着高筒雨靴，诺诺踏过几乎没到小腿肚的积水，走进寰亚集团的办公楼。

这是一座灰白色的三层小楼，多数办公室的门上都贴着法院的封条，只剩下一楼尽头那间办公室开着门，门外贴着一张白纸，上面写着歪歪斜斜的"寰亚集团破产清算小组办公室"。

小楼的背后是成排的车间，锈迹斑斑的铁门敞着，隐约可见里面沉默的机床，同样锈迹斑斑。沉重的雨点打在厂房的铁皮屋顶上，噼啪作响。

诺诺推开办公室的门，径直在办公桌对面的椅子上坐下，趴在桌上打瞌睡的中年人茫然地抬起头来，看着这个闯入的女孩。

深红色的修身长裤，深红色的短皮衣，深红色的马尾辫，高领白衬衫，还有凌厉的眼风，这女孩真是亮眼，应该只会在CBD区的高级购物中心里看到，怎么会出现在这片铁灰色的厂区里？

这里是市区的边缘，市政府原本把它规划为"高精尖重工业区"，但开发得不太好，轰轰烈烈开起来的企业如今基本都停运了，连野猫都不来这边晃悠，因为垃圾桶里扒不出吃的。

寰亚集团就是这些企业中的"领头羊"，拉风的时候最拉风，倒闭的时候最干脆，十年前这片厂区建起来的时候，外地老板牛皮哄哄地号称要在本地打造亚洲第一的特种金属基地，从银行骗了无数的贷款，可厂子的效益奇差无比，等到银行觉得不对劲想来调查这家企业的时候，老板已经卷款外逃了，至今没有抓到。破产清算小组已经在厂区驻扎了一年多了，还没清算完这个烂摊子。

"您是？"中年人问。

诺诺把一张名片推到中年人面前："黑太子集团的邵公子介绍我来的，想请问您几个问题。"

中年人拿起名片看了一眼，肃然起敬。

黑太子集团在本地人尽皆知，跟寰亚集团不同，黑太子集团是真正的纳税大户。据说连市领导要见黑太子集团的董事长都得提前几天预约。

而这位邵公子，则是黑太子集团的大少爷，喜欢投资拍影视剧，经常和女明星传绯闻，是本地最抢眼的风头人物。

邵公子的名片是一张薄薄的铂金片，上面用激光雕刻着名字和电话，却没有标任何头衔，邵公子有很多头衔，但他又不需要头衔，邵公子这三个字就够了。凭着邵公子的名片，在本地多数高档餐馆吃饭都可以挂账的，事后就算客人不来付钱，邵公子也会派秘书把钱付了。这张铂金片就是邵公子的面子，邵公子很在乎自己的面子。

这女孩年纪轻轻，怎么能结交到那种级别的公子哥儿？莫非也是邵公子的什么绯闻女友？中年人看诺诺的眼光里透着八卦之气。

邵公子经常干这种事儿，女孩要是有求于他，他又看得上眼，就轻描淡写地丢张名片过去，拿着这张名片去办事，不必邵公子亲自出面打招呼，很多麻烦都会迎刃而解。

诺诺能看懂中年人的眼神，不悦地皱皱眉，心说这姓邵的什么人品？真他妈的烦死了！

邵公子给她这张名片的时候可不是轻描淡写，而是死皮赖脸，说诺诺我陪你去嘛，那里好远好荒的，你一个人去我怕你出危险，我新买了一辆奔驰G55，爬山涉水很好开的，我自己开车带你去嘛……

诺诺冷冷地说我自己会开车，邵公子愣了几秒钟，可怜巴巴地摸出 G55 的车钥匙送上，诺诺从他的钱包里摸了一张名片出来，把法拉利的钥匙和钱包一起丢还给他，起身出门。

邵公子跟她在英国上同一所幼儿园。邵公子从小就爱显摆，诺诺就隔三差五揍他，揍的多了，就揍出了斯德哥尔摩情结，邵公子长大之后自称是诺诺在幼儿园的男朋友，跟他传绯闻的女明星长得都有点像诺诺。

邵公子是诺诺在本地唯一靠得住的"人脉"，当年那辆法拉利、如今这辆法拉利，她都是问邵公子借的，邵公子很想同时自献充当司机，但诺诺总是拿了车钥匙就走。

"你以前是寰亚集团的办公室主任对吧？我想跟你打听一个人。"诺诺打断了中年人的胡思乱想，"你们以前有个开迈巴赫的司机，姓楚，是不是？"

中年人一愣，点点头："你说的是老楚，楚天骄吧？以前是有过这么个人，后来那辆迈巴赫出了事故，老楚也没了。"

诺诺也愣了一下，心说那个楚子航，或者说鹿芒的亲爹，居然有如此龙傲天流的名字。

"你跟他同事过么？"诺诺又问。

"何止同事，我俩的关系不错呢，以前经常一起喝点小酒啥的。"中年人说。

"跟我说说他是个什么样的人。"诺诺说。

她来这荒郊野地就是想要了解这个叫"楚天骄"的男人，这是关于楚子航的最后的线索了。当年那场交通事故怎么想都很可疑，而正是以那场交通事故为分界点，他们认知的世界和路明非认识的世界不同了。

在他们认知的世界中，那个叫楚子航的 15 岁男孩和他的父亲一起出了车祸死了，而在路明非认知的世界中，楚子航活了下来，后来加入卡塞尔学院，成了他们的朋友。

"老楚是个好人，以前结过婚，老婆是个好漂亮的舞蹈演员，还生了个儿子，"中年人说，"后来离婚了。他以前是给税务局领导开车的，后来想多赚点钱，就辞职出来给我们老板开车了。"

他说的老板就是那个卷款潜逃的老板，当年老板为了显示实力，花了差不多一千万买了那部迈巴赫，号称本地第一豪车。寰亚集团最风光的时候，老板整天坐着这部车，带各种关系户出入娱乐场所，开车的就是楚天骄。

"说具体点。"诺诺说，"我是问他是个什么样的人，不是问他的经历，他的经历我知道。"

中年人张了张嘴，却愣住了。他跟楚天骄是老同事，本该有很多可以说的，可真要说起来，他又觉得那个男人很虚幻。

楚天骄根本没什么特点，是个乏善可陈的中年人，除了喝点酒他没什么爱好，除了吹点牛他也没什么话说，除了当舞蹈演员的前妻和那个跟别人姓了的儿子他也没任何家人。

那个男人天天在他面前活蹦乱跳，可是如今想起来，才惊觉自己根本不了解那个男人。

"就是那么个人吧。"中年人只好说，"人挺好的，后来没了，挺可惜的。"

诺诺皱了皱眉，这种表述太模糊了，对她没有一点用处，连用这些信息来侧写都做不到。

"再想想，一个大活人，就没点可说的么？"诺诺说。

中年人搜肠刮肚地想了很久："他喜欢吃卤大肠……"

"还有呢？"

"吃烤鸡翅的时候总喜欢加双倍辣，辣得我都受不了……"

诺诺心说拜托！你跟楚天骄真的很熟么？你对他的印象就只有卤大肠和烤鸡翅么？你们是在夜灯下一起喝小酒的卤大肠和烤鸡翅兄弟么？

"真没什么可说的。"中年人无奈地挠挠头，"老楚没什么大意思，就那么个人，老板叫他出车就出车，没事干的时候他就待在厂子里，他要么在车上，要么在厂子里。"

诺诺微微一怔："你是说他住在这间工厂里？"

"是啊，他那点薪水也买不起房，离婚的时候估计是净身出户，当然只有住在厂子里了，厂子里给了他一间单身宿舍，现在那间宿舍还锁着呢，他的东西都在里面。"

"带我去看！"诺诺腾地站了起来。

一个人生活过的空间对于会侧写的人来说太重要了，那里富集着跟这个人有关的信息，空气中似乎都残留着那个人的味道和身影。

"带你去看倒是没问题，不过那里好多年没打开过了，估计都是灰尘，"中年人说，"没准生霉了都难说，那可是个地下室。"

"带我去！"诺诺的语气不容拒绝。

"行行，我找找钥匙带你去。"中年人不愿意得罪这位邵公子介绍来的贵客，黑太子集团也算是寰亚集团的债主，这种人得罪不起。

他们经过长长的走廊，走廊的一侧是一间间的办公室，另一侧是成排的玻璃窗，中年人拎着一大串钥匙，边走边叨叨："说真的有时候我还蛮想老楚的，可是他走了那么多年，没一个人来问他，好像这个人没了对谁都没什么影响，人混到这分上也蛮惨的……"

诺诺心里微微一动，脑海里忽然浮现出路明非的脸和他那疲倦的声音，他说："要是世界上真有师兄那么一个人呢？他在这个世界上的某个角落里等着人去救他，可大家都把他忘记了，他说救救我啊我是楚子航，可大家都说你是谁楚子航又是谁……所以我不能忘了他，忘了他就再也没人能回答他了。"

她忽然有点难过，原来是那样一种情绪在推着那个屄孩子满世界地找楚子航啊，那是一种骨子里沁出来的孤独，满世界想要找个跟他同病相怜的人，找到了就跟他做好兄弟。

跟你同病相怜的人不见了，你当然会满世界地寻找他，因为你对他的孤独感同身受。如果是你被囚禁在世界尽头的监狱里，你也不想大家都忘了你，继续过幸福的生活，所以你不能让他在世界尽头孤独地呼救……

你要去找他，要去救他，万山无阻。

她怔怔地想着，雨点打在窗上噼里啪啦……她忽然觉得有人在背后看她，于是下意识地回头……

背后并没有人，可是一扇打开的窗倒映着火焰般的光芒，光芒中隐约有个骑马的人。那一眼连半秒钟都没有，下一刻那扇窗就被风吹着撞上了，失去了那个角度，诺诺也就看不到反射的人影了。

诺诺没来由地打了个寒战，记起那夜在图书馆里，路明非将她扑倒的那一刻，他的瞳孔中似乎也倒映出金色火光和一个……骑马的人！只不过她那时太过吃惊，没有太留心。

她猛地推开最近的那扇窗看向风雨里，却只有没膝深的长草飘摇。

他们来到地下二层，楼梯和走廊都阴暗细长，空气中充斥着空调压缩机的嗡嗡声，角落里堆着废旧的机械零件。

"这地方原来是空调机房和临时仓库，老楚来上班那天说没房子住，老板就说在地下室里给他临时安排一间住着，还是我带他出去买的被褥。本以为住个十天半月就搬走，谁想到他一住就是几年。"中年人还在絮絮叨叨。

"好呛人的煤油味。"诺诺说。

"这还算呛人呐？厂子运转起来这里的味道才叫呛人，跟烧煤油锅似的。"

"这里连扇窗户都没有。"

"可不是么？当初我们也跟老楚说，说你薪水也不算少，我们老板虽然卷款跑路，可对下面人还是蛮慷慨的，你何不在附近找个出租屋住着，一月也就大几百块钱。"中年人又叹上气了，"可老楚说要攒点钱啊，他那跟人家姓的儿子结婚那天，亲爹总得出点礼金。"

听着听着，诺诺的心里有些苦涩。她一步步前进，一步步逼近那个神秘的、名叫楚天骄的男人。

"就是这里啦。"中年人在一扇铁皮包裹的门前停下脚步，眯着眼睛挑出一把钥匙，在锁孔里试了很久，"啪嗒"一声，门开了。

"姑娘你往后退几步，我怕这门几年不开，老鼠都在里面做窝了，或者有霉菌什么的，对身体不好。"中年人摸出一张纸巾捂住口鼻，慢慢地推开房门。

出乎意料，扑面而来的空气反倒比通道里的空气清新一些，只是有股子尘土的味道。出现在诺诺面前的是间干干净净的小屋，一张双人床、一个床头柜、一个写字桌加一把椅子，还有一台小冰箱，这就是楚天骄的全部家具。

屋子的一角拉了几根钢线，应该是用来晾衣服的，因为现在上面还挂着一件夹克外套。水泥地面和墙壁上也没有任何的装饰，东西摆放得整整齐齐，被褥也整整齐齐，更没有随手乱丢的泡面碗，真不像是个男人独居的地方。

"还好还好，老楚这人蛮爱干净的，从来不在房间里放吃的，老鼠都不稀罕进来。"中年人说，"你随便看，有什么东西有用随便拿，我说姑娘你莫不是公安吧？"

此刻诺诺正沿墙角缓慢地行走，感受着这间屋子的每个细节，那种审慎和敏锐的感觉让中年人产生了新的猜想。

"不是，"诺诺轻声说，"我是他儿子的……同学。"

她说了假话，但她实在无法给自己找一个合适的身份。

"哦哦。"中年人心想老楚的儿子还蛮有人缘，当年的女同学还代他来拜祭父亲。

"我可以单独待会儿么？"诺诺说。

"行啊行啊，"中年人点点头，"我正好去设备间看看，下来了就顺便干点活儿。"

门关上了，小屋里只剩下诺诺一个人，风不再流动，压缩机的声音也被隔绝在门外。

诺诺缓缓地踱步，审视着小屋里的每件东西。床头柜上摆着一张照片，毫不意外地是张全家福，女人明艳照人，男孩看起来只有四五岁，男人穿着白衬衫和毛呢裤子，梳着油头，面带骄傲地搂着女人的腰。

女人是苏小妍，男人就该是楚天骄了吧？从那张还算英俊的脸上看不出什么，就是那种二线城市里生活还算凑合但没什么成就的男人，楚天骄是这种男人，叔叔也是这种男人。

那男孩就是楚子航么？四五岁的楚子航？诺诺凝视着照片中男孩的小脸，试图唤醒自己的一些记忆，但她想不起来。她不认识这个男孩，他们从未见过。

找到几本杂志，都是最常见的《知音》《故事会》之类，在这种二线城市里人人都看这种杂志。

桌子上有几张发票，都是吃饭捏脚洗桑拿什么的，想必是跟老板出门帮老板买的单。其中一张上写着"阿里巴巴捏脚城"，十足的二三线城市气息。

诺诺在床边坐下，缓缓地闭上眼睛，在脑海中构建着楚天骄这个人……什么样的人能够在地下室里住那么多年呢？与世隔绝，听着单调的压缩机声，爱吃卤大肠和超级辣的烤鸡翅，给"嫁入豪门"的儿子攒着结婚的礼金。

很矛盾，这是一个很矛盾的人。他身上有很多特质是相互冲突的，无论诺诺怎么集中精神，他的感觉都很模糊。事隔多年他已经不在这个世界上了，可他留下的信息还是在跟诺诺玩捉迷藏的游戏。

诺诺不得不进入更深度的侧写，这种体验并不好，有点像做噩梦，侧写者在半清醒半模糊的状态下思索，有时候那个人那件事会忽然清晰起来。如果控制得不好，会看到侧写者自己很恐惧的景象，这就是通常所说的"走火入魔"。

诺诺的意识半浮半沉，隐隐约约听到了雨声，雨声、黑夜、长途大巴……车上下来的人。

对的，多年之前，某个没有过去的男人坐着大巴来到这座多雨的城市，他来的时候正是雨夜……那是楚天骄，他独自行走在雨中，拎着沉重的箱子……对的，他来的时候拎着一个很大的箱子！

他穿着什么呢？也许是一件长长的黑色风衣，对……黑色风衣！

秋天，落叶，湿透的枯叶落在黑色风衣的肩膀上……他在这座城市的深夜中漫步，在卖小吃的路边摊前坐下，要了一份小菜……卤大肠，对！他要了一份卤大肠！

乙炔灯的微光中，穿着黑色风衣的男人不急不缓地吃着一份卤大肠，沉重的箱子就搁在他的脚边。

诺诺的眼角微微抽搐，流露出痛苦的神色，这是脑力过度消耗导致的，这种半梦半醒的深度侧写之后，侧写者总会筋疲力尽头痛欲裂。但沉浸在其中的诺诺仍在试图逼近楚天骄，想要看清那个模糊的影子。

这种感觉就像是她沿着时间线回到了多年之前，跟踪着初到这座城市的楚天骄，所有的细节看似都是她幻想出来的，偏偏又无比真实，唯有楚天骄的身影，仍然是模糊的，带着一点点晕开的边。

雨越下越大，乙炔灯的火苗摇曳，天上地下都是哗哗的水声，"哗哗哗哗"，"哗哗哗哗"，倒像是在一个大湖的深处……这么想着，诺诺就真的看见了那座大湖，但不是在湖面上看，而是在湖底往上看。

她觉得自己正向着湖底沉去，湖面上荡漾着火光，很多人在喊她的名字，可她离火光、离温暖、离那些呼唤她的人越来越远，独自沉向永恒无尽的深渊。

糟糕！侧写失控了！她很清楚地知道自己的处境，可她自己也无法从这种幻境中挣脱，除非有外来的人叫醒她。

记忆纷至沓来又飞速离去，这是濒死体验的一种，她想自己就要死了。

死亡的感觉居然是这样的，孤独，整个世界离你而去，你竭力想要抓住什么，却无能为力。

她想哭，想妈妈，想拉住谁的手，可谁的手她都触不到。

就在这时，上方传来巨大的咆哮声，一张狰狞恐怖的脸强行冲破了湖水，像是狂怒的斯芬克斯。那怪物狠狠地抱住了她，以万钧之力带着她上浮，它以君王般的愤怒大吼说，不要死！不要死！不要死！

诺诺骤然惊醒，重新获得了身体的控制权，浑身都是冷汗。她无力地躺在那张极不舒服的床上，大口地喘息着……时间过去那么久，她还在做这个噩梦。

对于自己到底怎么从三峡水底生还的，诺诺一直抱有怀疑。

根据恺撒和路明非的描述，拼在一起形成了这么一个故事：龙王诺顿逼近潜水钟，诺诺受袭晕了过去，但诺顿随即被水面上的摩尼亚赫号吸引，转而去攻击摩尼亚赫号，恺撒巧妙地用鱼雷炸死了那位龙王。路明非随后把昏迷的诺诺托出水面，醒来的时候，诺诺见到的是恺撒。

但诺诺隐约记得自己当时受了重创，所谓的重创是一根白色的骨刺贯穿了她，然后她就晕了过去。在昏迷中她产生了缓缓沉入深渊的错觉，但在最后一刻，一张愤怒而狰狞的面孔破开无边的水，从上方降落。

那怪物对她咆哮，说"不要死"！她是被那个怪物救回来的，那怪物用了某种违背规则的力量，把她从死亡的深渊中强行捞了出来。

那怪物至高至大，肆意而疯狂，可那一晚他的脸上带有泪痕，恐惧不安。

诺诺无法说清那到底是她受伤后的幻觉还是真的有这么个怪物出现过，事后她在自己身上找到了巨大但是愈合很好的伤痕，她在水下所受的伤应该不止是被龙王"抽晕了"这么简单，可如果自己真的是被刺穿了胸膛，又怎么能那么快痊愈呢？

自那以后她就总做这样的噩梦，不过这倒也不是绝对的噩梦，她并不很害怕那个梦，在梦中她拼命地想要看清那张脸，就像她现在拼命地构想楚天骄。

但一次都没有成功过。

小屋猛地震动起来，灯灭了，压缩机的声音也停了。

"大叔，外面怎么了？"诺诺大声询问，她莫名地有种不安感。

无人回答，诺诺低头一看，惊讶地发现地面上有厚厚的一层水。水是从门缝下方

渗进来的，水势还在增大，在她走火入魔的几分钟里，地下室好像灌满了水。

诺诺猛地拉开房门，就看见奔腾的白浪转过楼梯拐角扑了下来，水中卷着各种垃圾，甚至包括一台小型柴油机！

她猝不及防地被这波白浪冲向了走廊尽头，大脑瞬间一片空白。怎么回事？地下室开始灌水了，就算外面是倾盆大雨，也不该这么剧烈地灌水啊。

这种程度的灌水毫无疑问会摧毁楚天骄小屋中的陈设，那是楚天骄留在这个世界上的最后痕迹！她好不容易找到这里来，却不能多一点时间待在那间小屋里，也许再多做一次深度侧写她就能洞察楚天骄的秘密！

比这更糟糕的是她陷入了极大的危险中，地下室一旦开始淹水，很快就会被灌满，而且电灯会因为电线短路而熄灭，黑暗中很难从地下二层游到地面上去。

她是游泳健将，但在三峡水库的行动之后，她就不太敢在光线昏暗的地方游泳了，会没来由地紧张。

不过这个时候不上也得上了，她深吸一口气潜入水中，脱去雨靴、皮衣和长裤，把白衬衫的两角在腰间打个结，过多的衣物会限制她的行动。

灯果然像预料的那样熄灭了，黑暗中什么都看不见，功底毕竟还在，诺诺高速地游动着，像是一条矫健的鲭鱼。

她的憋气时间长达三分钟，必须在三分钟内找到路游到水面上去。她努力地回忆着进入地下室的路，还好脑中的地图非常清晰，黑暗中摸索着游出去应该不是问题。

她很快就进入了地下一层，这里也被灌满了，水中漂浮着各种各样的垃圾，好几次她被大件垃圾擦到，浑身都是血痕。再转过一个弯就能上到地面一层了，这时候诺诺迎头撞到了什么东西。

她心里一凉，最麻烦的事情还是发生了，这栋小楼的地下室里存放了太多的东西，这些漂浮垃圾往往会堵塞通道，从地下一层去往地面的通道被堵塞了！

她试着在黑暗中拆解那团垃圾，感觉那是几根沉重的木头、一张破床还有几块石棉瓦，如果有光的话可能几下子就挖出一个通道来了，但黑暗中这件事变得很难很难。

她像是被困在了一座水牢中，她的指甲在那些石棉瓦上刮擦，断了好几根修剪得很好看的指甲，但是根本拆解不开，她用力去砸，也只是发出空空的声音。

肺里的氧气明显不够了，她开始耳鸣眼花，心跳和血压都快到极限了，她的身体素质在混血种中只是中等水准，这样下去毫无疑问会坚持不住。

她试着上浮，想去呼吸那些残留在屋顶凹陷处的空气。按道理说在通道被灌水的情况下，总会在某些凹陷处保留着一些空气，但她发现屋顶的每个空隙都被淹没了，她甚至连一口空气都找不到。

怎么回事？这到底是怎么回事？这还是一座建在陆地上的小楼么？这简直是一艘正在沉入海底的船！

错误的判断是致命的，她的氧气已经耗尽，大脑开始麻木，肌肉失去控制，她吐出空气的同时吸入大量的污水。一旦出现这个情况就彻底完了，她会吸入越来越多的水，最后肺里灌满水，慢慢地沉入水底。

她痛苦地挣扎着，向着黑暗中伸手出去，却摸不到任何东西，真可笑……这是她陈墨瞳的死法么？她最终还是死在了她最恐惧的水中。而这一次，那个怪物并没有来救她。

她的意识渐渐模糊，好像灵魂无边地弥散开去，这时一只粗糙的大手抓住了她的手腕。

诺诺猛地坐了起来，剧烈地咳嗽着。

她躺在一辆救护车上，车外听上去着很多人跑来跑去。她身上只有内衣和那件衣角打了结的白衬衫，湿漉漉的，盖着一条白色的被单。

"你醒啦！你可真是命大啊！"护士凑过来用小手电筒照她的眼睛。

"怎么回事？怎么回事？"诺诺惊魂未定。

"下雨把地基给泡软了吧，一栋楼沉到地里面去了。"护士说，"大家正在救灾呢，看看能从楼里抢出点什么来。好在这间工厂早都破产了，事发的时候楼里就你和一个大叔，要是还在开工，那得死多少人啊！"

诺诺抓过旁边的病号服套上，光着脚跳出了救护车。没错，刚才并不是幻觉，她刚才差点死了，死于一场奇怪的地下室淹水。直到现在她已经做过肺部排水了，嘴里还是一股浓重的泥腥味让人想要呕吐，那水太脏了。

她踩着淤泥，越过封锁带来到那个坑边，不久之前的白色小楼，眼下几乎整个陷入了地面，只剩最上面一层还能露出来，而且还在缓缓地下陷，雨水灌入坑里，咕嘟嘟地冒着泥泡。

难怪灌水那么严重，这种情况就像是把整栋楼丢到海里去了。

抢险救灾的人也没什么办法，只能背着手站在坑边看着，嘀嘀咕咕地说"这可真太奇怪了"或者"一定是当时找的施工队没好好打地基"。

其中最拉风的是那位中年的办公室主任，此刻这家伙一改无聊中年男人的形象，只穿一条苹果绿的游泳裤，外面披一件雨衣，站在水坑旁边指点江山，后面还有人给他打伞。

"到底怎么回事？"诺诺冲过去喝问。

"我也不太清楚，你没事就好，可能是施工队之前没有打好地基，地基被这几天的大雨泡软了，整个楼都陷到地下去了。"大叔无所谓地说，"不过楼里都给搬空了，损失倒是也不大。"

诺诺盯着他的眼睛看了很久，以确认对方有没有说谎。这个中年人刚刚把她带进地下室不久，地下室就灌水了，还几乎把她淹死在里面，这怎么想都有些古怪。

但即使以一个侧写者的敏锐她也没看出什么，大叔看着很坦荡，还有些小得意，不知是为什么。

"谁把我救出来的？"诺诺又问。

最后的记忆是某人高速地逼近，一把抓住了她的手腕，但她还是没能看清那人的样子。难道说三峡水库里救她的人又出现了？那个人始终都跟在自己身边？

"我啊！"大叔得意洋洋地竖起大拇指点点自己的心口，"你可别看大叔现在就是帮人看个厂子，以前大叔可是省游泳队的健将呢，差点进了国家队！不信你看大叔这八块腹肌！"

周围的人都鼓起掌来，想来赶来救灾的都是住在附近村里的、工厂的老雇员，谁都知道大叔的风光往事。

只有诺诺默默地低头看着那个冒着泥水泡的坑，看着小楼缓缓地陷了进去，冥冥中似乎有人跟她开着玩笑，在她即将能感觉到楚天骄的时候，这条线索又断了。

游戏关卡"昆古尼尔之光"，第 53 次 Load，黑夜，暴风雨，高架路。

路明非把新弹匣拍进枪里，对准法拉利连续射击，轰然巨响，火风卷着各种各样的碎片横扫了整条高速路，路明非大踏步地穿越火风，风衣飒飒，没有一片碎片能伤到他。

他来到诺诺身边，把她拉了起来——法拉利爆炸的时候，诺诺本能地趴下了。因为是脸着地，蹭了好些沥青，灰头土脸的，反观路明非，器宇轩昂镇定自若，拉起诺诺的同时回身扫射，没有一颗子弹是浪费的。

"太神勇了吧？帅得没有天理啊！"诺诺惊呼。

路明非一脚踢飞凌空扑下的黑影，心说这不废话么？惟手熟尔，这关老子打了五十多遍，菜鸟也熬成高手了。

他一把把诺诺推进迈巴赫，双枪左右连发，挡住潮水般扑上来的黑影，神勇得就像《英雄本色》中的小马哥……可惜任务失败。

游戏关卡"昆古尼尔之光"，第 62 次 Load，黑夜，暴风雨，高架路。

"你从哪里摸出来的火箭筒啊，兄台？"诺诺惊呼。

路明非不回答，踩在一箱火箭弹上，向着四面八方射出道道火流……火箭弹在膛内爆炸……

路明非横飞过整条高速路，惨叫："路鸣泽！你给的火箭筒怎么还带炸膛的啊？"

"总有些劣质品嘛，你都换了那么多支了，难免遇上一支。"路鸣泽含笑的声音从雨中传来。

任务失败。

游戏关卡"昆古尼尔之光"，第 77 次 Load，黑夜，暴风雨，高架路。

迈巴赫带着两道一人高的水墙，撞断了前方的横杆，即将从两个收费岗亭中穿过……但不幸撞在了隔离用的水泥墩子上。

爆炸，火光，骂娘声……任务还是失败。

路明非缓缓地睁开眼睛，视野还未清晰就喊："护士姐姐我要打针……"

他在安眠针的帮助下已经连续睡了五六天，一醒来就找护士要求再来一针，两针之间把病号饭吃了，跟半仙、党员还有三轮叔聊聊天。当年他玩游戏的时候也是这样的劲头，几乎能做到不眠不休，全靠营养快线和辣条补血。

小护士有点怀疑他是安眠针上瘾，不太愿意给他打，路明非就给她编说自己的脑袋里意大利贵公子和面瘫杀胚怎么争论，一会儿高叫说贵公子要出来啦，然后扮恺撒说话，一会儿高叫说杀胚要出来啦，扮楚子航说话。

小护士被他吓得不轻，跑去请示医生，医生说据我们所知这种安眠针并没有什么成瘾性，既然他要你就给他打好了，小护士这才放开了安眠针的供应，有时候干脆留一针在床头，解放路明非的双手，深更半夜让他自己打。

几天下来路明非单手静脉注射已经颇为熟练，新来的实习护士都跟他请教如何能毫不犹豫地把针头扎进自己的静脉里。

路明非心说打针算什么？睡着之后我还要被扎、被炸，开车冲下山崖呢！

视野渐渐清晰起来，脑袋上方好一张大脸，胡子拉碴，喜气洋洋。

"师弟你醒啦，我来看你啦！"芬格尔说，"你恢复得怎么样？"

"你个混蛋还知道来看我？妈的是你们把我送进来的吧？"路明非怒骂，"还买苹果，我这样子现在连苹果皮都没法削！"

"我帮你削啊。"芬格尔严肃地说，"你现在是病人，怎么能让你自己动手呢？要不要给你切成块？"

"有这闲工夫你不如去给我办个出院手续，告诉那个医生我没病！我正常得很！"路明非快被这家伙气哭了。

"没人说你有病，观察期嘛，观察你有没有病，没病咱们就出院。"芬格尔大手一挥，很有领导派头，"入院手续可是你师姐签的字，现在她是你的监护人，我可做不了主啊。"

"师姐……也觉得我疯了？"路明非难过了一下子。

"看你那样子谁都有点担心嘛，不过放心吧，你师姐很关心你的，昨天她还出去帮你查楚子航的事呢，"芬格尔说，"可积极了。"

路明非心里一喜："查到什么了吗？"

"这可就说来话长了。"

"说来话长也要说！别废话！快说！你还等打赏啊？"

芬格尔摸了个苹果开始削："楚子航他妈那边呢，我们也去查过了。他妈这病不是最近刚起的，好几年了。楚子航15岁那年出了车祸，他妈就抑郁了，老想着怎么我儿子就这么没了呢，出现幻觉说自己怀孕，心理学上说这是一种补偿心理，她这是想把楚子航再生出来，这样就不会失去那个宝贝儿子了……唉！是可怜又伟大的女性啊！"

路明非吃着芬格尔给他削成块喂到嘴里的苹果，默然地想着苏小妍的模样和那晚的对话。

"你师姐就去查他老爹那边。他老爹呢，是个司机，给一个叫寰亚集团的私营企业开车，当年那个企业在郊区开了一大片工厂，做合金的。但后来发现那个老板其实是用建厂的名义骗银行贷款，事发之后老板就卷款潜逃了。"芬格尔说。

"寰亚集团？"路明非想了想，"我记得这个工厂。"

"你师姐去了一趟寰亚集团，它已经破产了，就留了一个以前的办公室主任在善后。办公室主任以前跟楚子航他爸还是同事，办公室主任说楚子航他爸在厂里住的小屋就在他们楼下。你师姐就去小屋里看了看，结果就遇上事儿了！"

"什么事儿？"路明非一惊。

"大概是下雨下得太久了，地基给泡软了，那座楼整体沉陷到地下去了，差点把你师姐埋在地下室里。幸亏那位办公室主任原来是省游泳队的高手，真正有八块腹肌的奇男子，把你师姐从淹水的地下室里救了出来。没什么事儿，你就放心吧！"芬格尔感慨，"不过你师姐很沮丧就是啦，说要是多给她点时间，对那间小屋用侧写，没准就能推想出楚子航父亲是什么样的人，你不是说楚子航他爹是超级混血种么？"

路明非心里一动，明白了诺诺为何要去追查楚子航父亲的身份，眼下他们已经山穷水尽，各方面证据都说明是路明非疯了而楚子航死在了 15 岁那年，诺诺只能任何线索都不放过，把不可能当可能。

说起来怎么就那么晦气呢？所有的线索都中断了，有好几次分明觉得看到了曙光，可接下来还是无尽黑夜。

冥冥中似乎有股力量把楚子航包裹起来，让他远离这个世界，不能被任何人接触到、调查到。

"您是小路的朋友吧？"三轮叔腆着肚子过来跟芬格尔握手，"小路在我们这里很好，你们放心吧！"

半仙也跟着过来凑热闹："皇上夜夜安睡，只可惜没有贵妃陪伴，甚是孤独啊。"

"贵妃查案去了，还差点被水淹了，很辛苦啊，这两天就让皇上自己睡吧。"芬格尔频频点头，"您就是半仙老师吧？我经常听护士说起您，我师弟在这里多亏你们照顾。"

路明非说你滚你滚……还半仙老师……

"意志有时候不够坚定，但是现在每天能打四五针不哭了，作为年轻同志还是很不错的，可造之材啊！"党员感慨地说。

"还不是几位前辈的关照和提携么？吃苹果吃苹果，大家吃苹果。"芬格尔热情地分着苹果，跟病友们唠嗑。

他跟党员畅谈国民党反动派的狠毒和英特纳雄奈尔一定会实现，大家都会过上土豆烧牛肉盖饭放开吃的好日子；跟三轮叔畅谈三轮摩的取代出租车的可行性；跟半仙聊了几句之后，半仙已经认定他是文曲星降世，是专门来辅佐路明非皇帝的好汉子。

路明非心说大哥你可以啊！你才是应该住在这里的人吧，各种神经病你都应付得驾轻就熟！

过会儿连小护士也来凑热闹，芬格尔对小护士就换了另外一番嘴脸，畅谈自己在伦敦金融街的风光人生，小护士听得两眼放光，照那个架势再谈俩小时，小护士绝对会被芬格尔泡上。这家伙在古巴有无限桃花运这件事，似乎也并非不可能。

路明非趁机休息，听这帮神经病凑在一起絮絮叨叨也蛮好，让他有暂时回到人世的放松感，但很快他就要重新回到那场噩梦中去了。

"针对今天上午发生的飞机滑出跑道的恶性事故，市委领导做出了严肃指示，责成各级单位严查、详查事情经过，提高对航空安全的保障，做好对受伤乘客的救助和赔偿工作，并宣布机场无限期关闭，请近期有外出需求的市民考虑其他出行方式。"

不知是谁把电视机打开了，正播放午间新闻。

“机场也出事故了？唉，这场雨下得真是烦心，前几天不让坐船了，高速公路也封了好几条，现在飞机也不能飞了，这不是把我们都困在城里了么？”小护士噘着嘴抱怨。

大家的注意力都被新闻吸过去了，芬格尔也跟着探头探脑。画面上一架支线客机正在等待起飞，跑道上大片积水。

路明非对这些不感兴趣，只是啃苹果的间隙瞄了一眼，可看了那一眼他就再也挪不开目光。他清楚地看见，积水中映出了骑马的人，浑身被金色的光焰笼罩！积水相当于镜子，奥丁借助那面水镜挡在了飞机前，手持铁灰色的弧形重剑。

他恐惧得说不出话来，就像小魔鬼说的那样，奥丁正在试图挤进现实世界！他已经可以利用镜子影响现实世界了，那天晚上如果不是小魔鬼打碎了镜子，昆古尼尔已经刺穿了诺诺的心脏！

镜子可以打碎，积水该怎么办？奥丁正对着那架即将起飞的客机，客机上有上百名乘客！

“报警！报警！快打电话报警！不能起飞！不能起飞！”路明非尖叫。

这话把所有人都吓到了，连三个神经病都给吓到了，半仙一溜烟地往外跑，大喊道皇后娘娘皇后娘娘，我们这屋新来的家伙好像出状况了！

路明非忽然意识到只有他能看见积水中的奥丁，对于其他人来说，屏幕上根本就没有那个骑马的影子，跑道尽头没有，积水倒影里也没有。

客机开始加速，机翼在风雨中微颤，一切都很正常，这本该是一次平稳的起飞……这时候积水中的奥丁遥遥地挥剑，挥剑的时候他距离飞机还有上百米，但剑落下带出的铁光就像一道飓风那样横扫了机场。

正在收起的起落架忽然折断，准确地说是被那道无形的剑风切断，一侧的机翼也平滑地断开，本已昂起的机头忽然往下栽，飞机不受控制地从跑道尽头滑出，几秒钟之后引擎爆炸，熊熊烈火。平静的机场整个乱套了，救火车救护车倾巢而出。

医生护士们冲进病房把路明非摁倒在床上，二话不说就把镇静剂注入他的身体，多加两条皮带死死地捆住了他。

进门的第一时间他们就判断这个病人是发病了，他的眼神惊恐又疯狂，好像他面前站着什么魔鬼似的。可实际上他眼前就只是一台电视机屏幕上正播着午间新闻，播音员说客机严重受损部分乘客受伤，事件的原因正在调查中。

路明非这才想起这件事其实已经发生过了，新闻只是重播事故过程，奥丁一次挥剑就摧毁了这座城市的机场。

那恐怖的剑风，神之君临般的威严，那不是人类能够对付的东西，绝不是！而这座城市，可以说是他的领地，也可以说是他的玩具。

　　奥丁就要来了，八足天马斯莱普尼斯的马蹄声滴滴答答……他还有足够的时间带着诺诺逃亡么？他不停地 Load，奥丁不停地尝试侵入现实，大家都在抢时间，可他失败了又失败。

　　医生护士们忙着给他打针穿戴仪器，芬格尔帮着忙活，谁都没有注意到病人本身，路明非微微地颤抖着，眼中泛起可怕的灰色。

DRAGON RAJA

奥丁之渊

第十一章

|邵公子的夏季攻略|
Mr.Shao's Plan for Summer

"你醒啦？睡得怎么样啊？"黑暗中响起一个陌生的声音。

路明非惊得一哆嗦，这才发现床边坐着个小胖子，穿着蓝色马甲、花格纹西裤，油头梳得整整齐齐，发梢末端还带风骚的小卷儿。

CBD 区最热闹的地段，黑太子国际金融中心，这是一座表面盖满黑晶玻璃的摩天大厦，好似黑色的巴比伦塔。

本市的龙头企业黑太子集团就在这栋楼里办公，这栋楼本身也是黑太子集团的产业。

顶层大厅的长沙发上，身穿酒红色裹身小短裙、脚蹬酒红色细高跟鞋的女孩优雅地侧坐着，酒红色的眼影闪闪发亮，烈焰红唇惊心动魄。

屠小娇小姐，21 岁，之前是广告演员，去年出道演电视剧，在经纪人的助推下，已经号称"中国的苏菲·玛索"。

她今天来到这里，是要拜见邵公子，传说中的邵公子。

她已经在邵公子办公室门口的沙发上坐了足足半个小时，女秘书一直说邵公子有些重要的事情，还请屠小姐稍等。

要是换作别人，屠小娇立刻就起身走人了。凭什么让她等？她是女明星，是人人争相求见的"中国的苏菲·玛索"，她所到之处大家都早早地开门迎候。

可那是邵公子，为了等邵公子，多数新晋女明星都能抱着"把牢底坐穿"的精神，屠小娇也不例外，而且屠小娇觉得自己比她们更坚韧不拔！

邵公子的真名叫邵一峰，黑太子集团的大少爷。

黑太子集团是邵老爹一手打下的江山，在前一轮造富运动中，邵老爹从一介村支书迅速成长为矿业集团的董事长，个人资产在十年内增值了几百万倍。而邵公子是邵老爹的独子，板上钉钉的接班人。按照原本的人生轨迹，邵公子应该成为一个纨绔子弟，但邵老爹某年某月某日偶尔读了一本书，名叫《三代养成一个贵族》，痛心疾首，意识到自己除了钱什么都没有，立志不能让儿子走自己的老路！

要去英伦！上名校！当贵族！年仅 4 岁的邵公子被送往英国，从幼儿园一直到读到伊顿公学。

就这样邵公子长成了和父亲不一样的人，他成了一个……会说英语的纨绔子弟。

邵公子什么都能玩什么都爱玩，但最大的爱好还是投资影视。邵公子投的都是大戏，出演的女星也都迅速地升格为一线明星。

　　年轻女星都想结交邵公子，邵公子在她们眼里就是一架金光闪闪的梯子，沿着那架梯子她们能爬到天上去。

　　屠小娇看中的是邵公子接下来的那部大戏，她为自己锁定了女主角的位置，为此决心放手一搏，穿了最短最低胸的裙子，穿了最细最闪光的鞋，来接受邵公子的面试。

　　明艳照人几乎不输于屠小娇的女秘书带着歉意的微笑来到沙发旁："让您久等了，邵先生请您进去。"

　　屠小娇立刻进入战斗状态，昂首挺胸地踏入邵公子的办公室，门在背后关闭了。

　　这是何等奢华的一间办公室啊，弥漫着古龙水和雪茄的香味，全套的阿玛尼家具，墙上挂着抽象派画作，透过巨大的落地窗可以俯瞰整个 CBD 区，窗外瓢泼大雨，玻璃上沾满水珠。

　　穿着蓝色马甲和花格纹西裤、油头梳得整整齐齐的小胖子靠在窗边，翻着一卷书，神色忧伤而隽永……屠小娇心说哇噻，这什么路数？

　　江湖传闻邵公子是个活跃的家伙，爱玩爱闹，派对小王子，酒后喜欢把头枕在女孩子大腿上，看外形他也确实是这种人，却没料到内心是这种文艺范。

　　仔细听就更文艺了，邵公子在雨声中念着诗呢：

　　"我的心在痛、困顿和麻木，毒害了感官，犹如饮过毒鸩，又似刚把鸦片吞服；一分钟的时间，字句在忘川中沉没，并不是在嫉妒你的幸运，是为着你的幸运而大感快乐……"

　　屠小娇手足无措地站在那里，坐下也不是，打招呼也不是。邵公子完全沉浸在诗歌中，似乎根本就没注意到屋子里多了一个人。

　　邵公子喝杯水漱漱口，接着念："你，林间轻翅的精灵，在山毛榉绿影下的情结中，放开了歌喉，歌唱夏季……"

　　邵公子挠挠头，换个姿势继续念："哎，一口酒！那冷藏在地下多年的甘醇，味如花神、绿土、舞蹈、恋歌和灼热的欢乐……"

　　邵公子念累了，躺在沙发上念："我要一饮以不见尘世，与你循入森林幽暗的深处……"

　　可怜的屠小娇小姐在那里站了足足十五分钟听邵公子念诗，鞋跟那么细那么高，她脚都麻了。

　　邵公子稍微停顿的时候，屠小娇终于决定抓住机会主动出击，她娇媚地干笑几声："邵公子学诗歌呢，念得真好听。"

　　"哦，屠小姐吧？你自己随便找地方坐，冰箱里有饮料酒柜里有酒，你自己弄点喝的。"邵公子头也不抬，"优美吧？好听吧？济慈的《夜莺颂》，很有逼格的一首诗！"

屠小娇没辙，只得坐下给自己倒了一杯烈性酒，小口小口地喝着，继续听邵公子念诗。

这是女明星屠小娇人生中最崩溃的一个下午，她怀着为艺术或者星途自献的心来到这里，拜会一架闪着金光的梯子……听梯子念济慈的诗。

"那邵公子您忙我先走了。"屠小娇心说这意思是我该告辞了吧？这意思是说我这姿色甚至不值得他看一眼吧？这就是一种带着嘲讽的拒绝吧？

邵公子终于抬起头看了屠小娇一眼："不忙啊，就是我师姐回来了，我得补习补习文化，师姐总说我回国之后说话像个挖煤的土豪……'去吧！去吧！我要飞向你！不用酒神的车辇和他的随从！乘着诗歌无形的翅膀！'"

读完了这首诗的最后一句，邵公子终于消停了。他认认真真地打量屠小娇浑身上下，目光在那双裹着黑丝袜的长腿上流连了好一会儿，眼睛闪闪发亮，屠小娇这才恢复了一点自信，世界这样才正常啊，邵公子果然是个好色之人。

这时候邵公子满意地点了点头："这一身要是师姐穿比你穿好看！"

屠小娇终于明白了，惨痛地明白了，不是她不够美，也不是邵公子爱诗歌，而是她来得不是时候，她拜见邵公子的时候，邵公子人生中最重要的那个女孩回来了。

那是何等强大的敌手！那是何等沛莫能御的魅力！屠小娇觉得自己被巨大的黑影笼罩了，呼吸都困难！

"您师姐是什么人啊？"屠小娇强撑着问，就像武侠小说中大侠中了一掌被伤了心脉，吐着血问你这是什么掌。

"是我女朋友啊，我给你看照片！"谈到这个话题邵公子高兴极了，放下诗集摸出钱夹打开递到屠小娇面前，那是一张合影，两个身穿英伦校服的小孩相互搭着肩膀，都是四五岁的模样，感觉是未够年龄的小古惑仔。

"这是……你们的孩子？"屠小娇懵了。

"什么啊！这就是我和师姐！"邵公子认真地说，"我们是幼儿园时代的男女朋友，当然要留幼儿园时代的合影！"

屠小娇风中凌乱还得强作笑颜："能不能见识一下师姐现在的美貌啊？"她这是死也要看敌手一眼。

"后来的照片师姐没给过我。"邵公子挠挠头，"不然让你好好见识一下。"

屠小娇心说别逗了兄台人家连张照片都不肯给你！你有何面目自称人家幼儿园时代的男朋友？话说世界上真有"幼儿园时代男朋友"这种东西么？

邵公子流露出非常缅怀的神情，正要跟屠小娇讲讲自己跟师姐的往事，办公室的门被人撞开了，几个穿黑西装的年轻人带着邀功领赏的急切神情冲到邵公子面前："老大！查出来了！陈小姐有个朋友正在住院！感觉跟陈小姐很熟的样子！"

邵公子一丢诗集，"噌"地站了起来："走！我们看看那家伙去！"

一帮人大呼小叫地下楼去了，一会儿楼下传来那辆法拉利的轰鸣声，邵公子的车为首，马仔们的车在后，驶入正在降临的夜幕。

女秘书悄无声息地进来，拍拍屠小娇的肩膀，试图安慰这个感觉自己忽然被全世界抛弃的漂亮女孩："要是平时邵先生一定缠着你要跟你吃晚饭啦，可惜你来得不是时候，因为陈小姐回来了。"

"那个陈小姐一定很漂亮吧？"屠小娇花容惨淡。

"见过两次，是很漂亮没错，但也没这么夸张。"女秘书淡淡地说，"只不过呢，陈小姐不在的时候，邵先生的智商情商怎么也相当于二十七八岁的人，可陈小姐来了，他就只有五岁了。"

游戏关卡"昆古尼尔之光"，第 91 次 Load，任务失败。

路明非缓缓地睁开眼睛，窗外已经漆黑一片了。时间是晚上 7 点半，阴天的时候天黑得特别快。这个时间病人们都吃完饭去活动室玩了，病房里空荡荡的只剩他独自躺着。

吊扇缓慢地旋转，路明非的目光也跟着旋转，他在回想着前一次 Load 失败的那一幕。

他们的车被点燃了，车门锁死，诺诺想要把他从车窗里推出去，他懒洋洋地不想动，反正失败了就重新 Load。

但在车爆炸前的那一刻，他转回头，看见了诺诺那惶急、发狠却又悲伤的神情，心里微微一动，想要拥抱她一下，给她一些安慰。

对于他来说，游戏失败了大不了重来一次，可对于每次游戏里的诺诺来说，失败了就是结束了，永远，绝对。不知道是他更惨，还是那些被模拟出来的诺诺惨。

"你醒啦？睡得怎么样啊？"黑暗中响起一个陌生的声音。

路明非惊得一哆嗦，这才发现床边坐着个小胖子，穿着蓝色马甲、花格纹西裤，油头梳得整整齐齐，发梢末端还带风骚的小卷儿。

"你……你是新来的？"路明非好奇地看着小胖子，心说这人哪里冒出来的？怎么没换病号服？

要是别人这么跟邵公子说话，邵公子的小弟早就冲上来揍人了，不过此刻小弟们都被邵公子留在外面了，而这个名叫路明非的病人又是诺诺的好友，那是打不得的。

邵公子按下心中的不满，俯身凑近路明非耳边："我是你陈师姐的朋友。"说着摸出那辆法拉利的钥匙摇晃几下，作为信物。

"你是师姐派来救我的？"路明非认出了那把钥匙，欣喜莫名。

"这么说也可以，院长跟我很熟，我会拜托他照顾照顾你。"邵公子转了转眼珠，"小路兄弟恢复得怎么样啊？"

说着打开一罐进口的比利时啤酒，给路明非灌一口，自己也喝一口，俨然一对多日不见的好兄弟。

这是邵公子的惯用招数，以酒开路，很多怀着戒心的人都会在酒精的作用下放松警惕，所以丢下屠小娇冲出办公室的时候邵公子还没忘了拎几罐好啤酒。

他这次来是有目的的。他和诺诺从幼儿园到小学一直都是同学，升入中学后老爹非要他上男校伊顿公学，两人自然就分开了，之后偶有邮件联系，却只见过两面。

第一次是诺诺代表学院回国面试路明非，第二次就是这回。

每一次邵公子都开心坏了。邵公子有个人生理想，首先要有很多很多的漂亮女友，然后就是甩掉那些漂亮女友娶师姐——说起来他比诺诺还大一岁，诺诺逼他叫自己师姐，他叫着叫着也就顺口了。

这种心理看似有点矛盾，但是对于邵公子这种人来说是非常合理的。首先好不容易投胎一把，当然要有很多的女朋友享受世界的繁华，但是最终他要娶的女孩，一定是最完美的那个，完美到让他邵公子心甘情愿跪了的程度。

男子汉大丈夫能屈能伸，说的就是这个道理，在各路美女面前当大爷，回家给老婆当孙子。

总结来说，邵公子找老婆的标准是能降得住他的，但那些围绕他的莺莺燕燕，哪一个不想讨好他？就算开始摆出冰山美人的态度，很快也就流露出娇嗲的一面，发微信都是"老公我想你""老公我爱你""老公我们什么时候再见面"……唯有当年那个在幼儿园里认识的野丫头，不仅把邵公子叉翻在地，而且踩上一只脚大喊说，"叫师姐！叫师姐我就饶了你！"

对邵公子来说，这才是他要跪的姑娘。

对于诺诺如今的生活，邵公子知之甚少，诺诺来找邵公子，也就是借部车用，邵公子问来问去，隐约知道诺诺有个意大利贵族男友，对他来说那是五雷轰顶，心理治疗了俩月才缓过来。

再多问诺诺就一句话不说了，邵公子急得抓心挠肝的，心说不知那意大利男友是什么样的渣男，全世界人都知道意大利男人靠不住！

邵公子有一阵子提起意大利就想打人，连意大利面都不吃了。

这次好不容易逮到一个师姐如今的朋友，邵公子是来刺探情报的。

几口啤酒下去，路明非长长地出了口气，他已经在梦境中连续失败了 92 次，是该喝口酒喘口气了。

分享了几罐啤酒扯了点闲篇之后，路明非和邵公子已经能算好朋友了，邵公子给路明非看了看自己幼儿园时跟诺诺的合影，路明非信了这家伙是诺诺的好友，他讲了几件和诺诺有关的小事，邵公子听得耳朵都竖了起来，恨不得摸出手机录音。

邵公子觉得彼此之间情投意合，差不多可以说点正事了，就清了清嗓子："师姐那个男朋友是怎么回事？我可是听说意大利人都是帮渣男！"

"现在不是男朋友了，是未婚夫。"路明非真心诚意地说，"不过老大并不渣，他对师姐很好的。"

邵公子心里"咯噔"一声，心说不是渣男可就更难对付了，想拆散他俩的任务就艰巨了很多。

"这个恺撒家里很有钱啊？开矿的？"邵公子又问，纯情这关上输了不要紧，邵公子还能跟那个意大利佬搏身家，比有钱这件事邵公子是不惧任何人的。

"有钱这个词可不够概括老大他们家。"路明非说。

"那么有钱？"邵公子一愣。

"进校那天我跟老大打赌，老大输了，输了我一辆布加迪威龙。"

邵公子倒吸一口冷气，罕见地觉得人穷志短……

"这人有意思么？我倒想认识认识。"邵公子装作随口问问。

"老大蛮有意思的啊，什么都懂，美食美酒宫廷礼节，拉丁文希腊文，对女孩子也很温柔。"路明非说，"胸肌练得倍儿棒！帆船玩得特别好！好像滑雪还得过冬奥会的银牌！"

他是真心觉得恺撒很棒，因为跟恺撒比起来，他再怎么都是个衰仔，即使用手工定制的西服和 Burberry 的风衣伪装起来，也还是老样子。

邵公子可就不这么想了，路明非每说一个恺撒的优点，邵公子的心都在滴血，就差咆哮说世上怎么有这样的男人？世上怎么有这样的男人？

衰仔那是说跪就跪，反正跪习惯了，邵公子风流倜傥了那么多年，谁都不跪，就算此刻心里已经跪了下去，表面上还得挺着。

"我看不尽然吧？"邵公子强撑着说，"这些都是拿出来说的谈资，他才多大年纪，什么都会什么都玩得溜，我可不信。"

"别的我说不算，你搜索老大的名字，看看那块冬奥会银牌是不是真的。"

邵公子立刻摸出手机搜索，搜完默默地收起手机，神色悲怆地喝着啤酒。

路明非一看他这个状态心里就明白了，原来这位少爷也是对师姐有好感啊！他心里惦记着诺诺，所以对同类人的感觉特别敏锐，心说这位少爷也很不容易，从小被师姐欺负到大……啊不，从小惦记着师姐……却一头撞在老大这座喜马拉雅山上。

邵公子却没想到这个穿着拘束衣的小子也惦记着自己的心上人，他眼里的假想敌只有那个恺撒·加图索。

"这么好的男人,喜欢他的女孩不少吧,将来可别欺负师姐。"邵公子恨恨地说。

眼下要是有人组织八国联军侵略意大利,邵公子绝对报名参军。

"希望不会吧,不过喜欢老大的女孩真的好多的。"路明非说。

"意大利人都他妈的不是东西!"邵公子又说,"他要是敢欺负师姐我就跟他玩命!"

路明非没来由地想伸手拍拍这个小胖子的肩,不过他做不到,他双手都被皮带捆着呢。

"如果有一天你喜欢的女孩被人欺负了你会怎么办?"邵公子问。

长久的沉默,然后路明非说出了他自己都不敢相信的话:"我会叫那个人死。"

这话就像是小魔鬼借助他的身体说出来的,可又那么地贴切自然,恰如一位暴君如实地讲述了自己的心。

"对!叫他死得什么都不剩!"邵公子觉得路明非这句话太对胃口了,打开一罐新的啤酒,又喂了路明非一口。

邵公子说完了狠话又有点泄气,想想这些年自己未必不渣,并没有质疑那个恺撒·加图索的资格,要是师姐知道自己跟那些女演员的故事,高跟鞋早都踩到脸上来了吧。说真的诺诺踩他他倒不怕,就怕诺诺淡淡地说,你喜欢怎么玩是你的事,祝你玩得开心。

比起她讨厌你,更可怕的是她根本不在乎你做过什么。

"师姐小时候是什么样的人啊?"路明非问。

邵公子不了解诺诺的现在,路明非不了解诺诺的过去,诺诺始终是这样,从不让任何一个人了解她的全部。

"女魔头咯。"

"那她从小到大没怎么变样。"

"她那时候总揍我。"邵公子沮丧地喝着啤酒。

"师姐为什么揍你?"

"我臭牛逼呗,总跟幼儿园的小朋友们说我家有好多钱,你们要听我的,我以后都给你们发工资。"邵公子说,"我跑去给她说的时候,她就把我给打了,逼着我叫她师姐。"

"老兄你这是斯德哥尔摩症候群啊!"路明非惊叹。

"其实我那时候吹牛逼是有原因的,我们那是个贵族幼儿园,其他孩子都是英国老贵族的子孙后代,他们从骨子里看不起我们。"邵公子撇撇嘴,"我不就一暴发户的儿子么?除了有钱还有什么?我能跟他们牛逼的只有钱。"

他把玩着手中的啤酒罐:"我们从小学三年级开始练英式橄榄球,英式橄榄球你知道么？那种没有防护的橄榄球，我玩得不好，可我又想玩得好，就特别发狠，撞伤了好几个人。那些英国孩子就报复，故意照着我脸上踢，有一场友谊赛，我脸上被球砸了八次，把我的门牙都砸断了。"邵公子张开嘴，指给路明非看他那不整齐的门牙，这是邵公子一直藏着的秘密，在所有新闻图片上，他都是抿嘴笑的。

"可我就是不下场，门牙砸断了我也不下场，我看那帮英国佬不顺眼。那天比赛的时候没有教练在场，没人叫停，他们就继续往我脸上踢。"邵公子说，"我晕了，坐在草地上，那时候我真的觉得我挺不住了，我得认怂了，我邵一峰就这么点胆量，已经用完了，你们看不起我我看不起我算了……这时候我隐隐约约地看见有个人拿着一根棒球棒穿过整个场地来到我面前，她挡在我面前，跟那帮英国孩子说这是我罩的人，你们别太过分，你们有种就跟我玩。"

"师姐么？"路明非问。

"除了她还有谁啊？在我们学校里只有她不怕那帮英国学生。"邵公子说，"她就代替我参赛了，那是我这辈子看过的最爽的球赛，一个女孩带着球冲十五个男孩的防守！"

"好威风。"路明非轻声说。

"就是那天我心里发誓来着，我说我得娶这妞当老婆啊，跪着爬着也得娶！"邵公子喝了点酒，也不怕丢脸了，直抒胸臆。这话他憋在心里憋了很多年，终于找到一个人倾吐。

"嗯，师姐就是很棒。"路明非说。

"你呢？兄弟你有没有像我这样喜欢什么人啊？"邵公子觉得自己说得太多了，于是换了话题。

"我也喜欢一个人，对我很好的，很照顾我。"路明非说，"也比我大一点，也有个很好的男朋友。"

"那我俩都喜欢御姐。"邵公子喂路明非一口酒，喂自己一口酒，"大家真有缘，庆祝一个！你追到了么？"

"没有啊。"路明非笑笑，"我不是说了么，她也有个很好的男朋友。"

"妈的！"邵公子拍拍胸脯，"我兄弟给人欺负成这样！哪天你要带你的妞回国就通知我，老子带一个劳斯莱斯车队去接你，让那妞知道你是我兄弟！欺负谁都别欺负我兄弟！"

"好啊好啊，我们坐你的劳斯劳斯。"路明非说，"谢谢。"

"谢什么？我帮兄弟我开心啊！"邵公子无比仗义，却又心灰意冷，"我是追不到师姐了，你别放弃啊，你追到手兄弟为你开心。"

路明非笑笑，心说老兄你也别放弃啊，师姐不还没结婚么？

　　"不瞒你啊兄弟，其实这几年我也想清楚了，咱不能太私自对不对？"邵公子懒懒地靠在椅背上。

　　"怎么说？"

　　"你读过《了不起的盖茨比》①么？"邵公子忽然想要拽拽文学，他这几天可劲儿地研究文学，"很牛的美国小说，你读过么？"

　　"读过啊。"

　　"那你说盖茨比为什么那么爱黛西？"邵公子坐直了，身体前倾，眼睛闪闪发亮。

　　"不知道。"

　　"因为只有跟黛西在一起那哥们才觉得自己是完整的。"邵公子说，"完整你懂不懂？"

　　"不懂。"路明非说。

　　邵公子也是刚看了文学评论，照抄评论家的想法，但说起来俨然是自己的心得："因为从心理上来说，他是个衰仔啊！衰仔内心很脆弱的，那是从小养成的。他的心里空了一块，必须要一个喜欢他的女孩来填补，否则无论他有多少钱、多么成功都补不上！所以他才玩命地追黛西，替她顶罪都无所谓。其实是他需要黛西而不是黛西需要他你明白么？"邵公子感慨地说，"没有盖茨比，黛西也过得很好，可是没有黛西，那哥们就过得不得安生！"

　　"好像懂了。"路明非说。

　　"可女孩为什么要跟那个需要她的人在一起呢？她应该跟那个她需要的人在一起啊。"邵公子的小胖脸没精打采，"不是师姐需要我，是我需要师姐。"

　　长久的沉默，邵公子靠在那张探视病人用的椅子上，被窗口流入的冷风吹着，吹着吹着酒劲就退了。他忽然有点尴尬，觉得今晚真是说得太多了，很丢脸，不符合他高大上的形象。

　　他赶紧站起身来，摸出一张白金名片丢在床头柜上："小路兄弟我先走了，过几天我再来看你，有什么需要你就跟护士说，院长是我好朋友，你说是我邵一峰的朋友，大家都会卖我个面子。"

　　"外面下大雨，老哥你路上小心啊。"路明非说，"谢谢你来看我。"

　　①《了不起的盖茨比》，美国作家Francis Scott Key Fitzgerald的作品，讲述这样一个故事，年轻少尉盖茨比爱上了一位叫黛西的姑娘，黛西对他也情有所钟。后来第一次世界大战爆发，盖茨比被调往欧洲，黛西转而与出身于富豪家庭的纨绔子弟汤姆结了婚。盖茨比痛苦万分，他坚信是金钱让黛西背叛了心灵的贞洁，于是立志要成为富翁。几年以后，盖茨比终于成功了。他在黛西府邸的对面建造起了一幢大厦，挥金如土，彻夜笙箫，一心想引起黛西的注意，以挽回失去的爱情。黛西与盖茨比终于重逢，黛西有意挑逗，盖茨比任凭她摆布，天真地以为旧情有了如愿的结局。然而黛西早已不是旧日的黛西，她不过将他俩目前的暧昧关系当作一种调剂。一次黛西在心绪烦乱的状态下开车，偏偏轧死了丈夫汤姆的情妇。盖茨比为保护黛西，承担了开车的责任。但黛西已打定主意抛弃盖茨比，在汤姆的挑拨下，其情妇的丈夫开枪打死了盖茨比。盖茨比最终成了牺牲品，他至死都没有发现黛西脸上嘲弄的微笑。该段注释由作者修改自互动百科。

"又说谢，兄弟之间那么多废话。"邵公子走到门口，又回过头来，"你还在追你那个妞么？"

"说不上追吧，也没放弃。"路明非说。

"多久了？"

"快三年了吧。"

"兄弟很有恒心嘛！告诉哥你怎么做到咬定青山不放松的？"邵公子有点好奇。

"看过《最游记》么？"

邵公子一愣："以前看过一点儿，怎么了？"

"你记得那个傻猴子么？"路明非说，"唐三藏把他从水帘洞里带了出来，那是第一个带他见光的人，所以他就一直跟着唐三藏。我就是那个傻猴子，我除了跟着跑，不知道去哪里。世界上有很多猴子，有傻猴子也有聪明猴子，聪明猴子在哪里都能过得好，傻猴子就只能跟着自己认的那个人跑。"

他把跟路鸣泽讲的话翻出来又给邵公子讲了一遍，因为是第二次讲，就讲得简单了很多。

可邵公子还是听得呆住了，就像灵光一现，就像醍醐灌顶，邵公子觉得自己忽然明白了！完全明白了！今夜他本已沮丧到了极点，此刻却有一股子豪气横生。

"我明白了！我明白了！"邵公子大声说，"小路你真是好兄弟！你这是在鼓励我！他妈的我明白了！要不是你现在这个样子，我真要跟你碰杯庆祝！"

"你帮我解开一条皮带我就能跟你碰杯庆祝了。"路明非说，"放心吧，我是精神分裂，不是暴力狂。"

邵公子想了想，确实觉得这位小路兄弟不是暴力狂，没什么可担心的，就帮路明非解开了一只手的腕带，在那只手里塞上了一罐啤酒。

两人碰了杯，把各自的啤酒一口喝完，相互拍拍肩膀，邵公子披上风衣出门而去，在背后关上了门。

病房里又安静下来，只剩路明非一人，他在黑暗里坐了很久很久，拉开床头柜的抽屉，拿出放在里面的那支安眠针，将其中的药剂推入静脉。

他缓缓地躺下，眼皮越来越沉重，黑暗降临，风声雨声和马嘶声也一同降临。

游戏关卡"昆古尼尔之光"，第92次Load，开始。

黑太子国际金融中心，VIP电梯升向楼顶办公室。

邵公子和他的马仔们搭乘这部电梯，邵公子若有所思，不断地敲打着自己的手掌心，小胖脸上掩不住的斗志昂扬。

"老大！您今天看起来很高兴啊！"一名马仔说。

自从陈师姐回国，邵公子喜怒无常好一阵子了，搞得下面人胆战心惊杯弓蛇影，不过看今天的状态，邵公子是恢复过来了。

"我今天新认识了个兄弟！那兄弟鼓励我来着！"邵公子说，"那兄弟是个哲人啊！说话特别感人！没说的，跟他说几句话，整个人都燃起来了！你们都该见见！"

"您今天不是去了……精神病院么？您兄弟住精神病院？"另一名马仔小心翼翼地问。

"哲人不就该住在精神病院么？"邵公子不屑地哼哼，"我跟你说那里面住的都是高人！"

电梯"叮"的一声停下了，邵公子脱下风衣往马仔手里一丢，昂首挺胸地踏入办公室，惊讶地发现一个深红色的背影背对着自己坐在窗边，手中托着一杯烈酒。

邵公子心说怎么回事？屠小娇还在这里等他？他走了秘书就该送客啊。

"唉哟，抱歉抱歉啊，刚才有点急事，没跟屠小姐打招呼就走了。"他决定敷衍几句把这个女孩送走，他现在心里塞满了关于师姐的事，赶回办公室而不是赶回家是要好好地制订一个拆散师姐和未婚夫的战略，哪有时间搭理屠小娇。

女孩并不回头，随手一丢，一串看起来很眼熟的、上面别着美杜莎银牌的车钥匙翻滚着去向邵公子。丢完车钥匙她把酒杯丢在旁边的玻璃茶几上，起身准备离开。

邵公子狼狈地接下那串车钥匙，脸上早换了表情："师姐怎么是你啊？"

那个深红色的背影不是屠小娇而是诺诺，她是深红色的修身长裤加深红色的短马甲，配色和屠小娇一模一样，只是裹得严严实实。

"你回来找刚才那妞？"诺诺耸耸肩，"她走了，打搅你的好事了？"

屠小娇跟诺诺见过面了，她犹豫着要不要等邵公子回来再聊上几句的时候，VIP电梯升到楼顶，一身红衣的女孩顶着湿漉漉的长发径直走进办公室，秘书根本没有阻拦的意思，只是小声说"陈小姐，邵先生有事出去了。"诺诺淡淡地说"没关系我等等他，正好有点累。"

诺诺在邵公子这里是一秒钟都不用等的，办公室的大门随时对她敞开，倒是像今天这样诺诺说想在这里歇歇是很罕见的，她通常都是来了就走。

屠小娇一听陈小姐三个字心里就明白了，心说择日不如撞日，你要战便来战！她立刻把身体扭成超 S 形，胸挺得简直要裂衣而出，一对白生生的长腿交叉着尽显长度，颈间指间那些蒂凡尼、卡地亚、梵克雅宝的饰物闪闪发亮，纯粹是一只开屏的孔雀在对另一只示威。

可诺诺看都没看她，诺诺给自己倒了一杯烈酒，然后在窗边的沙发椅上坐下，默默地望着夜幕中的城市。

屠小娇小心翼翼但认认真真地观察这个女孩，说真的她并不觉得诺诺胜过自己，拼衣着打扮，屠小娇这一身可以去走红地毯，诺诺那一身只是在本地的百货商场里买的，勉强能当个橱窗模特；身材方面，诺诺当然是锻炼得宜，腰细腿长浑身上下没有一丝赘肉，但屠小娇也算精通滑雪骑马，很看重锤炼自己；妆容什么的就更没得比了，谁都知道女人化妆不化妆完全是两个人，屠小娇的妆是化妆师花了两个小时做的，无可挑剔，诺诺则是一张素脸，看那苍白的脸色和湿漉漉的头发，好像刚在海里游了十几公里，那么疲惫。

但诺诺静静地坐在那里，就像一位失意的女王。她自顾自地喝酒、眺望，情绪低落，完全放松，一句话都没说，屠小娇却觉得自己的领地简直要被压缩到墙角去了。

诺诺喝到第四杯的时候，屠小娇悄无声息地离开了，自始至终两人之间一句话都没说。

"屠小姐？那是来面试女演员的。"邵公子急了，"师姐我用人格保证，我今天是刚刚跟屠小姐见面，加起来连五句话都没说！"

"我需要你这个保证干什么？"诺诺挑了挑眉，冷冷地看了他一眼，"得了，车钥匙交给你了，我也该走了，谢谢你帮忙。"

"师姐你先拿着用就是了。"邵公子说，"要是 G55 开得不顺手我还有部新买的兰博基尼在车库里，我让人给你加满油开到楼下？"

"用不着了。"

"师姐师姐，外面雨下得可大了，你把车都还我了你怎么走啊？"邵公子急忙说，"不如休息一下我叫人开车送你回去？"

诺诺愣了一下，这才想到了还了 G55 自己已经没了交通工具，公交车什么的她线路又不熟，在这座风雨肆虐的城市里确实有点不方便。

但她实在是懒得跟邵公子多说话，心里还是想走。

邵公子委屈地说："师姐你回来那么久了，我们都没聊会儿天呢，就是借个车，好像我俩是车友会认识的。"

那可怜巴巴小猎狗的语气令诺诺瞬间心软了，她重新在沙发椅上坐下，说："给我倒一杯琴酒加冰块。"

邵公子欢天喜地地去了，像调酒师那样把酒调好——通常邵公子是不屑于干这活儿的，觉得这是侍者的工作——放在诺诺面前的玻璃茶几上，自己小心翼翼地坐在旁边的沙发上，他正琢磨开篇的词儿呢，诺诺端起那杯酒一饮而尽，说："再来一杯。"

邵公子愣了一下，只好又去调了一杯，如此三次，诺诺有些不胜酒力了，这才慢慢地啜饮着第四杯琴酒，仍是默默地望着窗外。

邵公子并不知道师姐为何情绪不佳，但好像是某本书上说女性情绪不佳又喝了酒，特别容易对熟悉的男性敞开心扉，邵公子心说天助我也，小胖脸涨得红亮红亮的。

"师姐，有人欺负你啦？"邵公子问。

"没有，谁能欺负我？"诺诺答得干净利索。

"以前当然是没人咯，"邵公子转着眼睛，"可你现在不是订婚了么？"

"恺撒不会欺负我，你就别瞎担心了，照顾好你自己吧。"诺诺不耐烦地说，"少跟女明星瞎混，别让我在八卦杂志上看到你小子的照片。"

"我发誓，真没跟女明星瞎混，那是为了炒作。"邵公子诅咒发誓完了，又回到他最关心的话题，"师姐，你真准备嫁给那个意大利人啊？意大利男人都花心得很！"

"我有什么理由不嫁给他？拜托给我一个理由好么？"诺诺皱眉，"还有这事轮得到你管么？你谁啊？"

"我是你幼儿园时代的男朋友……"

"不要闲着没事自封头衔！我揍过的人很多，不是被我揍过就是我的男朋友！"

邵公子被连番抢白，心情从一开始的高涨状态到渐渐低落，情不自禁地叹了口气："师姐你那不是没给我机会么？我要是有机会，自信不会比那个恺撒什么什么的差。"

"你？"诺诺被他气得笑了，"你有完没完？我们能不能别老提这事儿？"

邵公子可不是路明非，喜欢诺诺当然是要坦荡说出来的。前一次诺诺回国，邵公子就带诺诺参观自己的豪宅，那天他特意穿了一身白西装，胸前口袋里插着花，领诺诺看完了整个屋子后忽然单膝跪下，说师姐我想你想了好多年，我还以为老天爷把我俩分开再也碰不上面了呢，可老天爷还是把你送回给我啦，我不能失去这个机会，你能当我女朋友么？

诺诺看了他一眼说，跪姿错了，按照以前的姿势跪。邵公子说什么姿势？诺诺说双膝跪地啊，邵公子心说那还不容易，立刻双膝跪地。

诺诺说你说错话了你明白么？念你初犯罚跪半个小时，我先去花园里转转，然后就走了。

"真心不是老提，"邵公子委屈地说，"我使劲忍着才没老提，我要是每次想到这事儿就提，我得罚跪多久啊！"

诺诺无奈地看着这个眉目灵动的小胖子，摆摆手说："你饶了我行不行？我们就是幼儿园和小学同学而已，我当年揍你揍得比较狠，是我不对，你也不用这么纠缠我嘛。如今我订了婚，你每仨月换一个女明星当女朋友，大家井水不犯河水，大路朝天各走一边。刚才那个女孩我看就很不错啊，兄弟那才是上天给你的指引，你看那胸多大腿多长，师姐就是个普通女孩，不值得邵公子你那么苦情。"

邵公子心说完蛋了这是要谈崩，赶紧说："师姐你回想回想我们幼儿园小学时候真的关系很好，本来我也有机会啊！可我的机会被人抢走了我不甘心！"

诺诺说："鬼嘞！你有个屁的机会！"

邵公子说："你为我一个人打一支十五个人的球队啊，要不是你我已经没有门牙了！你要不在乎我你干什么救我？"

诺诺长长地叹了口气："我不救你就没那么多麻烦了对不对？那我郑重地向少爷您道歉，我不该救您，我救错了。您如今过得那么好，就原谅我当初的错误好吗？您生活在森林之中，周围都是参天大树，就别再惦记我这棵歪脖树啦！"

邵公子眼珠子直转，心里急得冒烟儿，他听了路明非的话受了鼓励，今晚是抱着鱼死网破的心跟诺诺谈，却忘了自己在诺诺面前根本没有话语权。

眼看不找出新的话题诺诺就要走，邵公子急中生智……

邵公子低下头，声音寂寞而凄婉，像只被撵出家门的小狗："师姐，你看过《最游记》么？"

他竭力模仿路明非跟他说这句话时的表情，不愧是搞影视投资的，模仿得惟妙惟肖。邵公子自己都有点被打动，心说哥这演技，要不要下一部戏亲自出演男主角呢？

诺诺一愣，没说话。

"《最游记》里的孙悟空是只傻猴子，他待在水帘洞里，几百年都没人去问他哪怕一句话，"邵公子的声音低沉而磁性，他弯着腰，似乎脊椎已经无法支撑他那沉重的身体，"而唐三藏是个使左轮枪的大帅哥，那天唐三藏莫名其妙地走进了水帘洞，他问孙悟空是你在喊我么？傻猴子说没有啊，唐三藏看了傻猴子很久，伸手对他说，那你跟我走吧。从那以后傻猴子就一直跟着唐三藏，其实最初只是那一伸手和一句话。世界上有很多猴子，有聪明猴子也有傻猴子，聪明猴子被人带出水帘洞，就撒欢地跑掉了；傻猴子却只会一直跟着那个人的背影，不跟着他就不知道去哪里。我说我是只傻猴子，你信么？"

邵公子心中大叫说哇噻哇噻哇噻！灯光！摄像！美术！所有人的目光都看过来！看哥这演技，多完美地演绎了一位纯情少年！师姐快来抱抱我！礼貌性的也行啊！

我看见你眼里的动摇了！说吧大声说出来吧，说你被我打动了！我邵一峰真是天赋影帝我为自己代言！

诺诺原本端起小桌上那杯琴酒要喝，酒杯却停在了半空中，酒液表面泛起涟漪。她呆呆地看着邵公子，神魂却像被抽走了。

邵公子竭力想从诺诺眼中看出些什么来，但他什么都看不到。即使这样他还是开心到了极点，他意识到这是诺诺第一次卸下那个小巫女的外壳，暴露出壳中的自己。

那壳中的女孩苍白而消瘦，全然不像她套上外壳时的光辉夺目。

"师姐？师姐？"邵公子说。

诺诺忽然起身出门，没有说一句话，也没有停一步。

"师姐！师姐！"邵公子追到办公室门口。

可VIP电梯已经关了门，透过钢化玻璃门可以看见诺诺那张苍白的脸，她的眼神那么地疲惫。

CBD区的某座摩天大厦，88层的FOX酒吧，这是这座城市里最喧闹也最高端的夜场，今夜邵公子包了其中最豪华的包间，满桌子的洋酒随便喝。

邵公子很开心，喝了几口就呼唤服务员换大杯，喝着喝着亲自唱了一首《你怎么舍得我难过》。那原本是首蛮悲情的歌，可是邵公子唱来有股《好汉歌》的豪气。

"老大今天怎么这么开心？"某个马仔问，"难道是跟师姐表白成功了？"

邵公子的生活夜夜笙歌，这种场面并不罕见，可今夜邵公子眉间眼角都透着喜气，马仔们也受了感染。邵公子这阵子最在意什么事，马仔们都清楚，所以有此一问。

"还不能算是成功，不过有了重大突破！"邵公子得意洋洋地说，"就差临门一脚了！就差临门一脚！"

"老大太牛了！说来听听说来听听！"马仔们都很激动。

"说来话长。"邵公子清了清嗓子，刚想复述自己的话，忽然觉得不对，一巴掌抽在那个八卦成性的马仔脑袋上，"怎么？还想刨根问底啊？你配么你？那是我和师姐的秘密！总之呢，就是我对师姐说了一句很感人的话，把师姐给感动了。那一瞬间我眼看着师姐的眼神就不对了，好难过好难过，我从没见过师姐露出那种表情，我就知道她被我打动了！"

"老大干得漂亮！"某个马仔识相地鼓掌，"我听人说女人最难的就是被打动，女人只要被打动，剩下的事情就都顺理成章了！"

"说得对！妈的那么多年，终于给我找到一句能感动师姐的话了。"邵公子心里还蛮感激那个住在精神病院的小子，"总算爬上师姐的城头插了杆旗帜！"

"那师姐跟老大您说了什么？"一名马仔问。

"师姐太难过了，起身就走了，什么都没说。"邵公子沾沾自喜地说，"你想啊这也难免，师姐毕竟是订了婚的人，师姐心里有我，必定觉得愧对那个意大利傻逼，还能立马就坐下来跟我讲点亲密的话么？你把我师姐当什么人了，小明星啊？我师姐看起来豁得出去，其实是很矜持的人，我就喜欢师姐这点！"

某个谨慎的马仔想了想说："老大您不会是误会了陈师姐的意思吧？以前您讲话也都很有水平很感人，那时候师姐什么表情？"

"很恶心的表情，跟这次完全不一样！"邵公子信心满满。

"提前恭祝老大马到成功！"邵公子这么说了，马仔们还怀疑什么？大家举杯一碰，饮尽了杯中酒。

"老大，您说这陈师姐听了您那么感人的话，自己就出去了，外面下这么大雨，她心情又跌宕起伏，不会出事吧？要不要派兄弟沿路找找？"一名马仔关切地说。

邵公子摸了个干果嚼着，皱着眉头想了好一会儿："不！让师姐一个人静静，这种时候不能追得太紧，追姐嘛，要有张有弛！"

"老大牛逼！就说老大能追到那么多妞呢！"马仔们纷纷鼓掌。

"老大这么大喜事，今天晚上要好好庆祝庆祝，可惜没妞，单我们一帮男人唱歌喝酒多没意思。"一名马仔遗憾地说。

"今天来面试的屠小姐我看不错，要不要叫出来一起喝酒？"另一名马仔说。

"叫出来叫出来！打电话给她！说我派车去接她，跟她聊剧本！"邵公子眼睛一亮，"大家可都给我保密啊！"

他摸出小梳子，对镜梳了梳油头，妩媚地一笑："千万不能让师姐知道，免得师姐怨我花心。"

这个时候，距离黑太子国际金融中心不远的一家小面馆里，诺诺就着一口杯二锅头，吃着一碗鱼丸粗面。

半碗面下肚之后她觉得好多了。这是她今天第一次吃东西，整整一天她都在寰亚集团的地陷坑边忙碌，想办法把坑里的水抽空。

楚天骄的小屋，那是最后的线索了，那条线索再断了，她就真不知道去哪里找楚子航了。

八块腹肌的大叔很帮忙，毕竟原来是重工业基地，调几台抽水机来还是不成问题的。最终他们抽干了积水，拆掉了小楼的屋顶，打开了一条通道。

可打开房门，屋中原先的陈设早已不复存在，那些残留着楚天骄印记的东西也早已被流水冲走，取而代之的是各种各样的垃圾。

虽然早已猜到这种可能性，但那一刻诺诺还是感觉到心底深处涌上来的疲倦。就这样结束了么？

楚天骄，楚子航，还有当年那场神秘的车祸，一切往事都被时间湮没，终归不可解。他们能接受的结果只能是路明非犯了神经病，这个世界上从来不曾有过A级屠龙者楚子航，这个世界上的楚子航是个死在15岁那年的孩子。

所以抵达邵公子的办公室时她才那么疲惫，她明白屠小娇的示威，可当时她就只想坐在落地窗前，喝杯酒，静静地发呆。

屠小娇觉得那是女王殿下不屑于理她，那委实是一种误解，女王殿下那是没劲儿搭理她。诺诺也是个牙尖嘴利的主儿，要撂平时也会损两句。

回想这件事的起因真是鬼扯，听那个衰仔悲伤地胡说八道了一通，然后被一个混

蛋一酒瓶砸晕，就这么稀里糊涂地来了这座中国二线城市。最后衰仔躺在了精神病院里，混蛋猫在衰仔家里扮乖孩子帮叔叔婶婶包饺子，只剩自己满世界地调查，当人质当到这个份儿上，古往今来她真是头一份了。

因此而卷入麻烦的还不止她，远在罗马的恺撒想必这些天也过得很不容易。加图索家是秘党中的名门，恺撒身为加图索家的继承者，未婚妻却跟通缉犯一起失踪了。

受损的还有她的家庭，她的父亲陈先生，那个总是岩石般沉默的男人也该暴跳如雷了吧？这是令两家人名誉扫地的事情，他该如何对亲家庞贝·加图索交代呢？

如果他们能够找到楚子航，证明这一切的背后是一场大阴谋，那么一切都会迎刃而解——路明非和芬格尔回归学院，她回金色鸢尾花学院完成她的淑女修业。

可是他们没找到，那么这件事的结论是她愚蠢地协助了刺杀校长窃取龙骨的嫌疑人，还是以被绑架者的身份。

为什么呢？因为那个嫌疑人是路明非。

她委实太过在乎路明非的死活了，这点她自己也清楚。她会在三峡水底把自己的潜水衣脱给他，还会在陷入镰鼬群的时候给路明非发短信叫他快逃……从小到大她有过好些马仔，邵公子也曾是她的马仔，可路明非这个马仔似乎有点不一样。这是她最后一个马仔，也是她最戗的马仔，为这个马仔她操碎了心。

她清楚路明非的鬼心思，她一再地安慰自己说没事没事，这也就是青春期后遗症而已，谁小时候没有暗恋过个把师姐？

总有一天他会长大，会知道世界上其实有好多好多的漂亮女孩，她们有的腰比诺诺细，有的腿比诺诺长，有的善于笑，有的善于哭，分妩媚型、傲娇型、软萌型、小清新型，等等等等，千姿百态琳琅满目，终其一生都见识不完，又有什么必要吊死在一棵歪脖树上呢？你看邵公子见识过森林后就摇身一变成了花花公子。

男孩对女孩最用心的时候，都是他们只知世上有歪脖树还未见过森林的时候。

零就很好啊，伊莎贝尔也很好啊，诺诺不知道还有绘梨衣，否则她会说这他妈的就是绝配了！绝配！

可这些年这衰仔长大了，人精神起来了，衣着体面起来了，见过无数森林了，可遇到麻烦还是会回到她这棵歪脖树前，一脸沮丧。

她之所以一言不发地离开邵公子的办公室是因为那一刻她眼里根本没有邵公子，她看见的是那个笨蛋孩子坐在她面前难过地低声说话……她忽然意识到问题所在了，她从水帘洞里带出的是只傻猴子，傻猴子就是这样，它经过蟠桃园，看过无数蟠桃树，蟠桃树上结满果子，随手摘一个吃了就能延寿千年，可它偏要回花果山。

花果山穷了荒了桃子都落了，它也还是要回花果山，即使那里只剩下一棵歪脖子树，回到那里它就像到家了。

　　她无暇去想为什么邵公子会忽然说出属于路明非的话来，她只想赶快起身走人，她无法承受那句话的重量，也背负不了这傻猴子的一生。

　　说起来她和路明非真像唐三藏和傻猴子，唐三藏走在去西天的路上，傻猴子远远地在后面跟着，唐三藏回头说别跟了你个傻逼，你跟着我也没用，我要去西天取经而你是个妖怪！傻猴子继续跟着，远远地，既不靠近也不远离。唐三藏烦得不行，可某一天后面忽然没有傻猴子的影子了，唐三藏又得回去找，心说别是傻猴子被别的妖怪吃掉了。

　　其实傻猴子跟你本来没有关系，它在水帘洞里耗到死也好，它被别的妖怪吃掉也好，跟你都没有关系。

　　可那一天你没有忍心，你对傻猴子伸出手来说，跟我走吧，我带你去外面……你做错了事，从那一刻开始，傻猴子就把你当它的花果山了。

　　诺诺喝完那杯二锅头，慢慢地把脸放在桌子上，把玩着空酒杯："陈墨瞳啊陈墨瞳，你真是个笨蛋，你把所有事情都搞砸了。"

　　雨水噼里啪啦地打在窗户上，病房里黑着灯，路明非静静地躺在病床上，芬格尔坐在床边看护他。

　　夜色已深，芬格尔帮他盖好被子，摸摸他的手冷不冷，这才放心地站起身："师弟啊，你就好好地在这里调养，我先回去睡啦。我和你师姐商量了一下，准备三天后带你离开这里，这座城市是有点不对劲，元素乱流太厉害了，这样迟早会把学院的人引过来。我们虽然要找楚子航，但首先要确保自己不被学院的人抓住啊。"

　　路明非没有回答，他睁着眼睛，默默地望着天花板，被注射了过量安眠针的病人往往都是这样的反应，有时候不知道他们是清醒的还是睡着了。芬格尔倒也不以为意，挥挥手说"师弟晚安"就要走。

　　他拉开门的时候听见背后传来路明非的声音："三天后，对么？"

　　"嗯，三天后，晚上出发。"芬格尔说，"原来你没睡着啊。"

　　路明非仍旧静静地望着天花板，没有回答。

DRAGON RAJA

奥丁之渊

第十二章

| 苏晓楠的夏季攻略 |

Sue's Plan for Summer

她张开手在路明非眼前晃动，修长的手指上戴着宝格丽的戒指，很晃眼："师兄看看这是几？"

"苏总，您看我们这个工程的合约……什么时候能有个准信儿呢？"中年男人小心翼翼地问，他屁股落在沙发上，可还是点头哈腰的状态。

宽大的楠木办公桌后，占据整面墙的 4 米高的楠木书架下，挪威产的 Stressless 真皮办公椅上，年轻女孩心不在焉地说："我们再研究研究，你们也再考虑考虑报价。"

女孩穿一身 Dior 的黑色套裙，蹬一双细高跟的红底鞋，长发盘在头顶，戴一副细框眼镜，一双素白的长腿翘着二郎腿，妩媚动人，却又杀气腾腾。

中年男人心想毕竟是老苏的女儿啊，年纪虽小却不好对付，只得起起身："那苏总我们就等您的消息，我跟您父亲是好朋友，报价方面能压我回去再压压看。"

女孩这才粲然一笑："辛苦赵叔叔跑这一趟，您跟我爸爸是好朋友，我算您的侄女儿，您还是叫我晓樯吧，叫苏总太见外了。"

中年男人出去了，偌大的办公室里忽然空了下来，苏晓樯疲倦地靠在办公椅上，用藏在嘴里好久的泡泡糖吹了个超大的泡泡。

这时候手机响了，泡泡破了，"啪"地糊在她化了妆的小脸上。

一看来电人的名字苏晓樯就皱眉，可最终还是按下接听键，用欢喜无限的声音说："杨局长，什么事情您亲自给侄女打电话啊？"

"啊，好啊好啊，有空一起见个面……行的话当然就交往啦，我也想找男朋友嘛……辛苦杨叔叔还总记挂我……您把他说得那么好，我真是等不及要见见他了，不过我这两天真是有事，您看这外面不是下大雨么，我们企业要做好排水保安全的工作……好啊好啊，我闲下来一定约，杨叔叔再见。"

这边电话刚放下，那边传呼机里传出秘书的声音："苏总，提醒您今晚您叔叔要来跟您见面。"

"我哪个叔叔啊？是来跟我要钱的？跟我要项目的？还是要给我介绍男朋友的？"苏晓樯没好气地说。

"您的亲叔叔！要钱的那个。"

"收到！妥了！"苏晓樯结束了通话。

这就是苏晓槠如今的生活，坐在这间本属于她老爹的办公室里，应付着各路叔叔阿姨。

　　自从她中断学业回来接管这个家族企业，她就成了一块肥肉，这并不是说她变胖了，而是谁都想咬她一口。

　　工程报价虚高的赵叔叔其实是个好人，也就建一条传送带多问她要了400万块钱，苏晓槠心里清楚但不说破，给他个修改报价的机会，如果赵叔叔只是想多赚200万，苏晓槠就放点水了。找她借钱的亲叔叔也好对付，10万、20万如今不在苏总的关心范围内。可怕的是给她介绍对象的杨叔叔、谢阿姨、安主任、肖书记……这个名单就这么长，相亲对象的名单长度可想而知。

　　这些才是狮子大开口的，吃掉苏晓槠，就等于吃掉他们家的所有产业，苏晓槠是独女。

　　偏偏这些人还不能得罪，都是关系户，没了这些人，他们家的生意也转不起来。苏晓槠开始都是满口答应，然后找机会推诿，有时候迫于无奈也去跟人见个面。

　　半年里她走马观花地见了这座城市里的各路英豪，其中最顺眼的倒是邵公子，邵公子很坦白地说："我觉得你不会看上我，你那么高，比我还高半个头呢，我也觉得你不咋样，你一点都不温柔。大家都是迫于介绍人的面子来这里，不如当个朋友，今晚好好吃顿饭，明天就给介绍人说没看上就行。"苏晓槠很高兴，破例跟相亲对象喝了一瓶红酒。

　　所以那天见路明非她喝多了哭了，未必全都是因为她暗恋了路明非整整三年，也是因为她悲戚那无忧无虑的日子再也回不来了。

　　真想念啊，那些春天和秋天的傍晚，女孩们不约而同地坐在篮球场边的看台上，等着看路师兄来打篮球，那些日子空气都干净得如同洗过。

　　苏晓槠甩脱高跟鞋，把光脚翘在办公桌上，趁着接下来的半小时没有安排准备打个盹……这时候电话又响了。

　　看了一眼来电人的姓名，苏晓槠愣住了，柳淼淼……真见了鬼，这个小贱人好久不跟她联系了，两人曾经因为路师兄还吵过一架。

　　不过如今大家都是大人了，自然不好还生小女生时代的气，苏晓槠接通电话，没事人似的说："哟，很久没你消息了啊，最近好么？"

　　"苏晓槠你快来想想办法！他们把路师兄关进精神病院了！"柳淼淼根本不跟她客套，"我跟陈雯雯在这里说半天了，人家就是不让我们进去！"

　　苏晓槠腾地站了起来："你们在哪里！告诉我位置！"

　　她踩着高跟鞋噔噔噔地冲出办公室，说赶快给我准备车！秘书说苏总您一会儿还要见您叔叔的！苏晓槠头也不回说50万以内你做主，叫他立字据！

游戏关卡"昆古尼尔之光"，第 101 次 Load，黑夜，暴风雨，高架路。

路明非驾车狂奔，诺诺坐在副驾驶座上，大口地喘着粗气。

"我说你那支火箭筒到底从哪里摸出来的？没有它我们可真冲不出来了。"诺诺说。

"地下捡的，我一低头，就看见它躺在地下呢。"路明非随口说。

他们刚刚冲出黑影的包围，正向收费站驶去，对于诺诺而言刚才的那一战真是惊险，路明非准确地射出火箭弹引发了连环爆炸，他们趁机脱离战场。整个过程中诺诺几乎没发挥什么作用，全靠路明非带着她杀出重围。

简直像是排练过的，黑影们自己往路明非的刀口枪口上送，他行云流水地挥舞刀枪，还用打空的火箭筒抢飞了好几个，动作像是打高尔夫球那么帅。

诺诺惊呼说这是学院特训的结果么？这什么鬼特训我也想参加一下！

路明非说没问题没问题，要是我们还有命逃出去，回学校就给你安排这种特训。

"我们现在去哪里？"诺诺问。

"跟我走就行了，这不是我老家么，这里的路我熟。"路明非边说着边道边停车，"你等我换个备胎。"

"什么时候了你还有心思换备胎？"诺诺吃了一惊，"我们还在尼伯龙根里没有逃出去呢！而且这种车用的不该是防爆胎么？"

路明非推门下车，顶着雨跑向车尾："确实是防爆胎，但是车胎受损过重还是没法撑太久，我有预感接下来我们要跑很长的一段路。"

他打开后备箱，拿出备胎和千斤顶，钻进车肚，熟练地把千斤顶支了起来，开始更换右后方的轮胎，轮胎的内侧有一道很深的伤痕，不更换的话这台车能跑到城市边缘都勉强。

正是因为这只受损的轮胎，在第一次进入噩梦的时候他们未能逃脱，上铁桥之前有一连串减速带，这只受损过度的轮胎在减速带上耗尽了最后的生命然后炸掉，接下来就是迈巴赫失控翻车，昆古尼尔到来。

之后好几次这只胎都爆，路明非终于痛下决心，停车做了检查，这才发现了车胎内侧的伤痕。

类似这样的"隐藏危机"在这个游戏里还有很多，比如你要是没能在某个时间点之前经过收费站，收费站会封路，碗口粗的铁柱从地面升起，就是迈巴赫也撞不开。

CBD 区也会积水，一旦积水某些路段就不能通行了，路明非只能想办法绕道，然而绕道就会耽误时间，而时间非常紧张。

"你饿不饿，这车里居然还有果仁！"诺诺在车里喊。

"你吃吧我不饿！"路明非大声回答，同时心里默念着拆轮胎的流程，1、2、3、

4、5……他原本也不会装卸轮胎，愣是在游戏里就着说明书学的——通常车主都会把车辆的说明书放在车里——代价是那次 Load 他就学会了换轮胎。

他有点心急，这次他玩得不错，抢回了不少时间，即使算上换轮胎的时间也能在封路之前通过收费站，虽然还是不能确定会不会有新的突发事件，但总的来说成功率很大。

越心急越出事，最重要的那颗固定螺丝刚被拆下来就从十字改锥末端掉落，骨碌碌地滚向路边，在路明非来得及抓住它之前，它滚下了高架路，消失了。

路明非呆呆地看了两秒钟，忽然放声咆哮说见鬼见鬼见鬼！真他妈的见鬼！

车里的诺诺正吃着果仁，那是她从手套箱里翻出来的，听到咆哮声她吓了一跳，果仁散落一地，她从未见过这个师弟发出这样暴怒的吼声，那站在高架路边提着扳手的身影，弯着腰浑身湿透，简直就是一头走投无路的凶兽。

她心说怎么了怎么了，这是怎么了？有人抢了他吃的么？

这一刻时间暂停，迈巴赫后座的车门打开，小魔鬼好像一直都坐在后座上似的，现在他从车中走出，缓步走到路明非身后。

"哥哥你累啦，我就说嘛，最后击垮你的，是你心里的疲倦。"路鸣泽轻声说。

"这个游戏……真有完美结局么？"很久很久，路明非才慢慢地抬起头来，"无论我解决了多少问题，总有新的问题出现，无论我试多少次，师姐都没法越过那座桥。这里看起来没有墙，可好像四处都是墙，我怎么跑都会撞在墙上。"

"我不知道，我只知道历史上确实有人避开过昆古尼尔，但我并不清楚那是怎么实现的。"路鸣泽说，"魔鬼的能力也不是无限的。"

"这一次我放弃了，一会儿你重置吧。"路明非嘶哑地说。

"师姐还在副驾驶座上，等你换完轮胎回去呢。"路鸣泽转身看看那个从车里探出头来的女孩，她抓着一把果仁，果仁从指缝里散落，悬浮在半空中，表情是"吓了一跳"。

"没有车怎么离开这里？"路明非疲倦地摆手，"丢了那个螺母我连轮胎都装不上去！重置吧。"

"哥哥你注意到了么？之前的十次 Load 中你有六次都是中途放弃的，甚至看不到你师姐遇险，你就叫喊着说放弃放弃。"

"你不就是要说我心累了么？是啊，我心累啊，可心累又怎么样？"

"你真正觉得心累，是在你见过那个邵公子之后。"路鸣泽说，"那家伙兴冲冲地走了，可你却更累了。"

"你一定是我肚子里蛔虫变的小魔鬼。"路明非忽然不暴躁了，轻轻地一笑。

"那个邵公子是你的情敌吧？或者说'同情兄'？"

"你还知道这个词呢，魔鬼也读《围城》么？"

"嗯，赵辛楣说的。"路鸣泽耸耸肩，"那家伙一脸臭屁的模样，我看他都有点不顺眼，不如我帮哥哥你打他一顿，这顿算我账上。"

"免啦，我又不讨厌邵公子，人家来医院里看我呢。"路明非说，"而且你为什么要打'同情兄'呢？"

"可哥哥你见了他之后很难过，我不想我哥哥很难过。"路鸣泽固执地说。

路明非看了他一眼，小魔鬼有时候真像个孩子，那种孩子受了欺负要去报复的神情，不像是伪装的。

"谢谢，可我真的不讨厌他。"路明非说，"我只是忽然明白了两件事，第一，我不是师姐从水帘洞里带出来的唯一的猴子；第二，是我需要师姐，不是师姐需要我，我把自己看得太重要了。"

"你师姐四处收养猴子这毛病得改，她总不能带着一窝猴子嫁给恺撒吧？"路鸣泽说，"她倒是很侠气很仗义，可是对谁都不好。我不是说了么，你师姐是个笨蛋，自以为是的笨蛋。"

"可我还是很感谢她把我从水帘洞里领出来，否则我也不是现在的我。"路明非低头看了看自己那身湿透的西装和风衣。

"我以为你会后悔接受卡塞尔学院的录取通知书，否则你现在不会那么难过。你生活在这座不大的城市里，不知道外面的事，也许有时候有点郁闷和孤独，但不会这么不开心。"路鸣泽说，"其实人傻蛮好的，古希腊有个哲学家说，世上第二好的事情是在出生的瞬间就死掉，唯一比它好的是根本没生下来。人就是这样，懂得越多越会吃苦，可人还是想懂得更多。"

"不后悔。"路明非说，"要是没去卡塞尔学院，我不会认识师兄、师姐和老大，也不会认识芬格尔那条败狗，还有象龟兄弟俩……还有绘梨衣。现在的不开心就当是我为认识他们付出的代价吧，我觉得值得。"

"哥哥你这么说话我可真害怕，你别又做出什么发疯的事情来。"小魔鬼转着眼珠子。

"我之前心里其实是有很多不可告人的念头，"路明非不管他，自顾自地讲了下去，"我总追着师姐跑，是因为我觉得我那么喜欢师姐，喜欢得都难过了，凭什么我不能跟师姐在一起？老大生下来就什么都有，老大没有了师姐还有很多女孩可喜欢，而我就只有师姐。可我忽然觉得我错了，那只是我一厢情愿而已，其实我并不是一无所有，只是我眼里只看到了师姐。绘梨衣喜欢我，可我就看不到……退一万步说，就算我一无所有，师姐也没必要可怜我，是我需要师姐，不是师姐需要我。我跟着师姐我才安心，师姐嫁给了老大师姐才安心，如果我安心了师姐就不安心，总有一个人要付出代价。我想着要打断婚车的车轴，那是我最自私的一面，真不知道师兄那么正直的人怎么还会支持我……"

"你师兄那个人其实一点都不正直，他护短得很你不觉得么？"

"你终于肯跟我说师兄是真实存在的了？"路明非惊讶地抬起头。

"其实早就对你透露了只是没明说而已。"小魔鬼耸耸肩，"好吧好吧，楚子航是存在的，只是其中出了点问题你必须把他找回来。"

路明非无声地笑了："那我就放心了。"

"歇会儿继续？"

"问你件事，确实是奥丁毁了那架飞机对吧？"

"没错啊，以地面积水作为界面，它在一瞬间让尼伯龙根强行侵入现实世界。"

"渡船早就不能用了，现在能够出入的只有高速公路，而高速公路正在接二连三地封路，我们正在被尼伯龙根包围对么？"路明非轻声说，"与世隔绝。"

"哥哥你猜得没错，这是尼伯龙根对现实的大规模入侵，但普通人是无从觉察的，受影响的也只有你们这些流着龙血的家伙。"

"奥丁就要来杀师姐了，对么？"路明非自己也蛮惊讶的，他居然能很平静地问这个问题。

也许是死亡看得太多了，他在反复的梦境重置中看诺诺死了上百次，可如今诺诺是真的就要死了。

"没错，挣脱束缚强行进入现实世界，对奥丁来说也不是容易的事。"小魔鬼点点头，"它要来杀你师姐了，昆古尼尔已经锁定了她，只是需要一个机会出手，而你还没能找到办法解除那个锁定。"

"让枪掷出，却不让它命中，这样就能解除锁定，对么？"

"是啊，可偏偏那支枪是神话中的 Bug，投出就一定命中。"

"如果那支枪真出手，我会帮你想想办法啦，不过说实话，我也没把握。"

"谢谢你，路鸣泽。"路明非歪着头看他，"到底为什么你要叫路鸣泽，这不是真名对么？你故意要用和我堂弟一样的名字。"

"不是，我真的叫路鸣泽。"小魔鬼摇摇头，"在你生命里一直有个路鸣泽陪着你，但那是我，不是你叔叔家里的胖小子。"

路明非不再问了，问了也白问，小魔鬼的口风极紧，不想说的一句都不会多说。

他转身走到车边，捡起那些浮空的果仁，把它们一粒粒地塞回诺诺手心里："师姐，放心吧，你不会有事，我一定会想出办法的……我改主意啦，不再说什么打爆车轴的蠢话，我要参加你的婚礼，看着你穿白色的婚纱捧着橘子花，走上幸福的红地毯……没准你还会把花球扔给我呢。"

路明非还没睁开眼睛，就听见女孩们号啕大哭。他心说这是怎么了？这是葬礼么？好像有人趴在自己身上，感觉自己才是那个被送葬的人。

安眠针的药效还没完全过去，他费了老鼻子劲儿才把眼睛睁开一下，视野由模糊到清晰，第一眼就是陈雯雯那哭得梨花带雨的脸。

"路师兄你醒醒啊！路师兄你跟我说句话啊！路师兄他们把你怎么了？"陈雯雯是真的很难过，那种失去了最重要的人、心里空了一块的难过。

路明非一直都知道陈雯雯情绪敏感，往往看着书就悄悄哭了起来，可她从不在路明非面前流露这一面，每当这种时候路明非想过去安慰两句拉近彼此关系的时候，陈雯雯就迅速地擦干眼泪抬起脸来说："不知道怎么眼睛干得很。"

他从没想过自己有朝一日有这福气，让陈雯雯为他哭得那么伤心。他莫名其妙地笑笑，又有点不忍心，就伸手摸了摸陈雯雯的头，有气无力地说："怎么啦？我不好好的么？"

这边陈雯雯刚刚面露喜色，那边苏晓樨还在走廊里怒骂："叫你们院长给我滚出来！你们给我师兄注射了什么？我师兄分明很正常你们把他关在精神病院，你们今天不给我一个解释我绝对报警抓你们！算医疗事故还是算刑事犯罪，你们一个都别想跑！"

"师兄醒啦，师兄醒啦！"一个穿湖蓝色裙子的女孩去拉苏晓樨。

那是柳淼淼，仕兰中学当年钢琴考级考得最高的女孩，各种联欢晚会的钢琴独奏项目都是她承包了。路明非记起徐淼淼的话，心里"咯噔"一声。

徐淼淼说柳淼淼跟苏晓樨以前还蛮好的，毕业后因为他路师兄俩人闹翻了，还说幸亏柳淼淼还在学校，否则局面更乱了……现在柳淼淼回来了……

在高中时代，路明非主要惦记着陈雯雯，但也不是没有对着柳淼淼弹钢琴的侧影流过口水，如今钢琴女孩还跟高中时代一样恬静，尤其是那双弹琴的手，美得动人心魄，翻转间似乎有玉色的蝴蝶在指间飞舞。

但是！路明非现在看到她就头大，心说在这个修改过的世界里，他可没跟这三个女孩有过什么"奇妙的"过往吧？

这三个人本质上是情敌，但在听闻自己"住院"的消息时又会临时放下恩怨结成联盟来医院大闹，看起来跟自己的关系都不错，如果只是同学情，好像不太说得过去……

他自己是什么人，他心里是清楚的。

他可不是那位楚师兄，楚师兄坐怀不乱，楚师兄万花丛中过片叶不沾身，楚师兄明知道全校 50% 的女生都暗恋自己，但依然独来独往……不，以楚师兄的迟钝，应该根本都不知道。

而他路师兄要是在高中年代就那么有女孩缘……他妈的一定会长成一个人渣吧？搂过无数的细腰牵过无数的小手，辣手摧花横征暴敛，路师兄过处……寸草不生！

现在他的冤家们聚在一起了，事情好像要闹大！

好在三个女孩直到现在还是同盟，苏晓樯一听路明非醒了，立刻丢下小护士冲回病房里来，一把抓起陈雯雯，自己抢占了陈雯雯的位置，检查路明非全身上下，问："路师兄你没事吧？他们有没有虐待你？"

路明非一下子明白了，难怪陈雯雯哭得那么伤心，这些女孩哪里来过精神病院，进门看他穿着拘束衣全身缠着皮带，昏睡不醒，自然想到他是在这里遭受了什么非人道的待遇。

"他没事的，"跟进来的小护士委屈地说，"是他自己老要我给他注射安眠针的。"

"真是我自己要求注射的，跟医生护士都没关系。"路明非说。

"可你怎么会被关在这里的？"苏晓樯可不愿善罢甘休。

"初步鉴定他是精神分裂症，住院观察一下嘛，他师姐签字同意的。"

"就知道那什么狗屁师姐不是好东西！"三个女孩异口同声地说。

"他师姐说他精神分裂你们就信啊？"苏晓樯气狠狠地说，"你们医院负不负责任？"

"可他初步鉴定的结果是不太对嘛……"小护士小声说。

她知道苏晓樯是谁，纳税大户，本地工商联和会副会长，虽然年轻，但也是经常跟市长副市长们喝茶的人，小护士不敢轻易得罪。

说起来这个路姓病人还真奇怪，昨夜是另外一个纳税大户邵公子雨夜赶来看他，邵公子丢张名片给小护士，说声别跟病人家属说我来过，就钻进病房里去了。今天傍晚小护士刚吃完晚饭饱困中，就听见气势汹汹的高跟鞋声由远及近，一身Dior的苏晓樯带着两个跟她平分秋色的女孩直冲进来，那阵仗就差扛着火箭筒了。

小护士想这个病人一定欠过很多债，要么是钱债，要么是情债。

"我确实不太对……"路明非帮着小护士说话。

可这话刚一出口，陈雯雯立刻花容惨淡，难过得像是要哭出来。

"鉴定结果说我好像不太对，但我觉得自己还是蛮好的。"路明非赶紧纠正，"我自己也没把握，就住进来观察观察。"

"怎么可能？"苏晓樯没好气地说，"我看你师姐才是神经病！第一眼看到那女人我就觉得她靠不住！"

她张开手在路明非眼前晃动，修长的手指上戴着宝格丽的戒指，很晃眼："师兄看看这是几？"

"五啊……"路明非有点摸不着头脑。

"那树上七个猴地下一个猴，加起来有几个猴？"苏晓樯又问。

"那得看你是说'树上七个猴'还是'树上骑个猴'了，"路明非说，"有可能是八个，也可能是两个。"

"我就说嘛！"苏晓樯转过身冲小护士瞪眼睛，"我师兄怎么可能是神经病？你看他回答问题多正常！"

路明非心说小天女你快把包庇纵容四个字写脸上了。

"就这么定了，今天就办出院手续！这种地方怎么能住？还穿这种衣服，这得多难受？"苏晓樯已经掌管了家族企业半年，越发地威风凛凛，呼喝小护士就像呼喝自家办公室主任。

"回几位娘娘，地方虽然简陋，不过是圣上登基前的龙潜之所，此处有龙气。"旁边传来一个尖尖细细的声音。

三个女孩不约而同地扭头，瞪着那个三绺长须的神经病。

"半仙你就别捣乱了，速速退下！"路明非赶紧冲这家伙使眼色。

还是三轮叔和党员比较够义气，一人架一边把半仙拖走了，否则半仙还想跟"娘娘们"多聊几句。

"现在还不能出院，必须院长签字，可院长今天出差去了。"小护士战战兢兢。

"院长什么时候回来？"苏晓樯横眉怒目。

"可能要一个星期……"

其实小护士知道院长是为什么外出，最近这段时间气候异常连降暴雨，进出的高速公路都被封了好多条，尽管市政府信誓旦旦不会有水灾，可还是有不少人去外地旅行或者去亲戚家暂避，院长就是溜到上海亲戚家去躲着了。

苏晓樯牙齿紧咬，可一时间也想不出办法，她总不能在医院里公开抢人，要是明天报纸头版头条是《工商联合会副会长、矿业公司女继承人公然医院抢男病人》，这事就不好收场了。

"师兄你饿不饿？我去给你买点吃的？"柳淼淼问。

"我不饿，但我想喝点酒，"路明非轻声说，"还想出去走走，活动一下。"

苏晓樯猛地一跺脚，尖细的鞋跟点地，"啪嗒"一声："就这么愉快地决定了！不出院行了吧，我们不出我们请假！请假条拿来我签字！到时候我把人给你原原本本地送回来。"

小护士本来想说谁签字办的入院手续谁才能帮他请假，但苏晓樯都让了这么大一步，她也不便太过坚持。而且她也不觉得路明非暴力和危险，这家伙住进来好几天，只是老想打针有点怪怪的，还有那天看新闻的时候有点异常，其他时候都老老实实的，从未有暴力倾向。

请假条很快就送来了，苏晓槠这边"唰唰"地签字，那边陈雯雯和柳淼淼已经合力把拘束衣的皮带解开了，穿病号服出门肯定是不行的，可路明非穿来医院的那套西装风衣又因为湿了水皱巴巴的。好在苏晓槠带了司机过来，去商场里新买了一套TomFord回来，成衣跟学生会为路明非置办的私人定制当然没法比，但好歹也算恢复了几分高富帅的风采。

"我晚上回来。"路明非跟三轮叔、半仙、党员还有小护士告别，带着三个女孩穿越医院走廊，风衣的衣摆和女孩们的裙摆一起飞扬。

此时窗外正是瓢泼大雨，高楼大厦依次亮起了灯。

苏晓槠把司机打发走了，亲自开着她的宾利跑车带同学们去FOX喝酒。

当年他们最喜欢聚会的地方是必胜客，每人都点自助沙拉加芝士最多的那种披萨饼，喝着可乐讲各种社团的事，讲谁谁好棒去学了剑道，谁谁在考托福了。现在他们去酒吧，喝啤酒和鸡尾酒，嚼着杯中泡的腌橄榄，刷得长长的睫毛下眼神闪烁，说不知所谓的笑话。

一路上大家都没怎么说话，"拯救路师兄"的任务一旦完成，这三个女孩之间的不和睦就开始露头了。路明非也不说话，但路过报刊亭的时候他忽然说停下车，然后下车买了一份地图。

苏晓槠问他买地图干什么，路明非说有些新修的路不认识，看地图学学。

FOX是本地最豪华的酒吧，在CBD区一栋大楼的88层，楼下是一家五星级酒店。本地的头面人物经常出入FOX，演员、模特、企业主，大家都是盛装出席。

苏老爹原本严禁苏晓槠去FOX这类地方，但随着苏老爹自己身体扛不住，女儿火线接班，苏晓槠就算不想去FOX也没辙，她要跟客户联络感情，好在苏晓槠也蛮喜欢混酒吧的。

柳淼淼是个乖乖女，很少去酒吧，陈雯雯也很少，都有点紧张。一路上柳淼淼问了好几次说我穿这身去FOX合适么？其实她穿了件非常漂亮的湖蓝色裙子，脚下穿着湖蓝色的高跟凉鞋，但要去FOX还是没什么信心的感觉。

陈雯雯还不如柳淼淼，她穿着牛仔裤和白色T恤。

苏晓槠冷笑说怕什么？衣服我都给你们准备好了，到FOX我们就换！

小天女说到做到，电梯到达88层的时候，等候他们的是苏晓槠的司机，司机拎着四个衣架，每个衣架上挂一身仕兰中学的校服，三身女装一身男装。

苏晓槠牛气地说怎么样，我们不管人家穿什么，我们穿校服！FOX的当班经理赔着笑说，还是苏总您敢想敢玩，校服拼礼服，今晚您还是FOX里最亮眼的。苏晓槠斜眼看他一眼说，要不要查我们的身份证啊？不是十八岁以下不得入内么？

他们的位置被安排在窗边，可以俯瞰整个CBD区。苏晓楠叫了各种酒，法国的红酒、比利时的啤酒、德国的冰酒……路明非被酒瓶和校服女孩们环绕着，面前的蜡烛被点亮的时候，他有种虚幻的感觉。

陈雯雯说小天女你点太多酒了吧，我们喝不完的！苏晓楠翻翻白眼说喝多少算多少，我们反正不醉不归！柳漪漪说点这么多酒要多少钱啊？苏晓楠耸耸肩说，这些都是我老爹当年的存酒。

陈雯雯说什么你爸爸也是这里的常客？苏晓楠说，死老头子还不是喝酒喝太多了心脏不好，以前还老跟我和我妈编，说晚回家是去跟佛学大师学佛呢！

苏晓楠愿意讲自己老爹的笑话，陈雯雯和柳漪漪也都不端着了，争相讲高中时候的事。陈雯雯说路师兄你还记得么，当年大家都觉得你不会加入文学社，因为你是体育型的，直到那天我跟你聊了聊玛格丽特·杜拉斯，你对玛格丽特·杜拉斯的理解真的好深入，把我都震撼到了，我那时候才知道你是文体都强才着胆子邀请你的！

路明非点头微笑，心说我靠想不到这世界乱到这份上了，我都能跟你聊玛格丽特·杜拉斯了，我是什么样的女性之友啊！

柳漪漪问路师兄你现在还练萨克斯么，我好想什么时候有机会大家再合奏啊。路明非嘴上说搁下好久了不过还能再捡起来，心说我说嘛要是高中时候我有那么好的女孩缘一定会长成渣男！这不前面跟陈雯雯聊玛格丽特·杜拉斯聊得很投入，后面就跟柳漪漪合奏得很带感了么？

大家各说各的，看起来跟路明非都有很多往事，他跟每个女孩碰杯，笑容淡淡如同远山。

开始还只是喝红酒和香槟，晕了之后就开始上烈酒了，苏晓楠教大家怎么喝龙舌兰酒，要一手拿一块柠檬，另一手虎口里撒着盐，吮一口柠檬含一口盐再把杯中酒一饮而尽，这样才能去除龙舌兰中的毒素同时体会墨西哥的豪烈。大家纷纷照做，陈雯雯有点笨拙，而柳漪漪很快就掌握了技巧，像只饮水的天鹅。

10点钟之后，周围的空桌渐渐满了，很多客人进场的时候都惊讶于位置最好的那张台子居然被四个中学生占据了，还是一个男孩带着三个女孩，他们大声地说笑着，肆无忌惮地喝着贵价的酒。

好半天之后才有人认出其中一个女孩是苏晓楠，有人高兴地过来打招呼说苏总怎么是你啊！穿校服来喝酒，真能玩！我能坐这儿么？

苏晓楠眼神妩媚地说，今晚不行哦，今晚我们同学聚会！不过我给你介绍，这是陈雯雯是我们班的才女，这是柳漪漪是钢琴十级，这位嘛是我师兄路明非，刚从美国回来，他可是我们仕兰中学最传奇的校友了。

她介绍起路明非的语气简直像是介绍男友，路明非也只得用一张海归英才的面孔跟大家握手，虽然穿着校服，但凭借被伊莎贝尔锤炼出来的风度举止，让人绝对信服他在美国混的也是上流圈子。

片刻之后，连想给苏晓桥介绍男友的什么杨叔叔、谢阿姨也都通过电话知道了苏晓桥带着疑似男友的同学在 FOX 喝酒。

"好像有人在议论我们。"路明非说。

"我知道，让他们议论呗！"苏晓桥喝得有点多了，咯咯直笑。

她们又有一些小争执，苏晓桥指着柳淼淼的鼻子说你那次跟我吵架的仇我还记着呢，不过看在今天你主动打电话给我我就不怪你了，你喝一杯算罚！柳淼淼小声说还不是师兄出事了。

苏晓桥又指着陈雯雯的鼻子说赵孟华很小气的哦，你在外面跟路师兄喝酒赵孟华非气死不可！陈雯雯小声说我又不像你，我就是跟路师兄聊聊高中时的事，赵孟华才不会那么小气呢。

路明非有时候认真听，有时候走神，周围的空间里充斥着烛光、音乐还有玻璃器皿的反光，男人们衣冠楚楚，女人们或清纯或妖艳，他分辨得出那些谈话里的真情或者假意。

这就是长大后的世界么？每个人都满怀心事，所有的事情都不再简单，包括他们这张桌上，陈雯雯和柳淼淼不断地回复短信或者微信，其实她们早该走了，这个时间对于还在上学的女孩们来说已经太晚了。

说起来这个扭曲的世界对他真是太恩惠了，他本该放量痛饮，跟女孩们打成一片，可最终他默默地扭头看向窗外，落地窗外暴雨如注。

"路师兄来跳舞！"苏晓桥蹦了起来，大声地说。

"你们先跳，我去个洗手间，一会儿回来，肚子有点疼。"路明非摇摇晃晃地站起身来。

"路师兄不是你说要出来喝酒的么？可你看着一点都不开心。"苏晓桥微微地噘嘴。

"不，我很开心，谢谢你小天女，我们一会儿聊。"路明非给苏晓桥倒满一杯龙舌兰，跌跌撞撞地穿越舞池。

路明非并没有去往洗手间，他来到更衣间，换回了那身 TomFord，又问侍者要了一把雨伞，然后乘 VIP 电梯下了楼。

侍者惊讶地看着路明非，他穿着校服穿越舞池的时候还像个十七八岁第一次来混夜店的男孩，有酒就喝，喝多了就觉得老子天下第一，可换回西装之后，他好像变了一个人，烈酒、烛光、奢华的环境、漂亮的女孩都无法吸引他的注意力，他变得冷了，

也安静了，是个需要被尊敬地对待的成年人。

"别跟小天女，啊不，别跟苏总说，我去去就回来。"电梯门关闭的时候，路明非低声说。

大厦楼下就一条四车道的大路，以往这个时间路边都是等候的出租车，这个时间也只有夜店有生意可做，可今天路边空荡荡的一辆车都看不见，大概是雨太大了，出租司机怕淹水。

路明非站了足足五分钟都没能等来哪怕一辆车，最后他把目光投向了路边的三轮摩托，披着雨衣的老人守着那辆三轮，在雨中冻得哆哆嗦嗦。这种黑三轮也是来拉活儿的，只不过不是拉那些有钱来 FOX 消费的客人，而是拉下班的服务人员。

看着路明非那笔挺的一身，拉黑活儿的老人有点惊讶，但还是高兴地迎了上来："客人您坐车么？您去哪里我送您，现在这样子打车可别想了。"

路明非看着那个干瘪憔悴的老人，自然地想到了三轮叔，这样的雨天这么晚了还出来拉活儿，想必有不得已的原因吧。

他摸出钱夹，数了十张一百块的钞票给老人，又脱下手腕上的玫瑰金手表递给老人："我想租一下你的三轮，就一会儿工夫，钱是你的，手表算我的押金，我一会儿还车的时候你再给我。"

那块表应该算是学生会的财产，路明非自己根本买不起那块高档的世界时腕表，可表是成熟男人的身份象征，学生会主席又怎么能不戴表？所以学生会出资买了块表，"暂借"给路明非。

老人疑惑地抓着那块沉甸甸的腕表，心里觉得这是个贵东西可又有点不敢相信，嘴硬说："我三轮很贵的，我怎么知道你这表值多少钱？"

路明非没办法，只好说："壳子是金的。"

老人想了想探牙就要咬，可是被路明非阻止了，他无奈地说："玫瑰金不是纯金，很硬的，会崩到牙。您相信我，我一会儿就把车送回来给您。"

老人疑惑地看了路明非好久，点了点头说："那你会骑么？"

"我开过碰碰车。"路明非说，"我也开过布加迪威龙。"

老人并不知道什么是布加迪威龙，但点点头说："对！我这车好啊，无级变速，跟碰碰车一样，就加速和刹车，雨天路滑你小心！"

路明非披上老人递来的雨衣，偏腿上车，驶入无边的雨幕。老人站在雨中，好奇地看着手表机芯哒哒地转动。

那张刚刚买来的地图上已经标好了路线，那是一条全新的高速公路，10 号高速公路，也是出入这座城市的高速路中唯一一条全部架设在空中的，因此它根本不担心被暴雨影响，路面积水瞬间就能排空，是目前唯一一条没有封闭的高速路，这座城市的供给目前全靠通过这条路来提供。

夜深人静，收费站的管理员打着瞌睡，忽然间外面灯光闪过，管理人揉揉眼睛愣住了，一辆深红色后面带篷的三轮车"突突突"地驶过收费站，骑车的是个身穿TomFord西装的年轻人，他坐姿挺拔，像骑着毛驴冲向战场的元帅。

路明非把三轮骑到了极速，风雨扑面而来，道路两侧黑色的山脉和树林也像是扑面而来，整个世界都像是扑面而来。

眼前的一切都像极了那个噩梦，包括每个转弯每个坡道，他曾在这里战斗过很多次，也曾在这里驾车狂奔了很多次，却没有一次能够成功地逃离。可现在，他正心情平静地驶向噩梦的最中央。

他甚至有点兴奋的感觉，因为他的猜想就要被证实了。

听说所有的高速路都封路，仅有新建成不久的 10 号高速路还保持畅通的时候，路明非忽然明白了。楚子航曾说过，他当年误入的高架路是 0 号高速，但没有任何一条公路的编号为 0，0 号高速根本不存在。

根据尼伯龙根的原理，龙王们也无法凭空制造乌有之物，0 号高速路应该是某条现实中的高速路被扭曲后的结果……路明非猜出来了，那是 10 号高速，某种神秘的力量抹去了前面的"1"。

这座城市确实有一个跟城市一样巨大的超级尼伯龙根，奥丁是它的管理者。楚子航的父亲，那个超级混血种，应该就是为了奥丁而来到这座城市的，但他错误地爱上了那个叫苏小妍的女人，生下了楚子航。

楚子航到底为什么会忽然被抹掉，这件事路明非还没想清楚。但诺诺被杀的那个梦，确实如小魔鬼所说，是未来的预言。所谓命运，就是必然发生的未来。

神秘的暴风雨已经封闭了这座城市，机场瘫痪，港口瘫痪，高速瘫痪，唯一的进出道路就只有 10 号高速。芬格尔和诺诺已经计划离开这座城市，那么他们必然走 10 号高速，他们会在城市的边界遭遇奥丁，不再是梦中的遭遇，而是现实中的遭遇。

命运就像早已写就的剧本，奥丁则是绝对权威的导演。

于是一切都会像梦中预演的那样发生，无论他们怎么奋斗挣扎，奥丁必然会向着诺诺投出昆古尼尔。路明非已经输了，他把那个梦 Load 了上百次，可怎么都找不到救诺诺的办法。

真是棒极了的推理！路明非你真是太棒了！路明非在心里为自己点赞，可惜现在他是个神经病，没人会相信他的话。

三轮驶上一座高坡，道路尽头真的飘着金色的火光，路明非瞪大了眼睛，三轮好像也兴奋起来，有点风驰电掣的感觉。

漆黑的影子们从高架桥下方爬行上来，缓缓地站直了，就像从四足着地的野兽变

成直立行走的人。三轮经过的时候它们扭转脖子，目送路明非去向那金色的火光，既不阻止也不追逐，像是路人冷漠地看着唐吉诃德高举骑枪冲向风车。

路明非终于看清那个立马在金色火焰中的人了，八足的骏马刨着地面，马背上的人浑身裹着尸布，外面罩着暗金色铠甲和蓝色风氅，手里提着弯曲的金色矛枪。

一眼望不到边的阔叶林在高架路的下方摇曳，世界微妙地扭曲着，风声、雨声，还有那些压抑在黑影喉咙里的、婴儿哭泣般的嘶叫，冥冥中仿佛有人在窃窃私语……

他来了……他来了……他来了！

好渴……好渴……好渴！

路明非全神贯注地享受着这个过程，他知道自己正在通过某种界面进入尼伯龙根，就像在北京地铁中，他看见那种古怪的青色雾气弥漫开来，被它洗过的一切都变回 20 世纪 70 年代的样貌。

说这是地狱并不为过，说前方那金色的火焰是死神的王座也不为过，一切都是那么地令人恐惧，却又庄严肃穆，这一幕有着巨大的仪式感，唯一不和谐的是，拜谒神座的家伙骑着一辆"突突突"的三轮摩托。

奥丁缓缓地举起了昆古尼尔，路明非可以清楚地看见奥丁的白银面具上反射着寒冷的光……八足骏马喷出的电光化为雷屑……昆古尼尔上的金色光焰呼吸般涨落……盛宴即将开始，高潮就要到来！

可就在这时，路明非一拧车把一捏刹车，三轮在道路中央横了过来。

他调转车头，"突突突"地离开了。

只差最后的一线，路明非没进尼伯龙根，他跑了……奥丁和黑影们都沉默地看着这家伙的背影，如果他们有哪怕一点人类的感情的话，一定会吐槽说喂喂喂大哥你等等，我裤子都脱了……

可他们终究只是沉默地看着路明非离开了，昆古尼尔上的光焰缓缓地下落，像是火炬熄灭，盛宴还未开始，便已结束。

诺诺坐在日光灯下方，默默地喝着啤酒。

她蜷缩在书椅里，把脚翘在桌上，桌上摆满了空啤酒罐，窗外闪电落下，击中了对面那座楼的避雷针，闪亮的电光顺着铁丝游走，霓虹灯招牌爆闪之后熄灭，全楼上下黑了灯，一片鬼哭狼号。

芬格尔哼着歌收拾行李，大包小包的。他们来的时候就身上穿的衣服算行李，还有些武器弹药……如今东西却能填满两个大旅行箱。

"姊姊说明晚做一桌子菜给我们送行，你可千万记得回来吃饭啊。"芬格尔说。

给叔叔婶婶说的是考察进行得差不多了，学院催着回去，路明非就在上海那边待着不回来了，他们赶去上海跟路明非汇合，然后就直接飞美国了。

姎姎对诺诺无感，对路明非那没良心的小子说来就来说走就走倒也习惯了，唯独对芬格尔这活泼可爱的家伙有点不舍，唠叨一整天了，说学院也真是，这大风大雨的天，说走就让你们走。

"也不知道小路在医院里怎么样了？明天还是后天要给他办出院手续，你得去签字啊，住院手续可是你签的字。"芬格尔接着唠叨。

"你收拾些什么呢？旅游纪念品？有必要带这么些乱七八糟的么？"诺诺皱眉，"没事儿就过来喝酒聊天。"

"姎姎要我给她儿子带的东西，衣服裤子、豆瓣酱、辣椒酱、豆腐乳什么的，我这也是代路明非尽孝嘛。师妹你这几天简直变成了女酒鬼，"芬格尔站起身来伸展了一下，走到桌边打开一罐啤酒，"莫不是有什么不开心的事？师兄听你倾诉呀！"

"没什么不开心，我口渴可以么？"诺诺依旧眼望窗外，"这座城市肯定有什么秘密，元素乱流已经没法收拾了。"

"可不是么？周围都晴天，可好像全世界的积雨云都堆在这座城市上方了，继续待下去会有麻烦，得赶快溜。"芬格尔仰望漆黑的天空，云层压得极低，好像反过来的黑色大海贴着楼顶翻腾，"不过这跟楚子航没什么关系，楚子航死在了 15 岁那年，他后来的经历都是小路幻想出来的，我们已经达成这个结论了，OK？"

诺诺没说话，小口小口地喝着啤酒。

"放心吧，"芬格尔拍拍她的肩膀，"我们离开之后就会有一通录音电话拨给你未婚夫，跟他说这座城市被奇怪的元素乱流包围了，似乎有龙族活动的迹象，剩下的问题就交给他解决了，牛逼人干牛逼事儿，恺撒办事我放心！"

"嗯，他会处理好的。"诺诺轻声说。

"恺撒会因为小路的事对你不高兴么？"

"我跟路明非没任何关系好么？"诺诺忽然间横眉立目提高了音量，"我只是被那个神经病给弄懵了，然后被另一个神经病给绑架了！整件事跟我一点关系都没有好么？"

"看你看你，都炸毛了！"芬格尔满脸无辜，"我又没说你和小路有什么不可告人的关系，我是说你帮了学院的通缉犯，恺撒作为代理校董会不会不高兴？"

诺诺愣住了，片刻之后她神情低落下去，继续小口小口地喝着啤酒。

"早知道当初就把他丢在那个放映厅里不救他了，"片刻之后诺诺轻声说，"失恋了又不会死。"

"有种不小心踩了口香糖的感觉吧？粘在鞋底上，怎么都抠不掉。"芬格尔站在诺诺身边，一起看外面的暴风雨。

"你说他怎么就长不大呢？我到底有哪点好就那么讨他喜欢？我改还不行么？"诺诺想着想着又有点生气。

"对啊！"芬格尔也显得痛心疾首，"你胸又不大，腿不短可说长也有限，还这么个暴脾气，一点都不温柔，我也不懂啊！"

诺诺呆呆地看着这家伙，一时间不知道是附议好呢，还是该在桌下踹他一脚。

"你小弟应该很多吧？你也不可能都罩着，为什么那么在意那家伙？"芬格尔忽然正经起来，声音低沉，神情遥远。

"我也不知道，大概是他太笨了，"诺诺静了很久才轻声说，"让我想起自己也很笨的时候……很无助，很想有个人来救我，谁来救我我就跟他走，就算他是个恶棍我也不在乎，就算所有人都要杀他我也不在乎，我还会帮他挡子弹。"

"那时候你还不认识恺撒？"

"不认识，谁都没来，白马王子和恶棍都没来。"诺诺无声地轻笑。

这时候外面客厅里的固定电话响了，叔叔婶婶好像都睡了，芬格尔出门去接电话，诺诺独自发呆。

半分钟不到芬格尔又跑回来了，神色有点焦急："妈的！出事了！医院刚才打电话来说小路被他那三个师妹从医院里劫走了！"

诺诺惊得跳了起来，打翻了一大片空酒罐："哪三个师妹？"

"就是对他有非分之想的那三个啊，其中两个你还见过！你说她们会不会趁小路打了安眠针神志不清的时候玷污小路的清白啊？"芬格尔显得心急火燎。

诺诺呆看了这个神经病好一会儿，抓起一把伞就奔了出去。

电梯把诺诺直接带到88层，电梯门打开，略显喧嚣的音乐声扑面而来。这毫无疑问是个灯红酒绿的场合，男男女女眼神暧昧，烛光摇曳酒气浓郁，舞池边油头粉面的小哥们演奏着爵士乐。

服务生面对这个漂亮但有些杀气腾腾的女孩，赶紧凑上前说："对不起，我们已经没有空位子了。"

诺诺伸手按在他肩膀上，缓缓发力把他推开："我不是来喝酒的，我来找人。苏晓樯在这里么？"

"你找苏总啊……"服务生说到这里就意识到自己犯了错误，这女孩身份不明，他不该泄露客人的行踪。

"我是她公司的人，有点急事找她，你别管了。"诺诺低声说。

苏晓樯可能在FOX喝酒，这个消息是她打电话从苏晓樯的秘书那里问到的。苏晓樯的秘书24小时在线，回家之后固定电话就接入手机。这是因为苏老爹主要是靠矿业发家，矿上早晚都可能出事，塌方啊什么的。

诺诺谎称要找苏晓樯是因为矿上断电的事，矿井下还有人，秘书一听就有点慌，说苏总关机了，要不你去那个FOX酒吧找找，苏总晚上经常去那里。

诺诺当然知道FOX酒吧，因为这里也是邵公子的据点，好几次邵公子说师姐我们去酒吧坐坐聊天呗，都被诺诺拒绝了，原来是这种乌烟瘴气的地方。

窗边可以俯瞰CBD夜景的那一桌，三个穿校服的女孩正互相埋怨，声音大得远远就能听到。

苏晓樯说你们两个今天怎么那么多话，你们是出来喝酒玩还是来跟路师兄约会？我们以前一起聊玛格丽特·杜拉斯，我们以前一起合奏……搞得好像你们是路师兄前女友似的！看，路师兄不高兴了吧？走了！

柳淼淼不服气地说还不是你选的这个地方！喝酒找个安静的地方喝不行么？你什么时候看过师兄来酒吧这种嘈杂的地方？他是不喜欢这个地方！

陈雯雯打圆场说你们别吵了！问题是师兄现在去哪里了，这么晚他连车都打不到，他在医院待那么多天身体肯定差得不行，出来连口饭都没吃就喝酒，淋雨感冒了怎么办？

诺诺站在吧台旁边的阴影里，默默地看着远处的三个女孩争吵。原来路明非确实被她们带到这里来了，可中途悄悄离开了，那她也就没必要上去搭话了。

令她有些茫然的是，在这些女孩的眼里路明非是那么酷那么好，她们看他是男神而诺诺看他是女厕所里捡回来的小狗、傻猴子和粘在鞋底的口香糖。

原来同一个人在不同人的心里差别是那么大的，这样的话，也许当初不救他真的更好……

诺诺正这么想的时候，一个人影疾步穿越舞池，蹦跳着坐上了苏晓樯旁边的位子，先给自己满满地倒了一杯白兰地，仰头喝了下去。

"外面可真冷，冻死我了。"路明非搓着手说。

苏晓樯喜出望外地抓着他的胳膊，就差把头拱到他怀里去了："路师兄你去哪儿了？我们都被你急死了。"

"饿了，我出去找了一家便利店买了点关东煮吃。"路明非很随意地拍了拍苏晓樯的肩膀，说得轻描淡写。

"叫服务生出去买就好咯，还自己跑一趟。"苏晓樯说，"这里虽然没有关东煮，但有西班牙火腿。"说着她转身打了个响指，"两份切片火腿！快一点！"

陈雯雯和柳淼淼虽没说话可也放下心来，原来路师兄没有生她们的气，路师兄也不是有心事，路师兄只是饿了。

吃饱了之后的路师兄立刻恢复了往日的神采，嘴角挂着笑容，无事一身轻的模样。

"你们刚才去跳舞了没有？"路明非问。

"我们等你啊，三个女生怎么跳舞？"苏晓樯笑着说，"我们等你邀请，看你先请谁！想好先请谁啊！不然有人会生气的！"

"那我掷骰子来决定顺序可不可以？"路明非也笑。

"路师兄你耍赖！"苏晓樯笑着捶他的肩膀。

切片火腿和新的酒很快就上来了，穿校服的男孩和女孩们喝酒、欢笑，有时候勾肩搭背，说高中时候的趣事，说到开心的时候服务生不得不过去提醒他们声音小些，免得打搅到别的客人。

诺诺站在暗处默默地看着，觉得自己真愚蠢。她的心里有什么东西在慢慢地坍塌，某种一直以来无法放下的执念……

其实她早该赶走这只纠缠她的傻猴子了，她帮他越多，就会让他越来越依赖自己，这对谁都不好。可她总是不忍心拒绝，她怕自己跑了之后那只傻猴子会在旷野里号啕大哭，却没有人听他的哭声。

她指望着傻猴子有一天自己变成聪明猴子，懂得这世上不止一个女孩值得他喜欢，他现在喜欢的也不是最好的，她希望他自己开开心心地跑掉，再不固执也再不纠缠。

可她也许一开始就想错了，她从水帘洞里带出来的其实是只聪明猴子。

路明非并不真正了解她，她也不真正了解路明非，路明非也有这样的一面，左右逢源如鱼得水，其实她早点把他撵走就完了，那样对谁都好。

你把猴子丢在荒野里，他也许会哭，但哭完就会去找新的主人了。

"您好，您不是要找苏总么？"服务生凑过来，小心翼翼地说，"苏总就坐在那边的桌上。"

"不用了，事情解决了，不用跟苏总说了，让她跟同学好好聚会。"诺诺拍拍他的肩膀，转身离去。

诺诺漫步在无边的大雨中，雨中的城市灯火辉煌，来来去去的车溅起一人高的水墙。

雨伞并不怎么顶事儿，她的衣服湿透了，粘在身上，开车路过的好心人冲她摁喇叭。这些天连降大雨，出门在外都是迫不得已的人，大家都学会了相互帮助，尤其是这么漂亮的女孩，怎么会没人陪着呢？

可诺诺只是笑笑摇摇头。从这里走回叔叔家的路很长，可她想一个人走走。

呼吸着带雨意的冷空气，她觉得越来越冷，想找个类似那天夜里吃鱼丸粗面的面店，吃碗面暖和一下，可偏偏找不到。

她放下了最大的心结，本该走得轻盈，可走着走着，无法解释的疲倦包裹了她，心脏乏力地跳动着，每一下都那么清晰。

她忽然想念起金色鸢尾花岛来，想念那里的阳光，她曾经那么地想要逃离那里，可是现在她有点想回去了。

FOX 酒吧，四个人的桌上忽然多出了第五个人，可三个女孩都没觉察。那是个穿着黑色小西装打着白领结的男孩，微笑着看看路明非。

"哥哥，我有点事情要出去办一下，"路鸣泽轻声说，"你跟师妹们好好玩，会稍微有那么一会儿你没法召唤到我。"

路明非没懂，但还是点点头："随便你。"

路鸣泽起身离去，默默地穿越舞池。

街边的电话亭里，诺诺摘下话筒，把一张付费电话卡插了进去。

此刻她没有手机，他们三个都没有手机，手机是最容易被 EVA 监控的设备之一，芬格尔说哪怕是远在玻利维亚的某台手机里有人说出"路明非"这三个字都有很大可能被学院追踪到。

诺诺默念了一遍那个号码，0039 开头，一个简单好记的电话号码。0039 是意大利的国际区号，这个号码直接拨往加图索家的特别专线。

恺撒给她这个号码要她记住的时候她觉得这特别愚蠢，因为这个号码是用来对绑架这种意外事件的，恺撒说如果你被绑架，就让绑匪打这个号码，我会第一时间得到消息来救你。

但现在她真的用到了这个号码。闹剧该结束了，别中了芬格尔的激将法，眼下这种复杂的局面她最应该相信的人既不是路明非也不是芬格尔，而是恺撒。恺撒已经不是当初那个为所欲为的公子哥儿了，他变得稳重可靠，是加图索家真正期待的那种人。

路明非到底是什么样的人她越来越看不清楚了，他也许是个疯子，也许是个骗子，他在诺诺面前扮演可怜巴巴的小狗，在女同学们面前扮演英俊多金成就斐然的师兄，搭着肩膀喝酒，神采飞扬。

这么做感觉像是抛弃了芬格尔和路明非……诺诺深呼吸，试图把这个念头从脑袋里赶出去。必须得这么做了，路明非和芬格尔都在瞎胡闹，这么下去状况会越来越糟。

她开始拨号，0039-8642-7794，这个号码拨完的时候她就等于暴露了自己的位置，即使她一句话都不说，加图索家也会追踪到他们，而最可能的是接电话的人正是恺撒，恺撒应该在等她的电话。

拨号的手指有点沉重，负罪感并没有随着深呼吸而被驱逐，她觉得自己像个狗叛徒。但如果你明知道自己的伙伴是疯子和傻子，而另一方则是稳重可靠的人和机构，是世界的拯救者，你该如何选择呢？

姑娘！这不能叫叛变啊，这应该叫拨乱反正啊，这应该叫拨开云雾见了青天啊，这是在纠正当初的错误啊！诺诺心里似乎有个说客在大声说话。

还有另一个小小的声音说，不，不，不，别这样，别这样……却说不出理由。

00……39……86……42……77……9……还剩最后一个数字她就要完成拨号了，这时有人敲响了电话亭的侧边。

诺诺下意识地扭过头，隔着钢化玻璃，她看见一个穿黑色西装打白色领结的男孩站在雨中，打着一柄超大的伞。

这个年纪的孩子怎么会深夜自己一个人在外面跑？他穿得这么整齐，是刚刚参加了什么活动么？他是想进来打电话，还是迷路了需要帮助？

男孩什么都没说，他趴在沾满雨水的玻璃上，默默地盯着诺诺看。诺诺越发地惊讶，不由蹲下身来，这样他们不用仰头或者低头就能面对面。

诺诺确定自己没有见过这男孩，可偏偏看起来有点眼熟，他生得很精致很漂亮，面色红润，简直像个瓷娃娃。任何父母要是生下这样的孩子，都会视作掌上明珠，啊不，是心肝宝贝吧？

可这样的男孩在这样的雨夜，站在寂静的街头，孤独得像只被赶出家门的小狗。

"你找我么？"诺诺轻声问。

一开始男孩没有任何表情，但渐渐地，他开始变了，那张漂亮的小脸因为扭曲而显得有点狰狞，却又有一滴眼泪滑过他的面庞。

诺诺惊呆了，她无法呼吸，因为那无声无息的、巨大的悲伤。

那天晚上听了邵公子的倾诉，她做了一个该死的梦。梦里她把一只傻猴子丢在了荒野里，傻猴子在月光下无声地痛哭，小脸也是这样悲伤而狰狞。

这才是被真正信赖的人背叛了的心情吧，混合着怨恨和悲伤，漫步在荒芜的大地上。被丢掉的猴子会很想找他的唐三藏吧？可又想对他大喊大叫对他的脸吐唾沫，像个伤了心的孩子。

诺诺猛地惊醒，这才意识到电话亭外其实并没有什么男孩，她也没有蹲下，手也一直按着拨号盘……刚才的一切好像都是幻觉，除了那男孩的脸，真实得好像刻在了诺诺心里。

说客仍在高谈阔论，他在说女孩，按下最后一个号码，召唤你最该信赖的人，恺撒抵达这个城市的时候，连阴云都会消散的！

而那个小小的声音还在坚持，它被说客的声音压得很低很低，却始终在说……不，

不，不……别这样，别这样……

诺诺拔出那张电话卡，弯折之后丢向外面，踏上一脚，然后静静地站在雨里。

意大利，罗马。

郊外的大理石古堡中，顶楼书房，恺撒坐在 17 世纪的威尼斯式书椅上，端着手工吹制的玻璃杯，杯中是最后几滴陈年威士忌。

最近这段时间他晚上都在这间书房里度过，喝着一杯威士忌，凝视着桌上的那部电话。这种陈年的威士忌古堡里还剩下三瓶，今天最后一瓶见了底。

他在等诺诺的电话。在他心里有三个渠道可以给他提供那些"通缉犯"的消息，首先当然是 EVA 遍及全球的网络信息系统；其次是执行部和加图索家的特派员们，他们的精锐毋庸置疑；而最后的消息渠道来自那个小团队中的某个人……诺诺，恺撒觉得诺诺会在某个时候给他打来电话，在她闹够了，想清楚之后。

等到这部电话响起，一切的问题都会迎刃而解。可电话偏偏就一直沉默，有几次恺撒甚至忍不住想让帕西找人来看看线路是不是出了问题……诺诺该打电话来了啊！她还没有玩够么？要是线路出了问题导致诺诺没打通，这不糟糕了么？

但这么重要的特别专线，线路当然由专人维护，如果这部电话都能断线，白宫里那部总统专线也能断线了。诺诺是记得那个号码的，恺撒催着她逼着她哄着她背了下来，就算灌她一瓶白兰地，她都能张口报出那串数字。

事实摆在面前，诺诺确实没有拨那个号码。

这件事让恺撒承受了很大的压力，随着弗罗斯特的死，他现在已经是加图索家的代理人了。他做得很好，短时间内获得了秘党长老会的认可，家族长辈非常欣慰，但诺诺是他的软肋。

家族长辈们愤怒于正副校长偷偷把"尼伯龙根计划"用在了路明非身上，那个计划本该帮助恺撒超越血统极限、晋升为"皇"级混血种，让他有能力挑战未来苏醒的龙王……甚至黑王本身！可就这样浪费掉了，只把一个挂着"S 级"的废柴提升到了A 级左右的水准。

A 级算个屁啊！恺撒还在娘胎的时候就有 A 级水准了吧？长辈们觉得路明非偷了本该属于恺撒的东西，更要命的是，把他的未婚妻都偷跑了……

尽管知道那封信是芬格尔写的，但恺撒相信诺诺不是完全出于被迫，如果说路明非和芬格尔把诺诺捆在某个不见天日的地窖里导致她不能跟恺撒联络，恺撒是不信的。

路明非是不是龙族派来的卧底，恺撒会怀疑，路明非喜欢不喜欢他未婚妻，恺撒倒是一点都不怀疑。

长辈们严肃地建议"暂时"取消婚约，等到事情查清之后再履约，这种感觉有点像银行冻结存款。委实说这种建议已经很大程度上考虑到了恺撒的情绪，不是不让他娶诺诺，只是说面子上好过一点，不能承认那个正在协助通缉犯的妞儿是加图索家代理人的未婚妻。

但恺撒说"不"，这个世界上能够解除那份婚约的只有两个人，我，或者诺诺。

背负了这种压力的他更得表现得镇静自若，大公无私，甚至比其他元老更加铁腕一些，比如他支持复苏那些冰下怪物作为战斗力。他如果犹犹豫豫，会遭到巨大的质疑。

但在人们看不到的背后，他还是罕见地感觉到了疲倦，所以每晚他都会坐在这间书房里，喝着自己最喜欢的威士忌，默默地凝视着那部电话。

酒喝完了，电话还是没有响，恺撒自嘲地笑了笑……没响也正常，诺诺是那种她信谁就是谁的人，如果她相信世界上真的有楚子航，那她就会帮路明非和芬格尔，不会既帮忙又当告密者。

他拍拍桌面站起身来，今夜还有很多工作需要处理，他得回罗马分部一趟……这时候门被人大力推开，帕西匆匆走了进来。

"有件很麻烦的事情正在发生！"帕西把一份文件放在恺撒面前。

恺撒皱着眉头翻阅那份文件："什么麻烦能算'很麻烦'？我以为我们已经很麻烦了，龙骨失窃，校长遇刺，路明非叛逃，很可能某位龙王已经苏醒……"

他忽然停住了，瞳孔微微放大，文件夹里只有一张照片，准确地说那是一张卫星云图，云图上显示着一个黑色的旋涡云团。它覆盖的范围极小，云量又极大，所以显示在卫星云图上就是个黑洞般的东西。

"元素乱流么？"恺撒低声说。

黑洞般的超级云团，还有帕西报告这件事的语气，都说明了同一个问题，那不是普通的气候变化，那是元素乱流导致的极端气候。而元素乱流的出现，往往意味着某个无比强大的生命的出现，它的力量甚至能够影响到某个区域的元素平衡。

"很小的区域，超级云团，好像整个印度半岛在雨季的降雨都落在那座城市里了。"帕西说，"是的，那是元素乱流，什么东西在那里出现了。"

"龙王么？"恺撒又问。

"还不能确定，但很诡异的是，出现元素乱流的地方是路明非的家乡。"

恺撒微微一怔："所有的事情终于接上头了啊！"

巨大的危机迫在眉睫，但又有一种轻松感。这些天最困扰恺撒的还不是诺诺，而是这件事太神秘难解了，现在谜团似乎就要解开了……路明非、死神般的影子，还有那不曾存在过的楚子航。

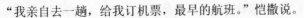

"我亲自去一趟，给我订机票，最早的航班。"恺撒说。

"这恐怕不行，因为惊人的降雨量，那座城市的水路和空路都已经封闭了，目前能够出入的只剩下一条高速公路。"帕西说，"这种现象在历史上也曾出现过，我们称为'祭坛封锁'。"

"祭坛封锁？"

"当某位龙王复苏的时候，它是不愿意外来者干扰这个过程的。它不是无意中释放了元素乱流，而是故意地影响元素平衡，利用极端气候现象或者地壳变动，把它复苏的区域和外界隔开。这就是所谓的'祭坛封锁'，如果我没猜错的话，那座城市已经变成了某位龙王的祭坛。"

"那更应该去一趟了，没有航班就准备私人飞机，搜索最近的可降落的机场！我需要一台能越野的车在那个机场等我！"

"很危险，冰下的怪物们还在复苏过程中，真要去的话，我陪你去吧。"帕西说。

"你留下，这边也需要人。你懂加图索家怎么运转，你也是我唯一相信的人。"恺撒拍拍他的肩膀，"不过帮手我确实需要一个，立刻向学院提出申请，派另一架飞机送那个人去中国，跟我在同一个机场降落。"

"你是说……"帕西微微一怔。

"这种时候，也该出动那家伙了吧？前任狮心会会长和前任学生会主席，听起来很有意思的组合，不是么？"

"但他跟你的关系可一直都不好。"

"大家有些竞争而已，这件事他会有兴趣的，那是个侠客般的男人。"恺撒拉开抽屉，枪盒中躺着那对沉寂了很久的、金色的沙漠之鹰，"对那种男人来说，有什么比并肩作战更有趣的呢？"

卡塞尔学院，英灵殿。

狮心会会长巴布鲁狂奔在空荡荡的走廊里，他的手中紧攥着一份文件，一份他不敢相信的文件，尤其是结尾处那个张扬的签名。

走廊尽头是一扇绿色的门，包着金色的边框，它是那么地优雅和古意，跟这里的每扇门都不一样，好像打开那扇门就会踏入千年之前。

巴布鲁推开那扇门，大喊一声"会长"！

房间里的陈设也跟其他房间不同，以金绿两色为主，波斯风格的手工地毯，极有品位的马赛克镶嵌，阳光在镜子和各种宝石之间折射，绚丽到缭乱，简直像是一位波斯王公或者阿拉伯王子的住处。

空气中弥漫着柑橘和薄荷的香气，那香味是从一个水烟壶中溢出来的，赤裸上身

的年轻人跪坐在一个白色绣金的软枕上，肌肉分明得像只猛虎，那张英俊逼人的脸也像是猛虎。

可那张猛虎般的脸上却流露出谦和平静的意味，他闭着眼睛，双手合十，像是老僧入定。巴布鲁喊出那声会长的时候，年轻人留着漂亮髭须的唇边掠过一丝微笑："平静，平静，平静下来巴布鲁，记得我教你的事情，焦急是败象，真正的虎，在扑击前的一刻都是平静的。"

"是，会长！"巴布鲁在地毯上跪下，深呼吸空气中的香气，感觉渐渐地找回了自己。

时至今日他已经是狮心会会长了，但在这个年轻人面前他仍只是学生和追随者，他仍然叫他会长，他甚至很愿意叫他老师。他愿意一生都追随在这个年轻人的左右，跟他学习，也为他冲锋陷阵，那种神秘的、古代君王般的气质令巴布鲁口服心服。

"我听见你的心跳渐渐平稳了，现在可以告诉我了，什么让你这么意外呢？我的兄弟巴布鲁。"年轻人仍旧闭着眼睛。

"刚刚接到执行部的任务分配，接受这项任务的话，您要立刻飞往中国，那里可能有龙王复苏。"

"这有什么值得惊讶的呢？龙王，我不是没有面对过。"

"但提出这项申请的人……是恺撒·加图索，他和您的关系一直不太融洽，却忽然提出由您和他组队。"巴布鲁说，"感觉像是希望您充当他的助手，但您没有必要充当他的助手，是不是应该拒绝呢？"

"恺撒·加图索的建议么？"年轻人缓缓地睁开眼睛，眼缝中淬出绿宝石般的璀璨光华，"有意思！很有意思！"

他的瞳孔是绿色的，但跟一般的绿瞳不同，晶莹剔透，带着神秘的异域风情，像波斯猫，但更像林中独行的猛虎。

"会长您的意思是？"

"有什么善意能比邀请你并肩屠龙的善意更大呢？恺撒·加图索提出的邀约，阿卜杜拉·阿巴斯当然要接受了！"年轻人缓缓地起身，狮虎般的后背隆起，浑身骨骼爆出一串清脆的响声。

夜深人静，雨还哗哗地下着。

路明非扶着苏晓樯进小区，这一路上苏晓樯就吐了三次，还不包括坐那辆宾利回来的路上，苏晓樯把脑袋探在车窗外吐了一路。

四个人喝掉了两瓶红酒、两瓶香槟、两瓶龙舌兰和两瓶伏特加，不吐才怪，喝到最后连路明非都惊了，在他的记忆里除了苏晓嫱，另外两个女孩都是号称喝杯啤酒就要晕倒的，可今天柳淼淼仰头灌下一杯伏特加之后上去把键盘手推开，当当当地弹了一曲。

满场都为这些穿着校服出来喝酒的男孩女孩鼓掌，要不是路明非拦着，苏晓嫱就要宣布今晚大家都别买单，她一个人全买了。

好在还有苏晓嫱的司机在，将大家挨个送回家，陈雯雯最优先，因为赵孟华找不到她已经急得跑去陈雯雯家里了。下车的时候柳淼淼说路师兄你别怕啊，我帮你解决。赵孟华黑着脸过来接陈雯雯的时候，柳淼淼挡在他面前说，小气！黑着脸干什么？是我把你女朋友喝挂了，怎么样吧？赵孟华立马就尿了，二话不说扛着陈雯雯就走了，路明非连车都没下。

路明非这才想起柳淼淼也曾是赵孟华的前女友，这个世界太混乱了，好多事情他都记糊涂了。

去柳淼淼家的路上，一直最镇定的柳淼淼忽然哭了起来，像个摔倒在地的小女孩。路明非知道她为什么哭，就搂搂她的肩膀，柳淼淼在他袖子上擦了不少眼泪。

最后送苏晓嫱，这是理所当然的，因为车是苏晓嫱的。其实原本车可以直接开到苏晓嫱家门口，但路明非说大晚上的别墅小区里黑灯瞎火，开进去太麻烦了，我送她几步，你在这里等吧。

司机当然心领神会，他递给路明非一把大伞，说这小区的绿化好，雨中散散步也蛮好的。

苏晓嫱吐得没什么可吐了，软软地靠着路明非往前走，她混合着胃酸的酸味、烈酒的酒味和香水味——喝酒的时候女孩们喷掉了大半支 Dior 的香水，四处喷着玩——闻起来像一只酸酸的苹果。

"今晚……喝得真好……没把你吓怕吧？下次……还要出来喝酒啊！"苏晓嫱拍着他的胸口就往下滑，路明非赶紧把这女酒鬼拎起来，免得她穿着那套 Dior 套裙就躺在积水里了。

他扶着苏晓嫱来到葡萄架边坐下，说是葡萄架，其实是一间凉亭的护栏，护栏上缠满了葡萄藤。周围一片也就这里可以坐坐，前方不远处还亮着灯的那栋别墅就是苏晓嫱他们家。

苏晓嫱的酒意略略散去，愣了一会儿，又摆出那种"有种你来追我啊你来追我我就接着"的妩媚微笑："路师兄你不让我回家，是有话要跟我讲么？我在听我在听！"

"没有。"路明非双手扶膝，望着凉亭外的大雨，"其实你也不想我跟你说什么对吧？"

"什么意思？"苏晓樯愣住了。

"我叔叔那天问我愿不愿意回国发展，说你回国多好啊，你看有那么多女同学喜欢你，你想娶谁就娶谁。他还特意说到你，说苏晓樯最好了，长得漂亮还有本事，年纪轻轻就能管自家的企业。"路明非轻声说，"可我知道你并不喜欢我，你只当我是很好的同学。"

"路师兄你怎么知道……啊不，我是说路师兄你怎么忽然说起这个。"苏晓樯倒是窘了，有点语无伦次，路明非从没见她这么窘过。

"因为我也喜欢一个人，喜欢一个人不是那样的。"路明非轻声说，"同理陈雯雯和柳淼淼也不喜欢我，我只是她们憧憬过的某个人而已。"

"路师兄你忽然那么严肃……"苏晓樯轻声说。

"我以前严肃么？"路明非问。

"超严肃的，"苏晓樯点点头，"比现在还严肃。"

路明非笑笑："柳淼淼跟赵孟华也在一起过，对吧？"

"嗯。"苏晓樯点点头，"你不知道吧？高中时候赵孟华是追陈雯雯的嘛，陈雯雯那时候有点暗恋你来着，一直不答应，后来你出国了，赵孟华才追到手。可是赵孟华那个人你也知道的，就喜欢跟女孩玩，陈雯雯比较闷，还信教，不能总陪着他，玩着玩着赵孟华就喜欢上柳淼淼了，他们一个学校的嘛。柳淼淼其实很笨的嘛，就会弹钢琴，什么都不懂，赵孟华一追就追到咯，这边追到，那边才跟陈雯雯谈分手，当时这个事情在同学圈里闹得好大的。可是后来出了个事情，赵孟华不知怎么在地铁隧道里迷路了，打了无数电话就只有陈雯雯的电话能打通，这样才把他搜救出来。赵孟华这下子才洗心革面，又回去跟陈雯雯好了，也信教了，柳淼淼就被他踹了。"

路明非点点头，心说看起来故事剧情变化不大，其他都没变，只有跟楚子航相关的事情出现了严重的扭曲。

"可这种事情哪会那么轻易地过去呢，大家都受伤害了嘛。陈雯雯也没法一下子就忘了赵孟华以前怎么对自己，柳淼淼更冤枉，人家搞得好像破镜重圆似的，把她丢一边了，可赵孟华追她的时候，可是信誓旦旦地说跟陈雯雯已经分手了。"苏晓樯又说，"赵孟华也没辙，他都洗心革面了，还能怎么样呢？他要跟陈雯雯在一起，柳淼淼就伤心；要跟柳淼淼在一起，陈雯雯就伤心。最后他选了那个救他命的。"

"每个人都有心事啊。"路明非说。

"我说了你别失望哦，"苏晓樯小狐狸似的笑笑，"我觉得陈雯雯和柳淼淼也不是真喜欢你啦，她们跟你喝那么多酒，是对现在的生活不太满意，就觉得高中时候的师兄格外地好。"

"我真有那么好么？"路明非问，"我说高中的时候。"

苏晓樵想了想："嗯，很好，特别好！"

如此简单直接的评价倒是让路明非有点不好意思，他挠了挠头："我……不渣么？"

"你怎么会渣？"苏晓樵很不解的样子。

"我后来出了点状况，有些事记不清楚了……片段性失忆。"路明非说，"我今天听陈雯雯说我跟她一起讨论杜拉斯，又跟柳渌渌一起合奏，好像跟女孩们关系都很好的样子……真的不渣么？"

"那算屁啊！你跟陈雯雯讨论杜拉斯那事儿我知道，当时她得了红斑狼疮住院嘛，学校号召大家轮流去医院探望，去着去着大家都懒了，只有你还每周去一次，你跟她又没别的说，就讨论杜拉斯咯。后来陈雯雯康复了，还是个漂漂亮亮的小姑娘，大家才又都跟她好，可她最丑的时候，只有你跟她讨论杜拉斯，她当然暗恋你了。不过你怎么会对脸上长疮的陈雯雯动念头呢？你可怜她嘛。至于跟柳渌渌合奏，那是学校安排的好么？你以为你想躲就能躲掉啊？"苏晓樵说，"我们三个里，跟你真有关系的其实是我啊！你不会这都不记得了吧？"

"我们什么关系？"路明非心惊肉跳，心说妈的！问错人了！原来正主儿在这里！

苏晓樵慢慢地搂住他的肩膀，慢慢地靠近他的脸，直到呼吸相闻，她的媚眼如丝，睫毛好像飞起的鸟翼："我们铁哥们啊！我们一起打群架啊！"

尼玛还有这一出么？尼玛老子高中的时候还是古惑仔么？路明非瞠目结舌。

"当时外校经常有人来我们学校欺负女生嘛，要钱，说黄色笑话，拉拉扯扯，学校又管不了，"苏晓樵说，"最后是我俩带人把他们都灭了。那天在篮球场上，你守着一筐球，每个球丢过去就砸趴下一个，牛逼爆了！"

"你也参加了？你拿什么武器？"路明非在脑海中构建着自己的英雄壮举。

"我帮你递球啊，我帮你擦汗啊，我要什么武器？"苏晓樵说，"后来我们就经常约会了！"

尼玛还是要当女朋友的节奏啊！不知道当时有没有表白啊！路明非在心里大喊。

"我们约会干什么了？"他小心翼翼地问。

"网吧打游戏啊，给班里图书角买杂志啊，组队跟外校打篮球啊，你是主力中锋我是拉拉队长，我俩当然要经常约会了！"苏晓樵笑，"说真的我暗恋过你。"

长久的沉默，路明非终于问出了那个他一直都有点担心的问题："我那时候……不动手动脚吧？我是说不会占女孩便宜什么的……"

他委实对自己这些方面的人品没信心，他高中时候可是买了很多擦边球的漫画书，其中比较暴露的那几页翻来覆去地看，页边都比其他页黑。

妈的漫画上穿比基尼的少女都让自己如此爱不释手，这个活泼热辣吹弹可破的苏

晓樯近在咫尺可怎么办？妈的妈的不会是因为这个原因苏晓樯见自己的第一面那么怨念吧？

"什么算动手动脚？"

"拉拉手什么的……"路明非快绷不住了。

"比这夸张多了！我俩抵胸对撞！"苏晓樯神情严肃。

路明非傻那儿了，只觉得脑海中的画面走马灯似的闪。

"哈哈哈哈，逗你的啦！我也下场打球啊，打球当然抵胸对撞咯，鬼知道什么时候带球过人的时候就撞上了。"

苏晓樯大笑完了，拍拍他的肩膀："别瞎想啦，你以前特别绅士，会给女孩子拉门，微笑着听人家跟你说话，从来都不嬉皮笑脸，你知道谁喜欢你，但你岂止不会占便宜，你甚至都不会让人难堪，你也知道谁伤心难过了，就会悄悄地帮人家。你特别好特别好，可人家来我们学校欺负人的时候你又会忽然拿起球砸过去，凶神恶煞的，连喜欢你的女孩都怕。"

"原来我是这样的人啊。"路明非轻声说。

"嗯。"苏晓樯认真地说，"我问过你为什么要对大家都好，你只说了一句话，你说，'我有力气的时候，我就帮人家，人家有力气的时候，我也希望他帮我。'"

"说得真好。"路明非说。

"可你总是我们中最有力气的那个人，所以总是你帮我们。"苏晓樯站起身来，"好啦！我要走了！再不回家我爹妈要以为我夜不归宿了！"

"嗯，那我不送你了，就几步路。"路明非说，"谢谢你啊小天女。"

"谢我什么？"苏晓樯眯眯眼笑，"谢我跟你说我们三个都不是真的喜欢你么？"

"谢谢你告诉我我即使有那样的机会也不会变成一个人渣，让我对自己有信心。"路明非认真地说，"我有个姓楚的师兄总教我要做好人，我做了好人，我很开心。"

"总做好人很累的哦。"

"可是做了坏人不能原谅自己。"

"师兄你是个笨蛋啊！"

路明非惊讶地抬起头来，苏晓樯正站在凉亭前的雨帘下，她脱下了那双黑面红底的高跟鞋拎在手里，双手背在身后，踮着脚尖赤足而立，转过头来看他。

"我说我现在不喜欢你，未必将来不会喜欢你，女孩子是要靠追的嘛。"苏晓樯狡黠地笑着，她的头发漆黑，Dior的套裙也漆黑，但她的脸蛋素白小腿素白，拎着高跟鞋的手也素白，全身上下只有黑白两色却很美，"不追就只是憧憬和暗恋啦。对我是这样，对你喜欢的那个女孩也是这样。"

"你知道我喜欢谁？"路明非呆呆地看着这个忽然清醒过来凌厉起来却可爱很多

的小天女。

　　"从你的眼睛里就看得出来啦，没劲！"苏晓樨转过身，头也不回地跑向雨里，"别回那个医院去啦，你根本没病，你就算有病也是相思病！"

　　看着她奔入那座别墅，路明非无声地笑了笑，打着伞走出凉亭，穿越花园步道，消失在风雨里。

DRAGON RAJA

奥丁之渊

第十三章

| 猎人小屋 |
Hunter's Hut

就像阿兰·德隆主演的那部名叫《独行杀手》的电影里说的，"世界上没有比武士更孤独的人了，也许丛林中的猛虎除外。"

市立第三医院，惨白的白炽灯光，空无一人的走廊，空气中弥漫着来苏水的味儿，脚步声由远及近。那人在护士站的柜台前站定了，拿起桌上的小铃摇了摇。

"您有事么？"小护士正打瞌睡，昏昏沉沉地抬起头来。

"我住院啊，我不是请假出门了一趟么？"路明非找出自己的请假条放在小护士面前，"抱歉回来有点晚，下雨天路不好走。"

"你还真回来啊？你神经病啊！"小护士呆呆地看着这个年轻人。

她把路明非放出去根本没指望他回来，她很清楚苏晓楠的意思。正式出院的手续办不了对吧？那我就请假，假条上根本没写要出去多久，跟监狱里搞保外就医似的。

小天女的行事风格素来都很霸道，这么做只是避免媒体报道负面新闻，有人问起就说是请假外出！请一星期假院长回来了再办个出院手续。

"我当然神经病啊，我要不是神经病我能住这儿么？"路明非微笑，"我想打一针，好好睡一觉，行么？"

"当当当……当然可以。"小护士说，"那你先回病房去，我一会儿就来给你打针……不过我还是得给你穿上拘束衣，虽然很难受，可你的病历上是说你一定得穿拘束衣。"

"没问题。"路明非微笑道，"说起来你觉得我是神经病么？你就说你自己的感觉。"

"你进来的时候真的还好，"小护士小声说，"不过现在看起来有点像个神经病。"

"真有经验，看疯子一看一个准儿。"路明非走向病房，"今晚的药量请加倍。"

游戏关卡"昆古尼尔之光"，第 108 次 Load，黑夜，暴风雨，高架路。

诺诺旋转起来，风车般切入黑影中间……

奥丁提枪立马在远处，昆古尼尔上，金色光芒涨落……

路明非跟在后面，扛起长矛火箭筒，"咣咣咣咣"十几发火箭弹呈扇面状一口气射出，火风碎片一时间充斥了奥丁附近的每一寸空间。路明非很满意于自己的速度，装填火箭弹这门手艺他如今可以说是驾轻就熟。

"兄弟你从哪里摸出来的……"诺诺刚要惊呼，就被路明非拦腰抱住丢进了迈巴赫。

刚才那轮火箭弹连射，连续爆炸，黑影们都伏地躲避弹片，现在只有路明非、诺诺和奥丁站在这片战场上。

黑影们向着迈巴赫蜂拥而来，路明非看也不看，回手几枪打中法拉利的油箱，法拉利爆炸，黑影们本能地再度伏地，它们被那轮火箭弹齐射惊到了。

等到黑影们再度起身的时候，路明非已经坐在了迈巴赫的驾驶席上，黑影们将迈巴赫团团围住，四面八方都是它们类似婴儿哭泣的叫声，诺诺也没空追究那支火箭筒是从何而来了。

路明非挂档、松手刹、踩油门，油门到底，迈巴赫猛冲出去，顶着前方的几个黑影直接撞到路边的护栏上，反复撞击了几次之后倒退，又把几个黑影撞在了另一侧的护栏上，还是反复撞几次，确保它们的骨头都碎掉。

诺诺吓得脸色都白了，无论什么人，多大胆，第一次看见人形敌人被自己的车撞击，听见骨头从断碎到粉碎发出"咔咔咔咔、咔咔咔咔"的声音，都会如此这般心惊肉跳，好像自己的骨头也隐隐作疼。

但这只是开始，前后撞完了还有左右，迈巴赫如一头暴怒的雄狮在狼群中左右冲突，用车身侧面碾着黑影们在护栏上滚动，有点像用擀面杖擀面皮，只是面皮中不会传出那种"咔咔咔咔"的碎裂声。

车轮下碾碎了十几个，轧过那些黑影的时候跟过减速带似的，车底轰隆隆直响。那些黑影也真是生命力强大，骨头想必都碎成小片了，还用锋利的爪刮擦着车底盘。

诺诺呆呆地看着路明非，这男孩自始至终面无表情，像是操纵一台机械的熟练工，却根本不在乎这台机械正做着何等残暴的事。

路明非连续几次撞击一名小 Boss，看着那家伙肩部的某个绿色数字变成红色，那是它的"血量"，直到那个数字跌到零路明非才松了一口气，这才意识到诺诺看他的眼神不对。

"你疯啦？"诺诺问。

"没有啊，要么不做，要么做绝嘛。"路明非开始倒车，"对了，系上安全带。"

场地差不多清空了，路明非看了一眼腕表，只用了不到五分钟，迄今为止效率最高的一次。但仍有黑影从桥底下往上爬，它们的数量像是无穷无尽，之前某次路明非试过想要彻底清场，以失败告终。

迈巴赫猛地甩尾，轮胎在湿润地面上摩擦发出刺耳的锐音，路明非从车后座上抄出火箭筒递给诺诺："还剩一发火箭弹，玩不玩？"

诺诺愣了一下，打开天窗钻了出去："打谁？"

"奥丁！既然玩就打个大的！"路明非说着踩下油门，迈巴赫咆哮着驶离现场。

"就一发火箭弹不留着防身吗？"诺诺嘴里这么说，手上已经开始瞄准了。

"一会儿就没用了！打吧！再远就出射程了！"路明非大吼，迈巴赫顶着几个刚冲上来的黑影狂奔。

迈巴赫猛地震了一下，火箭弹带着黑色的烟迹直奔奥丁，而那金色火焰中的神祇端坐在马背上，巍然不动。

在距离奥丁只有十几厘米的时候，火箭弹像是被一道无形的气墙给挡住了，它爆炸开来，火焰的余波沿着那道无法突破的平面铺展开来，一瞬间奥丁面前仿佛展开了一道火墙。

诺诺本也没有指望这种级别的武器就能把"神祇"级的对手一击毙命，嘴里不甘地骂了一句，丢弃火箭筒，缩回副驾驶座上。

这时他们已经冲出了黑影们的包围，最后一名黑影悬挂在路明非这一侧的车门上，疯狂地砸着车窗玻璃。路明非降下车窗，把沙漠之鹰塞进它面具的嘴孔里，"轰"的一枪，黑影在路面上翻滚，迈巴赫扬着水幕离去。

迈巴赫奔驰在雨夜中的高架路上，时而经过山脚，时而经过隧道，时而 S 形行进。

10 号公路在现实中其实是条很直的道路，高架路当然要平直，这样能够节省大量的成本，但在梦境或者说尼伯龙根中，它弯曲得像一根飘带，迈巴赫像是滑行在飘带上的一个火柴盒。

一切都是那么地虚幻不真，却又透着一种诡异的美感，像是黑暗系的游乐园。

诺诺微微哆嗦，她既兴奋又害怕，衣服还被淋湿了，有点冷。路明非帮她打开座椅加热，又从手套箱里摸出坚果来给她吃。诺诺什么都没说，抱着坚果罐就吃，像个松鼠似的。

两个人都不说话，路明非偶尔扭头看她一眼。车窗外黑色的山影流过，像是一起奔跑的巨人。

为了缓解车中尴尬的气氛，路明非打开了车内音响，古老苍凉的爱尔兰音乐，男女对唱，父亲和女儿：

"The trees they grow high, the leaves they do grow green,

Many is the time my true love I've seen,

Many an hour I have watched him all alone,

He's young but he's daily growing......"

风笛、竖琴和男女声交缠着，像是一根线的四股纱。很容易听得出这是一首悲歌，却没有什么悲音，只是父亲和女儿站在爱尔兰绿茵如盖的大地上，静静地说着话，风吹他们脚下的长草。

"这什么歌？"诺诺还有点喘粗气，但听得入神。

"《Daily Growing》，爱尔兰一个叫 Altan 的组合唱的，20 世纪 90 年代他们很红。"路明非给她解释，"那张专辑叫《The Blue Idol》。"

两个人又不说话了，那首歌放到了结局，女孩买来法兰绒，流着泪给她夭折的小丈夫做尸衣。

"我们现在怎么办？"诺诺喘完气儿，终于元神归窍，想讲点正题了。

路明非没有立刻回答，而是加了一脚油门，迈巴赫向着右侧并线，车灯照亮了路边的黄色指示牌，"IDA：重工业开发区"。高架路的右侧是一条弯曲的匝道，沿着那条匝道可以离开高架路，但路口隐没在黑暗里，很难发现。

下了高架路之后路明非才说："去看一个人，十五分钟的事儿。"

"你没搞错吧？我们正陷在尼伯龙根里被无数的怪物追杀！你现在给我说你要寻亲访友？"诺诺瞪着他。

"师姐你信我没错的，"路明非只好说，"师兄给我详细讲过他在这个尼伯龙根里的遭遇，只有这样我们才有机会逃出去。你放心吧，我不会乱来的。"

"好吧好吧你神勇你做主。"诺诺难得地没有跟他争辩，要搁以往诺诺就该上来抢方向盘了，看来金色鸢尾花学院确实把她培养得有点像个淑女了。

迈巴赫在一片漆黑的工业园区门前停下，园区看起来很是破败，门前的杂草长到半人的高度，雨后草根都泡在积水里，像是一片沼泽。厂房寂静，敞着门，雨点打在铁皮屋顶上噼啪作响。

"我自己进去就好了，师姐你等我十五分钟。"路明非从车门里抽出一把大伞，推开那扇锈迹斑斑的铁门，深一脚浅一脚地走向黑暗中隐现的一座白色小楼。

诺诺手脚麻利地检查路明非留给她的那支沙漠之鹰，确认这支枪没有进水能够正常工作，又抽出短弧刀看了看，再往嘴里塞了两把坚果补充体力，然后就没事可做了。

他们逃出包围圈的过程太顺利了，路明非甚至只开了一枪，诺诺连装填弹匣的活儿都没得干。

没活儿干就容易瞎紧张，诺诺四下顾盼，想着那些黑影不知什么时候又会出现。但是没有，周围静悄悄的，只有雨打在屋顶和草叶上的声音。此刻是夏天，但是没有蛙声也没有蟋蟀声，整个世界都在安睡似的。

最后她注意到这个地方其实是有名字的，虽然原先的厂牌被拆掉了，但铁门上有撕开的封条，"市中级人民法院查封寰亚集团资产"。

这个地方名叫——寰亚集团。

荒废的厂区，寰亚集团，诺诺没听说过这个地方。

路明非一刀削掉小楼门上拴着的铁链，沿着灌风的走廊，经过那排紧锁着门的办公室。

走廊尽头那间办公室的门上贴着张白纸，白纸上写着"寰亚集团破产清算小组办公室"的字样，路明非无声地发力，用掌根震开门锁。

经过地狱般的强化训练，如今这个世界上能挡住他的门不多，他去不了的地方也不多，就像游戏里的少侠，随时随地可以推开民居的门进去搜索宝贝。只不过总在师兄师姐们的羽翼下混，他没有清楚地意识到这一点而已。

他很顺利地找到了那串钥匙，它就在办公室抽屉里，甚至没有上锁。

沿着细窄的楼梯和堆满杂物的走廊，他来到地下二层，找到了那扇铁门。芬格尔无意中说起诺诺从地下二层往上游，差点死在半路，路明非就知道"楚天骄的小屋"是位于地下二层。

地下室并未灌水，仍保持着当初的样子，那时候楚天骄还住在这里，自他离开这扇门再没开过。

路明非轻声哼着那首《Daily Growing》，一把钥匙一把钥匙地试，终于"咔嗒"一声门锁开了，那尘封的往事呈现在他面前。

他就是为了这间小屋而来的。这间小屋在现实中已经没有了，但在梦境里，它还有最后一个拷贝，靠着小魔鬼的游戏能力保存了下来。

就像一个人永远地离开了这个世界，他最后的拷贝保存在那些在乎他的人的脑海里，等到那份拷贝也模糊了，他被所有人都遗忘了，他才真的死了。这话好像也是小魔鬼说的。

说起来小魔鬼真是个哲学家，对什么事情都看得很透的样子，可偏偏又那么热衷于权与力什么的，像个不甘心的小孩子。

真是一间平淡到无趣的房间，收拾得整整齐齐，不过委实说也没什么可收拾的，这里除了必要的生活用品，多余的哪怕一张纸头都不好找。这间小屋的主人与其说是过着简单的生活不如说是过着苦行僧般的生活。

这就是超级屠龙精英的住所么？楚天骄一个人待在这间小屋里的时候，在想些什么，又会做些什么？或者超级精英就是这么牛逼，在外是一副吊儿郎当的面孔，回到自己的领地就像僵尸那样躺在床上养精蓄锐？

路明非猜不出来，连能力是"侧写"的诺诺都想不出来，他更做不到。他在那张蒙尘的小床上躺下，默默地看着灰色的屋顶。

他和诺诺约定了十五分钟，之后他还有事做，他得抓紧时间才是。可他有点疲倦，就想躺在这里，把时间冻住，好好地休息一会儿。

"应该是有暗门什么的吧？"路明非想，"我要是楚天骄，我会把暗门放在哪里呢？"应该是在床底下吧？路明非想。这个念头突如其来，唯一的理由是这张床睡起来太不舒服了，一个人再怎么不讲究生活品质，总该有张舒服的床。

撤掉床垫之后，下面果然是严密拼合的暗门，暗门用铁皮和铁框架焊好，加了一把沉重的挂锁。

路明非一下子兴奋起来，诺诺没有发现的秘密，他只用两分钟就发现了。

原因很简单，在诺诺的心里楚天骄是个超级屠龙者，她在追寻一个超级屠龙者的背影，而在路明非心里楚天骄是楚子航的白烂爸爸，路明非追寻的是一个爱吃卤大肠和辣鸡翅、喜欢自吹自擂的活泼汉子。

活泼汉子当然要睡一张舒服的床，躺在船上翘着脚吃卤大肠和辣鸡翅。

暗门下面是一根钢管，路明非沿着钢管滑了下去，他感觉自己进入了一个很大的空间。脚触到地面之后，他打亮了手电筒，这是他从迈巴赫上摸来的。

随着光柱照亮每一寸空间，路明非惊得瞪大了眼睛。

那个名叫楚天骄的男人果然是个骚汉子啊！极品骚汉子啊！楚子航你真的是他儿子么？你和你爹放在一起的感觉……简直就是猫王生下了一个少林武僧啊！

首先入眼的是码放整齐的黑胶唱片，都是爵士乐经典，这种东西看起来不起眼，可存世量已经不多，某些版本简直就是天价，也不知道楚天骄从哪里搜集来的；再然后是雪茄，全部古巴产，没有一根杂牌货，想来楚天骄还是一个资深雪茄客；有雪茄自然也有威士忌，都是最浓烈的岛屿威士忌，难怪这里经过那么多年依然弥漫着好闻的酒香和烟熏气息；小收藏以老式相机为主，有徕卡有哈苏，旁边还有洗照片的全套设备，看起来楚天骄还是个资深的摄影玩家；角落里是健身设备，哑铃个头比路明非脑袋都大……这些东西围绕着正中央那张舒适的大床，床上铺着松软的澳大利亚绵羊皮……路明非呆呆地坐在那张床上，忽然间无比强烈地感受到了那个男人的气息。

这栋小楼其实是有三层地下室，但也许是在建筑完成之初地下三层就被放弃了，从正常通道是无法进入到这一层的。于是楚天骄凿通楼板，开启了这个隐秘的空间，把它营造成自己的地下别墅。

这个男人压根就没准备过什么低调的生活，他只是太善于伪装了，把自己的所有痕迹都收起来，甚至能瞒过诺诺那种敏锐的人。

但是他不曾对自己的儿子隐瞒，所以在楚子航心里老爹一直骚骚的，传达到路明非这里，也是骚骚的。

路明非在脑海中勾勒着那个梳着油头、肌肉发达的男人，他穿着勾勒出肌肉线条的紧身 T 恤，游走在这个空间里，叼着雪茄烟捧着威士忌，他靠在水池边冲洗相片，低音炮放着猫王 1956 年演唱的那首《伤心旅馆》。

旁边的工作台上还放着拆解开来的伯莱塔手枪，改造版威力加大，弹头上手工雕

刻着十字花，射进敌人体内立刻炸裂，雕刻子弹的小型机械就在旁边。

路明非轻轻地呼出一口气，他终于找到了楚天骄。

最令路明非震惊的是那些红线，数不清的红线，在空中纵横交错。红线上穿着照片、新闻剪报或者手写的纸片，每张纸片都是一个事件，有些红线相互平行，有些红线纠缠打结。

路明非沿着那些红线行走，逐一浏览那些事件，越读越是心惊胆战：

1908 年 06 月 30 日，通古斯大爆炸，爆炸中心升起蘑菇云，冲击波将 650 公里外的玻璃震碎，整个欧亚大陆的夜空呈暗红色，附近的人误以为太阳提前升起。

1900 年 08 月 30 日，夏之哀悼，神秘古尸苏醒，汉堡附近的卡塞尔庄园被毁，秘党精锐狮心会全军覆没，唯一的幸存者是希尔伯特·让·昂热。

1991 年 12 月 25 日夜，苏联解体之夜，北极圈内的冻土带，维尔霍扬斯克以北的冰封港口发生剧烈爆炸，前往侦察的战斗机群遇到神秘生物的攻击。官方封锁了相关资料并否认此事的存在。

2002 年 11 月 07 日，格陵兰海域，受神秘的心跳声吸引，卡塞尔学院执行部前往调查，在冰海深处遭遇了疑似龙王的敌人，接近全军覆没，仅有一人半幸存。

……

……

近两百年内，所有跟龙族有关的大事件都被悬挂在空中，有些是路明非知道的，有些是路明非不知道的，有些路明非知道，却不敢相信它们也跟龙族有关。

相关的事件用红线相连，有时候两三条线索交汇，产生了新的事件，也有些事件看起来跟其他事件完全没有关联，孤零零地用一根红线悬挂起来。

红线结成一张错综复杂的大网，但最终，所有的红线汇成粗粗的一束，拴在混凝土墙上，旁边用墨笔写着古老的名字，"Nidhogg"。

手电筒的光照亮那个名字的时候，路明非觉得心脏被一只冰冷的利爪捏住了。

楚天骄真正在意的还不是上述那些事件，而是这些事件组成事件流，事件流如同万川归海，向着那个名字汇集而去——尼德霍格，那条象征着绝望和毁灭的黑龙。

它既是人类的敌人，也是龙族诸王的敌人。某些隐秘的历史说龙族诸王联手人类杀死了那至高无上的存在，但尼德霍格在流尽鲜血之前，宣誓说它必将归来。

它归来的那一天，就是世界的末日。

那之后再也没有关于尼德霍格的可信记载，但没人敢忘记它说的话，即使对龙族诸王而言，尼德霍格也是神祇一般的存在，它的话即为神谕，神谕即为命运。

那些红线就是神秘的"命运线"的具象化，命运已经开始流动，黑王即将苏醒……在无数个夜晚，楚天骄躺在这张铺设了绵羊皮的床上，仰望着空中的红线，思考着命运的流向……没错，那是一个守望者，他守望着人类的命运。

他在这座城市里是个异类，他为某个特殊的目的而来。他懂最好的雪茄和最好的威士忌，爱听猫王好玩摄影，他应该去过很多地方，有过很多的经历。

他天生是善于伪装的野兽，他可以在美国伪装成雅皮士，在欧洲伪装成浪荡子，在意大利伪装成黑手党，但他来了这座中国的普通城市，伪装成了一个爱吃卤大肠和辣鸡翅的司机。

他错误地爱上了一个叫苏小妍的女人，那女人跳舞跳得很好，以楚天骄的本事追一个美且笨的女舞者太容易了。他们结了婚生下了孩子，一切都很美满，但楚天骄很清楚自己无法给妻儿平静的生活。

他是那种刀头舔血的人，舔的是龙血，他那种人很难平安地死在一张软床上。所以他跟苏小妍签了离婚协议，看着她带楚子航离开，嫁给另一个男人，那一家三口去游乐园去看电影享受家庭生活的时候，楚天骄躺在地下三层的床上，静静地看着那些红线，思索着人类命运这样的宏大主题。

"那才是真正的孤独吧？"路明非心想。

就像阿兰·德隆主演的那部名叫《独行杀手》的电影里说的，"世界上没有比武士更孤独的人了，也许丛林中的猛虎除外。"

时间有限，路明非来不及伤春悲秋，他只能尽快背下每张纸片上的内容，还有那些红线的走向，他无法从这个梦境里带走哪怕一张小纸片，只能带走记忆。

必须记下来，这些红线上悬挂的信息如果全部解析出来，就能解开龙族的究极秘密，黑王尼德霍格的归来，以及末日的降临方式。

十五分钟快到了，路明非觉得自己差不多都记下了，诺诺还在外面等他，他不能久留，虽然他很想在这间屋子里多待一会儿，好像隔着时空跟那个名叫楚天骄的男人对话。

离开之前他经过了用来洗相片的水池，愣了一下又退步回去，洗相片的水池旁就是楚天骄的工作台，工作台前是一块软木板，木板上用图钉钉满了照片。

仔细看的话会发现那些照片全都是盗摄的，在游乐园，在商场，在餐馆，隔着草丛，隔着玻璃，隔着雨幕……照片中的人物无一例外是女人和孩子，年轻时的苏小妍和还是娃娃脸的楚子航。

照片上的苏小妍呈现出很多种样子，欢笑的、凝眸的、孤单的，像母亲、小女孩、妻子……楚子航跟路明非说过，说我外婆说我娘是个毛头姑娘，什么叫毛头姑娘呢？就像毛头小子那样没心肝，吃饱了睡，喝饱了也睡，要漂亮，没心事。

可在楚天骄的镜头下，苏小妍是那么地变化多端，哪种变化都那么美。那真是世界上最爱苏小妍的男人啊，唯有你那么地爱一个人，才能注意她的每个瞬间，把她拍

得千姿百态地美。

至于楚子航，路明非相信楚天骄也是蛮爱这个儿子的，无奈少爷永远面无表情，看起来他这面瘫的毛病真不是心理创伤造成的，是天生的。

至于某位鹿姓企业家，他偶尔也会不小心入镜，洗相的时候楚天骄就会用不知什么手法把那家伙洗得很模糊，纯粹是一团光影。

原来即使是那么洒脱的男人也不是全然不介意的，他也很希望在妻儿对面的男人是他自己吧？在他自己拍摄的照片上另一个人取代了他的位置会让他很不舒服，所以他才这么做。

照片的边角用红笔标记着盗摄的年月日，还有类似这样的话，"这是你离开我的第一年，你看起来气色不错""这是第二年了，拜托别那么憔悴""第三年，你胖了""第四年，想起你的时间变少了""第五年，继续变少""第六年，但还是想你"……

路明非想着那个男人叼着雪茄烟，用镊子从水池里捞出一张又一张的相片，用图钉把它们固定在木板上，然后坐在工作台前抽烟，看着它们慢慢地干透，那是曾经属于他的妻儿，现在只能呈现在他的取景框里。

醉意上涌，他抽出红笔在照片的边缘写字，就当是跟那个取景框里的女人说话……

眼泪无声地涌了出来，路明非擦了擦，嘟囔着说叔叔你好牛逼，然后沿着铁杆爬了出去。

路明非从厂区返回的时候，诺诺仍在吃着坚果，那些梦魇般的黑影并未追杀过来，风吹着长草，雨哗哗地下。

路明非冲诺诺笑笑，发动引擎，迈巴赫沿着废弃工厂区的小路开了一段之后，重返高架路，片刻之后他们抵达了收费站，撞断栏杆之后，前方就是灯火通明的CBD区。

迈巴赫行驶在宽阔笔直的大路上，所有路灯都亮着，玻璃幕墙的大厦也都是明亮的，根据玻璃幕墙颜色的不同，它们像是金色、蓝色、绿色或者黑色的巨大宝石。

诺诺看着车窗外流过的景物，眼神有些迷蒙，尼伯龙根里的CBD区有着童话般的、神秘而静谧的美，就像空无一人的游乐园，木马旋转，摩天轮也旋转，彩灯化作霓虹。

"我一直想进尼伯龙根看看，却没想到是这样的景象。"诺诺轻声说。

"你觉得会是什么样子？"

"很扭曲，很恐怖，但没有这么美。"诺诺说，"确实很扭曲很恐怖，但是很美……我刚才大呼小叫的，是不是看起来特别地蠢？你倒是比我镇定。"

"我不是第一次进尼伯龙根，师姐你是第一次嘛。"路明非说，"第一次进尼伯龙根的时候，我有多屁滚尿流你是没看见。"

"楚子航看见了？"

"嗯。"路明非点点头。

"那个楚子航跟你说了逃出这个尼伯龙根的办法么？我听说每个尼伯龙根都是迷宫，要逃出去必须走唯一正确的路径，或者是杀死尼伯龙根的制造者。"诺诺给沙漠之鹰装填新的弹匣，"但杀死奥丁，对我们不太可能吧？"

"师兄没有说得很仔细，但去了刚才的地方，我找到了一些眉目。"路明非说。

这时迈巴赫接近了时钟大厦，天空中传来了低低的马嘶声，诺诺忽然感觉到了危机，抬眼看去，大厦的正上方，起降直升机的平台上，骑马的男人高举投枪，像是神祇从天而降。

诺诺下意识地想要举枪射击，却被路明非把手按住了："别惊动他！"

奥丁似乎真的没有注意到他们，他静静地立马，望着无尽的风雨，好像两组人只是偶然在这个尼伯龙根中相遇，谁都没有敌意，接下来就是各走各的路。

路明非靠边停车："开着一辆迈巴赫在路上跑，目标也太明显了，那些东西会找上我们，接下来得步行了。"

"步行？"诺诺愣住了，"没有这辆车我们已经死在高架路上了。"

"这辆车也开不久了，右后侧的轮胎受伤了，再跑一段路肯定爆胎。"路明非说。

诺诺俯身往车肚里看了一眼，果然看到轮胎上那道深深的爪印。"你怎么知道的？你甚至没有往车底下看一眼！"诺诺呆呆地看着路明非。

"开车的时候觉得右后侧不对劲。"路明非拉起诺诺的手，小跑着冲进了前方的购物中心。

这是 CBD 区最豪华的购物中心，里面和外面一样灯火通明，货物陈列得整整齐齐，却空无一人，感觉刚才店员和客人还在这里试衣服、比价格、刷卡结账，可忽然间所有人都消失了。

他们在空荡荡的购物中心里狂奔，路明非随手抓下货架上的衣服丢给诺诺，也抓了几件衣服给自己。

"把衣服换了，身上的衣服已经湿透了，穿着不舒服。"路明非说。

"你什么时候变得这么讲究了。"诺诺目瞪口呆地看着手中的衣服，不得不说路明非给她随手抓的几件衣服还真合适她，她心里确实也想换下这身湿漉漉的衣服，不过总觉得此刻是分秒必争。

"一会儿估计还有战斗吧，抓紧时间休整一下。"路明非冲到投币式的咖啡机旁边，投入几枚硬币，换回两杯热咖啡，然后把诺诺推进了女更衣室。

一分钟后两人几乎是同时掀帘子出来，诺诺换了一条酒红色的运动长裤和一件抓绒的连帽衫，路明非也是连帽衫，不过是水洗蓝的，干燥织物贴身的感觉一下子驱散了疲惫。诺诺接过路明非递来的热咖啡一饮而尽，热气向着四肢末端弥漫，立刻觉得

自己满血复活。

路明非也喝完了自己那杯咖啡，两个人对视的时候都笑了笑。

"看过一个叫《彗星降临之夜》的电影么？"诺诺问。

"没有。"路明非摇摇头。

"那个电影说有一天彗星降临地球，没有防护的人都因为辐射死了，变成了红色的尘土，只有少数人因为待在完全隔绝辐射的金属屋子里，比如集装箱，最后都活了下来。彗星之夜过去以后，全世界的商场都是这样，随便拿东西不用付钱。"诺诺说，"我小时候可向往了。"

她嘴里说着手中却不停，将沙漠之鹰完全解体，擦干之后再度拼装起来，潮湿的武器没准会卡壳，他们随时可能遭遇下一场战斗，在尼伯龙根里一切都有可能。

"就像现在？"路明非问。

"嗯，感觉还有点开心。"诺诺上下扫视整间购物中心，没有看到任何可疑的痕迹，"为什么尼伯龙根里会有奥丁？那家伙真心不是跑错了片场么？"

"可能真是跑错了片场吧。"路明非看了一眼腕表，时间是深夜11点10分。

"我们赶时间？"诺诺问。

"不赶啊，怎么了？"

"你一路上一直不停地看表。"

"不赶时间也得看表啊，这可是尼伯龙根，谁想在这里久待啊？"路明非说，"听着，我的计划其实很简单，尼伯龙根对外的信号传输基本是断绝的，因为会受到元素乱流的干扰，但又不是完全断绝，我们需要足够大功率的发射机。这些大厦顶上都有卫星信号接收的大锅，一会儿我去接收室把电路做一些调整，从接收信号改为发射信号，以极限功率发射的信号有可能被外界收到，我们要做的就是坚守待援。"

"你开什么玩笑？"诺诺瞪着他，"这里不知道有多少那种黑影，你跟我说坚守待援？"

"师姐你加我的话，在这么复杂的地形下，对付那些黑影问题不大吧？问题就是子弹不太够，不知道尼伯龙根里能不能找到补给子弹的地方。"路明非说，"要是食物和子弹都能补给，没准能打一个星期游击战，还能跟那帮黑影藏猫猫，看它们智商很低的样子。"

"你当打《生化危机》呢？"诺诺一脸活见鬼的表情，"找子弹找补血剂躲起来打僵尸？那你看没看过攻略啊？没有攻略你《生化危机》任何一代能一命通关？"

"师姐你相信我没错的，我毕竟是本地人。"路明非说，"至少我很熟悉这里的地形，现在我去接收室改个电路，楼上有个影院，你在那里等我。"

"影院？"诺诺不敢相信自己的耳朵。

"我找部片子给你看看，打发一下时间。"路明非抓起她的手就跑，"没准还有免费的可乐和爆米花可拿。"

顶楼果然是一家影院，爆米花机里果然还有新炒出来的爆米花。路明非一手接了一杯可乐，一手舀了一大杯爆米花塞给诺诺，带着她冲进了最里面的那间小放映厅。

踏入那间放映厅诺诺就愣住了："这里我来过。"

路明非缓缓地在背后合上门："没错，你就是从这间放映厅里把我捡走的。师姐你仔细回忆一下，你捡我的那天晚上，我真的是苏晓楠她们说的那个路师兄么？还是一只走投无路的败狗？"

诺诺静静地站在那里，想了很久很久："败狗吧。你要不是败狗，我捡你干什么？"

"是的，在我的记忆里，我也是一只败狗。我向往过我现在的身份，但那不是我。"路明非推开放映室的门，从架子上搬下一个沉重的胶片盘，把它卡入放映机。

屏幕亮了起来，路明非选的那一部是《机器人总动员》。

故事讲的是遥远的未来，地球因为垃圾污染已经被放弃了，人类都乘坐太空船去了外太空，地球上只剩下一个捡垃圾的小机器人瓦力，它不知为什么远远地超过了自己的工作年限，年复一年地整理垃圾，把垃圾压成方块堆成高山。

那一天太空船从天而降，是移民去外太空的人类回来探查地球的情况了，他们派来的是名叫夏娃的小机器人，先进漂亮，性格像个小女孩，发起威来却可以毁天灭地。

土孩子瓦力爱上了夏娃，后来他们去外太空经历了一场冒险，终于把人类引导回了家园——恢复了生命力的地球。说起来无非是小衰仔爱上白富美的老派故事，结局也是老派的皆大欢喜。

"你还真要我在这里看电影啊？"诺诺瞪眼。

"不只是你，我也想看几眼。"路明非深呼吸，"不过我得先去接收室一趟。"

就这样诺诺被丢在小放映厅里，像个傻子似的，电影的音乐欢闹画面也可爱，有股百老汇的感觉，她站在那里看了一会儿，心弦渐渐地放松。也许路明非说得对吧，他们在尼伯龙根里紧张地寻找出路，不如放松下来待援。

紧张的情况下人很容易疲惫，适度的放松反而能保持体力，增加生存率。

她随便选了一张椅子坐下，把枪放在旁边的椅子上，真的看起电影来。看着看着她就明白内核那么老派的电影当年为什么那么火了，因为小机器人们太萌了，极盛时期的皮克斯就是有这种本事，他们做出来的动画人物，都萌得让人心软。

诺诺的嘴唇开始是平的，慢慢地变成弧线，她自己都惊讶于自己在尼伯龙根里看一场电影能够微笑出来，其间还消灭了不少爆米花和可乐。

路明非找到的拷贝只是电影的后半截，一会儿影片就进行到瓦力和夏娃拥抱着，靠着一个灭火器作驱动器在太空里飞行。这时路明非回来了，在诺诺旁边的椅子上坐

下，也抱着一大杯可乐和一杯爆米花。

"弄好了？"诺诺吃着爆米花，目光没有离开屏幕。

"嗯，我们正在对外发送信号，芬格尔那家伙在信息方面很擅长，他应该能收到。"路明非也目不转睛，"剩下就看我们能在这个尼伯龙根里活多久了。"

两个人就此沉默了，银幕上瓦力和夏娃飞翔在黑暗的宇宙里，灭火器喷出的白烟留下各种有趣的花纹。

然后是瓦力遇到了麻烦，差点被压成一堆破铜烂铁，夏娃玩了命地去救他，可救回来的东西跟破铜烂铁也差不多了。瓦力变傻了，不再是那个可爱的小衰仔，重新变回了只能按程度整理垃圾的量产货。

再然后是干掉了邪恶的人工智能，太空船返回了地球，夏娃开着加力飞行，带傻掉的瓦力返回它在地球上的小屋……

"这部电影我看过的。"诺诺说，"之后瓦力就醒过来了。"

"嗯，是这个情节。"路明非说着看了看腕表，深夜 11 点 55 分。

"别看表了，你在赶时间，对么？"诺诺的枪口点在路明非的太阳穴上，"所以你只给我看了这部电影的后半截，因为前半截我们没时间看了。"

"对。"路明非居然没否认。

"我们也不是要在这里打一周的游击战待援，你刚才出去也不是去接收室修改电路……尽管这听起来匪夷所思，但我猜你来过这里，你经历过我们现在正经历的所有事，而且应该经历过很多遍。"

"师姐你是怎么看出来的？"

"你从货架上拿衣服的时候，准确地拿了我的号，但你不知道我的衣服号码，我不会跟你讲这些；你知道那盘是《机器人总动员》的后半截拷贝，你根本没有选，直接就拿了下来，这部电影就是你高中毕业那天看的电影；还有那支不知道从哪里拿出来的火箭筒，轮胎上的伤痕，对于车我懂得比你多，还没有爆掉的轮胎，怎么可能只凭驾驶感受就知道哪个胎出了问题。"诺诺轻声说，"从遭遇奥丁到来到这里，除了去那间工厂的十五分钟，你可以说一秒钟都没有浪费，你卡着表，按照既定的时间表走，抵达这里，然后开始随便浪费时间。"

"不是随便浪费时间，是看电影。"路明非说。

"告诉我这到底是怎么一回事。"诺诺慢慢地转过头来，"你不可能瞒过我的，我的能力是侧写，你瞒不过一个侧写者。"

"我其实也没准备瞒你，前几次带你来看电影的时候你也猜出来了。"路明非缓缓地说，"很难解释，你就当我们正在经历的是一场梦吧，我们俩共同的梦境，这个梦境我确实来过很多次。"

"说下去。"

"但这个梦境一定会在 12 点结束，所以我们只能看半部电影，加上寻找线索的时间，我一秒钟都不能浪费。"路明非说，"我试了好多遍，这次总算是全都赶上了。"

"12 点到来的时候会怎么样？"

"我们中会有人死。"

"是我对不对？"

"这又是怎么猜出来的？"

"是你的话你会恐惧，是我的话你会悲伤，你的眼神很明显。"

路明非点了点头。

"注定的死亡么？这个梦真有意思。"诺诺轻声说。

"师姐，我知道我心里的事情是瞒不过你的，我喜欢你，从你在这间放映厅捡到我的那天开始。"路明非忽然说。

"你敢这么跟我说话是因为梦境里说的话我在现实里不会记得么？"

"你不会记得，但我会，我知道我说过了。"路明非看了一眼腕表，11 点 57 分，"我不知道这算不算爱情，我没有过爱情，对这两个字很陌生，有人说不够了解就不能算是爱情，只是暗恋和憧憬。即使是爱情也没什么大不了的，你并不缺这东西。"

诺诺沉默了片刻，"嗯"了一声。

"我们逃不出这里的，这里是尼伯龙根，是迷宫，每个迷宫都有不同的规则。这个迷宫的规则可能是必须有一个人死去另一个人才能活着离开，当年死的那个人是师兄的老爹。"

"我们要拔枪对射，杀死对方然后自己逃出去么？还是你接下来要说你会牺牲自己送我出去？"诺诺移开了枪口，耸耸肩，"或者说这根本就只是个梦而已，你在害怕什么？"

"这个梦会变成现实。我一再地进入这个梦里，就是想要找到救你的方法，但我没找到。"

"既然找不到救我的方法为什么不找救你自己的方法？"

"当年师兄跟我说，他很后悔那天夜里没有把车开回去，他宁愿死在 15 岁的那个夜晚，也不要独自把他老爹丢在那里。人最痛苦的情绪是悔恨，你后悔你做错了事，你恨的不是别人而是自己，你连报复都做不到。"

"你到底想说什么？"

"如果这个迷宫里真的只有一个人能活下来，我希望是你。说实话我也很想有一天我能把师姐你忘掉，喜欢上某个也喜欢我的女孩，那我的人生就完美了，我要是死在这里就没有后续了……可我还是希望你会活下来，因为我害怕，我害怕如果你死了

而我活下来了，我会悔恨。"路明非看着嚓嚓走动的秒针，"悔恨那种情绪真可怕，让你恨不得回到那一夜死在那里，可你连这一点都做不到。"

"别说那么恶心的话。"诺诺抓了一把爆米花塞进嘴里，"如果这真是我的结局我就接受。"

还剩 10 秒，放映厅微微震动起来，屏幕上瓦力拉住了夏娃的手。路明非知道这是那支枪射出了，此刻它正在空旷的 CBD 区里飞行，划出巨大的弧线。

他什么都没有说，诺诺也没再说话，屏幕上瓦力说夏娃，夏娃说瓦力，小衰仔终于恢复了记忆，泡到了白富美，皆大欢喜，音乐温暖人心。

屏幕从正中央被突破，弯曲的枪带着紫黑色的死亡气息直刺观众席，诺诺没动，路明非也没动。

在那支枪贯穿他们的前一刻，路明非咬碎了一粒爆米花："不，师姐，这不会是你的结局……这是我的。"

DRAGON RAJA

奥丁之渊

第十四章

| 亡命之徒无路可退 |

Nesperados No Way Back

火焰一再地照亮男孩的脸，那张兴奋而狰狞的脸，路鸣泽没说错，此刻的路明非才真是发了神经病……但也许这才是他真正的自我。

路明非缓缓地睁开眼睛，还是寂静的夏夜，窗外飘泼大雨，墙上的挂钟显示现在是晚间 10 点。

此刻 FOX 酒吧刚刚开始迎客，而对医院来说，一天早已落幕，所有人都沉沉地睡去，病房里回响着三轮叔的鼾声。

双倍安眠针的药力让他睡了差不多一整天，梦中他七次 Load 梦境，最终 Load 次数停在了 108。

第 108 次，他终于找到了楚天骄的小屋，跟诺诺看了半场电影，说出了准备很久的话……但还是没能打出完美结局。

他深呼吸几次，艰难地扭转身体，用指间夹着的刀片一点点地割开皮带。从苏晓樯家回医院的路上，他在一家破旧的便利店里买了这盒刀片。

三指宽的皮带割了好久才割断，他用恢复自由的右手解开了其他皮带的搭扣，整个人像是破蛹成蝶那样从拘束衣里钻了出来。

他脱下病号服，叠好之后放进柜子里，柜子里挂着苏晓樯给他买的那套 TomFord，学生会给他定做的西装和风衣也熨烫好挂在里面了，想来他睡着的时候苏晓樯的司机来过。

他穿上衬衣，一粒粒地扣好扣子，穿上裤子和上衣，披上风衣，蹬上 Corthay 家的皮鞋……整个过程一丝不苟，好像伊莎贝尔就在旁边协助他似的。

就着窗外照进来的微光，镜中的人脸色苍白，略显憔悴，但干净利落，每一根线条都像是千锤百炼过。真不愧是伦敦萨维尔街裁缝的手艺，把那个总缩着肩膀走路的男孩包装成了这副模样，就像穿了一件甲胄，不由得挺胸收腹。

这身衣服就是为了这一刻准备的吧？这一刻他才是真正的学生会主席，要去做学生会主席该做的牛逼事儿。

他推门而出，轻声哼着歌穿越走廊，经过护士站的时候，小护士正趴在桌上打瞌睡，路明非轻轻扯下一张请假条请了假，把它压在小护士的头花下面。

他步伐轻盈地出门，医院门前停着一辆三轮车，还没熄火，发动机"突突突"地转着。看见路明非出来，守候在三轮车旁的大爷一个箭步踏出："我没来晚吧？"

"正是时候。"路明非摘下手腕上的玫瑰金腕表递给大爷，"还是老规矩，我要是不回来了，手表归您。"

大爷摆摆手："我们是老客户了，这点信任还没有么？路上注意安全，我就在这里等你。"

路明非微微一笑偏腿上车，姿势老辣，正要出发，却被大爷拦住了。

"差点忘了，你叫我给你买的包子，还热乎着呢，还有热牛奶，路上吃几口。"大爷把一个塑料袋递给路明非。

路明非接过塑料袋，摸出一只包子叼在嘴里，说声"谢啦"，一拧油门，三轮摩托"突突突"地驶入雨幕。尾灯渐远，如同红色的萤火。

仍是昨夜在 FOX 酒吧楼下借三轮摩托给路明非的大爷，还三轮的时候两人说好了第二天晚上在这间医院门口交易，于是在没有人愿意出车的暴雨之夜，大爷骑着三轮"突突突"地赶来，如同一位老骑士骑着他同样衰老的马去支援一位兄弟。

三轮摩托在空荡荡的公路上风驰电掣，穿越高楼大厦和细窄的小巷，离城区越来越远，最后驶上了 10 号高速公路。

经过收费站时，管理员睡眼惺忪地抬起头来，惊呼一声"妈呀"，玩命地揉眼睛再看。连续两天夜里，他都看到西装男骑着三轮摩托闯关而过，今夜他还叼着个包子。

有种深夜撞鬼的感觉。

高架路上根本看不到车，路明非哼唱着那首《Daily Growing》，狂风暴雨反复地给他洗脸。

路程过半，他拧转车头沿着匝道驶离高架路。高架路下是一片荒地，三轮摩托驶入一片半人高的杂草里。高大的工业机械矗立在雨幕中，像是死去巨人的骨骸。

他来过这里，不过是在梦中，梦中的重工业开发区跟此刻所见的一模一样。

前面就是那扇锈迹斑斑的铁门了，被撕裂的封条在风中飞舞。三轮摩托"咣"地撞开了铁门，"突突突"地开了进去。

黑着灯的厂房一排又一排，路明非飞驰而过，最后在一个深坑前停下，深坑周围围着"无关人员禁止入内"的黄色胶带。

那栋白色小楼原本就矗立在这里，如今它已经随着坍塌的地基沉入了地下。

坑里并没有多少水，也不知道是自己排干了还是有人用抽水机抽干了，路明非沿着泥泞的楼梯越走越深，最终抵达了那座位于地下二层的小屋。

小屋的门开着，到处都是浸过水的垃圾，这种情况下它对诺诺已经失去了意义，因为原本的陈设已经被破坏。但对路明非来说，真正有价值的东西在那张倒塌的床下。

床下果然是那道暗门，梦中的情报完全正确，但已经严重变形。他费尽九牛二虎

之力才撬开了那扇门，沿着已经弯曲的铁杆爬了下去。

地下二层浸水，地下三层也一样浸水，楚天骄精心布置的、格调极高的住处也被冲刷得乱七八糟，苦心收集来的黑胶唱片都成了碎片，红线纠结成团，上面悬挂的纸片也都消失不见，那张绵羊皮倒是还在，泡水之后透着一股隐隐的骚味。

但是某些东西应该不会受影响，它们坚硬、沉重，经过良好的润滑，泛着寒冷的铁光。

路明非东摸摸西摸摸，在角落里找到一只沉重的铝合金箱子，箱子上有半朽世界树的徽记。

路明非摸出自己的学生卡，他在跑路的过程中还没丢掉这张学生卡，此刻总算派上了用途。

学生卡在箱子封口处的卡槽里划过，箱子"啪嗒"一声开了，里面躺着那些沉重坚硬的东西……伯莱塔92F手枪、美国造M4Super90战术霰弹枪；S&W M500转轮手枪，这玩意儿曾经号称世界上威力最大的单手枪械，即使是未曾改造的版本，子弹威力也是沙漠之鹰的两倍，用来把近身的敌人轰飞真是太合适了，真是适合楚天骄那种男人的武器；以色列造乌兹冲锋枪，理论射速每分钟1500发，在全世界反恐精英和恐怖分子最爱的微型冲锋枪排行榜上常年占据榜首地位……

此外还有各种口径的子弹，弹底全部涂红，这是这些子弹的制造者在警示使用者说，这些危险的小东西可不比你在枪械超市里买到的运动手枪子弹。

部分弹头上刻有繁复的花纹，转动着看仿佛一件精美的艺术品。炼金子弹，经过这种花纹的强化，弹头对龙类、死侍和混血种的威力都更大。

这简直就是一个小型的军火库，在梦里，这只箱子就放在楚天骄的床头。那个孤独而洒脱的男人每夜跟武器一起入睡。

所有证据都说明这个小型军火库来自卡塞尔学院，无论是半朽世界树的徽记，路明非的学生卡刷得开，还是那些只有极少数人能制造的炼金子弹。

在日本，EVA也曾空投类似的武器箱给恺撒，楚天骄的武器箱看起来级别更高，完全个人定制，还有S&W M500这种超稀罕的货色。

楚天骄跟卡塞尔学院应该有着很深的关系，尽管学院里没有任何人提到过这个名字。

多年之前，一个也许是出自执行部的超级精英，无声无息地出现在这座城市，他闯荡过世界，面对过各种危险的敌人，但这次来他是要伪装成一个司机，深深地潜伏下去，守望某个人某件事……然而在那年那月那天，他无意中被人送了一张舞蹈演出的票，他没当回事就去了，在舞台上看到了跳《丝路花雨》的、名叫苏小妍的女孩……

真是令人脑洞大开的故事，但没时间思考了，武器箱太重路明非并未考虑携带，就在角落里找了一个湿淋淋的帆布提袋，把武器都扔了进去。

他扛起那个提袋要离开的时候，又一次看到了那面用于贴照片的软木板，上面只剩最后一张照片了，那是理了短发的苏小妍和十一二岁的楚子航站在河边看落日。

短发的女人那么美，小男孩那么酷，母子两人沐浴在金色的夕照中，前方是潺潺流淌的河……像是在等什么人回来。

路明非又开始浮想联翩了，他想苏小妍改嫁之后是不是仍旧经常想起楚天骄呢？鹿天铭算是很温柔的男人了吧，可又怎么跟那个走过全世界刀口舐血的男人相比？

但她不能说也不想回忆，所以才总是喝酒吧？喝着喝着，自己都觉得没心肝也可以活得很好。

他又想象楚天骄躲在草丛里盗摄的情景，那个爱雪茄爱威士忌喜欢听猫王的骚包男人，为了有一张妻子和儿子的照片，趴在泥土和杂草中，小心翼翼地寻找着最佳的角度和最好的光线。

照片边缘也写着字，"就这样，别哭，要看着远方。"

路明非忽然有点触动，尼玛原来这才是爱情么？

即使你不在我身边，我也依然期望你过得很好，没有撕心裂肺没有辗转难眠，我喝着威士忌想你，抽着雪茄想你，在弹头上雕花想你……这个还是算了，感觉是要去把你老公一枪爆头的样子……听着猫王的《伤心旅馆》想你。

我偶尔想你多一些，偶尔少一些，但不会停止。

我也会小心眼，所以我把不小心入镜的那个家伙洗成一团光影。但我很感谢那家伙把你照顾得不错……不过话说回来，他要是照顾得不好这世界上就没他了。

你吃着烛光晚餐喝着昂贵的酒，我在街头的炭火边吃着烤鸡翅，我们之间从重工业区到 CBD 区隔了很多大楼很多荒地，像是两个世界，但我还是能感觉你的存在。

这世界上有你和我的儿子，还有雪茄、威士忌和猫王的《伤心旅馆》，这世界真不赖。

路明非取下那张照片塞进风衣内袋，拍了拍心口："谢谢你，楚天骄。我一定会救你儿子……如果我还有命的话。"

三轮摩托"突突突"地向前，冲破了狂风暴雨，路明非直视前方，昂首挺胸，就像开着法拉利去赴一场约会，后备箱里塞满了枪支弹药。

每个男人都梦想着这样一场约会对不对？那一天你终于想明白了，从此神挡杀神佛挡杀佛，所向披靡！

"哥哥你这可真是疯啦。"摩托后座上的人唉声叹气。

不知道何时小魔鬼已经坐在他的后座上了，一样的西装革履，打着素白色的领结。

"你付钱了么你就上来？免费搭车啊？"路明非连头都懒得回。

"以奥丁的实力，即使是楚天骄带着这箱武器也没有丝毫的胜算啦。"小魔鬼说，"哥哥你虽然状态神勇，但实力差距光靠神勇好像是没法弥补的。"

"说点有用的行么？有没有免费的客户礼包啊？有就拿来用用，没有就滚蛋。"路明非抹了一把脸上的雨水。

小魔鬼很委屈地长叹一声，双手搭在路明非的肩膀上："可不是么？这种要命的关头，不带点礼物都不好意思来见你啦……Something for nothing……50%融合！"

暖流从小魔鬼的双手注入路明非的身体，仿佛汹涌的岩浆，全身的神经都在灼痛，脑海深处的混沌像是裂开了口子，光明从裂缝中溢出，仿佛炽白色的海潮。

如此巨大的痛楚超过人类忍受的极限，路明非本该痉挛失控，连带着三轮摩托一起翻滚出去，可恰恰相反，他忍住了，于是肌肉力量、神经反应，乃至于视觉和听觉都在瞬间提升到一个匪夷所思的程度。雨声在他的耳边原本是连绵的一片，现在他可以清楚地分辨出每滴雨落地的声音，世界在他的感官中仿佛从满是雪花点的黑白小电视变成了极致清晰的巨幕电影。

"太给力了吧？"路明非惊讶地看着自己的手心，"以前这条言灵不是要花 1/4 的命才能用么？现在都免费了？"

"即使这样你在奥丁的眼里也还是凡人啊。"小魔鬼还是叹气，"而他自己是神明。如果他掷出昆古尼尔，就算是 100% 融合外加倍数增益都没用。我还是不忍心看着哥哥你死的啦，他要是真丢出那支枪，就呼唤我吧，我试着帮你挡挡，不过这种不收费的服务不能确保一定奏效哈，我尽力就是了。"

"记住啦记住啦，你盼我点好行么？"路明非低声说。

"还有件礼物放在你的车斗里啦，答应你的事我从来都做到。祝你好运，哥哥！"小魔鬼拍拍他的肩膀，"他妈的你居然会做出这种事来，真是长大了啊……只把我一个人留在小时候……"

他的话音还在耳畔，而整个人已经被风吹散了，好像前一刻那个无比真实的小魔鬼只是烟尘暂时凝聚的。

雨越来越大了，开始还是千滴万滴，后来就是成片的雨幕甚至雨墙，路明非驾驶着三轮摩托，狠狠地撞击和穿越那些水墙。

世界开始扭曲，风雨声中，婴儿哭泣，有人窃窃私语，树林如无数高举在空中的手掌那样摇摆，群山像是奔跑起来。

道路尽头，一点金色的火焰跳跃而起，瞬间就升腾为熊熊烈焰，烈焰中站着骑马的黑影。

路明非猛拧车把，燃油注入小小的单缸发动机，三轮摩托欢叫。尼伯龙根，他又回来了，这一次他再不刹车，一往无前。

奥丁站在雨中，威严而寂寞，这神祇好像总是这么寂寞，即使投出那根致命的枪时，也带着无尽寂寥的意味。

黑影们分散在周围，并不像臣子朝觐君主那样围聚在奥丁身边，而是静静地站着，看向不同的方向，像是没有记忆和情感的孤魂野鬼。

绝对的寂静，唯有风雨声，直到那个不和谐的"突突"声打破了这一切。那声音是如此的突兀，跟这份孤单却隽永的气氛完全不兼容，像是有人在交响乐现场卖起了煎饼油条。

黑影们不约而同地抬头看向声音传来的方向，兜帽下的眼睛里流动着暗金色的光芒。婴儿哭泣般的声音像是瘟疫那样传播开来，它们兴奋起来了，就像是死魂灵等来了新的受难者。

来客在距离奥丁不远的地方停下，开始它带着浓重的水雾，看起来还颇有点威势，水雾散去后就是一辆红色的三轮摩托车，街道上经常能见到，载客拉货两相宜，一公里只要两块钱。

来客坦然地将它和那辆横在道路中央的白色迈巴赫并排，偏腿下车，Corthay 家的好皮鞋踩在积水里，萨维尔街的好西装淋在雨里。他手提一只帆布提包，双腿分立，风衣飒飒，头发因为湿透了而显得油光水滑，像极了当年闯入这里的那个男人。

黑影们没有记忆，否则他们会记得那个男人叫楚天骄，还有他高高跃起，挥刀斩向奥丁时的身影。

路明非看着奥丁，奥丁眺望着远方，谁都不说话，没有那句至关重要的台词——奥丁没说"你终于来了。"

路明非无声地笑了笑，看来他猜得没错，奥丁要等的人是诺诺而不是他，他站在这里对奥丁来说毫无意义。奥丁仍在望向高架路的另一头，等待着命运的线把诺诺引导到这里来。

"别等了奥丁，这才是游戏开始的正确方式，不关师姐的事，只有你和我，我们两个中，只有一个能活着离开这里！"路明非缓缓地说，咬牙切齿。

但随着这句话出口，他心花怒放热血沸腾，简单地说，他爽爆了。

他终于把神给玩了，他没带诺诺，自己来赴这场宿命的盛宴，他也没想玩什么限时逃脱的游戏，他荷枪实弹地到来，准备大杀四方。

嘿嘿嘿嘿！人生就是要有这么爽的瞬间啊！他妈的衰仔也会燃烧，丑小鸭也会开屏，别把豆包不当干粮，这辈子把老子得罪得够狠的家伙，好像还真都死了！

师姐，其实我也怕死，我也渴望着某一天我遇到另一个女孩，一下子就爱上了，然后她也爱我，从此我就不纠结了，我俩一拍两散但还是好兄弟。

我这条命啊是要为那个女孩牺牲的，为别人家的未婚妻把命弄丢了我还是有点不舍得的，但如果这个命运的迷宫里只有一个人能活下去，那一定是你而不是我，否则我会悔恨。

我不想悔恨，因为我见过悔恨的楚子航，与其失去之后提着刀想要报复却找不到仇人，不如就在此刻熊熊燃烧！

他缓缓地从三轮车拖斗里抓出一支长矛火箭筒来。

小魔鬼还真是靠谱，他许诺过无论路明非开始这个游戏多少次，永远都会用金手指帮他改出这支火箭筒来。于是火箭筒就真的出现在车斗里，还有整整一箱子火箭弹。

这个世界上最懂他的人确实是小魔鬼吧，自始至终小魔鬼都知道他要干什么，无论是他骑着三轮去高架路尽头侦察的时候，还是他跟女孩们勾肩搭背大口喝酒的时候。

黑影们本能地意识到那支武器的威力，嘶叫着想要散开，但路明非抢先开火，烟迹、爆炸、火风、碎片，黑影们被炸得开花般四散，在战争武器方面这些相当于"人类顶尖强者"的东西也没什么机会反抗，就像把爆竹丢进一群锡兵中去。

火箭弹消耗殆尽，空火箭筒坠落地面。更多的黑影冲了上来，无数爪影在夜色中挥舞。

路明非从提袋里抽出了那支M4Super90，开枪，大步上前，霰弹枪射出的钢珠形成巨大的锥形弹幕，靠近的敌人都被金属的暴风吹散，弹壳噼里啪啦坠落。

真好啊，他可能就要死了，可他从未如此刻这样清晰地感觉到自己活着。

霰弹耗尽，他挥舞空枪砸翻了一个差点冲到他面前的黑影，撩开风衣后摆，拔出藏在那里的两支乌兹冲锋枪，黄铜弹壳爆米花似的冲向天空，弹雨向着黑影们倾泻。

真好啊，男人不就是该打这样的战斗么？可惜没有一台摄像机尾随拍摄，甚至没有人能告诉世人说他也曾经这样战斗过。

乌兹也耗空了弹匣，路明非换上两把伯莱塔92F，顶着一个家伙的脑袋连续点射……伯莱塔的子弹也打完了，但还有十几柄钛锰合金质地的掷刀，路明非双手各拔一柄掷刀，在黑影们的喉间割出黏稠的黑血，再把它们掷向无边的暴风雨。

这不是在梦境中，他却能清楚地看见那些黑影肩头浮起的绿色数字，攻击、防御、敏捷、生命值……生命值衰减、变红、归零……生命值衰减、变红、归零……他机械而高效地重复着杀戮，不存半点怜悯。

火焰一再地照亮男孩的脸，那张兴奋而狰狞的脸，路鸣泽没说错，此刻的路明非才真是发了神经病……但也许这才是他真正的自我。

"这种程度的战斗力……是觉醒的前兆么？"

"前兆？恐怕早已经是半觉醒的状态了吧？剥夺生命对他而言不再是恐惧之事而是享受了。"

"是啊……你看他的背影，岂不正像一头冲破封印的龙么？"

"是啊……所有的封印都有被突破的一天，真正不死的是那些被封印的灵魂。"

隔着暴风雨，有人遥望着，窃窃私语。

路明非已经伤痕累累，随着弹药耗竭，他只能用掷刀战斗，掷刀锋利足以断喉，但无法阻止那些黑影近身。它们的利爪在路明非的身上留下或深或浅的划痕，还有几次差点贯穿路明非的身体。

也许是路鸣泽的赠礼在起作用，也许是麻木了，路明非并没有强烈到不能忍的痛感，直到一名黑影的利爪从他的左腿处切入再横拉，切断了他的整条肌肉。

他半跪于地，抽出自己最后的武器，那支 S&W M500 转轮手枪，枪声像是暴雷，直接把那名黑影的脑袋轰碎了半边。

白银面具也随着碎裂，路明非第一次看见了那些隐藏在面具下的真实面目，之前他也几次想要扒开白银面具看个究竟，但那些面具就像是长在或者焊在黑影的面骨上，根本扒不下来。

S&W M500 的超大威力帮路明非揭开了这个谜，它不仅打碎了半边面具还震裂了另外半边，暴露在路明非眼前的是一张狰狞扭曲的面孔，长着斑驳的鳞片和异形的长牙，可它的颅骨结构又酷似人类，看上去像是蟒蛇和人类头骨拼接而成的黑暗艺术品。

路明非只看了一眼，就用枪柄把那名丢了半边脑袋的黑影砸开，倒地的时候它还在盲目地挥动利爪，全身失控地抽搐着。

那毫无疑问是一名死侍，这种东西路明非在日本见得多了，见怪不怪。奥丁用黑袍和银面具把他的手下们包装成了死神的侍从，梦魇中的怪物，可说到底它们就是戴着银面具的死侍，曾经是混血种，堕落之后反而被龙血奴役，成为龙王的侍从。

什么死神？奥丁根本就是某位龙王！真是个装神弄鬼的家伙，但机智如路明非早已看穿了他的真面目。

说起来这位龙王真是诡秘，之前遇到的龙王都是些暴力又直率的家伙，连小龙女也不例外……而这只龙王却会冒充北欧神话中的主神出场，他图什么呢？

路明非挣扎着起身，剧烈的痛感直冲脑颅，他狠狠地打了个激灵，忽然间想明白了……并不是龙王伪装成了奥丁，而是奥丁根本就是龙王！北欧神话中那位与黑龙尼德霍格为敌的主神，其实就是另一位龙王！

不！不仅是奥丁！所有的北欧神明都是龙类！

秘党从古到今一直误读了北欧神话，混血学者们深信北欧神话是最古老最接近真

实历史的神话，从中他们可以找出古代龙族的蛛丝马迹，但他们未曾想到过这个可能性，那就是北欧神话根本不是远古人类写就的，那是龙类书写的历史！那些历史跟人类无关！

北欧神话中说奥丁早已预知末日的降临，那一日被称为"诸神的黄昏"，世界树将会枯萎，被镇压在下面的黑龙尼德霍格鼓振着双翼腾起在空中，膜翼上挂满了骨骸，它是为复仇而苏醒的，它会毁灭一切，葬送诸神的国度。

因此奥丁早早地就为决战做准备，他命令瓦尔基里女神们收集英雄们的灵魂放在英灵殿中，任他们纵酒狂欢和格斗，只等末日的那一天，英雄们会协助奥丁对抗苏醒的黑龙。

这个故事是真的，但被人类误读了。在遥远的古代，可能大地上真的有一座英灵殿，但跟人类的想象完全不同，那座英灵殿并不是为人类英雄准备的，它里面是无数等待复苏的龙类之茧！那根本就是一个流淌着黏液和胎血的孵化场！

对龙王来说，真正的敌人根本不是人类或者混血种，而是黑王……那是一切恐惧的终极，它曾被残酷地杀死却又誓言归来，它没有盟友甚至没有同伴，唯一可以依靠的只有那无与伦比的力量，它是一切孤独、仇恨、黑暗的怪异集合体。

它终将那样归来，遮蔽天空的膜翼缓缓地扫过世界，被那阴影遮蔽的一切都会堕入绝望的深渊！

他妈的……他妈的怎么偏偏是在这种地方领悟了那么重要的事情呢？简直就像是张三丰真人在南极点领悟出了太极拳的真谛那样，望着茫茫的雪原，无人可以传授。

这个惊动天地的大秘密只怕是要跟他一起被埋葬在这个尼伯龙根里了，无论他是不是召唤鸣泽，他自己都无法离开这里。他来的时候说要把奥丁留在这里，其实是开玩笑的，奥丁肩头浮着那些绿色的问号，它太过强大，远非路明非能够撼动。

这个世界上总有些无法越级挑战的敌人，现实里，不是所有热血的男孩都能抱得美人归。

那么此时此刻他的美人在哪里呢？路明非抹了一把脸上的血，默默地想着，诺诺应该正跟芬格尔收拾行李，准备明天接他出院然后离开这座城市吧？或者她只是把脚翘在书桌上，默默地喝着一罐啤酒，任芬格尔忙来忙去。

又或者她在跟芬格尔还有叔叔婶婶吃饭，家宴的方桌上蒸腾着饺子的热气。他们说着告别的话，叔叔又喝醉了，拉着诺诺的手说些不该说的话……

真好，真想吃饺子，还想喝加了很多很多白胡椒的酸辣肚丝汤……可他此刻能做的只有紧握枪柄！

S&W M500 喷吐着一尺长的枪火，掷刀在雨夜中走着蝴蝶翻飞般的弧线，路明非拖着伤腿，半走半蹭地去向奥丁，更多的利爪在他身上留下伤痕，要不是穿着楚天骄箱子里的防弹背心，他早就被撕碎了。

他像一个无望的刺客，想要突破禁卫军的防线去刺杀皇帝，而皇帝高高在上，看都懒得看他一眼。他左冲右突如狼似虎，但那不过是猛兽最后的凶性，他和皇帝之间是铜墙铁壁。

视野是血红的，听觉开始模糊，耳边的世界既接近又遥远，他甚至出现了幻听，好像有小人儿在他耳边说停下吧停下吧，就在这里休息吧，你已经很累很累了；又有另外的小人儿说何必呢何苦呢，你只要愿意，它们全都得死，一个不留！

是啊他是有这个本事的，只要拿出最后的1/4跟路鸣泽交易，局面就会完全逆转，那时候他才是皇帝，奥丁只能是乱党，他路明非所在的地方才是王座，什么奥丁什么死侍，只要敢于靠近王座者，斩立决！

差不多也到这个时候了，反正最后的1/4眼看也要保不住了，不如拿出去交易，死也要拉着奥丁陪葬对不对？可他竟然无法下定决心，那种幽暗的恐惧再度从他心底最深处浮起，第三个小人儿在那里小声地说话……

它在说，不不不……不能！不能！不能！不能交易！路明非，千万不能交易！那会是铸铁成山无法修改的错误！会是你一生中最悔恨的事！

S&W M500也耗尽了子弹，路明非将空枪丢向死侍们，左手无力地挥舞着最后一柄掷刀，右手按住额头，他的头疼得像是要裂开，有什么东西要从里面钻出来，那个铸铁成山的错误是什么？自己到底在害怕什么？

他再度看到了那一幕，幽暗的教堂深处，黄金的圣枪把苍白的男孩钉死在祭坛的上方，他站在男孩的面前，风尘仆仆，看似早已死去的男孩缓缓睁开了眼睛，瞳孔瑰丽得让人畏惧，却又带着小猫般依赖你的神情。

男孩说："哥哥，你终于来看我啦，你要……握我的手么？"而他并未握着男孩的手，他握着黄金圣枪的枪柄，思考着拔与不拔的问题。

死侍们忽然整齐地退后，路明非周围一片瞬间空了。尖锐的啸声从背后传来，那是一只利爪高速撕裂空气带出的声音。他被偷袭了，偷袭者的速度极快，而且抓住了他出现幻觉的致命瞬间。

如果路明非可以回头的话，会发现这名死侍的肩头浮着惊人的数字，攻击、防御、敏捷、生命值都接近完美，这名最强的死侍是刺客型的，一直藏匿在暴风雨中，它出现的那一刻，就是一击必杀。

路明非没来由地想要叹口气，心里放弃了召唤路鸣泽的想法，算了吧，就这样吧，拉奥丁陪葬也没什么意思，他想对自己心里的那些小人说别吵啦！吵屁啊！听听这风声，死亡的风声……

忘记哪本书上看来的，说某个武士的老师跟他说，死一点都不可怕，只是很寂寞。

当年路明非觉得这话真是装逼装到了极致，可此时此刻他真是觉得有点寂寞，寂寞跟孤独不一样，没那么难受，只是觉得心里空荡荡的……

暴风雨的方向忽然逆转，下一刻，"砰"的一声巨响，最强死侍飞出去摔了一个狗啃泥！

一辆红色的比亚迪极速飚来，旋转着停在路明非身边，引擎怒吼，两只大灯亮得像豹子的眼睛，屁股后面腾腾地冒着尾气。

穿花格衬衫的糙汉从车窗里探出头来，冲那名屁股朝天折断了脊椎的死侍看了一眼，瞬间脸都绿了："我靠！这都什么玩意儿啊？"

他嘴里这么说，却绝无下车扶起死侍来看一眼的想法，掏出一支大口径手枪，冲死侍的脑袋连点三枪，这才吹散枪口的硝烟，吐出嘴里的雪茄烟头，冲路明非一甩头："还愣着干什么？快上车！"

芬格尔，当然是芬格尔，神兵天降般的芬格尔！路明非从未想过这条废柴也能有如此拉风的出场方式，如狼似虎狂野不羁，牛逼之气充塞天地。

路明非根本不开车门，而是拖着伤腿翻上车顶，这间隙里芬格尔继续点射为他争取时间，那时候才察觉这家伙其实魁梧有力，小臂粗得跟小牛腿似的，这么高的射速下枪口都不带跳的。

"快开车！"路明非大吼，"你他妈的怎么来了？"

比亚迪咆哮着加速，顶着七八名死侍向前冲。芬格尔开车的彪悍程度并不亚于路明非开着迈巴赫碾压死侍，果然是一个宿舍里出来的。

"我怎么知道？"芬格尔干脆用枪柄敲碎了挡风玻璃，一边连连开枪一边哭丧着脸说话，"我正帮婶婶下饺子呢，医院忽然打电话来说你不见了，急得我赶紧去医院，饺子就吃了四个……"

"别提饺子的事情了好吗？我还一个没吃上呢！还有别一口一个婶婶了好吗？那是我婶婶，跟兄台你有关系吗？"路明非死死地抓着车顶的行李架，比亚迪在死侍群中走着妖异的 S 路线，东撞撞西撞撞，寻找空隙。

"所以我就来找你啊，我是真心不知道你这么忙，要是知道你这么忙你就先忙着，我继续回去吃饺子了！"芬格尔打空了手枪立刻摸出冲锋枪来，一刻不闲着。

"别想跟我面前耍花招！早就觉得你有问题！"路明非在风雨中吼着说话，"谁都不帮我就你主动跳出来帮我，你什么时候这么有义气了？EVA 那么强大，你就能躲过她的搜捕？还有，你就算知道我从医院里跑掉，怎么立刻就能找到这里来？老实交代！看在大家都快要挂掉的分上，别遮遮掩掩了！还有还有，你什么时候枪法那么好了？"

"尼玛竟然不相信兄弟！"芬格尔委屈地爆了一名死侍的脑袋，"老子当年也是从 A 级降下来的好么？老子当年也是射击科目满分好么？你还真以为我一辈子都是 F

级啊？找你还不容易么？你以为我在你师姐衣服里塞了 GPS 定位器不会在你衣服里也塞一个？我看你的信号出现在高速公路上以为你想偷偷跑路呢，就想把你逮回去，谁知道你在这里打死侍，要知道我绝对不来！你倒嫌弃我够义气！我冤不冤啊？"

"这么说来你还很有理啦？"路明非没好气地说，"那你从哪里摸出这么多枪来的……说着说着你又摸出手雷来了……我靠你手雷扔远点行不行？你在车里很安全我可在车顶上呢！"

比亚迪吼叫着从手雷的硝烟和烈火中驶过，芬格尔岂止射击科目满分，驾驶科目应该也是满分，单侧车轮悬空，用车身帮路明非挡掉了弹片。

"你从哪里搞来那么多枪的？我还没问你呢！"芬格尔吐掉嘴里的手雷拉环，"我还看见了你丢在那边的长矛火箭筒！"

"说来话长……"

"那我也说来话长！"

沉默了几秒钟芬格尔忽然不耐烦地挥挥手："好吧好吧，跟你说也没关系！是副校长让我想办法跟着你的！他说元老会一定会通缉你，没人帮你你根本跑不出欧洲，更别说找到楚子航了。这些装备自然也是那个老家伙塞给我的，连我们从马耳他飞来中国的一路上都是老家伙在罩着，不过老家伙应该是暴露了，好些日子联系不上了。"

"副校长也相信师兄是存在的？"路明非心里温暖。

"他不是很确定，不过他说就算你是发了疯也不能不管你，没准你真是校长的私生子呢！"

"我靠！"

"可我真没想过这趟任务有那么危险，我的义气值都有些不够用了！"芬格尔猛踩刹车，比亚迪猛地停住了，引擎还在轰轰地吼着，但他们逃离的道路已经被封锁了。

数不清的死侍从高架路下面爬了上来，就像恶鬼们从深渊中爬出来似的，部分死侍的背后张开了细骨支撑的膜翼，悬浮在暴风雨中，天空和地面都被它们占满，四面八方都充斥着它们那近似婴儿哭泣的嘶叫。

"别逃了，"路明非半跪在车顶上，"逃不掉的。"

"是你叫我快开车的！现在又说逃不掉的！"芬格尔丢掉空枪，狠狠地拍了拍方向盘。

"我的意思是让你开车冲向奥丁那边，"路明非觉得自己真是酷毙了，他的声音那么清晰，他的眼神那么宁静，像是在说一件家长里短的小事，"既然来了地狱，还想轻易地走掉么？"

"玩命啊？那东西真是两个废柴能挑战的么？"芬格尔叹口气。

"对不起啊师兄，我真没想到你会来，玩命的事情不该拖上兄弟。"路明非抬起头，

遥望着光焰中的奥丁，风雨拍打着他的脸，"可既然已经来了……你能帮我开车么？一直一直往前开，不要减速更不要掉头。"

"撞过去？"

"嗯，撞过去。"路明非说，"那家伙的面前似乎有一层空气屏障，必须突破那层屏障才能伤到他。如果你能冲开空气屏障，我也许有一点点机会。"

"好。"

"我靠！答应得太干脆利索了吧？以你的风格不该哭丧着脸嚷嚷好一通说什么老子这条命还要用来泡全古巴的妞，没想到竟然折在你这个没胸没屁股的男孩子身上之类的贱话，然后再开车猛冲过去么？"路明非倒是有些惊讶。

"老子当然会帮你，否则老子为什么要接副校长的活儿呢？"芬格尔说，"就算你没用又憋屈，就算你没钱又虚荣，就算要你请我喝顿酒你都啰里啰唆……可我不帮你帮谁呢？你是我的兄弟，我也没用又憋屈，我也没钱又虚荣，你经历过的我都经历过……败狗和败狗，怎么能不走同样的路？所以，走着。"

他给自己点上一支新的雪茄，轻轻地吐出一口青烟，这时候他抽雪茄的姿态一点都不像个古巴农民，他点燃火柴的手很稳，火光照亮他的脸时竟然有贵公子般的孤单。

路明非低下头，隔着天窗看到了这一幕，心说输了，真心输了，他的故作镇静跟芬格尔还是没法比，芬格尔吐出那口青烟，挂挡踩油门，酷到没朋友。

那份酷劲真不像是装出来的，而是说我已经经历过那么多的人生，爱过一些人，恨过一些人，有过光辉的时刻，也曾像败狗一样被所有人踩踏，去过很远的地方，也曾把自己困在囚笼里，没什么遗憾，如果需要的话，可以去死一死了。

比亚迪狂吼着加速，鬼知道这台小车怎么能发出这种超级跑车般的声音，它不再迂回，笔直地冲向奥丁。

路明非心里惊呼说大哥你这未免太英雄了点吧？这样子我们根本就冲不到奥丁身边好吧，它们光用身体都能塞住你的去路！

这时车灯下的挡板下滑，探出了黑漆漆的枪管，枪响了，炸雷似的，车身两侧喷出无数的黄铜弹壳！那竟然是两门M134 Minigun加特林重机枪！在美国空军这东西基本都是装在轻型直升机上用的，可它们竟然被装在了一台小小的比亚迪上。

路明非还在惊讶于那两门加特林重机枪的时候，两发近程火箭带着白烟直直地飞向奥丁，在死侍群中生生地炸开一个缺口，车里的芬格尔还在狂扔手雷。

一时间路明非都懵了，这真是比亚迪么？这是一辆轻型装甲车吧？还有那狂轰滥炸的风格，没跑了，卡塞尔学院装备部的风格，难怪这辆小车能像迈巴赫那样顶着成群的死侍横冲直撞，因为它是装备部的作品，装备部能把手机改造成手雷，把比亚迪改成装甲车有什么难的。他忽然觉得有点温暖，原来不是整个卡塞尔学院都放弃了他，至少还有副校长、芬格尔和装备部的神经病们……不过装备部的神经病很可能是想借用他们这些快死的家伙测试一些新武器的性能，所以这辆车没准在跑到极速的时候会变成一颗超级炸弹什么的……不过那样也好，这个时候有一颗超级炸弹在身边也不错！

他死死地盯着光焰中的奥丁，瞳孔被映得闪闪发亮，他脱去风衣丢在狂风里，再把西装也脱掉，露出了捆在背后的黑鞘长刀。这也是从楚天骄的秘密小屋里找到的，刀铭"村雨"。

在这个没有楚子航的世界里，"村雨"当然就没人继承了，也不会在对大地与山之王的那一役中折断，所以它仍然静静地等候在楚天骄的小屋里，像是等人唤醒的睡美人。

找到这柄刀的时候，路明非开心得好像和故人重逢。

路明非拔刀出鞘，刀弧美得像是少女新画的眉，镜子般的刀面上反射出层层叠叠的火光，奥丁仍静静地眺望着远方，好似一座被放置在火焰中的雕像。

"自毁模式启动，倒计时开始，10、9、8……"比亚迪里传出单调的女声。

路明非心说我就知道这东西会变成炸弹！我就知道！

"祝你好运了师弟！"芬格尔吼完这句，从副驾驶座上抓起一支霰弹枪，撞开车门跳了出去，落地一边翻滚一边开枪，阻击包围上来的死侍。

路明非深呼吸，全身骨骼爆出清脆的响声，所有的疼痛都被抛在脑后。他做好了最后的准备，独自面对人生中最危险的敌人，此刻爆炸声连连，硝烟味刺鼻，从天到地都是诡异的哭声，他却觉得世界寂寥。

他的手指缓缓掠过村雨，在镜面般的刀身中凝视自己的眼睛："不要死！路明非……不要死！"

"4、3、2……"

路明非缓缓下蹲，骤然起跳，比亚迪和空气障壁碰撞，剧烈爆炸。

冲击波冲天而起，夹杂着火焰，路明非从极高处落下，落向奥丁的头顶，村雨切断风雨！

机会只有一瞬。奥丁的空气障壁强大到可以屏蔽子弹和火箭弹，但在火箭弹爆炸的瞬间，路明非曾看见奥丁的身影扭曲了。

透过喷气式发动机的尾流去看东西的时候有相似的效果，平静的空气被剧烈地扰动，那种扰动令光线偏转。换而言之，空气障壁并不是不可撼动的，火箭弹已经撼动了它，只不过它的自我修复能力极强，瞬间就重新稳定下来。

路明非要的就是那个瞬间，哪怕只有一秒钟，零点几秒钟。空气障壁在一场剧烈的爆炸中变得脆弱，他趁机突破，把刀砍在奥丁的头顶。

火焰灼烧着他，空气障壁破碎的瞬间释放出惊人的高速气流，利刃般切割着他，但"不要死"的言灵同时也在玩命地修复着他的身体，从跃起到落下，不到两秒钟的时间里，他流血又愈合，愈合又流血。

他狮子般吼叫，心里想着很多年前的男人，他也做过类似的事，他咆哮着跃起在空中，挥刀杀神，那一刻他的背影灿烂得像是焰火。

奥丁，你是否还记得那个跳起来砍你的、名叫楚天骄的男人？往事重演，你是不是也会有那么一点恐惧？

路明非整个人是血红的，但他真的穿透了空气障壁！村雨直落，萨摩示现流中的"狮子示现"，路明非曾经见过源稚生用这一刀，当真是觉得一只猛狮握着刀从天而降。

直到此刻奥丁才抬起头来看向空中，似乎是不敢相信这个人类竟然能挥刀冲到他的御座前，他举起了昆古尼尔，不是投掷，而是格挡。

村雨和昆古尼尔撞击，居然只是发出"嚓"的微声。在北欧神话中，昆古尼尔之所以具备"投出必中""倒推因果"这样的特殊效果，是因为它的枪杆是用世界树的枝条制成的，可在村雨的刀刃前，这神圣的世界树枝条竟然轻易地分断了。

路明非和奥丁擦肩闪过，路明非落地，跌跌撞撞地前奔几步，勉强站住了。奥丁仍是端坐在马背上，所有的死侍都停下了动作，扭头看来，八足神马"斯莱普尼斯"也老实了，不再喷吐雷电，铁蹄踏地。

风雨依旧肆虐，可一切忽然就静下来了，静得像是天地初开，万籁俱寂。

暴雨冲刷着村雨，却根本洗不掉刀上的黑血，那血黏稠得像是石油。但村雨自己渗出的清水洗过，黑血就融在其中了，一滴滴落在地面上，如浓酸那样冒出袅袅白烟。

这一幕匪夷所思，却完美地符合着这柄刀的传说。这柄刀名为村雨，是因为它在染血之后会自动渗出雨水把刀刃洗刷干净。

路明非随手挥刀，刀弧呈完美的半圆，血水呈现扇面状撒开，仿佛武士雨夜杀人，战斗结束，挥刀血振，血打竹林。

村雨缓缓地回到了刀鞘中，路明非这才慢慢地转过身来，八足骏马正缓缓地跪下，马背上的奥丁身体微微倾斜……随着轻微的"咔嚓"声，奥丁的身体忽然裂开，其中的小半边坍塌下来，黑血四溅！

路明非自己都惊呆了，没想到自己那一刀"狮子示现"能有这么惊人的威力。那可是奥丁，北欧神话中的主神，龙王级的怪物，当年楚天骄都没能得手，自己何德何能就把他给摆平了？

但他立刻意识到某件事不对，奥丁正在死去，他的级别也在迅速地跌落。大概是小魔鬼搞的鬼，他看在场所有人肩头都有一排绿色的数字，就像是玩游戏，对手的强弱一目了然。

　　但看奥丁他就只能看见一连串的问号，小魔鬼说那是因为奥丁的级别比他高出太多，所以游戏能力中的"侦察"能力就失效了。可此刻奥丁的各项能力忽然可以读出来了，跟一名普通的死侍没有太大区别。

　　路明非疾步上前，一把抓下奥丁的银面具，面具下是一张介乎人类和蛇类之间的扭曲面孔，长着斑驳的鳞片，那就只是一名普通的死侍。

　　路明非只觉得脑海里"轰"的一声，一片空白。他百分之百肯定这不是奥丁，任何龙王级的目标都不是这个样子的，他们生时带着介乎皇帝和神祇之间的巨大威严，也就是龙威，死去后他们的遗骸都是令人敬畏的，看一眼就会生出膜拜的冲动。

　　怎么回事？到底怎么回事？难道说奥丁根本就只是个二流货色，大家都被他那神神鬼鬼的伪装欺骗了？不，这也不可能，二流货色怎么可能伤到校长？二流货色怎么可能在楚天骄的刀下生还？二流货色怎么能驾驭昆古尼尔？

　　那支昆古尼尔也不对，在梦境中这玩意儿出手的瞬间真是天地变色，带着强烈的死亡意志，仿佛被无数的鬼魂缠绕。这种神器级别的玩意儿怎么一刀就给砍断了？这也未免太假冒伪劣了吧？

　　"师弟，看不出你如今功力大进刀术通神啊！"芬格尔跑过来，惊叹地说。

　　路明非呆呆地站着，拼命地想，绞尽脑汁地想，他觉得这里面出问题了，出大问题了。

　　他猛地抓住芬格尔的衣领，嘴唇颤抖："师姐呢？你出来的时候，师姐在哪里？师姐怎么没有跟你一起来？"

　　"你师姐说是还要去医院看看苏小妍，"芬格尔说，"傍晚就出门去了，一直没回来。"

　　刻骨的恐惧包围了路明非，他整个人如坠冰窖，血液好像都凝结了……奥丁不在这里，这里是引诱他们的陷阱。奥丁的目标只是诺诺，现在他去找诺诺了，此刻那位死神骑着八足骏马，风一般地驰骋在这座城市中，去取陈墨瞳的性命。

　　命运并非是能轻易被突破的东西，当你觉得你突破了命运的时候，命运只是换成另外一种方式束缚着你，引导你去最终的地方。

　　死侍们哭泣着或者说欢笑着，铺天盖地地围了上来。

DRAGON RAJA

奥丁之渊

第十五章

| 王从天降愤怒狰狞 |

The Angry King Descending from Heaven

她们的身后，日光灯一盏接一盏地熄灭，走廊一节一节地黑
了下去，那个骑马的人来时，连光都被吞噬！

圣心仁爱医院，诺诺坐在苏小妍床边的凳子上，削着一只苹果。苏小妍高高兴兴地吃着酒心巧克力，那是诺诺带给她的礼物。

原本探视时间已经结束了，但诺诺央求值班医生说您看这么大雨我也没法走，您就高抬贵手让我和我姨妈多待一会儿呗。被那么漂亮的女孩子哀求，值班医生也就睁一只眼闭一只眼了。

"诺诺啊，你妈妈最近好不好啊？"苏小妍随口问。

"她啊，挺好的，正常上班下班，身体健康，总是追问我什么时候结婚，但我就是不告诉她。"诺诺随口答。

外面风雨肆虐，风擦过这栋小楼的时候发出尖厉的啸声，雨一泼泼地打在窗户上，病房里倒是融融恰恰的，好像诺诺真是苏小妍的外甥女。

诺诺是以外甥女的名义来探望苏小妍的，她跟苏小妍见都没见过，苏小妍当然不认识她。但没关系，诺诺已经想办法调出了苏小妍的病历，医生认为苏小妍精神分裂并伴有失忆，只要诺诺演得活灵活现，医生多半就认为苏小妍是失忆到连亲戚都不认识了。

这年头谁还记得外甥外甥女长什么样子啊，只有结婚收红包的时候才会想起要来问候一下长辈，尤其是外甥女，俗话说女大十八变，外加微整形。

没想到苏小妍立刻就认出了她——因为诺诺带了酒心巧克力来。苏小妍高兴地抓过酒心巧克力抱在怀里，小女孩一样笑着说你们终于记得来看我啦！对了你叫什么名字来着外甥女？诺诺说我叫诺诺，苏小妍就跟值班医生说这是诺诺我外甥女。

用酒精和巧克力打动一个爱吃甜食且没有防备心的女人真是太容易了。

"姨妈你在这里要住到什么时候啊？我感觉有好久了。"诺诺有意无意地问。

"我也不记得了，总有三四个月了吧？"苏小妍说。

根据医生的说法，苏小妍看似正常其实病得很严重，她甚至分不清时间流逝，病房里至今都悬挂着几年前的日历，那年鹿芒或者说楚子航15岁，出了车祸，可以想见那件事对她的刺激有多大。

实际上她在这里已经住了足足七年，她的心理年龄被锁定在了七年之前，这让她越发地像个少妇甚至小女孩，而实际上她的年纪已经不小了。

七年里很少有人来看她，她的第二任丈夫鹿董事长已经算是很好的男人了，但是所谓"久病床前无孝子"，何况鹿董事长还有那么大的事业要管，所以能做的就是没跟疯掉的老婆离婚，偶尔接她回家住几天，但探望的频率确实是越来越低。

"嗯。"诺诺轻声应着，目光依然固定在那只被削皮的苹果上。

她来探望苏小妍当然是有原因的，现在连楚天骄的线索都断了，唯一能跟楚子航连上的就只有苏小妍。

从表面上看，苏小妍这里的逻辑也是通的，楚子航在15岁那年车祸遇难，苏小妍悲伤过度精神分裂，一心觉得自己怀孕了，想要一个新的孩子来填补楚子航的位置。

但诺诺还是觉得这里面有什么不对，她也说不清楚，就是觉得苏小妍身上有点古怪。她决定在临走前一天跟苏小妍做一次深谈，就像路明非曾经试图做的，但她有侧写的能力，也许能挖出被路明非忽略的蛛丝马迹。

楚天骄也有问题，虽然从他留下的小屋里没找到任何线索，但诺诺有种感觉，并非楚天骄的生活贫乏无趣，而是楚天骄精心地把自己藏起来了。经过某种训练的人会有这种能力，它被称为"反侧写"。

侧写的人在解谜，反侧写的人在设置迷局，这是双方不见面的较量。

如此说来苏小妍当年确实嫁给了一个不简单的男人，而那个男人为何会出现在这座城市里，又是为何会忽然和儿子出车祸，销声匿迹？

还有窗外那场不正常的暴风雨，这是一座被元素乱流笼罩的城市，路明非在这里长大，楚子航也在这里长大，这里像是一切错误的开始，是否也会是一切错误的结束呢？

"姨妈你怎么现在才想起来生孩子啊？"诺诺又问，"你要是早生孩子，孩子现在都跟我一样大了吧？"

苏小妍抱着巧克力罐，斜靠在枕头上，真丝睡裙翻着花边，舞蹈演员的大长腿修长白腻，全然不像是这个年纪的女人。她跟诺诺聊天，说是姨妈和外甥女，其实更像是闺蜜。

"还不是离婚又结婚闹的。"苏小妍沮丧地说，"不遇上好男人怎么敢跟他生孩子啊！"

诺诺心中微微一动，今天她已经和苏小妍聊了不少，这是苏小妍第一次提及楚天骄，她严重失忆连时间都记不清，却没忘记那个曾经让她赔上了青春的男人。那个男人才应该是被遗忘的啊，没有那个男人苏小妍的人生会开心得多。

"前姨夫对您不也挺好的么？"诺诺把削好皮的苹果递过去。

"赚不到钱，又没有上进心，整天就知道瞎玩，跟着他我可是受够了！你说我当

初怎么就瞎了眼呢？"苏小妍接过苹果开始啃，像兔子啃萝卜。

"可是他很帅啊，还会疼人。"诺诺从侧方凝视着她的眼睛，想从中找出一些蛛丝马迹。

"你怎么知道他很帅又会疼人，你又没见过他。"苏小妍说。

"我见过的啊，在我很小的时候，前任姨夫不是还抱过我么？"

"说得跟真的似的，你以为我真的脑子坏掉啦？我没有外甥女。"苏小妍吃着苹果翻看画报，头也不抬，就是皱皱鼻子表示小小的不满。

诺诺一惊："那你怎么不告诉医生？"

"你长得那么好看，我喜欢跟好看的女孩子聊天，这里没什么人陪我聊天。"苏小妍振振有词，"而且你看起来也不像坏人，这里是医院，我一个家庭妇女，你也不会对我怎么样。"

诺诺不禁也有点佩服这个女人的心大，同时也惊于苏小妍的聪敏，这女人只是呆萌，但并不傻，也不混乱。

"我是想问问楚天骄的事情。"诺诺只好说了实话，"跟他接触过的人太少了，在这些人中，您应该是最了解他的人。"

"我哪知道他？"苏小妍不屑地撇撇嘴，"他满口哪有几句真话，我跟你说我白白嫁他一场，连他家里人我都没见过，婆婆都没见过媳妇，这媳妇算过门了么？"

"那他跟你讲过他自己的过去么？"诺诺又问。

"那个倒是讲过，不过他讲的版本好多的，开始追我的时候他就骗嘛，有时候说自己是外地人，家里很有钱，他是个二世祖；有时候讲他在国外待过很久，什么马达加斯加啊南北极啊加勒比海啊，他都去过，讲得活灵活现的；有时候居然跟我讲他是个王牌大间谍，来我们这里是要完成一个任务……鬼才信他，信他他把你骗卖掉你都不知道！"苏小妍气哼哼地说。

"那你还嫁给她？"

"那他又帅又很会疼人嘛。"苏小妍不好意思地说，"我那时候年纪小。"

诺诺心里说也许他从未骗过你，他说的其实都是真的，他跟你说这些已经违背了他的原则，但他很想哄你开心看见你的笑容吧。

"后来为什么又要离婚呢？"诺诺又问。

"他不务正业呗。"苏小妍叹了口气，"跟他在一起日子真是没法过，他也不着家，也不赚钱，整天神头鬼脑的，你说什么他都答应，答应完了又做不到。最后是我想方设法地托人帮他找了个工作，去上海我一个亲戚的公司干经理的活儿，这总不能一辈子帮领导开车啊，结果他倒好，打死都不去，就愿意在家里猫着。我伤心了，心说这辈子跟他就完蛋了，就离婚了。"

"之后还有联系么？"

"基本没联系了，谁联系他啊？他要来联系我我还理他一下，可他也不联系我。"

"您跟鹿先生结婚后还是很幸福的吧？"

苏小妍想了想："说真心话，我先生可没有那个姓楚的家伙有意思，生意人，整天忙忙叨叨的，做事情很呆板，对我倒是很好。"

"要是让您再选一次，您会选楚天骄还是鹿先生？"

"当然是我现在的老公！"苏小妍瞪眼，"跟他姓楚那几年算我倒霉！"

诺诺忽然间有点语塞，但苏小妍的话又没法反驳，男人好玩、帅、会疼人又有什么用，最终女人还是会跟某个可依靠的男人在一起，这就是梦想和现实的距离。

"关于楚天骄你还记得什么？"诺诺问。

苏小妍认真地想了想："他特别喜欢吃宵夜，尤其爱吃卤大肠，我可受不了那东西。你说我一个舞蹈演员，我要讲究仪表的，我穿高跟鞋和长裙跟他坐路边摊上吃卤大肠？"

诺诺心说见鬼，这阴魂不散的卤大肠！下面你是不是要说烤鸡翅要加双倍辣的事儿了？楚天骄啊楚天骄，你就是卤大肠和烤鸡翅的混合体么？

"不过他好像留了件东西在我这里，"苏小妍并没有如诺诺想的那样畅谈烤鸡翅，她拍打自己的额头，"还是一件很重要的东西，可我就是想不起来了，人家说一孕傻三年果然是真的。"

"什么东西？"诺诺一下子坐直了。

"说了想不起来了嘛，我想了好些日子了。"苏小妍撇撇嘴。

"什么类型的东西？"诺诺追问。

"也想不起来了，反正是个很重要很重要的东西。"苏小妍愁眉苦脸地说，"我可一定得找到，找不到就糟糕了。"

诺诺不禁有点灰心，这件东西很可能是个重要线索，可苏小妍偏偏想不起来了，她已经努力想了很久，也不是一时半刻就能想起来的。

这时狂风把窗户吹开了，"啪啪啪"地敲打着窗框，冷风灌了进来，诺诺和苏小妍都打了个寒战。诺诺起身去关窗，外面漆黑一片，只有花园中的几盏路灯亮着，黑色的郁金香花瓣满地翻滚，滚着滚着就飞了起来。

诺诺刚要把窗户关上，忽然愣住了，她清楚地记得医院花园里只有两种颜色的郁金香，红色和黄色，可为什么此刻所有花瓣都是漆黑的？黑得像是永夜！

她再度推开窗看出去，风正把零落的花瓣吹到她面前来，空气中到处都是那黑色的花瓣，她接过其中一片，发现它是彻底枯萎的！

郁金香是多年生植物，花期是每年的四五月，但这间医院把郁金香种在玻璃暖房

里，可以通过温度控制延长花期。诺诺进入医院的时候，暖房中的郁金香还开得欣欣向荣。此刻就算暖房被风吹开，郁金香零落，也不该是枯萎的花瓣。

什么原因会导致整片的郁金香园完全枯萎？不，还不只是郁金香，花园里的各种植物都枯萎了，包括四季不落叶的松柏树！枯萎还未完全结束，她亲眼看着窗前那株柏树最顶部的一段绿色转为灰黄，然后是死一般的黑色！

她猛地关上窗，大口地呼吸，她意识到出事了，某种东西正在到来，带着浓郁至极的死亡气息！

思考是没用的，没有任何线索的情况下，思考只是浪费时间。诺诺从来都是个行动派，她抓起一床薄毯子丢在苏小妍身上，从随身的包里取出沙漠之鹰，这是从路明非那里"缴获"来的，包里还有那对短弧刀。

看见枪苏小妍脸上有点变色，但诺诺以严厉的眼神禁止她惊叫，她示意苏小妍跟她一起走，苏小妍犹豫了一下但还是老老实实地服从了，这女人确实能够凭直觉知道谁不会害她。

走廊里静悄悄的，灯光惨白，没有医生来往，也没有病人说话。这间医院晚间总是静悄悄的，因为医生会给病人注射安眠针，但今夜的"安静"更像是"寂静"，寂静中感觉不到任何人类的气息。

这是人类的某种本能，在人群中会觉得安全，远离人群的时候会像野兽一样生出警觉。诺诺很警觉，因为她感觉不到这间医院里其他人的存在，好像在她和苏小妍聊天的时间，医院被悄无声息地清空了。

她推开隔壁病房的门，那间病房里本该住着一个和善的老太太，但此刻病床上是空的，被子整整齐齐地摊开。诺诺推开一扇又一扇门，所有病房都是空的，被子整齐地摊开，病人们却都消失了。

空气温度在迅速地下降，雨水从每条窗缝渗进来，这间私立医院崭新而且造价不菲，防风抗震至少能用一百年，但此刻它被雨水迅速地侵蚀，以肉眼可见的速度破败下去。

"这一天终于来了。"诺诺轻声说着，给沙漠之鹰上膛。

她没有进过尼伯龙根，但从执行部的报告中知道进入尼伯龙根时的感受，她曾经遗憾过没能去尼伯龙根体验一下，现在尼伯龙根来找她了。

她不太确定自己是更紧张还是更兴奋，紧张是在所难免的，兴奋是因为某些推论开始被验证了，这座城市背后果然藏着一个尼伯龙根，那个尼伯龙根中果然藏着一个可怕的东西，楚天骄是为守望那东西而来的……可惜还不知道他留给苏小妍的到底是什么东西。

"有人，有人要来了。"苏小妍的声音微微颤抖。

诺诺也知道有人要来了，因为楼下传来了古怪的脚步声，说那脚步声奇怪，是因为它不像人类的脚步声，倒像是几匹骏马从容地踏入门廊。

暴风雨、尼伯龙根、骏马、骑马的人……来的似乎是一位古代君王，他带着浓郁的死亡气息，满园的花都为他枯萎。

就是那个骑马的人！诺诺忽然想起来了，她浑身战栗。

她曾在玻璃的反光中见过这个骑马的人，在寰亚集团，在楚天骄住过的小楼，他悄悄地尾随她去了那里，想要把她埋葬在水底！难怪那栋小楼会无端地沉入地下，就算是地基被水泡软了，怎么偏偏就那栋楼沉了下去？

马蹄声"嗒嗒嗒嗒"，骏马似乎是在一楼的走廊里徘徊，诺诺拉着苏小妍贴墙而立，心脏跳得像是脱缰狂奔的野马。骑马的人似乎并不知道苏小妍住在哪间病房，正在一间间地查看。

诺诺拉着苏小妍，无声地移动，马蹄声去向东边她们就移向西边，马蹄声去向西边她们就移向东边。这栋楼共有两道楼梯，分别位于走廊东西两侧，只要那些马开始上楼她们就立刻下楼，走另一边的楼梯！

虽然抽出了枪但诺诺并没想要战斗，她只是想带着苏小妍逃出这栋楼，她不知道来的是谁或者什么东西，但是她意识到自己带着苏小妍一点胜算都没有！

但马蹄声忽然消失，诺诺忽然惊慌起来，马蹄声"嗒嗒嗒嗒"的时候，意味着来者正缓缓地逼近，马蹄声消失，却并不意味着来者放弃了，而是诺诺再也无法判断他的位置。

不能继续等下去了，她必须选择某一边的楼梯，那些马也许正像猛虎那样悄无声息地走路，现在下楼有可能在楼梯上遭遇它们，那也必须下楼！等待是坐以待毙！

选择任何一边楼梯都是 50% 的机会，东边还是西边？

苏小妍忽然使劲拉扯诺诺的袖子，她正看向走廊的西侧，神色惊恐，诺诺顺着她的目光看去，某个红色的数字正缓慢变化……1……2……3……

那是电梯！电梯正在上升，除了楼梯，这栋楼还装有一部非常安静的德国造蒂森电梯，用于运送那些腿脚不便的病人，医院的电梯都很大，要容纳病床……那骑马的人竟然是坐电梯上楼的！

诺诺忽然明白了，开始马蹄声在一楼走廊里徘徊，并非漫无目的地寻找，而是去护士站查询了病人的床位表，旋即登上电梯，直奔这一层来。

这时候要是狂奔无疑会暴露自己的位置，诺诺拖着苏小妍快步向着东侧移动，苏小妍动得稍微快一点就会发出马蹄般的"嗒嗒"声，舞蹈演员在这种时候还踩了一双镶嵌水晶的高跟拖鞋……气得诺诺把她横抱起来，无声但高速地奔向东侧楼梯。

她们的身后，日光灯一盏接一盏地熄灭，走廊一节一节地黑了下去，那个骑马的人来时，连光都被吞噬！

电梯开门之前，诺诺终于踏上了东侧楼梯，她明知道此刻一秒钟都是宝贵的，却还是忍不住扭头看了一眼，走廊东侧的尽头有一面镜子，镜中映出的恰好就是电梯门。

她看见了最光辉灿烂的生命，却也看见了地狱洞开！电梯门打开的瞬间，刺眼的光芒从门缝中射出，仿佛是成吨的熔岩从电梯里汹涌而出，那光芒仿佛蒸汽般沿着走廊流淌，光芒中站着漆黑的人影，他戴着银色的面具，骑着八足的骏马，骏马喷吐着雷电！

那是神，是君王……也是魔鬼！

诺诺忽然就后悔停下来看这一眼了，因为她看见对方的瞬间，对方势必也看见了她，镜子的原理决定了这一点。

好奇害死猫，她从来都是一个好奇心很重的猫样女孩！

不必躲猫猫了，现在只剩下逃命了！好在东侧楼梯下去对面就是门，首先是离开这栋楼，再想别的办法！那匹怪兽般的马再怎么强悍，走楼梯总不是它的长项吧？诺诺放下苏小妍，拉着她就要跑。

苏小妍却呆呆地看着镜中的神魔，像是一具雕塑，她脸上浮现出极其恐惧的神情，有泪水无声地漫过那张漂亮的脸。

骑马的人缓缓地逼近，马蹄声"嗒嗒嗒嗒"，就像是计算死亡的钟表。

诺诺已经确定那个骑马的人看见她们了，那就无所谓咯，她沿着楼梯踏上一步，坦然地暴露在对方面前，双手的沙漠之鹰发出雷霆般的轰响，这种时候诺诺弹匣里装的可不是弗里嘉麻醉弹，而是对犀牛大象也一击必杀的钢芯弹。

骑马的人似乎带着极致的高热，那些弹头还没有接触他就融化为铁水，即使有些铁水溅到他的面具和蓝色风氅上，也不过是增添了一些铁色的花纹。

对于诺诺的出现，他既不惊讶也不愤怒，怪兽般的马以固定的速度前进，他看着诺诺，银色的面具遮脸，但可以看见瞳孔是熔岩的颜色。

"快走！"诺诺大吼，抓着苏小妍的手就往下跑。

她原本也没指望枪弹真能伤到骑马的人，不过能阻挡他争取一点时间也好，可惜事与愿违。

失魂落魄的苏小妍被她拖着狂跑，嵌水钻的高跟拖鞋被丢在楼梯上。诺诺一边狂奔一边从枪里卸子弹，每隔一段楼梯就有一颗子弹躺在地面上。

这些子弹固然会给骑马的人留下线索，顺着子弹就能找到她们，但也是诺诺的警报器，那个人身带恐怖的高温，只要他靠近子弹子弹就会爆炸，凭借爆炸声诺诺就能知道双方之间的距离。

不久之后上方果然传来了连续的爆炸声，"砰砰砰砰"，骑马的人并未因为猎物在狂奔而加快速度，依然走得不急不缓。

诺诺从未遭遇过那么可怕的敌人，可怕的不是他的力量而是那种被他牢牢控制在手中的感觉，隔着镜子跟他目光相对的刹那间，诺诺觉得自己像只鸟儿被利箭穿心。她能做的，只有跑。

直到跑得上气不接下气，诺诺才猛醒过来，这座楼从上到下就只有四层，可是她们已经跑了多少层？虽然无法计算，但是绝对不止四层，她们早该看见楼门了，可前方还是数不清的楼梯，往后看去……也是数不清的楼梯！

楼里越来越热了，骑马的人正把他的光与热散播到每个角落。诺诺穿着一双靴子，地板的温度隔着靴底都让她很不舒服，她跺了跺脚，忽然讶异地看向苏小妍。

苏小妍光着脚跑是怎么坚持到现在的？就算舞蹈演员的脚经过千锤百炼，也不至于能在蒸汽熨斗一样热的地面上跑到现在吧？

苏小妍失魂落魄地站在滚烫的地面上，满脚都是水泡，满脸都是泪痕，她一路都在无声地哭泣，诺诺直到现在才发现。

"你……你怎么了？"诺诺呆住了。

"我想起来了！"苏小妍说，"我想起楚天骄留给我的是什么了！"

诺诺很想知道楚天骄留给苏小妍的是什么，但眼下她们没有时间说话。

她已经明白了，在尼伯龙根里这座小楼是无尽的迷宫，现实中的四层小楼在这里也许有四百层，或者二楼和三楼以一种奇怪的方式被扭接在一起，她们则像是跑在莫比乌斯环上的蚂蚁。

难怪骑马的人一点都不急，这座楼就是他的猎场，猎物永远不可能逃出猎场的边界。这样下去她们只有跑到累死，再被骑马的人追上。

诺诺拔出备用弹匣，把全部的子弹卸出，她沿着楼梯往下跑，每隔一段路就放一粒子弹，再返回苏小妍身边。

她把自己的靴子也脱下，抱起苏小妍，忍着可怕的地面高温奔向走廊的西侧。赤足奔跑她才不会发出任何声音，她要在骑马的人抵达这一层之前跑到走廊西侧去，那里有楼梯也有电梯。

这是她早就想好的 Plan B，既然骑马的人以子弹为标记追，那就让他这么追下去，子弹既是报警器也是诱饵。

爆炸声越来越近，骑马的人也越来越近。

诺诺站住了，默默地看着走廊尽头那堵坚实的墙壁，走廊西侧并没有楼梯，在她记得是楼梯的地方只有一堵白墙。她还是不够了解尼伯龙根，既然走廊东侧会凭空多

出很多楼梯，那么走廊西侧的楼梯为什么就不能消失呢？

电梯也不复存在，骑马的人分明是乘电梯去的四楼，可本该是电梯门的地方，现在是一面绝对不可能打破的大理石墙壁，看起来就像罗马万神殿的墙壁跟这间医院接驳了。

她焦急地踹开周围病房的门，想着实在不行就跳窗吧！以她的身手从二三楼跳下去是肯定没问题，即使四楼，控制得好也不过是轻微扭伤，如果苏小妍摔伤的话，她可以抱着苏小妍继续跑。

但掀开那些窗帘，她看到的也是罗马万神殿一般的大理石墙壁！她们跑进了这座迷宫的死胡同，骑马的人也许从一开始就想好了，就像英国贵族狩猎，把猎物逼到无路可逃的境地，猎手才会从容地举起猎枪。

爆炸声越来越近，"砰砰砰砰"，马蹄声从容。

诺诺忽然安静下来，她扶着苏小妍坐在走廊边的长椅上，给她穿上自己的靴子："接下来没准有些路你得自己走了。"

苏小妍呆呆地看着她，那张梨花带雨的脸上，眼泪快速地被高温蒸干。

诺诺双手按住她的肩膀："现在告诉我好了，楚天骄留给你的东西到底是什么？"

"是个孩子，我跟他生过一个儿子，他叫楚子航，我找不到我儿子了。"苏小妍小声哭泣着，"我找不到我儿子了。"

"他是出了车祸么？"

苏小妍眼睛红红的："不，我就是找不到他了。"

诺诺轻轻地叹了口气，把这个美丽女人的脑袋抱在怀里，轻轻地摸了摸她的头发，然后从她的小腹处取出那个小枕头。医生说苏小妍每天早晨都会把这个小枕头捆好，然后高高兴兴地宣称自己怀孕了。

诺诺丢开小枕头，扶着苏小妍的脸令她直视自己："既然想清楚了，就不需要这东西了，你会找到你儿子的，虽然我也不知道他在哪里。"

一切都清楚了，在这个扭曲、混乱的世界里，疯子才是清醒的，自以为清醒的人都被蒙蔽了。路明非看起来是疯子，苏小妍也是疯子，因为他们跟楚子航之间的牵绊最大。

苏小妍精神失常并非因为楚子航在 15 岁的时候死了，而是某种能力忽然要修改她的记忆让她相信楚子航死在了 15 岁那年，这个母亲不愿意被修改，她一直在抗拒。

她捆着那个小枕头，就是把楚子航重新放回自己的身体里，因为只有在母亲的身体里，孩子才是安全的。她觉察到有人要伤害她的孩子，于是她要保护他。

柔弱的人也可以变得坚不可催，只要那件事是他或者她真正在意的，当什么事什么人你死都不愿意失去的时候，谁都可以变成亡命之徒！

她把苏小妍推入病房旁边的小隔间，那是存放清洁用具的地方："无论什么情况下都不要开门，有人会来救你的。"

她的包里带着那枚银色的 GPS 胶囊定位器，虽然不喜欢这东西，但出于某种本能，她觉得随时能让芬格尔找到自己是件好事。此刻她摸出这枚胶囊丢在空中，一刀切为两半。

她并不清楚尼伯龙根对外的通信是完全断绝的，她期待着芬格尔和路明非发现她的信号忽然消失，能赶来救她……救她应该是来不及了，但是也许能救苏小妍，这取决于她能拖延多少时间。

马蹄声停在了这一层，之后的子弹没有继续爆炸，那种小把戏瞒不过骑马的人，这一点诺诺其实已经有了心理准备。长长的走廊尽头，火光越来越盛大，渗进来的雨水在楼道里横流，又蒸发为袅袅的白色蒸汽。

在金色火焰的照耀下，白色蒸汽幻化为无数的金色奔马疾驰而过，仿佛诸神在云上的座驾。骑马的人并不继续走迈，但他的威严缓缓推了过来，那简直就是一座山推到你面前。

诺诺站在走廊的西侧，后腰插着双刃，双手提着沙漠之鹰，她本意是要拖延时间，无论是用子弹还是用诡计，可此刻她双膝变软，不由自主地就要跪拜。

眼前的一幕介乎真实和虚幻之间，像是神从天国里降到凡人面前，让你不能不屈服，不能不哭泣着恳求他的救赎。

"奥丁！"诺诺发出几乎呻吟的声音。

她终于看清了骑马者的真面目，那毫无疑问是北欧神话中的主神奥丁，八足骏马，蓝色风氅，圣枪"昆古尼尔"，他的个人标志太醒目太容易辨认了。

这位神明竟然真的存在？奥丁为什么要来这里？苏小妍对他有什么用？难道说奥丁导演了楚子航的消失？按照神话所说奥丁不是黑龙尼德霍格的敌人么？诺诺无法思考，被奥丁的威严压制，她的脑海渐渐空白。

她还是太高估自己了，对方是北欧主神奥丁，她连拖延时间的能力都没有。说什么雷霆师姐，其实她归根到底也只是个傲气的女孩。

"你终于来了。"奥丁说，他的声音轰轰然像是雷霆。

他缓缓地举起了昆古尼尔，隐约的白色丝线连接着那支枪的尖端和诺诺的心脏。

来了？什么来了？他在对谁说话？诺诺忽然惊醒！

她一直以为奥丁的目标是苏小妍，因为苏小妍是可能记得楚子航的人，她可能揭开一个巨大的秘密，但她错了，奥丁的目标是她，一直都是她！

难怪路明非在图书馆里会把她扑倒，那恐惧的眼神好像魔鬼就在身边；难怪在高

架路上做了一个梦之后路明非紧张地检查她的身体,他是害怕她死了。

那个衰仔不知为何预感到了她的死亡,想方设法要救她,所以他的眼神晦暗,惶惶不可终日。诺诺还记得他从噩梦中惊醒的那一次,诺诺正坐在床边昏昏欲睡,他骤然惊醒,扑上来紧紧地抱着她,说你没事就好没事就好,他大口地喘息着,好像刚在梦里跑了很远很远的路,上天入地地找她……那一刻诺诺被吓到了,竟然没能立刻飞腿把他踹翻,而是默默地任他抱着……那是真实的恐惧,那一刻他说你没事就好没事就好,有多放心,就是他心底深处有多害怕。

可她却没信那个衰仔,而是把他送进了精神病院,在他的住院单上签了字。

真想跟他说对不起啊……对不起路明非,是师姐太小看你了。

八足骏马马鬃飞动,空气中雷屑翻飞,宿命之枪昆古尼尔上翻动着死亡的黑色气息,奥丁的动作那么缓慢、强大而又优雅,这是一场仪式,一场剥夺生命的仪式,那支矛一旦脱手,陈墨瞳的生命便熄灭在这个世界上。

这就是死亡么?诺诺深吸一口气,用尽最后的力量抬起双枪,对着神发射!

震耳欲聋的枪声中浮出苍凉的歌声,它很轻微,却无法被压制,一切的狂风暴雨,雷鸣马嘶,枪声震耳,都压不住它。

那是爱尔兰的荒原上,无边绿草上,荫荫高树下,父亲和女儿的对唱:

"Father, dear father, you've done me great wrong,

You have married me to a boy who is too young,

I am twice twelve and he is but fourteen,

He's young but he's daily growing……"

还有高亢的引擎声,有什么人正逼近这里,风驰电掣地赶来了。

诺诺隐约记得这首歌,在某个地方她应该听过,好像是在寂静的雨夜中,雨水在车窗上爬动,路明非在开车,车里放着这首歌,他们像是在旅行又像是在逃亡……可那是什么时候什么地方,她全然想不起来了。

她不用思索就能译出歌词,女儿唱:

"曾有一日我远远眺望,视线越过古老城堡的高墙,

我看到一群少年在尽兴玩乐。

我的心上人仿佛花儿一般,在人群中若烂漫光芒,

他是那样年少,但是他日复一日地成长。"

父亲唱:

"那天清晨,曙光微微现出东方,

我的女儿和她的心上人啊一起去干草堆那边游赏,

他们的爱情呀,是那样的神秘,她可不开口讲,

可是真奇怪啊，自那以后，她不再抱怨他的青涩飞扬。"

这怎么可能呢？就算是有人正驾车赶往这里，车内音响放着这首歌，可他距离这里还很远，诺诺又怎么能听到？

但诺诺知道是谁来了，而且相信。她不知道他是怎么做到的，但她很确定那个家伙正把油门踩到底，转速表在红线区里跳动着，那辆车如利刃般割裂着暴风雨。

"路明非！别他妈的来了！"她开着枪大吼，黄铜弹壳在空中翻滚，弹头在奥丁的高温中融化四溅。

真的，别来了，谁来都没用。那是昆古尼尔，命运的投枪，无人能够阻止。

昆古尼尔脱手而出，那一刻，白色的迈巴赫撞破墙壁，车灯照亮了诺诺的眼睛。路明非撞开车门冲了出去，他终于赶上了，为了他自己他得赶上，为了芬格尔他也得赶上。

不久之前，他们被数不清的死侍围成铁桶的时候，芬格尔忽然夺过他手里的长刀，同时嘴里咬着子弹给霰弹枪装填："妈的！去吧！开那辆迈巴赫去救你师姐！这里师兄帮你扛一阵！"

"女人如手足兄弟如衣服你不懂啊？"看路明非不回答芬格尔急了，"你他妈的不快点儿我白白牺牲了怎么办？"

"那句话是说'兄弟如手足女人如衣服'，"路明非的喉头干涩，他当然想去救诺诺，可牺牲芬格尔这种事他做不到，"你中文真烂。"

"我知道我知道，"芬格尔一枪轰飞近身的死侍，"可那个女人也是你兄弟啊……行了行了，别婆婆妈妈的，放心吧，我那么多女朋友我忍心死么？我有特别的逃命技能，密不外传！"

靠着他的掩护路明非才得以登上迈巴赫，但他已经无法开回去接芬格尔了，他最后一眼是从后视镜里看见芬格尔的，芬格尔已经打光了子弹，正倒提着村雨，带着无数的死侍在高架路上狂奔……跟跑马拉松似的。

那愚蠢的长跑就是你特别的逃命技能么？

那一刻路明非的眼泪忽然涌了出来，他跟芬格尔说过不知多少次说"你去死吧"，可这一次他是那么地害怕那些话变成真的。

诺诺笑了笑，在她看见路明非的那一刻，沙漠之鹰的弹匣空了。

路明非确实赶上了，赶上了见她最后一面，昆古尼尔已经出手，命运已成定局，再也无法翻盘。他们之间甚至还隔着一个奥丁，路明非开车撞进小楼的位置，在奥丁的正背后。

他们只能这么遥望，诺诺轻声说"对不起"，在爆炸的尾音中，路明非只能看见她的嘴唇在动。

昆古尼尔翻滚着飞向诺诺，如同紫黑色的流光，它的速度并不快，还很安静，死亡原本就是这么安静的事。

"路鸣泽！"路明非嘶吼。

时间在他的眼里忽然变慢，奥丁的动作凝滞在昆古尼尔出手的一刻，诺诺的唇形停留在"对不起"的那个"起"字上，昆古尼尔慢悠悠地飞行着，它和诺诺之间，多了一个穿黑色西装打白色领结的小男孩。

"小的在！"路鸣泽微笑，"既然答应哥哥你要出手试试，那就说什么也得试试咯！"

路鸣泽向着昆古尼尔伸出手来，目光中闪动着金色的烈焰："都出来吧！"

"十二宫黄金圣衣！"

"相转移装甲！"

"我王双龙炎烈拳！"

"天翔龙闪！"

"炽天覆七重圆环！"

"绝对领域 A·T·Field！"

他每喊一个名字路明非就愣一下，路鸣泽召唤的全部都是漫画中的东西，基本上都是各类漫画中的最强防御最强武装，不过也有乱入的，比如"天翔龙闪"和"我王双龙炎烈拳"这样的进攻性招数。

每一个名字都如雷贯耳，听起来都有逆天改命的威力。

这些最强武装在昆古尼尔前进的路径上排成一条直线，诺诺瞬间多出了数十道最强防御，按照漫画中的设定这些防御加起来连核爆炸都能弹射回去了。

"你搞什么飞机？"路明非粗喘着问。

"实在不太确定什么招数能管用，就全都用上咯。"路鸣泽微笑道，"快跑啊哥哥！去你喜欢的女孩身边！即使是这么多东西，我也没有把握能阻挡昆古尼尔，那件武器是世界规则中的 Bug！"

路鸣泽的话立刻就被验证了，白羊座黄金圣衣……突破！金牛座黄金圣衣……突破！双子座黄金圣衣……突破！昆古尼尔前进的速度确实受了影响，它缓缓刺入这些号称神话时代铸造的最强武装，火花四溅，却没有改变轨迹的迹象。

十二宫圣衣被突破只是片刻间的事情，我王双龙炎烈拳的龙吼声刚刚响起，就被昆古尼尔压制了，至于天翔龙闪，是否真出招了路明非都不确定，总之是一道光闪就没有了。

"快啊哥哥，快跑！"路鸣泽不笑了。

路明非狂奔着跑向诺诺，和奥丁擦肩而过。诺诺对他说"别过来"，嘴型很慢很慢，他听得很清楚，却不回答。

相转移装甲好歹坚持了一会儿，那东西按照设定可是安装在高达身上，能抵挡激光炮直射的超级能量装甲，太空武器级别，自然不同于我王双龙炎烈拳和天翔龙闪这种人间拳术……不过还是被突破了。

炽天覆七重圆环接着扛，这东西号称对飞行道具的最强防御，一共七层，昆古尼尔每刺破一层都发出轰然巨响。路明非越过昆古尼尔，继续向前。

诺诺就在前方不远处了，正缓缓地向后倒去，沙漠之鹰脱手坠地，她没有力量拔出后腰的双刀了，扑面而来的死亡气息已经击倒了她，昆古尼尔还没抵达，但她已经是被钉死在祭坛上的羔羊了。

她倒下的动作很轻盈，像是花瓣从枝头脱落，那是生命消逝的过程，令人想要拥抱和挽留。

炽天覆七重圆环……突破！光明的碎片四处飞溅。

昆古尼尔撞上了最后一重防御，绝对领域！EVA中的绝对领域，由纯粹的灵魂力量构筑，即使是在动漫领域也是极少数敢于号称"绝对"的防御圈。

枪尖撞上去的时候，绝对领域发出一声近乎玻璃碎裂的声音，昆古尼尔悬停在走廊正中间，暗红色的裂纹在空气中展开，不断地延伸。最强的绝对领域，它确实阻挡了昆古尼尔的推进，但崩溃依然是可预期的。

路鸣泽轻轻地叹了口气："居然连绝对领域都支撑不住啊……哥哥，再快点！拥抱她，亲吻她，做你想对她做的所有事，因为这是最后的机会了，我会为你尽可能多争取些时间。"

他伸出手去，他的手融入了绝对领域，抓住了昆古尼尔的枪头！

路鸣泽和绝对领域的双重阻挡把即将突破的昆古尼尔生生地挡住了，路鸣泽的手上鲜血飞溅，染红了他的白色领结，但他毫不在意，淡然地看着路明非和他擦肩而过。

路明非超过了昆古尼尔，前方就是诺诺了，她的唇色樱红，眼角玫红，带着濒临死亡的、哀伤的美，恰似梦中所见的一幕。他最终也没能改变命运，只是换了地点，让这一幕在他的面前发生。

诺诺向着他伸出手去，求生的欲望令她想要握住某人的手，凭着那一点温暖知道自己还活着，路明非张开了双臂……

这一刻，绝对领域崩溃，昆古尼尔射穿了小魔鬼，小魔鬼的身影如尘沙般零落，空气中留下他轻声的哀叹："哥哥，我尽力了。"

"没关系，还有我！"路明非轻声说。

他猛地转身，正对上昆古尼尔，平静地看着它贯入自己的胸膛！

他张开双臂并不是为了拥抱那花瓣般的女孩，他也不想吻诺诺，该说的话在最后一次 Load 的时候他已经说了……他这是要玩老鹰抓小鸡的游戏！扮演母鸡的家伙就得这样张开双臂，把扮演小鸡的家伙死死地挡在身后！

"不！"诺诺惊呼。

路明非死死地盯着走廊尽头的奥丁，眼睛里闪动着疯狂的嘲讽！

他能够清楚地感觉到自己的心脏正被贯穿，那支枪带着死亡的意志，相转移装甲和绝对领域都挡不住它，何况血肉构成的心脏？它还未碰到路明非的皮肤，路明非的左半边身体就已经开始碳化变黑！

可它居然慢了下来，罕见地露出了挣扎的态势，一寸一寸地往里钻。

枪头从路明非的后背钻出来了，可他就是屹立不倒。路明非死死地抓住还露在外面的枪尾，手也随之碳化发黑。枪像活蛇那样扭动着，发出无可奈何的嘶叫。

"不！不！不！"诺诺挣扎着想要站起来，帮助路明非拔出那支枪。那是什么样的恐惧啊，看着自己的心脏被一支枪一寸寸地扎进去。他不会疼么？

但路明非反手将她推开，她重新跌倒在地。

"别靠近我！"路明非大吼着偏转身体，昆古尼尔被他带得偏转了方向。

昆古尼尔爆发了最后的力量试图突破路明非的身体，但它只是把路明非钉死在了旁边的墙壁上。巨大的叹息声回荡在走廊里，连接枪头和诺诺的心脏的白色丝线渐渐淡化、消失，像是枯萎的植物。

叹息声是昆古尼尔发出的，这支有生命的枪疲惫地选择了放弃。

诺诺轻轻地颤抖，眼泪慢慢地流了下来，但她甚至没有意识到自己在流泪。那个血红色的傻猴子被钉死在墙上，胸口中插着一根扭曲的枪。

她想过要赶走这只傻猴子让他去走自己的路，现在她即将如愿了，却不是因为傻猴子要去走自己的路了，而是因为傻猴子就要死了。

"你疯啦？！"她忽然号啕大哭起来。

她从来在路明非面前都是有心理优势的，因为那是她的小弟，是她罩的人，她生来就是公主什么都有，她总是付出并不索取任何东西。基于这种心理优势她才会想要不要撵走傻猴子让他走自己的路，别再屁颠屁颠地跟在自己后面了，烦得慌。

可现在傻猴子要走了，她忽然觉得很害怕很害怕，原来跟傻猴子分开了，坐在荒原上号啕大哭的人并不是傻猴子，而是自己。

好孤独啊，背后再也没有那只傻猴子跟着自己了，你怎么回头都看不到他蹦蹦跳跳的影子了。

心里有什么东西忽然坍塌了，她从高高在上的公主宝座上跌落尘埃。

"师姐，你没事吧？没事就好。"路明非慢慢地抬起头来。

他的半边脸和半边身体一样都是碳化的，看起来恐怖狰狞，可是他竟然在微笑，笑着笑着碳化的嘴角开裂，裂纹向着耳根延伸。

他是真的挺高兴，因为他终于做到了自己很想做的事，没有在中途胆寒退却。

从那个噩梦中醒来之后他内心里觉得自己很猥琐，在梦里他纠结于诺诺不是他的女孩而是恺撒的未婚妻，所以救诺诺的命应该由恺撒出，不应该由他来付这个成本，就像小农算计着自己田地里的那点东西。

其实诺诺是谁的跟他是否愿意赌上命去救她又有什么关系呢？他只知道自己如果不做这件事会悔恨，悔恨也许是人世间最悲伤的情绪了，他体会过楚子航的悔恨。

他想要伸出手去触碰诺诺的脸，但他被钉死了不能动。

这时候走廊那边传来了暴雷般的蹄声，奥丁显然是不甘心昆古尼尔的失手，八足骏马嘶吼，他像骑兵那样冲锋过来，不知从何处拔出了铁色的重剑，在头顶旋舞，发出沉雄的风声。

走廊里好像刮起了飓风，整个楼都在铁蹄下颤抖，不凭昆古尼尔奥丁也一样拥有压倒性的实力，他是神祇，而他们是凡人。

"路鸣泽！"路明非低声说。

"哥哥我在，"路鸣泽立刻出现，赞叹地盯着他胸口的昆古尼尔，"居然真的被你找到了阻挡昆古尼尔的方法。"

"这个世界上，只有 Bug 能挡住 Bug，也只有怪物能与怪物为敌！"路明非每说一句话就会吐出一口血，"你已经暗示我了，昆古尼尔是 Bug，我也是；昆古尼尔是怪物，我也是，我才是这个世界上……最大的怪物！"

"是的，你是这个世界上最大的怪物，哥哥你真棒！"路鸣泽点点头，"那么你现在准备好要和我做最终的交易了么？我帮你杀了奥丁，阻挡昆古尼尔我做不到，杀死昆古尼尔的主人我还是很拿手的。小弟擅长干脏活！"

"杀死奥丁，还要带师姐安全离开，"路明非盯着他的眼睛，"两个条件。"

"行吧，快点啦，那家伙就要到了。"小魔鬼叹了口气。

八足骏马"斯莱普尼斯"蹄声如雷，奥丁正带着高热极速逼近，冒着烟的迈巴赫中还传来父女的对唱，滚滚的白色蒸汽中，诺诺抱着膝盖，哭得像个孩子。

路明非举起沾满鲜血的手和小魔鬼击掌，这一刻，狂风从天而降，摧枯拉朽地扯去了头顶的所有楼层。

小魔鬼的身影忽然就出现在天空中，这一次他不再嬉笑，对着夜空缓缓地张开双臂，整个人像是悬空的十字架。

"Something for nothing, 100% 融合, 16 倍增益。"他对着全世界下令。

他深深地呼吸，仿佛要把全世界的空气都吸进肺里，黄金瞳无声无息地点燃，像是风雨中不熄的明灯。他的身躯膨胀变形，锋利的骨刺突出身体表面，黑色的鳞片响亮地扣合起来，巨大的黑翼张开的时候，暴雨逆着往天空中流动！

他带着狂风扑了下来，和路明非融为一体！

诺诺只觉得一股极其恐怖的力量从天而降，灌注在路明非的身上。碳化的身体表层迅速剥落，肌肉骨骼生长变形，发出冰川开裂般的声音，发生在路鸣泽身上的变化被复制在了路明非的身上，昆古尼尔被重生的心脏压迫着，被一寸寸地挤出身体。

奥丁冲到面前，铁色的重剑落向诺诺的头顶，黑色的膜翼轰然张开，昆古尼尔被弹出路明非的身体！

可斯莱普尼斯再也无法前进哪怕一寸了，因为路明非的手按在了它的胸口，下一刻他猛地发力，把这匹怪兽般的马生生推翻！斯莱普尼斯翻滚着嘶叫着，路明非冷冷地看着这匹垂死的天马，眼中全无怜悯之意。

他那长着利爪的手中，流淌着淋漓的马血，推斯莱普尼斯的那一下，他顺手抓出了天马的心脏……一颗紫青色的、长满鳞片的巨大心脏在他的手中跳动！

诺诺呆呆地看着那个挡在她面前的背影，不知该如何反应，她无法确定此刻的路明非是朋友还是敌人。

路明非缓缓地转过身来，看着诺诺："师姐，不要怕，你不会有事的，只要我活着……你就不会有事。"

他的脸看起来真像是恶鬼，表情因那些鳞片而模糊，他像是在微笑，又像是哭了。

事隔经年，陈墨瞳再度见到了三峡水底的那个恶魔，记忆如水泡那样幽幽地浮起，她终于记起来了，记得这恶魔抱着她，狰狞的脸上浮现出孩子般的恐惧和悲伤。他抱着她大喊着"不要死，不要死不要死……不要死！"

"原来是你……"她轻声说。

但路明非根本就没有听见这句话，他扑向了奥丁，电光石火的瞬间，怪物们已经来往冲突了多次，留下无数残影，利爪和重剑划出黑红色的血丝。

他们咆哮，他们厮杀，这是王与王的战争，唯有死亡可以终止！

DRAGON RAJA
奥丁之渊

尾 声

The End

"暝杀炎魔刀，"芬格尔叼上今天的第三支雪茄烟，点燃了，"你没听说过'炎之龙斩者'的暝杀炎魔刀么？那你可真有点孤陋寡闻呐，妹子！"

高架路上，芬格尔停下脚步，扶着路灯杆直喘粗气，身后人山人海全是追过来的死侍。

这家伙平时懒懒散散的，跑起来真跟兔子似的飞快，且走位飘忽，死侍们连他的衣服角都够不到。就这样他带着死侍们在高架路上来来回回跑了三遍，半个马拉松的距离总该有了。

但死侍们的体力几乎是无限的，芬格尔却总有体力耗竭的时候。看见他停下了，死侍群骤然兴奋起来，从天到地的婴儿哭泣声好像也变得热切起来，那些生出膜翼能够飞行的死侍围着芬格尔上下翻飞，倒不急于扑上去撕裂他，好像是在庆祝捕猎成功。

面对那些潮水般起伏的银色面具，芬格尔竟然没有什么恐惧的表情，而是叹了口气，有种影视明星出门来看见门口都是记者，叹口气说这么多采访我可怎么接得下来的感觉。

"出来吧，姑奶奶！救命啊！真看着我被这帮家伙咬死啊？"芬格尔仰头望着停在电线杆上的死侍们，它们像是巨型的乌鸦，却有着类似人的面孔。

片刻之后，淡淡的黑烟仿佛被风吹散，一身黑色紧身衣、黑纱蒙面的女孩出现在他面前，超长的腿，超细的腰，眉间一抹淡淡的绯色，腰间两柄直刃的短刀。那居然是一个忍者，忍者女孩嚼着口香糖，冲芬格尔翻翻白眼。

"你怎么知道我在附近？"酒德麻衣双手抱怀，看也不看那些死侍。

"我是一台美女雷达啊，只要附近有美女，我一定感觉得到的。"芬格尔看着逼近的死侍群，有些犯愁，"这么多，你能对付得了么？"

酒德麻衣拔出两柄小太刀，也有点为难："人数太多了，恐怕有点麻烦，我的特长是近身刺杀，不是群战，可惜我们那个三无妞儿不在，她在就好摆平了。"

她双手挥刀，刀光如匹练，短短的小太刀带着刀光变形为长度惊人的古刀，左手天羽羽斩，右手布都御魂，吞吐的刀光暂时地惊退了死侍们，不过片刻之间它们再度围了上来。

"那我也帮帮忙好了。"芬格尔叹口气，拔起插在地上的村雨。

他也挥刀，明镜般的村雨到了他手中忽然变成了黑色，黑色的刀光大大地延展了刀刃的长度，一柄刀刃扭曲、造型诡异的长刀出现在他的手中，再下一刻，刀身上腾起了黑色的火焰，靠近它的雨水都被瞬间蒸发。

　　酒德麻衣惊讶于那柄刀的凶蛮和暴力，愣愣地看着这个满脸无所谓的男人，芬格尔脸上的表情大概是他刚刚打开一柄瑞士军刀要切水果。

　　"你这是什么刀？"酒德麻衣问。虽然早知道这个男人有问题，不过随手就摸出这么大一柄刀来，这问题也太大了。

　　"暝杀炎魔刀，"芬格尔叼上今天的第三支雪茄烟，点燃了，"你没听说过'炎之龙斩者'的暝杀炎魔刀么？那你可真有点孤陋寡闻呐，妹子！"

　　说完他一个虎跳出去，一刀砍断了高架路。

DRAGON RAJA

龙族 IV 奥丁之渊

作者
江 南

封面设计
方 茜

封面插图
全力少年

彩色插图
纹 银

特约编辑
陈晓琛 万旭进 付 阳

流程协力
程 英 李 薇

翻译协力
罗 雨

图片总监
杨小娟

责任发行
苏志英

出版社
长江出版社

出品
湖北知音动漫有限公司

官方论坛
http://xsbbs.zymk.cn

平台支持
 小说绘

图书在版编目（CIP）数据

龙族 .4，奥丁之渊 / 江南著 .

—武汉：长江出版社，2015.10

ISBN 978-7-5492-3781-4

Ⅰ . ①龙… Ⅱ . ①江… Ⅲ . ①长篇小说 – 中国 – 当代　Ⅳ . ① I247.5

中国版本图书馆 CIP 数据核字（2015）第 251092 号

本书由江南委托湖北知音传媒集团知音动漫有限公司正式授权长江出版社，在中国大陆地区独家出版中文简体版本，并取得其他衍生授权。未经书面同意，不得以任何形式转载和使用。

龙族 IV 奥丁之渊 ／ 江南　著

出　　版	长江出版社
	（武汉市解放大道 1863 号）
出　　品	湖北知音传媒股份有限公司知音动漫有限公司
	（武汉市东湖路 169 号）
发　　行	湖北知音动漫有限公司
作品企划	知音动漫图书 · 新阅坊
责任编辑	陈　辉　钟一丹
特约编辑	陈晓琛　万旭进　付　阳
装帧设计	方　茜　余诗立
印　　刷	湖南新华精品印务有限公司
版　　次	2015 年 10 月第 1 版
印　　次	2015 年 11 月第 1 次印刷
开　　本	700mm × 1000mm　1 / 16
印　　张	23.5
字　　数	300 千字
书　　号	ISBN 978-7-5492-3781-4
定　　价	32.00 元